¡Qué chévere! 4

Authors

Graciela Ascarrunz Gilman
University of California, Santa Barbara

Nancy Levy-Konesky
Yale College
Teacher Preparation Program

Karen Daggett
Boston College

Contributing Writer

Miriam C. Álvarez

EMC Publishing®

ST. PAUL, MINNESOTA

Associate Publisher:
Alejandro Vargas

Development Editor:
Kristin Hoffman

Director of Production:
Deanna Quinn

Production Editor:
Bob Dreas

Production Specialist and Designer:
Leslie Anderson

Digital Production Specialist:
Julie Johnston

AP® is a registered trademark of the College Board, which was not involved in the production of, and does not endorse, this product.

Care has been taken to verify the accuracy of information presented in this book. However, the authors, editors, and publisher cannot accept responsibility for Web, e-mail, newsgroup, or chat room subject matter or content, or for consequences from application of the information in this book, and make no warranty, expressed or implied, with respect to its content.

Trademarks: Some of the product names and company names included in this book have been used for identification purposes only and may be trademarks or registered trade names of their respective manufacturers and sellers. The authors, editors, and publisher disclaim any affiliation, association, or connection with, or sponsorship or endorsement by, such owners.

Credits: Acknowledgements, Literary Credits, and Photo Credits follow the Index.

We have made every effort to trace the ownership of all copyrighted material and to secure permission from copyright holders. In the event of any question arising as to the use of any material, we will be pleased to make the necessary corrections in future printings. Thanks are due to the aforementioned authors, publishers, and agents for permission to use the materials indicated.

Adapted from *Nuevos horizontes: Lengua, conversación y Literatura, 1E* by Graciela Ascarrunz Gilman, Nancy Levy-Konesky, Karen Daggett © 2006 by John Wiley & Sons, Inc. Published by arrangement with John Wiley & Sons, Inc.

ISBN 978-0-82197-681-4

© 2017 by EMC Publishing, LLC
875 Montreal Way
St. Paul, MN 55102
Email: educate@emcp.com
Website: www.emcp.com

24 23 22 21 20 19 18 17 16   2 3 4 5 6 7 8 9 10

Mensaje a los estudiantes

You have made great progress in your Spanish studies, and now you are ready to continue your journey on the pathway to proficiency in *¡Qué chévere! 4*. Whether you plan to use Spanish in your post-high school studies, for travel abroad, in a volunteer situation or at a job, you now have the basic communication skills to make yourself understood in many settings and situations. You have developed an understanding of other cultures and a sensitivity toward the people from those cultures so that when you travel to Spanish-speaking countries or meet people from there, you can build solid relationships and demonstrate your willingness and ability to be a responsible citizen in a globalized society.

With *¡Qué chévere! 4*, you will be able to master Spanish by augmenting your vocabulary and learning even more about different Spanish-speaking cultures. In addition, you will read authentic non-fiction and literary selections, which means you will be reading materials written for and by native Spanish speakers. You will also listen to authentic audio in the form of interviews, radio programs, and podcasts. Most importantly of all, you will engage in many interpersonal and presentational communication activities in which you will use your Spanish for real-life situations.

Whatever your goals for your newly acquired Spanish skills, you will find a world of opportunities waiting for you after completing *¡Qué chévere! 4*. Have a great year, and enjoy the next stage on the journey!

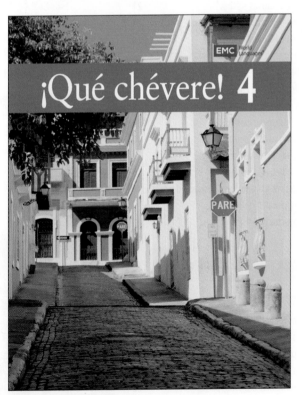

Cover photo: Viejo San Juan
San Juan, Puerto Rico

Tabla de contenido

Unidad 4 — Bolivia

La vida del hogar — 137

Unidad 5 — México

Empleos y finanzas — 181

Unidad 6 — Chile

Salud y bienestar — 227

Unidad 7   Argentina

La vida urbana   265

Unidad 8   Puerto Rico

A nuestro alrededor   307

Unidad 9   Colombia

Festejos con tradición   347

Unidad 10   Honduras

Fuentes de información   389

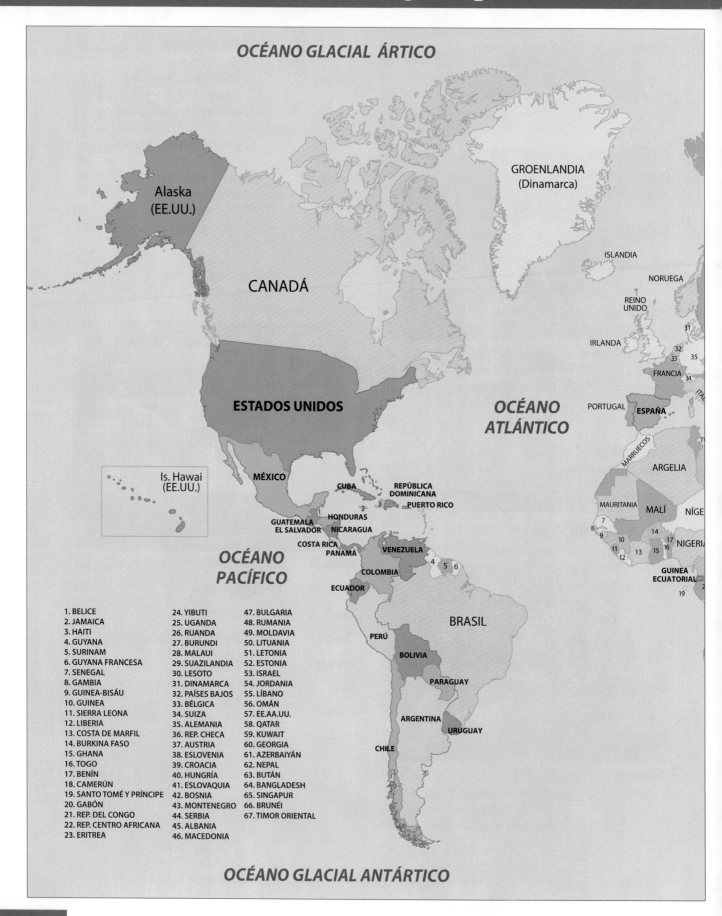

OCÉANO GLACIAL ÁRTICO

GROENLANDIA
(Dinamarca)

Alaska
(EE.UU.)

ISLANDIA

NORUEGA

REINO
UNIDO

CANADÁ

IRLANDA

31

32
33   35

FRANCIA
34

PORTUGAL   OCÉANO
ATLÁNTICO   ESPAÑA

ESTADOS UNIDOS

MARRUECOS

ARGELIA

MÉXICO

Is. Hawai
(EE.UU.)

CUBA

REPÚBLICA
DOMINICANA

PUERTO RICO

MAURITANIA   MALÍ   NÍGE

GUATEMALA   HONDURAS
EL SALVADOR   NICARAGUA

7
8
9   14   17
10   16
11   13   15   NIGERIA
12

OCÉANO
PACÍFICO

COSTA RICA
PANAMÁ

VENEZUELA

COLOMBIA

ECUADOR

4   5   6

GUINEA
ECUATORIAL
19

BRASIL

PERÚ

BOLIVIA

PARAGUAY

ARGENTINA

URUGUAY

CHILE

1. BELICE
2. JAMAICA
3. HAITI
4. GUYANA
5. SURINAM
6. GUYANA FRANCESA
7. SENEGAL
8. GAMBIA
9. GUINEA-BISÁU
10. GUINEA
11. SIERRA LEONA
12. LIBERIA
13. COSTA DE MARFIL
14. BURKINA FASO
15. GHANA
16. TOGO
17. BENÍN
18. CAMERÚN
19. SANTO TOMÉ Y PRÍNCIPE
20. GABÓN
21. REP. DEL CONGO
22. REP. CENTRO AFRICANA
23. ERITREA

24. YIBUTI
25. UGANDA
26. RUANDA
27. BURUNDI
28. MALAUI
29. SUAZILANDIA
30. LESOTO
31. DINAMARCA
32. PAÍSES BAJOS
33. BÉLGICA
34. SUIZA
35. ALEMANIA
36. REP. CHECA
37. AUSTRIA
38. ESLOVENIA
39. CROACIA
40. HUNGRÍA
41. ESLOVAQUIA
42. BOSNIA
43. MONTENEGRO
44. SERBIA
45. ALBANIA
46. MACEDONIA

47. BULGARIA
48. RUMANIA
49. MOLDAVIA
50. LITUANIA
51. LETONIA
52. ESTONIA
53. ISRAEL
54. JORDANIA
55. LÍBANO
56. OMÁN
57. EE.AA.UU.
58. QATAR
59. KUWAIT
60. GEORGIA
61. AZERBAIYÁN
62. NEPAL
63. BUTÁN
64. BANGLADESH
65. SINGAPUR
66. BRUNÉI
67. TIMOR ORIENTAL

OCÉANO GLACIAL ANTÁRTICO

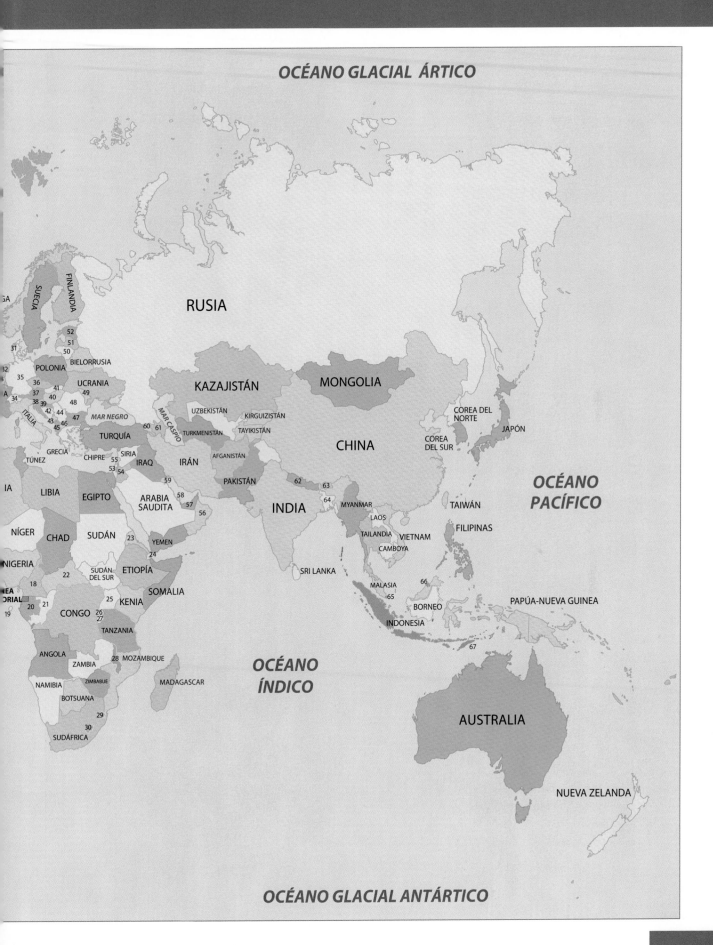

OCÉANO GLACIAL ÁRTICO

RUSIA

SUECIA

FINLANDIA

52
51
50
31

BIELORRUSIA

POLONIA
35
32
36   41
34   37 40
38 39   48
42 44 47
43
45 46

UCRANIA
49

KAZAJISTÁN

MONGOLIA

UZBEKISTÁN
KIRGUIZISTÁN
TAYIKISTÁN

COREA DEL
NORTE

JAPÓN

MAR NEGRO
60 61
ITALIA
TURQUÍA
TURKMENISTÁN
CHINA

COREA
DEL SUR

OCÉANO
PACÍFICO

GRECIA
TÚNEZ
CHIPRE
SIRIA
53 54
55
IRAQ
IRÁN
AFGANISTÁN

PAKISTÁN
59
62   63
64

TAIWÁN

IA
LIBIA
EGIPTO
ARABIA
SAUDITA
58
57
56

INDIA

MYANMAR

LAOS
TAILANDIA
CAMBOYA
VIETNAM

FILIPINAS

NÍGER
CHAD
SUDÁN
23
YEMEN
24

NIGERIA

SUDÁN
DEL SUR
22
ETIOPÍA

SRI LANKA

MALASIA
65
66
BORNEO

PAPÚA-NUEVA GUINEA

NEA
ORIAL
18
20 21
19
CONGO
25
26
27
KENIA

SOMALIA

INDONESIA

67

TANZANIA

ANGOLA
ZAMBIA
28 MOZAMBIQUE
ZIMBABUE

OCÉANO
ÍNDICO

NAMIBIA
BOTSUANA
29
30
SUDÁFRICA

MADAGASCAR

AUSTRALIA

NUEVA ZELANDA

OCÉANO GLACIAL ANTÁRTICO

ix

MÉXICO

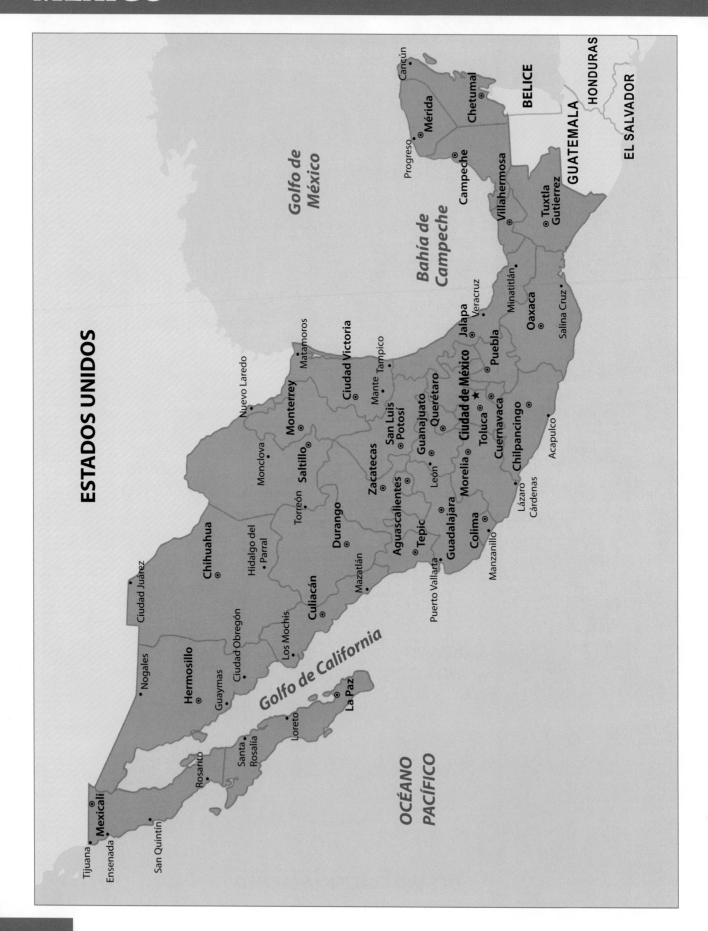

ESTADOS UNIDOS

OCÉANO
PACÍFICO

Golfo de California

Golfo de
México

Bahía de
Campeche

Tijuana
Ensenada
San Quintín
Mexicali
Rosarito
Santa
Rosalía
Loreto
La Paz
Nogales
Guaymas
Ciudad Obregón
Hermosillo
Ciudad Juárez
Chihuahua
Hidalgo del
Parral
Los Mochis
Culiacán
Mazatlán
Durango
Torreón
Saltillo
Monclova
Monterrey
Nuevo Laredo
Zacatecas
Aguascalientes
Tepic
Guadalajara
Colima
Manzanillo
Puerto Vallarta
León
Morelia
Lázaro
Cárdenas
Acapulco
Chilpancingo
Cuernavaca
Toluca
Ciudad de México
Querétaro
Guanajuato
San Luis
Potosí
Ciudad Victoria
Mante
Tampico
Matamoros
Puebla
Jalapa
Veracruz
Minatitlán
Salina Cruz
Oaxaca
Tuxtla
Gutierrez
Villahermosa
Campeche
Chetumal
Mérida
Progreso
Cancún

BELICE
GUATEMALA
HONDURAS
EL SALVADOR

AMÉRICA CENTRAL Y EL CARIBE

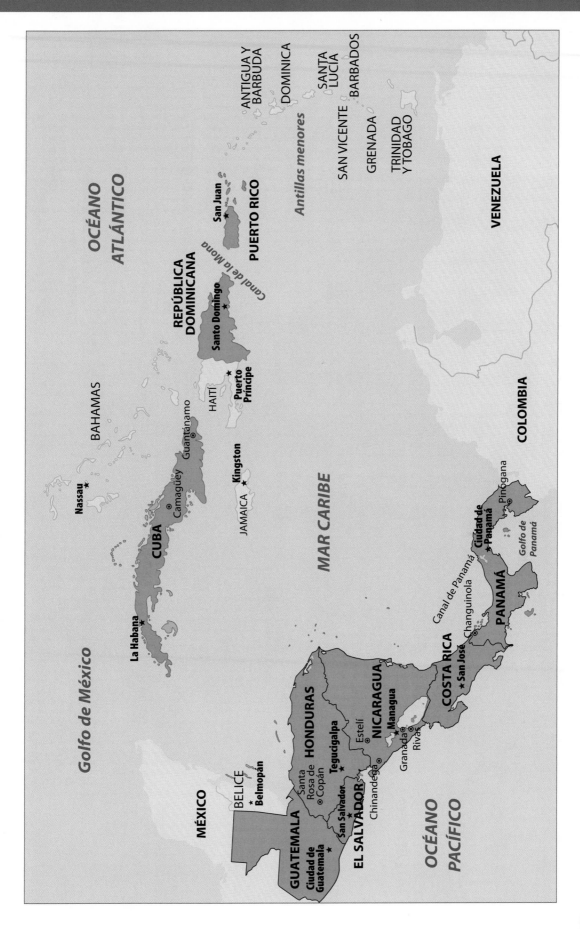

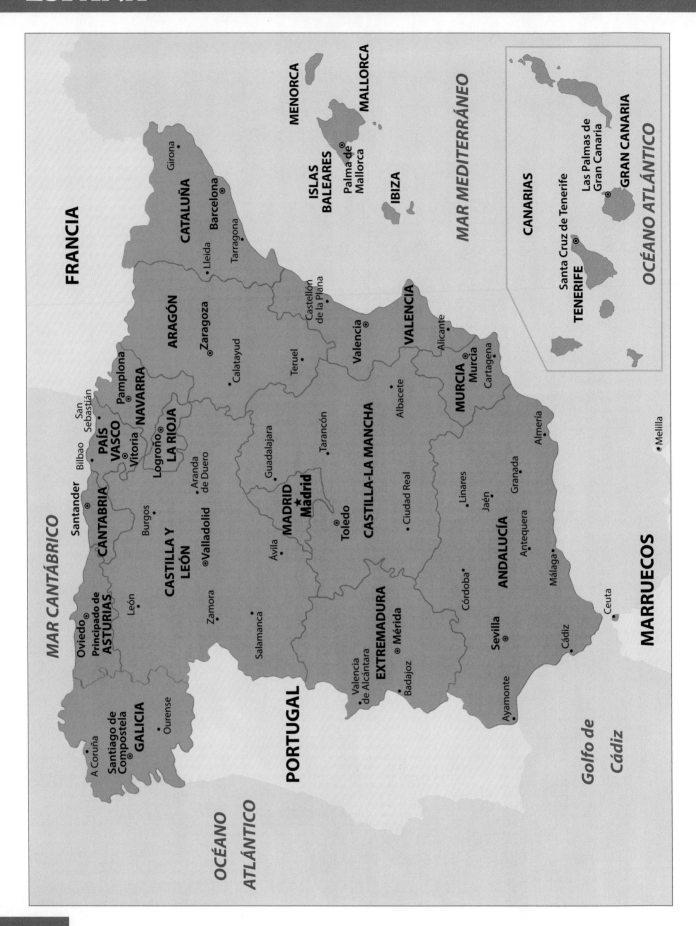

AMÉRICA DEL SUR

NICARAGUA
COSTA RICA
San José ★
★ Ciudad de
Panamá
PANAMÁ
Medellín
Cali
★ Bogotá, D.C.
COLOMBIA
Mitú

Valencia
Maracaibo
Mérida
Caracas ★
Barcelona
Cúcuta
VENEZUELA
Bucaramanga
Puerto Ayacucho

Puerto España
★ TRINIDAD Y TOBAGO

Georgetown •
Linden •
GUYANA
SURINAME

Paramaribo ★
Cayenne ★
GUYANA
FRANCESA

OCÉANO
ATLÁNTICO

Quito ★
ECUADOR
Cuenca •
Piura •
Chiclayo •
Trujillo •
Chimbote •
Huaraz •
PERÚ
Lima ★
• Huancayo
• Ayacucho
• Ica
• Cusco
Juliaca •
Arequipa •
Tacna •
Arica •
Iquique •
Iquitos •
Pucallpa •

Manaus •

Belém •

BRASIL

★ Brasília

BOLIVIA
★ La Paz
Cochabamba •
Sucre •
Tarija •
PARAGUAY
Pedro Juan
Caballero •
Asunción ★
Ciudad
del Este •

Santa Cruz •

Río de Janeiro •
São Paulo •

OCÉANO
PACÍFICO
Antofagasta •
Salta •
San Miguel de
Tucumán •
La Rioja •
La Serena •
Córdoba •
San Juan •
Santa Fe •
Valparaíso •
• Mendoza
Rosario •
★ Santiago
Buenos Aires ★
CHILE
Concepción •
ARGENTINA
Neuquén •
Bahía Blanca •
Puerto Montt •

Resistencia •

Pôrto Alegre •

Tacuarembó •

URUGUAY
Montevideo ★

Mar del Plata •

OCÉANO
ATLÁNTICO

Rawson •
Comodoro
Rivadavia •
Coyhaique •

Islas Malvinas
(territorio británico
de ultramar)

Río Gallegos •
Río Grande •
Punta Arenas •

Georgias del sur (R.U.)

xiii

¿Sabía que...?

Entre los cubanos, el compañerismo se nota en cada detalle. En el transporte público, la mayoría de las personas van de pie, pues no hay suficientes asientos para todos. Entonces, quienes van sentados cargan los bolsos y paquetes de los desconocidos que van parados.

El trato con los demás

Escanee el código QR para mirar el video "Encuentros en la red".

Gracias a las nuevas tecnologías, algunas personas se reencuentran después de muchos años y otras se encuentran por primera vez.

¿A quiénes les sucede esto en esta historia y por qué? Resuma su respuesta en un breve párrafo.

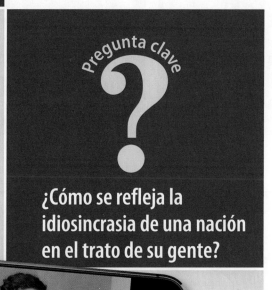

Pregunta clave

?

¿Cómo se refleja la idiosincrasia de una nación en el trato de su gente?

Mis metas

En esta unidad:

▶ Usaré frases de cortesía para tratar con los demás.

▶ Usaré expresiones para pedir información, expresar agradecimiento, acuerdo, sorpresa, y otras emociones.

▶ Usaré palabras interrogativas y frases exclamativas para comunicarme.

▶ Leeré sobre la forma en que se tratan los cubanos y sobre sus vínculos de amistad.

▶ Distinguiré el significado de palabras y frases según el contexto.

▶ Distinguiré el género y número de los sustantivos.

▶ Usaré correctamente los artículos definidos y los artículos indefinidos.

▶ Leeré parte del discurso del presidente Obama sobre la reanudación de relaciones diplomáticas con Cuba.

▶ Escribiré un correo electrónico y un ensayo sobre las relaciones diplomáticas con Cuba.

▶ Desarrollaré nuevas destrezas de vocabulario.

▶ Usaré los adjetivos y los pronombres demostrativos correctamente.

▶ Leeré el poema "Dos patrias" del cubano José Martí.

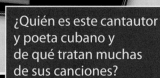

¿Quién es este cantautor y poeta cubano y de qué tratan muchas de sus canciones?

Cuba

¡Hombre de buen trato, a todos es grato! 🎧

Para conversar 🎧

Para saludar y despedirse:
- ¿Qué tal?
- ¿Cómo te ha ido?
- Estupendo.
- ¿Qué me cuentas?
- No mucho.
- ¿Qué hay de nuevo?
- Todo igual. / Todo lo mismo.
- Adiós.
- Nos vemos.
- Hasta luego. / Hasta pronto.

Para presentarse y conocerse mejor:
- Quiero presentarte a...
- Me gustaría presentarte a...
- Tanto gusto. / El gusto es mío.
- Me llamo... ¿y tú?
- ¿Cómo te llamas?
- ¿Cuál es tu apellido?
- ¿Cuánto hace que...?
- ¿Qué haces? / ¿A qué te dedicas?
- ¿Qué opinas de...?
- ¿Qué te parece si...?

Para conversar

Para expresar cortesía:
Adelante.
¡Bienvenidos!
Entre y siéntese, por favor.
Pase y tome asiento.
¡Está en su casa!
Disculpe.
Perdone.
Con permiso.
Lo siento (mucho).

Para expresar agradecimiento:
Mil gracias. / Un millón de gracias.
Muchísimas gracias por su amabilidad.
De nada. / ¡No hay de qué!
No sabes cuánto te agradezco.

Para pedir información o ayuda:
¿Cómo se dice...?
¿Qué quiere decir...?
¿Podría hablar con...?
¿Me puede decir/explicar...?
¿Puedes ayudarme?
Quisiera pedirte un favor.

Para expresar acuerdo:
Claro que sí.
¡Cómo no!
De acuerdo.
¡Fantástico!
¡Magnífico!
¡Pero claro!
Por supuesto.
¡Qué bien!
¡Vale!

Para expresar sorpresa:
¿De veras?
¡No lo puedo creer!
¡No me digas!
Qué sorpresa (verte por aquí).

Para expresar otras emociones:
¡Ni hablar!
¡Qué buena (mala) suerte!
¡Qué lástima!
¡Qué pena!
¡Qué va!
¡Ya era hora!

1 Tengo que hablar con mi profesor 🎧

Escuche e indique la respuesta correcta.

1. ¡Adelante! / ¡Disculpe!
2. ¡Ni hablar! / ¡Claro que sí!
3. Encantado. / De acuerdo.
4. ¡Qué va! / Lo siento.
5. Cuídese. / ¡Perdone!

2 Identifique al intruso

Diga qué expresión no pertenece al grupo y explique por qué.

MODELO   ¡Por supuesto! / ¡No me digas! / ¡Desde luego!
¡No me digas!
No se usa para expresar acuerdo.

1. ¡Perdone! / ¡Disculpe! / ¡Ni hablar!
2. ¡Fantástico! / ¡Igualmente! / ¡Qué pena!
3. ¡Cuídate! / De nada. / ¡No hay de qué!
4. ¡Qué va! / ¿Qué tal? / ¿Cómo has estado?
5. Adiós. / De acuerdo. / Hasta pronto.
6. Adelante. / Pase, por favor. / ¡No me digas!
7. ¡Qué pena...! / ¡Qué grato...! / ¡Qué placer...!
8. ¿Qué opinas? / ¿Qué te parece? / ¿Qué haces?
9. ¿De veras? / No mucho. / Todo igual.
10. Pase Ud. / Con permiso. / Entre Ud.

3 Interacciones

Complete las siguientes interacciones con la palabra o frase que corresponda según el contexto.

1. Qué sorpresa verte. ¿Qué me cuentas?
   A. Igualmente, ¿y tú?
   B. No mucho, ¿y tú?
2. ¿Podría hablar con Ud. un momento?
   A. Desde luego.
   B. Ya era hora.
3. ¿Qué tal si tomamos un café?
   A. ¡Adelante!
   B. ¡Vale!
4. ¿Puedes hacerme un favor?
   A. Claro, ¿qué se te ofrece?
   B. No sabes cuánto te agradezco.
5. Quisiera presentarle a mi padre Luis Vásquez.
   A. Es un placer, Sr. Vásquez.
   B. Con permiso, Sr. Vásquez.
6. Bienvenido. Siga y siéntese, por favor.
   A. Está en su casa.
   B. Gracias por su amabilidad.

4 ¡Vale!

A la salida del colegio, Arturo se encuentra con Adriana, una nueva estudiante, y se pone a hablar con ella. Complete su conversación con la expresión del recuadro que mejor corresponda según el contexto.

Hasta pronto.	qué te parece si	Estupendo.
¿De dónde eres?	¿De acuerdo?	¿Qué tal?
Cuánto hace que	¡Encantada!	Te gustaría

Arturo: ¡Hola! __(1)__ Me llamo Arturo.

Adriana: __(2)__ Yo soy Adriana.

Arturo: No pareces de aquí. __(3)__

Adriana: Soy cubana.

Arturo: ¿De veras? Yo conozco a muchos cubanos. ¿ __(4)__ vives aquí?

Adriana: Solo un par de meses.

Arturo: ¡Qué bien! Oye, ¿ __(5)__ salimos juntos? Así conoces a mis amigos.

Adriana: __(6)__ ¿Conocen alguna discoteca chévere para bailar salsa?

Arturo: Por supuesto. Nos encanta ir a bailar. ¿ __(7)__ ir con nosotros este sábado?

Adriana: ¡Como no! Llámame por teléfono y acordamos detalles. __(8)__

Arturo: Claro que sí. __(9)__

¡Comunicación!

5 Necesito un favor   Interpersonal Communication

Represente la siguiente situación con un(a) compañero/a de clase. Imagine que es tarde y tiene que llamar a uno de sus amigos/as para pedirle el favor de que lo lleve al colegio mañana por la mañana pues su carro está en el taller (*repair shop*). Túrnense para hacerse preguntas y responderlas según sea el caso y no se olviden de usar las expresiones que correspondan según la situación.

MODELO   **A:** ¿Elena? Te habla Ana. Perdona que te llame tan tarde, pero necesito un favor. ¿Puedes ayudarme?

               B: Por supuesto, Ana. Dime qué se te ofrece.

               A: Bueno, para empezar...

               B: ....

Gramática

Los pronombres interrogativos

Los pronombres interrogativos **qué**, **cuál(es)**, **quién(es)** y **cuánto(a) / cuántos(as)** hacen el papel del nombre y se usan para hacer preguntas directas sobre las personas y las cosas.

- Use **qué** para pedir una definición o aclaración o para pedir información sobre hechos, fechas, horarios y estado del tiempo.

  ¿Qué es el amor?
  Es un sentimiento muy fuerte que liga
  a las personas.

  ¿Qué pasó?
  Hubo un accidente.

  ¿Qué te gusta hacer para divertirte?
  Me gusta salir con mis amigos.

  ¿Qué significa: "que liga a las personas"?
  Quiere decir que las une.

  ¿Qué fecha es hoy?
  Es el 30 de enero.

  ¿Qué tiempo hace en invierno?
  Nieva y hace mucho frío.

- Use **qué** en **por qué** y **para qué** para preguntar la causa y el propósito de algo.

  ¿Por qué llegaste tarde?
  Porque no tenía transporte.

  ¿Para qué sirve este dispositivo?
  Sirve para guardar música.

- Use **cuál** y **cuáles** para hacer preguntas sobre las personas o las cosas en casos en que haya que elegir entre dos o más opciones.

  ¿Cuál es tu nacionalidad?
  Soy cubano.

  ¿Cuál es su profesión?
  Soy médico.

  ¿Cuál de esos dos chicos te gusta más?
  A mí me gusta el alto, ¿y a ti?

  ¿Cuáles son tus películas favoritas?
  Las películas de acción.

- Use **quién** y **quiénes** para hacer preguntas sobre la identidad de las personas.

  ¿Quién es él?
  Él es mi hermano.

  ¿Quiénes van a ir a la fiesta?
  Todos los estudiantes de la clase.

- Use **cuánto(a) / cuántos(as)** para preguntar un número o cantidad.

  ¿Cuánto cuesta este libro?
  Cuesta $30.000 pesos.

  ¿Cuántos años tienes?
  Tengo dieciséis años.

  ¿Cuánta tarea tienes para mañana?
  No tengo tarea para mañana.

  ¿Cuántas personas viajan con Ud.?
  Tres. Mi esposa y mis dos hijos.

> ### Un poco más
>
> Cuando **qué** o **cuál(es)** funcionan como adjetivos interrogativos en lugar de pronombres, es decir, cuando acompañan al sustantivo, se prefiere el uso de **qué** en lugar de **cuál(es)**, aun cuando haya que elegir entre dos o más opciones de respuesta.
>
> **¿Qué país** te gusta más?
> *Which country do you like most?*
>
> **¿Qué películas** vas a ver esta semana?
> *What (Which) movies are you going to see this week?*

Gramática

Otras palabras interrogativas

Las palabras **dónde**, **cómo** y **cuándo** se usan en oraciones interrogativas para hacer preguntas directas sobre el lugar, modo y tiempo en que se realizan las acciones.

- Use **dónde**, **adónde** y **de dónde** para pedir información sobre el origen, procedencia, destino y ubicación de algo o de alguien.

¿De dónde son tus padres?	**¿Dónde** queda la biblioteca?
Son de Santiago de Cuba.	Al lado de la cafetería.
¿Dónde viven ellos ahora?	**¿De dónde** viene Ud.?
Viven en Miami.	Vengo de Lima, Perú.
¿Adónde vas?	**¿Adónde** viaja después?
Voy a la biblioteca.	Voy a la Ciudad de México.

- Use **cómo** para preguntar sobre el estado o características de algo o de alguien y la forma en que se realizan las acciones o los hechos.

¿Cómo estás?	**¿Cómo** son los cubanos?
Bien, ¿y tú?	Son muy alegres.
¿Cómo te sientes?	**¿Cómo** van Uds. al colegio todos los días?
Mucho mejor. Gracias.	Vamos en autobús.

- Use **cuándo** para preguntar sobre el tiempo en qué ocurren u ocurrieron los hechos u acontecimientos.

¿Cuándo es tu cumpleaños?	**¿Cuándo** regresaste de tus vacaciones?
Es el veintidós de noviembre.	Llegué hace una semana.

Hola Lisa, ¿cómo has estado?

Un poco más

Las palabras interrogativas que aparecen en oraciones declarativas en que se hacen preguntas indirectas, también llevan el acento escrito.

No sé **cómo** lo hiciste.
*I don't know **how** you did it.*

No sé de **qué** me estás hablando.
*I don't know **what** you're talking about.*

6 ¡Qué niño tan curioso!

Arturo está preparándose para salir y su hermanito, que es un niño muy curioso, quiere saber todo al respecto. Complete sus preguntas con la palabra interrogativa que corresponda según el contexto.

1. —¿Con _____ vas a salir?

—Con una amiga.

2. —¿_____ es, bonita o fea?

—Es muy bonita.

3. —¿_____ la conociste?

—La semana pasada.

4. —¿_____ van a ir?

—Al cine.

5. —¿_____ película van a ver?

—No sé.

6. —¿A _____ hora vas a regresar?

—No estoy seguro, y ya no me preguntes más. Tengo prisa.

7 ¿Vamos al cine?

Arturo quiere volver a salir con Adriana y la llama para saber qué planes tiene.
Empareje las respuestas de la columna I con las preguntas de la columna II.

I

Arturo: ___(1)___

Adriana: Bien, ¿y tú? ¿Qué hay de nuevo?

Arturo: ___(2)___

Adriana: Sí, pienso ir al cine. Tengo muchos deseos de ver una película española que están anunciando.

Arturo: ___(3)___

Adriana: *Antes que anochezca.*

Arturo: ___(4)___

Adriana: Javier Bardem. Es un actor español muy bueno.

Arturo: ___(5)___

Adriana: Es sobre el autor cubano Reinaldo Arenas.

Arturo: ___(6)___

Adriana: En el cine Rex.

Arturo: ___(7)___

Adriana: En la Plaza de España.

Arturo: ___(8)___

Adriana: A las ocho y media.

Arturo: ___(9)___

Adriana: No te preocupes. Yo te invito.

II

A. ¿De qué se trata?

B. ¿Qué película?

C. ¿En qué cine pasan esa película?

D. ¿Cuánto cuesta la entrada?

E. Hola Adriana, ¿cómo has estado?

F. ¿Quién es el actor principal?

G. ¿A qué hora la pasan?

H. No mucho. Quería saber si ya tienes planes para el sábado.

I. ¿Dónde queda el cine Rex?

¿Tienes planes para el sábado?

8 Mucho en común

Arturo y Adriana quieren conocerse mejor, así que deciden encontrarse el fin de semana. Hablan de películas, libros y música y descubren que tienen mucho en común. Complete sus preguntas con **qué**, **cuál** o **cuáles**, según corresponda.

Adriana Bueno, ahora te toca elegir a ti. ¿ **(1)** es la película que quieres ver?

Arturo: No sé. Quiero ver una película divertida.

Adriana: ¿ **(2)** son tus comedias favoritas?

Arturo: Me encantan las del director español, Pedro Almodóvar.

Adriana: ¿También te gustan los libros cómicos?

Arturo: No, esos no me gustan. Y a ti, ¿ **(3)** libros te gustan?

Adriana: Los libros de comentario social.

Arturo: ¿ **(4)** es tu escritor favorito?

Adriana: Octavio Paz. Es mexicano y fue el ganador del Premio Nobel de Literatura en 1990.

Arturo: ¿ **(5)** libro de Octavio Paz prefieres?

Adriana: *El laberinto de la soledad*, sin duda.

Arturo: ¿ **(6)** sabes de su vida?

Adriana: No solo fue gran escritor sino que también fue diplomático en París y Bombay.

Arturo: Y en música, ¿ **(7)** te gusta escuchar?

Adriana: Música cubana, igual que a ti, me imagino.

Arturo: ¿ **(8)** es tu CD favorito?

Adriana: *Buena Vista Social Club*.

Arturo: ¿ **(9)** canciones te gustan más?

Adriana: "Chan Chan" y "Candela".

Arturo: ¡De acuerdo! También son mis favoritas.

Adriana: Oye, si vamos a ir al cine, debemos irnos ya.

Adriana: ¡Vale!

Buena Vista Social Club

¡Comunicación!

9 ¿Qué te parece si...? Interpersonal/Presentational Communication

Después del cine, Arturo invita a Adriana a un restaurante. Hablan de sus comidas favoritas, deportes y muchos temas más. Con un(a) compañero/a, escriban el diálogo y represéntenlo enfrente de la clase. Sigan el modelo como guía.

MODELO A: **¿Qué te parece si vamos a comer? Conozco un lugar donde venden los mejores emparedados de lechón.**

B: **¿De veras? Me encantan los emparedados de lechón.**

10 Juventud cubana

Lea el siguiente artículo sobre el testimonio de una estudiante en la audiencia parlamentaria (*parliamentary hearing*) contra el bloqueo en Cuba, la cual tuvo lugar en la sede de la Universidad Politécnica José Antonio Echevarría en La Habana. Luego, complete las preguntas sobre la lectura con las palabras interrogativas que correspondan y, con un(a) compañero/a, túrnense para contestarlas.

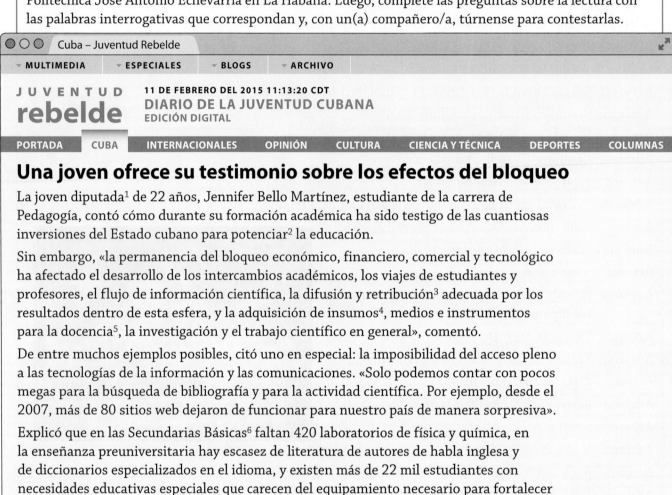

○ ○ ○   Cuba – Juventud Rebelde

JUVENTUD rebelde

11 DE FEBRERO DEL 2015 11:13:20 CDT
DIARIO DE LA JUVENTUD CUBANA
EDICIÓN DIGITAL

PORTADA | CUBA | INTERNACIONALES | OPINIÓN | CULTURA | CIENCIA Y TÉCNICA | DEPORTES | COLUMNAS

Una joven ofrece su testimonio sobre los efectos del bloqueo

La joven diputada[1] de 22 años, Jennifer Bello Martínez, estudiante de la carrera de Pedagogía, contó cómo durante su formación académica ha sido testigo de las cuantiosas inversiones del Estado cubano para potenciar[2] la educación.

Sin embargo, «la permanencia del bloqueo económico, financiero, comercial y tecnológico ha afectado el desarrollo de los intercambios académicos, los viajes de estudiantes y profesores, el flujo de información científica, la difusión y retribución[3] adecuada por los resultados dentro de esta esfera, y la adquisición de insumos[4], medios e instrumentos para la docencia[5], la investigación y el trabajo científico en general», comentó.

De entre muchos ejemplos posibles, citó uno en especial: la imposibilidad del acceso pleno a las tecnologías de la información y las comunicaciones. «Solo podemos contar con pocos megas para la búsqueda de bibliografía y para la actividad científica. Por ejemplo, desde el 2007, más de 80 sitios web dejaron de funcionar para nuestro país de manera sorpresiva».

Explicó que en las Secundarias Básicas[6] faltan 420 laboratorios de física y química, en la enseñanza preuniversitaria hay escasez de literatura de autores de habla inglesa y de diccionarios especializados en el idioma, y existen más de 22 mil estudiantes con necesidades educativas especiales que carecen del equipamiento necesario para fortalecer su educación.

[1] representative   [2] strengthen   [3] payment   [4] consumable goods   [5] teaching   [6] high schools

---

1. ¿____ tuvo lugar esta audiencia?

2. ¿____ es Jennifer Bello Martínez?

3. ¿____ años tiene ella?

4. ¿____ estudia ella?

5. ¿____ cuenta ella con relación a su formación académica?

6. ¿____ ha afectado el bloqueo tecnológico el campo de la educación?

7. ¿____ sitios web han dejado de funcionar de manera sorpresiva en Cuba en los últimos años?

8. ¿____ carecen de laboratorios, libros de literatura inglesa y diccionarios especializados?

9. ¿____ estudiantes carecen del equipo necesario para adquirir una buena educación?

Pronombres exclamativos

Los pronombres **qué**, **cómo** y **cuánto** también se usan para formar frases exclamativas.

¡Qué! *What a(n)... ! How... !*

¡Qué aburrido!	**¡Qué** idea más interesante!	**¡Qué** hermoso!
¡Qué horror!	**¡Qué** bueno!	**¡Qué** sueño tengo!
¡Qué bonito!	**¡Qué** lástima!	**¡Qué** horrible!

¡Cómo! *How... ! (in what manner)*

¡Cómo llueve!	**¡Cómo** se divierte Arturo!

¡Cuánto/a/os/as! *How much... ! How many... ! (to what extent) (quantity)*

¡Cuánto lo siento!	**¡Cuánto** dinero tiene!	**¡Cuánta** gente!
¡Cuánto ruido!	**¡Cuánto** jaleo (*uproar*)!	**¡Cuántas** preguntas al mismo tiempo!

---

11 **¡Qué suerte!**

Arturo habla con uno de sus amigos sobre Adriana. Dice que tienen muchas cosas en común y se siente afortunado de haberla conocido. Complete algunos de los comentarios que él hace sobre Adriana con la palabra de exclamación que corresponda según el contexto.

1. ¡____ muchacha más interesante!
2. ¡____ me encanta charlar con ella!
3. ¡____ nos divertimos cuando salimos!
4. ¡____ contento estoy de ser su amigo!
5. ¡____ deseos tengo de verla nuevamente!
6. ¡____ lástima que no pueda verla ahora mismo!
7. ¡____ bueno que aceptó volver a salir conmigo!
8. ¡____ sorpresas agradables hay en la vida!

¡Cómo nos divertimos!

12 ¿Qué diría Ud.?

Imagínese que Ud. está en Miami para visitar a Adriana. Diga cómo reaccionaría en cada situación. Complete las exclamaciones de la columna II y, luego, empáréjelas con las situaciones de la columna I.

I

1. Su casa está en Key Biscayne, una linda zona residencial.
2. Su familia le da una gran fiesta de bienvenida al estilo cubano.
3. ¡Su abuela prepara la mejor comida cubana de Miami!
4. Su pobre abuelo está enfermo y no puede asistir a la fiesta.
5. No salen a conocer Miami porque hace muy mal tiempo.
6. Una noche alquilan un DVD.
7. Su hermano, que es médico, atiende a pacientes día y noche.
8. Su hermana es bailarina de ballet clásico.

II

A. ¡_____ deliciosa!

B. ¡_____ casas tan bonitas!

C. ¡_____ trabajador!

D. ¡_____ buena película!

E. ¡_____ talento!

F. ¡_____ lástima!

G. ¡_____ llueve!

H. ¡_____ sorpresa!

13 ¿Cuál sería su reacción?

Con un(a) compañero/a, túrnense para reaccionar a las siguientes situaciones con una frase de exclamación, como se ve en el modelo. Después, piensen en tres situaciones más y túrnense para reaccionar a ellas con frases de exclamación adecuadas.

MODELO   Su mejor amigo le propuso un plan para montar un negocio turístico.
¡Qué idea más interesante!

1. Su novio/a se fue de viaje y lleva tres días sin comunicarse con Ud.
2. Se desveló (*stayed up all night*) estudiando para el examen final.
3. Acaba de enterarse de los ingresos anuales de Bill Gates.
4. Hay una manifestación política en la calle donde vive.
5. Contempla una espléndida puesta de sol en una playa del Caribe.
6. Llega al estadio de fútbol y ve que hay más de 100.000 fanáticos allí.

¡Qué vista tan hermosa!

? Pregunta clave
¿Cómo se refleja la idiosincrasia de una nación en el trato de su gente?

Así somos y así nos saludamos

Si su nación fuera una persona, ¿cómo la describiría? ¿Cuáles son los rasgos[1], el temperamento y el carácter que la distinguen? Si piensa en cómo responder estas preguntas, seguramente se le ocurrirá un conjunto de características que comparten sus connacionales[2] en general. Esas características comunes forman la idiosincrasia de su nación. Un aspecto importante en el que se ve reflejada la idiosincrasia de un pueblo es el trato de su gente.

Los cubanos, por ejemplo, se destacan por su carácter alegre: andan por la vida con una sonrisa dibujada en el rostro. También son imaginativos, extrovertidos y muy conversadores, y se los reconoce por su chispa[3] y su creatividad. Estas características de los cubanos se reflejan en sus saludos y en el trato que tienen con los demás.

Un saludo típicamente cubano es "¿Qué vuelta?", que equivale a "¿Qué tal?". De la letra de una canción de un cantautor argentino que se hizo muy popular en Cuba, proviene el curioso saludo "¿Qué tiras al agua?". Si un hombre se cruza por la calle con un amigo cercano, lo saluda diciendo "Acere, ¿qué volá?", que es una forma muy cubana de decir "¡Hola amigo! ¿Cómo estás?". "Ambia" y "monina" también se usan para referirse a los amigos. Los amigos íntimos cuentan con términos propios, como "ecobio" y "hermano". Cuando un cubano tiene confianza con[4] una persona, puede llamarla "mi sangre" para demostrarle su aprecio. La variedad de saludos y de formas de llamar a los amigos ilustran la idiosincrasia del pueblo cubano.

[1] traits   [2] compatriots   [3] wit   [4] trusts

"Acere, ¿qué volá?" es un típico saludo cubano.

Q Búsqueda: idiosincrasia cubana, habla cubana

Prácticas

Expresiones informales como "mi vida", "mi corazón" o "cariño" se usan en muchos pueblos de habla hispana para referirse a las personas del círculo íntimo, como la pareja, los amigos cercanos o los familiares. Sin embargo, si uno conversa con un cubano desconocido o alguien que acaba de conocer, no debe sorprenderse si usa esas expresiones. Es muy común que los cubanos las usen cuando conversan con extraños en contextos informales.

Los cubanos son conocidos por su carácter alegre.

14 Comprensión

1. ¿Qué cosas conforman la idiosincrasia de una nación?

2. ¿Cómo describiría Ud. la idiosincrasia cubana?

3. ¿Qué términos usan los cubanos para referirse a los amigos?

15 Analice

1. ¿Por qué cree Ud. que los cubanos cuentan con tantos términos para referirse a los amigos?

2. ¿Qué conclusión puede Ud. sacar sobre el uso de los términos "hermano" y "mi sangre"?

3. ¿En qué se parece o se diferencia el trato entre amigos en Cuba en comparación con el trato en su propia cultura?

¿Cuestión de léxico o filosofía?

16 Comprensión

1. ¿Para qué usan los cubanos la palabra "compañero"?

2. ¿Cuándo y por qué empezó a desaparecer el término "compañero"?

3. ¿Qué debate se generó con el uso de "señor"?

A veces las palabras no son más que una manera de llamar las cosas. Cualquiera que tenga que presentar a un estudiante de su clase dirá, sin pensárselo dos veces, "Es mi compañero". Pero otras veces las palabras son mucho más que eso. El léxico compartido por un grupo social puede encerrar[1] ecos de una historia común, reflejos de una forma de ser y de sentir. En Cuba, desde la Revolución de 1959, es "compañero" el vecino, el amigo, el dependiente de la tienda y casi cualquier desconocido. Entre los isleños, durante décadas, no hubo un término mejor para saludarse, para llamarse entre sí, para empezar un discurso, para romper el hielo con alguien a quien recién se conoce.

¿Cómo le va, compañero?

Perspectivas

Con respecto a la caída en desuso de la palabra "compañero", dice Diego Rodríguez Molina, comentarista del diario *Granma*, (la publicación oficial del Partido Comunista Cubano): «Los necesarios cambios que impone y exige constantemente la vida no pueden llevarnos a la ingenuidad de modificar de manera tan sutil cuestiones esenciales de nuestro modo de ser». Según la cita, ¿Está Rodríguez Molina a favor o en contra de reemplazar "compañero" por "señor"? Explique su respuesta.

El periódico cubano Granma

17 Analice

1. ¿Qué aspectos de la idiosincrasia cubana encierra el uso de "compañero"?

2. ¿Está Ud. de acuerdo o en desacuerdo con la afirmación de Rodríguez Molina? Explique su respuesta.

Pero las cosas están cambiando, y esta expresión que lleva más de 50 años en el trato cotidiano[2] de los cubanos ha comenzado, poco a poco, a desaparecer. Desde mediados de la década de 1990, de la mano de las reformas que apuntaban a una política económica de mayor apertura,[3] el término "compañero" parece haber perdido encanto, tal vez porque no se lleva bien con el ámbito de los negocios. Así, con el tiempo, se empezó a extender en la isla el uso de "señor", que antes quedaba reservado al tratamiento cortés de extranjeros o turistas.

Junto con el nuevo término, surgió el debate. Para algunos cubanos, el cambio no es más que una cuestión de forma. Para muchos otros, el término "compañero" representa mucho más que una simple forma de tratamiento. Es un reflejo de su proceso social, una "fórmula" que tiene el poder de hacerlos sentir más cercanos e iguales. Para algunos cubanos, perder esa palabra significa perder una parte de sí mismos, de su modo de ser y ver la vida.

[1] contain   [2] everyday contact   [3] economic openness

🔍 **Búsqueda:** significado del término "compañero" en cuba, revolución de 1959, reformas políticas en cuba

El vínculo de la amistad

"Más vale un buen amigo que un peso en el bolsillo", dice el refrán popular que mejor define la filosofía de los cubanos sobre el valor de la amistad. En Cuba, decir "amigo" es sinónimo de lealtad, colaboración y apoyo[1] mutuo y desinteresado[2]. En un contexto de crisis económica, las amistades cubanas se construyen día a día a fuerza de escaseces[3] compartidas. En otras naciones, donde la sociedad de consumo es masiva, tal vez no sea tan importante contar con la generosidad de los amigos.

La amistad tiene un gran valor en Cuba.

Además de la colaboración, otro elemento que caracteriza a las amistades en Cuba es su gran número. Los cubanos suelen tener muchísimos amigos porque les resulta fácil establecer vínculos con los demás. Son por naturaleza hospitalarios y alegres; cuentan con un gran sentido del humor; y, lo más importante, tienen un carácter extrovertido y abierto.

Cualquier persona de Cuba puede contar que alguna vez conoció a alguien de manera accidental o fortuita[4] y que, un rato después, ya le había contado vida y milagros.[5] ¡Los cubanos pueden hacer amigos en media hora! Esto no ocurre en otras culturas donde las personas son más reservadas, les cuesta ponerse a conversar con desconocidos y jamás se les ocurriría confiarles a ellos sus venturas y desventuras.[6]

En realidad, si un problema tienen los cubanos, no es la soledad; más bien al contrario, ¡a veces la cuestión es el exceso de compañía!

[1] support   [2] lacking in self-interest   [3] scarcities   [4] by chance   [5] life story
[6] ups and downs

Búsqueda: símbolos de amistad en cuba

18 Comprensión

1. ¿Por qué son tan importantes las amistades generosas en Cuba?

2. ¿Qué características tienen los cubanos que les ayudan a hacer amistades?

3. ¿Qué experiencia sobre la amistad pueden contar muchos cubanos?

19 Analice

1. ¿Por qué cree que el contexto socio-económico influye en el valor que asigna una nación a la amistad?

2. ¿Es fácil hacer amigos en su cultura, como en la cultura cubana, o es difícil? Explique su respuesta.

Productos   **Conéctese: la música**

A lo largo de la historia, muchísimos poetas, músicos y filósofos le han dedicado obras al vínculo de la amistad. Silvio Rodríguez es uno de ellos. Este cantautor y poeta cubano habla de la amistad en muchas de sus canciones. En las estrofas de su tema "Vamos a andar", se celebra la amistad no solo como vínculo interpersonal, sino también como vínculo entre los pueblos de las distintas naciones.

"Vamos a andar,
matando al egoísmo,
para que por lo mismo,
reviva la amistad."

"Vamos a andar,
con todas las banderas
trenzadas (*intertwined*), de manera
que no haya soledad."

Silvio Rodríguez, cantautor cubano

Comparación y contraste: ¡Ojo con estas palabras!

En español, al igual que en inglés, hay varias formas de expresar estas palabras. Preste atención, pues su uso depende del contexto.

¿Por qué no me **preguntaste** directamente?

Porque no te encontré en ninguna parte. Llamé a tu casa y **pregunté por** ti, pero me colgaron.

¡Qué pena contigo! ¡Discúlpame! Te di el número equivocado.

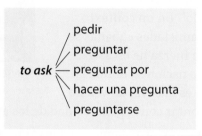

to ask ⟨ pedir / preguntar / preguntar por / hacer una pregunta / preguntarse

pedir   *to ask for (something)*
¿Sabes el número del celular de Alex? Se lo **pedí** a Ana, pero no lo tenía.

preguntar   *to ask (a question)*
Yo tampoco lo tengo. ¿Por qué no le **preguntas** a Raúl?

preguntar por   *to ask for (someone)*
Raúl, llamó una chica **preguntando por** ti, pero no quiso dejar ningún mensaje.

hacer una pregunta   *to ask (pose) a question*
¿Y no le **hiciste** ninguna **pregunta** para saber quién era?

preguntarse   *to wonder*
A veces **me pregunto** por qué te pago para que seas mi secretaria.

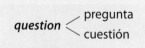

question ⟨ pregunta / cuestión

pregunta   *(an interrogative) question*
Tengo solo **una pregunta**: ¿Cuándo piensas decirle a tu madre lo que estás pensando?

cuestión   *an issue, matter, question*
Es solo **cuestión** de tiempo. Tengo que hacerlo en un momento conveniente.

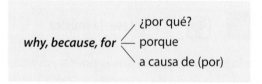

why, because, for ⟨ ¿por qué? / porque / a causa de (por)

¿por qué?   *why?*
¿**Por qué** hay tantas canciones y poemas sobre el tema de la amistad?

porque   *because (used to introduce a clause)*
Porque es uno de los principales vínculos de unión entre las personas.

a causa de... (por)   *because of (used to introduce a noun or pronoun)*
Había poca visibilidad **a causa de** la lluvia.

20 ¡Qué pena contigo!

Complete la conversación entre Ernesto y Andrea con las palabras del recuadro que correspondan según el contexto.

pedir	pregunta	pregunté	por qué	pregunté por
hacer una pregunta	a causa del	porque	me pregunto

Ernesto: ¡Hola, Andrea! Casi no te reconozco.

Andrea: ¡Claro! Siempre me ves en el gimnasio con ropa deportiva.

Ernesto: Esta noche estás hermosa. Ese vestido rojo y el pelo suelto te quedan muy bien.

Andrea: ¡Gracias! Tú también te ves muy guapo.

Ernesto: El viernes, en el gimnasio, te quería __(1)__ que me invitaras a tu fiesta, pero no tuve el valor de hacerlo.

Andrea: ¡Qué pena contigo! Tenía tu invitación en mi mochila pero olvidé dártela. Pero, entonces, ¿cómo sabías dónde quedaba mi casa?

Ernesto: Yo le __(2)__ a tu amiga tu dirección y cuando llegué a la fiesta __(3)__ ti.

Andrea: Yo __(4)__ por qué me estoy ruborizando (*blushing*) ahora.

Ernesto: Supongo que a mí me pasa lo mismo.

Andrea: ¿Te puedo __(5)__ ?

Ernesto: Sí, claro.

Andrea: ¿ __(6)__ te ruborizas?

Ernesto: Muy fácil. Vine a tu casa sin invitación __(7)__ me gusta mucho estar contigo. Y ahora, yo también tengo una __(8)__ para ti. ¿Te gustaría salir conmigo?

Andrea: ¿Qué dices? No puedo escucharte __(9)__ ruido.

¡Comunicación!

21 ¿Cómo es su final? 👥 Interpersonal/Presentational Communication

¿Cómo cree Ud. que termina la conversación entre Andrea y Ernesto en la actividad anterior? Compare sus opiniones con las de su compañero/a y, luego, escriban su propio final para el diálogo y represéntenlo enfrente de la clase. Sigan el modelo como guía.

MODELO   **Ernesto:** ¿De veras?

                     Andrea: ¡Qué va! Estaba bromeando. Claro que te oí y...

¡Comunicación!

Con un(a) compañero/a, piensen en lo que Uds. quieren saber cuando desean conocer mejor a alguien. ¿Qué clase de preguntas hacen y por qué? Compartan sus ideas y explicaciones, como se ve en el modelo.

MODELO   A: Yo le pregunto qué hace en su tiempo libre. Así sé si tenemos gustos en común, ¿y tú?

B: Yo le pregunto sobre su familia. Así sé si valora las relaciones familiares.

Reúnanse en grupos de tres o cuatro estudiantes y, luego, intercambien sus opiniones sobre los siguientes comentarios.

1. Para ser feliz hay que tener muchos amigos.

2. No es normal estar nervioso antes de ir a una fiesta.

3. Cuando una persona es insegura es porque se siente inferior a los demás.

4. Es posible apreciar las cualidades de una persona, tales como la inteligencia, la lealtad, y el sentido del humor en uno o dos encuentros.

Imagine una conversación entre la consejera de un programa de radio, la doctora Corazón, y David, un joven tímido e introvertido que tiene problemas para hacer amigos y relacionarse con los demás. David llama al programa porque tiene muchas preguntas y no sabe qué hacer. Con un(a) compañero/a, representen la conversación, turnándose para exponer los problemas, hacer las preguntas y ofrecer las posibles soluciones.

MODELO   Dra. Corazón: Mis queridos radio-escuchas, ahora tenemos en la línea a David Delgado de la ciudad de Lima. David, bienvenido a nuestro programa *No estás solo*. Cuéntanos...

David: Gracias por su amabilidad, Dra. Corazón. Para empezar, quisiera hacerle una pregunta.

Dra. Corazón: ...

¡Comunicación!

25 Intercambio de opiniones 👥 Interpersonal Communication

Intercambie opiniones con un(a) compañero/a acerca de las siguientes preguntas.

1. Si quieres conocer a gente nueva, ¿adónde vas? ¿Qué haces? ¿Cómo empiezas una conversación?

2. Si no conoces muy bien a un(a) muchacho/a y te invita a salir, ¿aceptas su invitación de una vez? Si no, ¿qué haces para conocerlo/a mejor?

3. Si alguien te invita a salir y no quieres, ¿qué haces? ¿Le dices la verdad o buscas excusas para no salir? Explica.

4. ¿Cómo defines la palabra "amistad"?

5. ¿Qué criterio usas para elegir a tus amigos? ¿Qué criterio usan tus amigos? ¿Son diferentes? Explica.

26 Amistad por la internet 👥 Interpersonal/Presentational Communication

Hoy en día, muchas personas hacen amigos y mantienen amistades a través de las redes sociales en la internet. Lea los perfiles personales de estos chicos y chicas de España y, luego, con un(a) compañero/a intercambien opiniones sobre las preguntas que se dan a continuación. Para terminar, escriban su propio perfil, en unas 25 palabras, para buscar amigos en la internet.

• ¿Qué opinan de las descripciones? ¿Son interesantes?

• ¿Dan suficiente información? ¿Cuánta información es necesaria para determinar si quieren comunicarse con la persona en cuestión?

• Si Uds. no creen ser compatibles con estos jóvenes, ¿conocen a alguien que sí pueda serlo? Si sí creen ser compatibles con alguno de ellos/as, qué les preguntarían para conocerlos/as mejor?

• ¿Piensan que se puede iniciar y mantener una amistad de esta manera? Expliquen su respuesta.

○ ○ ○   Perfiles personales

Perfiles personales

📷 Isabel

Soy una chica de 18 años y soy de Santiago de Compostela. Me gusta conocer a gente de toda Europa. Me apasiona hacer caminatas, la música rock y aprovechar cada minuto para pasarlo bien. Si eres como yo y piensas lo mismo, escríbeme.

📷 Antonio

Soy de Valencia y me encanta ir a la playa con mis amigos. Tengo 17 años y estudio arte en el colegio. Puedes ver mis pinturas aquí en mi muro. Si te encanta dibujar, pintar o ir a la playa los fines de semana, envíame un mensaje.

📷 Lucía

Tengo 19 años y quisiera conocer a chicos simpáticos y divertidos de Barcelona. Me fascina leer libros de ciencia ficción e ir al Barrio Gótico. Si quieres ir de tapas y caminar por Las Ramblas, ¡vamos juntos!

📷 Diego

¿Te gusta ir a la discoteca? Tengo 20 años y vivo en Madrid. Me encanta salir con mis amigos todos los fines de semana y bailar, y si esto es algo que también te gusta, ¡déjame un mensaje!

¡Comunicación!

27 ¿Demasiada formalidad? 👥 Interpersonal/Presentational Communication

Formen grupos de tres o cuatro compañeros e intercambien ideas sobre los siguientes temas. Al final, hagan un resumen de los diferentes puntos de vista y conclusiones y preséntenlo a la clase.

- ¿Piensan que las presentaciones formales son necesarias entre los jóvenes o que deben eliminarse? (Por ejemplo: "Te presento a...", "Mucho gusto", "El gusto es mío".) Expliquen su respuesta.

- ¿Existen estas formalidades entre sus amigos/as? Si no existen, ¿cómo presentan Uds. a alguien o cómo se presentan Uds. mismos?

- ¿Piensan que el hombre debe ser especialmente cortés con la mujer, que debe abrirle la puerta al entrar a un lugar, cederle el paso o pagar la entrada del cine o la cuenta del restaurante si salen juntos? ¿Cuándo sería apropiado dar estas muestras de cortesía?

- ¿Qué formas de cortesía debe esperar un hombre de una mujer? Expliquen su respuesta.

28 ¡No seas aguafiestas! 👥

Interpersonal Communication

Imagine que un(a) joven invita a un compañero/a de clase a una fiesta y esa persona resulta ser todo/a un aguafiestas (*party pooper*). Tiene una actitud súper negativa, se queda en un rincón (*corner*) del salón, ignora a todo el mundo y no quiere hacer nada. No se divierte ni deja que Ud. se divierta. Represente la situación con un(a) compañero/a, turnándose para hacer el papel del aguafiestas y el de su pareja, que trata en vano de convencerlo/a de que cambie de actitud y se divierta.

MODELO   A: **No te quedes en ese rincón. Ven y te presento a mis amigos.**
         B: **Perdona, pero no...**
         A: **Entonces, vamos a bailar o a...**
         B: **...**

Me encanta bailar, aunque tenga que hacerlo sola.

Gramática

Los sustantivos

Los sustantivos se clasifican según el género y el número. El género (masculino o femenino) y el número (singular o plural) se determinan por medio de las terminaciones. En español, los sustantivos generalmente van acompañados de los artículos definidos o indefinidos y concuerdan con ellos en número y persona.

Género y número de los sustantivos		
	Singular	**Plural**
Masculino	el amig**o**	los amig**os**
Feminino	la amig**a**	las amig**as**

El género de los sustantivos

- Generalmente los sustantivos que terminan en **-o**, **-al**, **-or**, **-ente** y **-ante** son masculinos.

-o	**-al**	**-or**	**-ente, -ante**
el aprecio	el animal	el color	el accidente
el pueblo	el hospital	el amor	el presente
el temperamento	el carnaval	el valor	el diamante

Excepciones:

la mano	la catedral	la labor	la gente
la señal	la flor	la corriente	la serpiente

- Algunos sustantivos que terminan en **-ante** y **-ente** y se refieren a personas tienen una sola forma para el masculino y el femenino. Otros tienen formas correspondientes.

el agente	la agente	el cliente	la clienta
el cantante	la cantante	el dependiente	la dependienta
el estudiante	la estudiante	el presidente	la presidenta

- Los sustantivos que terminan en **-a**, **-ión** (**-ción**, **-sión**) y **-umbre** generalmente son femeninos.

-a	**-ión**	**-umbre**
la confianza	la ilusión	la costumbre
la entrevista	la nación	la incertidumbre
la idiosincrasia	la situación	la muchedumbre

- Los sustantivos que terminan en **-ie**, **-d** (**-dad**, **-tad**, **-ud**) y **-z/-ez** también son, generalmente, femeninos.

-ie	**-d** (**-dad**, **-tad**, **-ud**)	**-z**
la especie	la amistad	la paz
la serie	la generosidad	la escasez
la superficie	la actitud	la niñez

Excepciones:

el día, el tranvía, el mapa, el avión, el lápiz y varias palabras que terminan en **-ma**: el sistema, el problema, el clima, el tema, el programa, el idioma, el drama, el poema

- Los sustantivos que terminan en **-ista** son masculinos o femeninos, según el sexo de las personas.

Hombre	**Mujer**
el periodista	la periodista
el turista	la turista
el artista	la artista

El número de los sustantivos

El número determina si el sustantivo es singular o plural. El plural de los sustantivos se forma añadiendo **-s** o **-es** a la forma singular.

- Si el sustantivo termina en vocal, se añade **-s**.[1]

Singular	**Plural**
la man**o**	las mano**s**
el pi**e**	los pie**s**
la hor**a**	las hora**s**

- Si el sustantivo termina en consonante, se añade **-es**.

Singular	**Plural**
la ocasió**n**	las ocasion**es**[2]
el pape**l**	los papel**es**
la ve**z**	las vec**es**[3]
el jove**n**	los jóven**es**[4]

- Si el sustantivo es de más de una sílaba y termina en **-s**, la forma plural no cambia.

Singular	**Plural**
el lune**s**	los lune**s**
el abrelata**s**	los abrelata**s**
el paragua**s**	los paragua**s**

[1] Algunas palabras que terminan en **-í** forman el plural con **-es**: el rubí, los rubíes; el ají, los ajíes.

[2] Con el aumento de una sílaba, el acento escrito no es necesario. (Ver Apéndice A)

[3] La **z** cambia a **c** delante de **e**.

[4] Con el aumento de una sílaba, el acento escrito es necesario. (Ver Apéndice A)

Las jóvenes van de compras con su mamá.

Gramática

El artículo definido

El uso del artículo definido es más frecuente en español que en inglés. Sirve para indicar a una persona, animal, cosa o idea específica, ya sea concreta o abstracta.

El periodista desea hablar con Ud.   Me encanta **la** música de Shakira.

El motociclismo es un deporte peligroso.   Queremos **la** paz y **la** libertad.

Formas del artículo definido		
	Singular	**Plural**
Masculino	**el** actor	**los** actores
Femenino	**la** pregunta	**las** preguntas

Usos del artículo definido

- Se usa el artículo masculino singular **el** delante de sustantivos femeninos que comienzan con **a** o **ha**, para facilitar la pronunciación si el énfasis cae en la primera sílaba.

  Mi madre tiene **el a**lma bondadosa.
  El agua del mar es salada.
  El hada es una mujer fantástica que tiene poderes mágicos.

  Pero: **Las a**guas del mar Caribe son claras.

- Cuando el artículo definido **el** sigue a la preposición **de** o **a**, la contracción es necesaria.

  de + el = **del**   La idiosincrasia **del** cubano se refleja en su trato con los demás.

  a + el = **al**   Ellos tratan **al** conocido y **al** desconocido con la misma amabilidad.

- Se usa el artículo definido delante de nombres modificados o con títulos cuando se habla **de** la persona y no **a** la persona (excepto con **don** y **doña**, que nunca llevan artículo).

  La señora Ortega llega mañana porque tiene una cita con **el** doctor Vega.

  Pero: Buenas tardes, señor Marcos. ¿Cómo está doña María?

- Se usa con los nombres de algunos países. Sin embargo, la tendencia hoy es de no usar el artículo.

  Viví en (**el**) Perú dos años y después pasé un año en (**los**) Estados Unidos.

- Se usa con los nombres de personas y de países cuando están modificados.

  La pobre María solo tiene una semana de vacaciones.

  La Cuba de hoy atrae a muchos turistas europeos y canadienses.

Gramática

- El artículo definido se usa delante de las partes del cuerpo y la ropa en lugar del adjetivo posesivo.

  Lávese **los** dientes.
  Se pusieron **el** abrigo.
  Los niños levantaron **la** mano.

- Se usa con los días de la semana y las estaciones del año. (Se omite después del verbo **ser** para identificar el día de la semana.)

  Voy de compras **los** sábados.

  Pero: Hoy es lunes.

- Se usa con las fechas y las horas.

  La fiesta es **el** 3 de mayo, a **las** ocho y media.

- Se usa con los nombres de idiomas. (Se omite después de los verbos **hablar**, **aprender**, **estudiar**, **enseñar** y **entender** y las preposiciones **de** y **en**.)

  Me gustan mucho **el** italiano y **el** alemán.

  Pero: Quiero estudiar portugués. Solo hablo español. Háblame en francés.

El artículo indefinido

El artículo indefinido sirve para indicar a una persona, animal o cosa en forma general.

Formas del artículo indefinido		
	Singular	**Plural**
Masculino	un coche	unos coches
Femenino	una casa	unas casas

- El artículo indefinido plural **unos/unas** corresponde al inglés *some/a few* y generalmente se omite.

  Tenemos (**unos**) amigos muy buenos.

Cuándo omitir el artículo indefinido

- Se omite después del verbo **ser** con nombres que indican profesión, religión o nacionalidad, excepto cuando están modificados.

  Mi hermano es mecánico. Es **un** mecánico excelente y su esposa es **una** maestra muy buena.

- Se omite con los verbos **tener**, **llevar** y **haber** cuando no expresan cantidad, especialmente en oraciones negativas.

  ¿Tienes coche? No, pero tengo bicicleta.
  Hace frío y no llevas abrigo.
  Para mañana no hay tarea.

- Se omite cuando el sustantivo va precedido por otras palabras que lo modifican, en lugar del artículo, como: **otro**, **medio**, **cien(to)**, **mil** y ¡**Qué**... !

  ¡**Qué** chaqueta más bonita! Cuesta solo **ciento** cincuenta dólares.

29 Situaciones y opiniones

Complete el siguiente diálogo con el artículo definido, el artículo indefinido o las contracciones **al** o **del**, según corresponda. Luego, compare sus respuestas con las de su compañero/a para ver si acertaron las respuestas.

A: ¿Qué haces si estás cenando en casa de __(1)__ amigas y se te caen los fríjoles __(2)__ plato __(3)__ suelo?

B: Recojo __(4)__ frijoles y le pido disculpas a __(5)__ señora de la casa.

A: ¿Qué haces si le pides __(6)__ coche a tu amigo para ir __(7)__ cine y te dice que él lo necesita?

B: ¡Voy __(8)__ cine caminando!

A: ¿Qué haces cuando tienes __(9)__ problema serio?

B: Le pido __(10)__ consejo a __(11)__ buen amigo.

A: ¿Cuáles son __(12)__ cualidades que más te gustan en __(13)__ persona?

B: __(14)__ sinceridad, __(15)__ sensibilidad y __(16)__ ingenio.

A: ¿Y cuáles crees que son __(17)__ peores defectos de algunos estudiantes?

B: __(18)__ inseguridad y __(19)__ pereza.

A: ¿Qué piensas de __(20)__ telenovelas?

B: Pienso que __(21)__ son buenas y otras son malas.

30 ¡Cuéntame de tu familia!

Complete el siguiente diálogo con el artículo indefinido cuando sea necesario. Luego, compare sus respuestas con las de su compañero/a para ver si acertaron las respuestas.

A: ¿Tienes __(1)__ familia grande?

B: Sí. Somos ocho. Mi padre, mi madre, __(2)__ hermano mayor, cuatro hermanos menores y yo.

A: ¿Qué hacen tus padres?

B: Mi padre es __(3)__ veterinario reconocido y mi madre es __(4)__ odontóloga.

A: ¿Dónde viven?

B: Vivimos a __(5)__ tres cuadras de aquí. Y Uds., ¿acostumbran viajar en las vacaciones?

A: Generalmente viajamos a Ecuador, Colombia y Perú porque tenemos __(6)__ amigos en estos países. Hace poco recibimos visita de __(7)__ amiga ecuatoriana. ¡Qué __(8)__ mujer tan especial! Estuvo con nosotros __(9)__ días. Aunque disfrutó su estadía, no estaba acostumbrada a nuestro clima. Cuando salía siempre llevaba puesto __(10)__ abrigo de lana y __(11)__ botas de invierno porque decía que sentía demasiado frío.

B: Yo también tengo __(12)__ amigo en Perú. Él nos escribió hace poco diciendo que piensa hacer __(13)__ viaje a Estados Unidos para comprar electrodomésticos para __(14)__ negocio que tiene con __(15)__ chilenos que viven en Lima. ¡Qué sorpresa se va a llevar cuando sepa que yo no tengo __(16)__ microondas en casa! ¡Cómo soy de anticuada!

Lectura informativa

Antes de leer

¿Qué cambios cree Ud. que se producirán en Cuba a partir de la reanudación de relaciones con Estados Unidos?

Estrategia

Palabras y frases de transición

Identificar las palabras y frases de transición sirve para comprender mejor las relaciones de causa y efecto (por lo tanto), las de contraste (pero) y las temporales (mientras tanto).

31 Comprensión

1. ¿Por qué es complicada la relación entre Cuba y Estados Unidos?

2. ¿Por qué Cuba y Estados Unidos han sido amigos y enemigos al mismo tiempo?

3. ¿Qué promesa hizo Obama al asumir el cargo de Presidente de Estados Unidos?

4. ¿Cuáles fueron las primeras medidas que tomó el presidente Obama en relación con Cuba?

32 Analice

¿Por qué la reanudación de las relaciones entre Cuba y Estados Unidos constituye un hito (*landmark*) en las relaciones internacionales?

Fragmentos del discurso de Barack Obama sobre la reanudación de relaciones entre EE. UU. y Cuba

Hoy, Estados Unidos de América empieza a cambiar su relación con el pueblo de Cuba.

En el cambio más significativo de nuestra política[1] en más de cincuenta años, terminaremos con un enfoque[2] obsoleto que por décadas fracasó en promover nuestros intereses y, en cambio, comenzaremos a normalizar la relación entre los dos países. A través de estos cambios, es nuestra intención crear más oportunidades para el pueblo estadounidense y para el pueblo cubano y comenzar un nuevo capítulo entre las naciones del continente americano.

La historia entre Estados Unidos y Cuba es complicada. Yo nací en 1961, justo dos años después de que Fidel Castro tomara el poder en Cuba y unos meses después de la invasión en la Bahía de Cochinos, en la que se intentó derrocar[3] a su régimen. En las siguientes décadas, la relación entre nuestros países tuvo lugar frente al trasfondo[4] de la Guerra Fría y la firme oposición de Estados Unidos al comunismo. Solamente nos separan 90 millas. Pero año tras año, se endureció la barrera ideológica y económica entre los dos países.

Mientras tanto, la comunidad de exilados cubanos en Estados Unidos contribuyó enormemente con nuestro país, en la política, los negocios, la cultura y los deportes. Como otros inmigrantes lo habían hecho previamente, los cubanos ayudaron a reconstruir a Estados Unidos, a pesar de sentir una dolorosa nostalgia[5] por la tierra y las familias que dejaron atrás. Todo esto forjó una relación única entre Estados Unidos y Cuba, al mismo tiempo amigos y enemigos. [...]

Por eso es que, cuando asumí el cargo de Presidente de Estados Unidos, prometí volver a revisar nuestra política con Cuba. Para comenzar, levantamos restricciones para los estadounidenses de origen cubano para que pudieran viajar y enviar giros[6] a sus familias en Cuba. [...]

Primero, he instruido al Secretario de Estado Kerry a que comience inmediatamente las discusiones con Cuba para restablecer las relaciones diplomáticas que han estado interrumpidas desde enero de 1961. En adelante, Estados Unidos restablecerá una embajada estadounidense en La Habana, y funcionarios de alto rango[7] visitarán Cuba.

[1] policy   [2] approach   [3] overthrow   [4] backdrop   [5] yearning   [6] remittances
[7] high-ranking officials

En donde podamos promover intereses compartidos, lo haremos, en asuntos como salud, inmigración, antiterrorismo, tráfico de drogas y respuesta a catástrofes. [...]

Segundo, he instruido al Secretario Kerry para que revise la calificación de Cuba como un Estado que patrocina[8] el terrorismo. [...]

En tercer lugar, estamos tomando las medidas para aumentar el transporte, el comercio y el flujo de información de y hacia Cuba. [...] Un aumento del comercio es bueno para los estadounidenses y los cubanos. Por lo tanto, facilitaremos transacciones autorizadas entre Estados Unidos y Cuba. [...]

Desafortunadamente, nuestras sanciones sobre Cuba han negado a los cubanos el acceso a tecnología que ha empoderado[9] a individuos en todo el mundo. Por lo tanto, he autorizado el aumento de las conexiones de telecomunicaciones entre Estados Unidos y Cuba. [...]

Para aquellos que se oponen a los pasos que anuncio hoy permítanme decirles que respeto su pasión y comparto su compromiso con la libertad y la democracia. La cuestión es cómo mantenemos ese compromiso. No pienso que podamos seguir haciendo lo mismo durante más de cinco décadas y esperar un resultado distinto. Además, intentar empujar a Cuba al colapso no beneficia a los intereses de Estados Unidos ni los de los cubanos. [...]

A los cubanos, Estados Unidos les extiende una mano de amistad. Algunos de ustedes nos han buscado como fuente de esperanza, y continuaremos alumbrando una luz[10] de libertad. Otros nos han visto como un pasado intento de colonización para controlar su futuro. José Martí una vez dijo, "la libertad es el derecho que tienen las personas de actuar libremente, pensar y hablar sin hipocresía". Hoy, estoy siendo honesto con ustedes. Nunca podremos borrar la historia entre nosotros, pero creemos que deben estar empoderados para vivir con dignidad y autodeterminación. Los cubanos tienen un dicho sobre la vida diaria: "No es fácil". Hoy, Estados Unidos quiere ser un socio para hacer que la vida de los cubanos ordinarios sea un poco más fácil, más libre y más próspera. [...]

El cambio es duro, en nuestras propias vidas y en las vidas de las naciones. Y el cambio es aún más duro cuando llevamos el peso de la historia en nuestros hombros. Hoy, Estados Unidos elige deshacerse de[11] las cadenas del pasado para poder llegar a un mejor futuro para los cubanos, para los estadounidenses, para todo el hemisferio y para el mundo. [...]

[8] sponsor   [9] empowered   [10] to shine a light   [11] cut loose

🔍 **Búsqueda:** reanudación de relaciones entre estados unidos y cuba, guerra fría, fidel castro

33 Comprensión

1. ¿Qué opina el presidente Obama sobre el acceso a la tecnología que tienen los cubanos?

2. ¿En qué asuntos se prevé que ambos países trabajen juntos?

3. ¿Qué motivó al gobierno de Estados Unidos a realizar este cambio con respecto a Cuba?

4. Según el presidente Obama, ¿qué dos posiciones tienen los cubanos respecto de Estados Unidos?

34 Analice

¿Por qué cree Ud. que los cubanos usan la frase "No es fácil" para referirse a la vida diaria?

Escritura

Un correo electrónico informal

Un correo electrónico es un mensaje similar a una carta, que se redacta en una computadora y se envía utilizando una conexión a la internet. El texto puede variar en extensión y nivel de formalidad según el propósito del mensaje y el destinatario.

Para escribir un correo electrónico informal

- Escriba la dirección del destinatario y complete el campo "Asunto" con un encabezado breve que capte el interés del lector.

- Empiece el mensaje con un saludo informal, y desarrolle brevemente el tema del que quiere tratar.

- Concluya el mensaje con una frase de despedida informal y fírmelo con su nombre.

¡Comunicación!

35 ¡Ya era hora!   Interpersonal Communication

Imagine que Ud. se encuentra en la situación de Elena, una joven cubana que llegó a Estados Unidos junto con sus tíos hace un par de años; que sus padres tuvieron que quedarse en Cuba, y que Ud. y sus familiares han tratado por todos los medios de ayudar a sus padres a salir del país, pero no han tenido éxito.

Luego, escríbale un correo electrónico a su tía Alicia contándole las últimas noticias que acaba de escuchar sobre la posible reanudación de relaciones diplomáticas entre Estados Unidos y Cuba. Incluya detalles del discurso del Presidente Obama al respecto, exprese su emoción, y pídale que le ayude con los trámites (*steps*) que sean necesarios para que su sueño de volver a reunirse con sus padres se vuelva realidad.

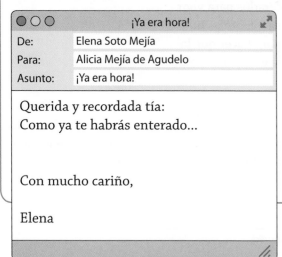

	¡Ya era hora!
De:	Elena Soto Mejía
Para:	Alicia Mejía de Agudelo
Asunto:	¡Ya era hora!

Querida y recordada tía:
Como ya te habrás enterado…

Con mucho cariño,

Elena

Elena le envía un correo electrónico a su tía Alicia.

Un ensayo persuasivo

Un ensayo persuasivo es un texto que tiene como finalidad presentar un punto de vista sobre un asunto para convencer al lector de que adhiera a la postura del autor.

Elementos de un ensayo persuasivo

Para que un ensayo persuasivo cumpla su propósito, se deben incluir los siguientes elementos:

- **Introducción:**
  Un dato interesante o una declaración convincente que llame la atención del lector, y una o dos oraciones breves que resuman el tema y el punto de vista del autor.

- **Desarrollo del tema o cuerpo del ensayo:**
  Presentación de las razones que respaldan la tesis del autor y evidencia que demuestre que su punto de vista es acertado.

- **Conclusión:**
  Resumen de las razones del autor y reformulación de la tesis para cerrar el ensayo.

> ### Para escribir más
>
> Use las siguientes frases para presentar las razones que respaldan (*support*) su tesis.
>
> En primer/segundo/tercer lugar,
> Por un lado,
> Por otro lado,
> Además,
> No solo…, sino también…

¡Comunicación!

36 Revolución emocional 🎧 Interpretive Communication

Escuche este segmento informativo de RTVE.es *A la Carta, radio y televisión española*, sobre la reacción de los cubanos a la decisión del presidente Obama de levantar las restricciones a los viajes y envíos de dinero a Cuba, y tome apuntes de los puntos principales en una hoja aparte.

37 En mi opinión... Presentational Communication

Vuelva a leer el discurso del presidente Obama en las páginas 26 y 27 y, con base en esa información y la que acaba de escuchar, escriba un ensayo persuasivo sobre la reanudación de relaciones entre Estados Unidos y Cuba. Puede escribir desde su propia perspectiva o bien desde el punto de vista de un cubano que vive en Estados Unidos o un cubano que vive en Cuba. Antes de escribir su ensayo, resuma sus ideas en un organizador gráfico como el que se muestra.

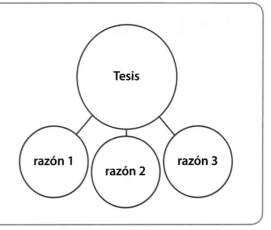

Vocabulario 3

Mejore su comprensión

Familiarizarse con este vocabulario le ayudará a leer "Dos patrias" más adelante, y a mejorar su comprensión auditiva.

La vela flameaba dando luz en la oscuridad.

aparecer *v.* Dejarse ver.

atrasarse *v.* Llegar tarde.

bandera *s.f.* Trozo de tela con colores que representa a una nación o a un grupo de personas.

batallar *v.* Luchar para vencer.

cielo *s.m.* Espacio en el que están las estrellas y planetas.

clavel *s.m.* Flor que tiene el borde superior terminado en picos.

enturbiar *v.* Oscurecer.

estorbar *v.* Impedir, molestar.

estrecho/a *adj.* Apretado.

flamear *v.* Despedir llamas.

lago *s.m.* Gran cantidad de agua dulce acumulada en depresiones de la tierra.

llama *s.f.* Lo que produce algo al quemarse o arder.

mudo/a *adj.* Que le falta la capacidad de hablar.

pasar (una película, un programa) *v.* Presentar.

patria *s.f.* Lugar en el que ha nacido una persona.

recorrer *v.* Ir o transitar por un espacio o lugar.

retirar(se) *v.* Alejar, ocultar.

sangriento/a *adj.* Manchado o cubierto de sangre.

silencioso/a *adj.* Que calla, que no hace ruido.

temblar *v.* Agitarse con movimientos breves.

vacío/a *adj.* Sin nada adentro, desocupado.

vela *s.f.* Objeto de cera con una cuerda por dentro que al prenderse produce luz.

velo *s.f.* Tela fina y transparente.

viuda *s.f.* Mujer casada cuyo esposo ha muerto.

---

38 | Sinónimos y antónimos

Empareje cada palabra con su sinónimo o antónimo, según se indica.

1. antónimo de viuda
2. sinónimo de mudo
3. sinónimo de patria
4. sinónimo de batallar
5. antónimo de estrecho
6. sinónimo de recorrer

A. país
B. casada
C. luchar
D. ancho
E. caminar
F. silencioso

---

39 | Así ha sucedido

Complete las siguientes oraciones con la palabra que corresponda según el contexto.

1. Sabían que solo les quedaban dos opciones: ____ o morir.

   A. temblar   B. batallar   C. flamear

2. La llama de la ____ brillaba en medio de la oscuridad que los rodeaba.

   A. vela   B. luz   C. noche

3. En la noche ____ no se oía ni el sonido de la respiración.

   A. silenciosa   B. triste   C. muda

4. Las estrellas brillaban en el ____ con más luz que nunca.

   A. sol   B. velo   C. cielo

5. Las calles estaban completamente ____, pues nadie se atrevía a salir.

   A. tristes   B. sangrientas   C. vacías

6. Ya no ____ nada en el cine, la radio o la televisión. Todo estaba prohibido.

   A. recorrían   B. pasaban   C. retiraban

Complete las oraciones con la palabra del recuadro que corresponda según el contexto.

aparecían	velo	patria
muda	temblar	lagos
estrechos	viuda	estorbaban
llama	enturbiaba	recorrían

1. La ____ de la hoguera en el campamento se veía desde lejos.

2. Tuvieron que abandonar su ____ y dejar atrás a sus seres queridos.

3. El viento, que anunciaba tormenta, hacía ____ las hojas de los árboles.

4. La tierra que caía de las montañas por la lluvia ____ el agua de los ____.

5. Los caminos se hacían más ____ por toda la nieve acumulada.

6. La ____ iba vestida de negro en memoria de su esposo quien murió en la guerra.

7. Oyeron historias de fantasmas y espíritus que se les ____ en medio de la noche.

8. Iba toda vestida de blanco, y un ____ transparente le cubría la sonrisa en el rostro.

9. Se quedó ____ de sorpresa al verlo y aunque quería, no le salían las palabras.

10. Las ramas caídas de los árboles ____ el paso de los hombres que ____ el bosque.

41 La muchacha de la película 🎧

Escuche el relato "La muchacha de la película". Después de oír la pregunta y las tres terminaciones posibles, indique la terminación más lógica. La pregunta y las terminaciones se leerán dos veces.

1.
A. ...y ve dos películas.
B. ...y ve la misma película.
C. ...y ve muchas películas.

2.
A. ...se queda en casa y hace otra cosa.
B. ...busca en qué cine la pasan y va nuevamente a verla.
C. ...lee el periódico o va a ver otra película.

3.
A. ...por qué le gusta ver la misma película.
B. ...por qué le gusta ir tanto al cine.
C. ...por qué va cada día al cine.

4.
A. ...un lago muy hermoso.
B. ...un tren muy pequeño.
C. ...una muchacha muy hermosa.

5.
A. ...un tren muy largo pasa delante de ella.
B. ...un tren para delante de ella.
C. ...un muchacho en el tren ve a la muchacha.

6.
A. ...la muchacha va a subir al tren.
B. ...la muchacha va a nadar en el lago.
C. ...el tren va a llegar un poco más tarde.

Gramática

Los adjetivos calificativos

Los adjetivos calificativos describen al sustantivo con el cual concuerdan en género y número.

un camin**o** estrech**o**   unos camin**os** estrech**os**

una vel**a** encendid**a**   unas vel**as** encendid**as**

Género y número de los adjetivos calificativos

- Los adjetivos que terminan en **-o** son masculinos y femeninos los que terminan en **-a**. Los adjetivos que terminan en vocal forman el plural añadiendo **-s** a la forma singular.

	Singular	Plural		Singular	Plural
Masculino	mud**o**	mud**os**	**Masculino**	silencios**o**	silencios**os**
Femenino	mud**a**	mud**as**	**Femenino**	silencios**a**	silencios**as**

- Los adjetivos que terminan en **-dor** y **-ol** y los adjetivos de nacionalidad que terminan en consonante forman el femenino añadiendo **-a** y el plural, añadiendo **-es**.

	Singular	Plural		Singular	Plural
Masculino	conversador	conversador**es**	**Masculino**	español	español**es**
Femenino	conversador**a**	conversador**as**	**Femenino**	español**a**	español**as**

	Singular	Plural		Singular	Plural
Masculino	portugués	portugues**es**	**Masculino**	alemán	aleman**es**
Femenino	portugues**a**	portugues**as**	**Femenino**	aleman**a**	aleman**as**

- Los adjetivos que terminan en **-e** y en consonantes como **-l**, **-n**, **-r** y **-z** tienen una sola forma para el masculino y el femenino y forman el plural añadiendo **-s** y **-es** respectivamente.

	Singular	Plural
Masculino	importante	importante**s**
Femenino	importante	importante**s**

	Singular	Plural
Masculino	común	comun**es**
Femenino	común	comun**es**

	Singular	Plural
Masculino	difícil	difícil**es**
Femenino	difícil	difícil**es**

	Singular	Plural
Masculino	veloz	veloc**es**
Femenino	veloz	veloc**es**

> ### Un poco más
>
> Al formar el plural de los adjetivos que terminan en **-z**, recuerde que la **-z** cambia a **-c** antes de **-e**.
>
> andalu**z**   andalu**ces**
>
> capa**z**   capa**ces**

Posición y uso de los adjetivos calificativos

Como norma general, los adjetivos calificativos se colocan después del sustantivo
y sirven para expresar sus propiedades o características, ya sean concretas o abstractas,
como se ve a continuación.

- Indican la nacionalidad y creencias políticas, sociales y religiosas de las personas.

    Hay muchos exilados **cubanos** en Estados Unidos que se oponen al gobierno **comunista** de Fidel Castro.

    Su santidad el papa Francisco, el mayor representante de la iglesia **católica**, manifestó su alegría por la reanudación de las relaciones **diplomáticas** entre EE. UU. y Cuba.

- Describen el tamaño, forma y color de algo o de alguien.

    Es una ciudad **pequeña** de estilo **colonial**, con calles **estrechas** de piedra y casas con techos de tejas **rojas** y paredes **blancas**.

    Es una mujer de pelo **negro**, estatura **mediana** y facciones **delicadas**.

- Describen nuevas tecnologías.

    Hoy en día, todo el mundo tiene teléfonos **celulares**, conexión **inalámbrica** y pantallas de **alta definición**.

- Algunos adjetivos como **bueno** o **malo**, que pueden ir antes o después del sustantivo, cambian de forma cuando se colocan antes.

    Un hombre **bueno**　　Un **buen** hombre
    Un hombre **malo**　　Un **mal** hombre

- Los adjetivos **peor** y **mejor** siempre se colocan antes del sustantivo.

    Este es el **peor** problema que tenemos y esa es la **mejor** solución.

Un poco más

Los adjetivos calificativos se colocan antes del sustantivo cuando describen una cualidad inherente al sustantivo o cuando se quiere dar énfasis, lo cual ocurre especialmente en el lenguaje literario o poético:

La **blanca** nieve de las montañas resaltaba en la distancia.

"...con **largos** velos y un clavel en la mano, **silenciosa** Cuba, cual viuda me aparece."

Adjetivos que cambian de significado

Los siguientes adjetivos cambian de significado según estén antes o después del sustantivo.

Adjetivo	Antes del sustantivo	Después del sustantivo
gran(de)	un **gran** libro (great)	un libro **grande** (big)
pobre	el **pobre** hombre (unfortunate)	el hombre **pobre** (poor, penniless)
nuevo	una **nueva** casa (new, another)	una casa **nueva** (brand-new)
viejo	un **viejo** amigo (of long-standing)	un amigo **viejo** (old, elderly)
antiguo	un **antiguo** coche (former)	un coche **antiguo** (old, antique)

42 ¿Dónde piensan alojarse?

Imagine que Ud. va a ir de vacaciones a Cuba con un grupo de estudiantes y están buscando un lugar para hospedarse que no sea muy costoso. Complete las oraciones con las palabras del recuadro haciendo los cambios necesarios según sea necesario.

básico	independientes	bello
céntrico	colonial	bueno
doble	turístico	climatizado

1. Casa Inés: Se ofrecen dos habitaciones ____ en una ____ casa de estilo ____ .
2. Casa Blanca: Esta es una ____ oportunidad de alojarse en una zona ____ y ____ de la capital.
3. Casa Carmen: Se ofrece habitación con baño y servicios ____ en el barrio de El Vedado.
4. Villa Babi: El calor de La Habana no le afectará en estas habitaciones ____ .
5. Casa Miriam: Aquí hay alojamiento para dos en una habitación ____ con muchas comodidades.

¡Comunicación!

43 Cualidades en común 👥 Interpersonal Communication

Piense en cinco cualidades que Ud. busca en un(a) amigo/a y explique por qué son importantes. Ordénelas según su preferencia y, luego, compárelas con las de un(a) compañero/a de clase para ver qué tienen en común.

alegre	fuerte	rico/a	cariñoso/a
extrovertido/a	religioso/a	cortés	guapo/a
romántico/a	honesto/a	sensible	mentiroso/a
inteligente	simpático/a	divertido/a	maduro/a
sincero/a	educado/a	paciente	tranquilo/a

MODELO **Un amigo/a debe ser honesto/a y sincero/a. Para mí, no hay nada peor que las personas mentirosas.**

¡Comunicación!

44 **¿Quién es?** 👥 Interpersonal Communication

Con un(a) compañero/a piensen en cuatro cualidades de las personas famosas y pónganse de acuerdo en las que aplican a cada una de las siguientes personas. Luego, piensen individualmente en otra persona famosa y descríbansela a su compañero/a para que adivine quién es.

Sofía Vergara

Gael García Bernal

1. Shakira

2. Gael García Bernal

3. Narciso Rodríguez

4. Sofía Vergara

Los adjetivos posesivos

Los adjetivos posesivos indican pertenencia, es decir, a quién o quiénes pertenece algo.

Formas de los adjetivos posesivos			
Singular		**Plural**	
mi	nuestro/a	mis	nuestros/as
tu	vuestro/a	tus	vuestros/as
su	su	sus	sus

- Los adjetivos posesivos concuerdan en número con los sustantivos a los que modifican. Solo la primera y la segunda persona del plural tienen género masculino y femenino.

    Con **nuestra** ambición y **tus** conocimientos, **nuestra** labor tendrá éxito.

- Si se necesita aclarar el significado del adjetivo posesivo **su** o **sus**, se usa el artículo definido y una frase preposicional.

el/la… de Ud./Uds.	los/las… de Ud./Uds.
el/la… de él/ellos	los/las… de él/ellos
el/la… de ella/ellas	los/las… de ella/ellas

Un poco más

Para contestar la pregunta, "¿Es la casa de Juan o de los García?" indicando que la casa es de los García, se diría: "Es la casa de ellos."

Contestar simplemente: "Es su casa" no es suficiente, porque "su casa" puede significar la casa de él, de ella, de Ud., de ellos, de ellas y de Uds.

¡Comunicación!

45 ¡Con carácter devolutivo, por favor! 👥 Interpersonal Communication

Todos tenemos amigos que nunca devuelven las cosas que piden prestadas: ropa, bolígrafos, cosméticos, DVDs y más. De ahí el dicho: "¡Con carácter devolutivo!" Piense en ejemplos de esta situación y túrnese con un(a) compañero/a para comentarlos.

MODELO
A: Imagínate, le presté mi… y mis… a un amigo hace más de un mes y no me los ha devuelto. Nunca le he vuelto a prestar nada.

B: No lo puedo creer. Yo le presté mi… y mis… a una amiga y ella… Por eso decidí…

46 Quisiera saber… 👥 Interpersonal/Presentational Communication

Escriba una pregunta sobre cada uno de los temas que siguen y, luego, túrnese con un(a) compañero/a para hacerse las preguntas y responderlas. Después, resuman la información y preséntela a la clase.

MODELO
¿Cuál es tu país de origen?

Mi país de origen es…

Voy a hablarles de mi compañero(a). Su país de origen es… y sus padres… etc.

- País de origen
- Casa de sus padres
- Sus clases

- El colegio (clases / tecnología / deportes / compañeros)
- El tiempo libre / pasatiempos
- ¿…?

47 Intercambio Interpersonal/Presentational Communication

Un estudiante cubano va a pasar un mes con Ud. y su familia en un programa de intercambio estudiantil. Escríbale una carta en la que le describe a su familia, su casa, sus costumbres. Hágale cuatro preguntas sobre su vida en Cuba.

Gramática

Adjetivos y pronombres demostrativos

Las palabras **este**, **ese** y **aquel** y sus respectivos femeninos y plurales funcionan como adjetivos demostrativos cuando acompañan al sustantivo que modifican. Funcionan como pronombres cuando hacen el papel del nombre.

Como adjetivo demostrativo:
¿Te gusta **este** vestido?
*Do you like **this** dress?*

Como pronombre demostrativo:
Sí, pero prefiero **aquel** que está más allá.
*Yes, but I prefer **that one** that is over there.*

Formas de los adjetivos y pronombres demostrativos		
	Singular	**Plural**
Masculino	este ese aquel	estos esos aquellos
Femenino	esta esa aquella	estas esas aquellas

Usos de los adjetivos demostrativos

Los adjetivos demostrativos indican la distancia de las personas y las cosas, con relación a la persona que habla. Los adjetivos demostrativos concuerdan en género y número con el sustantivo al que acompañan.

- Use **este** (*this*) para referirse a algo que se encuentra cerca de la persona que habla.

  Compré **este** disco compacto de los Orishas en El Rincón Records en Miami.

- Use **ese** (*that*) para referirse a algo que se encuentra cerca de la persona con quien se habla.

  Ese DVD que tienes es el último de Celia Cruz, ¿no?

- Use **aquel** (*that over there*) para referirse a algo que se encuentra lejos de las personas que hablan.

  En **aquella** tienda al otro lado de la calle se puede comprar toda clase de música latina.

Usos de los pronombres demostrativos

Los pronombres demostrativos hacen el papel del nombre y concuerdan con él en género y número. También se usan para indicar la distancia de las personas o las cosas con relación a la persona que habla, pero sin nombrarlas, para evitar repetición.

—¿Qué flores vas a comprar?

—**Estas** (flores) me gustan mucho, pero voy a comprar **esas** (flores), que son más baratas.

La casa donde viven mis abuelos no es **esta** (casa), es **aquella** (casa).

Un poco más

Los pronombres demostrativos neutros se refieren a algo no identificado o a una idea abstracta.

¿Qué es **esto**?

Eso sí que es un problema serio.

Aquello que te dije ya no tiene importancia.

Complete la conversación entre Marleni y Ernesto con las palabras del recuadro que correspondan según el contexto.

esta	este	ese	aquel	esto
estos	esos	esa	estas	eso

Marleni: —¡Qué suerte! El menú de __(1)__ noche está fabuloso. ¿Qué te gustaría comer?

Ernesto: —No sé. ¿Qué me recomiendas?

Marleni: —Pues, __(2)__ plato de arroz con mariscos es fantástico. Es una de las especialidades de la casa.

Ernesto: —¿ __(3)__ es lo que vas a pedir tú?

Marleni: —No, creo que voy a pedir __(4)__ fríjoles negros y __(5)__ tajadas de plátano maduro. ¿Has comido tajadas de plátano alguna vez?

Ernesto: —Sí, y __(6)__ plátanos se ven deliciosos. Creo que voy a pedir lo mismo que tú.

Marleni: —¡Listo! Llamemos al camarero.

Ernesto: —A propósito, Marlen, estás muy bonita esta noche. __(7)__ blusa que llevas puesta te queda muy bien.

Marleni: —¿Qué es __(8)__ ? ¿Un cumplido?

Ernesto: —No es un cumplido. ¿No te has dado cuenta? __(9)__ chico que está cerca de la puerta no deja de mirarte. Tiene muy buen gusto. ¡Igual que yo!

Marleni: —No me sorprende, pero en realidad, no dejan de mirarme a mí sino a ti.

Ernesto: —¿Dejan?

Marleni: —Sí, ese chico y __(10)__ que está allá son mis hermanos. Por eso es que no te quitan los ojos de encima.

Ernesto: —¿De veras? ¡No lo puedo creer!

Vuelva a leer la actividad anterior y analice sus respuestas en el contexto de cada oración. Luego, diga qué función (adjetivo o pronombre demostrativo) desempeña cada palabra en ese contexto. Siga el modelo como guía y escriba sus respuestas en una hoja aparte.

MODELO El menú de __(1)__ noche está fabuloso.

El menú de **esta** noche está fabuloso.

"Esta" funciona como adjetivo, porque aparece junto al sustantivo que está modificando (noche).

Dos patrias
de *José Martí*

Sobre el autor

José Martí, el poeta cubano por excelencia, nació en la Habana en 1853. Hijo de padres españoles, dedicó su vida entera y su obra a la lucha por la independencia de Cuba de España, primero, y de las políticas imperialistas estadounidenses. Fue el precursor del modernismo en Hispanoamérica. Su dedicación a las letras se hace evidente en sus colecciones de poemas entre las que se destacan *Versos sencillos* (1891) y *Versos libres* (1892). A causa de su actividad política fue encarcelado y deportado a España, donde residió y estudió por un tiempo. Finalmente se estableció en Nueva York, que solo abandonó en 1895 para volver a luchar a Cuba, donde encontró la muerte.

José Martí

Antes de leer

"Dos patrias" es el reflejo del sufrimiento de Martí como cubano en una Cuba que no es libre. El concepto de patria, teniendo en cuenta que vivió exiliado la mayor parte de su vida, es especialmente doloroso en este poema.

¿Cómo cree que se siente alguien que se ha visto obligado a abandonar su país?

50 Practique la estrategia

En el primer verso del poema, Martí afirma tener dos patrias. Una es literal, Cuba, y la segunda es metafórica, la noche. ¿Qué cree que simboliza la noche? Busque otros tres ejemplos de lenguaje metafórico en el poema y explique su significado, como se ve a continuación.

Lenguaje metáforico	Significado
Dos patrias tengo yo: Cuba y la noche.	**Puede simbolizar la vida del poeta en el destierro.**

Dos patrias
de *José Martí* 🎧

51 Comprensión

1. ¿Quién es la "viuda triste" en el poema?

2. ¿Con qué imagen representa la idea de la sangre roja de los patriotas que mueren por Cuba?

3. ¿Qué quiere decir: "La noche es buena para decir adiós"?

4. ¿Qué comparación hace Martí entre "la llama de la vela" y "la bandera"?

52 Analice

¿A qué cree que se refiere el poeta cuando dice: "las ventanas abro, ya estrecho en mí" en los versos 16–17? Explique su respuesta.

Dos patrias tengo yo: Cuba y la noche.
¿O son una las dos? No bien retira
su majestad el sol[1], con largos velos
y un clavel en la mano, silenciosa
5   Cuba cual[2] viuda triste me aparece.
¡Yo sé cuál es ese clavel sangriento
que en la mano le tiembla! Está vacío
mi pecho, destrozado está y vacío
en donde estaba el corazón. Ya es hora
10   de empezar a morir. La noche es buena
para decir adiós. La luz estorba[3]
y la palabra humana. El universo
habla mejor que el hombre.
        Cual bandera
15   que invita a batallar, la llama roja
de la vela flamea. Las ventanas
abro, ya estrecho en mí[4]. Muda, rompiendo
las hojas del clavel, como una nube
que enturbia[5] el cielo, Cuba, viuda, pasa...

"...Está vacío mi pecho, destrozado ..."

[1] as soon as the sun has withdrawn its majesty (has just set)   [2] like   [3] hinders
[4] too narrow (to contain myself)   [5] obscures

Después de leer

En "Dos patrias" el poeta plantea un dilema: por una parte Cuba reclama la presencia del poeta en la lucha; por otra, la noche se apodera de su espíritu y se deja morir. ¿Cómo le parece que se desarrolla esta idea en el poema? Intercambie sus opiniones con las de un(a) compañero/a y, luego, compárenlas con las del resto de la clase.

Para concluir

? Pregunta clave

¿Cómo se refleja la idiosincrasia de una nación en el trato de su gente?

Proyectos

A ¡Manos a la obra!

Trabaje con un compañero. Imagine que Ud. es especialista en música cubana y su compañero es periodista y tiene un programa de radio. Lo invita a hablar sobre la historia del dúo Los Compadres, formado por los amigos Francisco Repilado, conocido como "Compay Segundo", y Lorenzo Hierrezuelo.

Busquen información sobre este dúo en la internet, por ejemplo, cuándo se formó, qué tipo de música tocaban, cuántos discos hicieron juntos, alguna anécdota sobre su amistad, etc.

Algunos datos interesantes que pueden mencionar son:

- El nombre del dúo se debe a la forma tradicional de saludarse los vecinos en las zonas rurales de Cuba.

- Repilado recibe el apodo "Compay" porque es la forma de llamar a los hombres en la región oriental de Cuba y "Segundo" porque hacía la segunda voz en el dúo.

Preparen un diálogo de la entrevista con las preguntas que hace el periodista y las respuestas que da el especialista. Pueden grabar su entrevista e incluir algunas canciones de Los Compadres para presentarla al resto de la clase.

B En resumen Conéctese: el lenguaje

La forma de ser y de pensar de los cubanos se refleja en su forma de tratar a los demás ya sean conocidos o desconocidos, familiares, amigos cercanos o amigos íntimos. Piense en las diferentes expresiones que usan los cubanos para dirigirse o referirse a los demás y complete la tabla con la información, como se ve a continuación.

Expresiones	Usos	Significado o ejemplos
Acere, ¿qué volá?	Se usa para saludarse entre amigos.	Es lo mismo que decir: "Hola amigo, ¿cómo estás?"

C ¡A escribir!

Imagine que Ud. acaba de regresar de La Habana y decide contar en su blog su experiencia en la ciudad. Escriba una entrada sobre la forma de ser de los cubanos, en la que relate las principales características de su idiosincracia. Mencione detalles concretos sobre el trato que recibió y lo que haya observado sobre cómo se relacionan entre ellos. No olvide incluir ejemplos de expresiones de saludo, formas de llamarse entre sí y regionalismos que le hayan parecido interesantes.

Para escribir más

apoyo mutuo
carácter alegre
colaboración
comunicativo/a
con chispa
conversador(a)
extrovertido/a
generosidad
hospitalario/a
lealtad

D Una encuesta

Repase los puntos principales del discurso de Obama sobre su propuesta de reanudar (*resume*) las relaciones entre Cuba y Estados Unidos. Prepare una encuesta de cuatro preguntas para averiguar la opinión de sus compañeros sobre el tema. Haga preguntas que se puedan responder con "sí" o "no", o bien con "de acuerdo" y "en desacuerdo". Luego, presente un informe de los resultados e incluya gráficas para ilustrarlos.

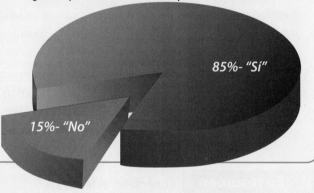

REANUDACIÓN DE LAS RELACIONES EE. UU.-CUBA
¿Cree que será beneficiosa para los cubanos?

85%- "Sí"

15%- "No"

E Más de cincuenta años   Conéctese: la historia

La importancia histórica de la decisión del presidente Obama de reanudar las relaciones con Cuba queda clara si analizamos la historia del vínculo entre ambos países desde 1959 en adelante. Investigue los sucesos principales de la relación cubano-estadounidense a partir de la Revolución. Complete la línea de tiempo con los datos que faltan y luego compare y comente los sucesos con un compañero.

1959: Revolución cubana

____: Fidel Castro nacionaliza empresas estadounidenses

____: Crisis migratoria con EE. UU.

1962: ____

1961: ____

2014: Anuncio de la reanudación de las relaciones

Vocabulario de la Unidad 1

a causa de (por) because of

¿A qué te dedicas? What do you do for a living?

Adelante. Come in.

Adiós. Good-bye.

aparecer to appear

atrasarse to be late

ayudar to help

la **bandera** flag

batallar to fight

Bienvenidos. Welcome.

Bueno, para empezar… Well, to begin with…

casi todos almost all

el **cielo** sky

el **cine** the movie theater

Claro que sí./Cómo no./Desde luego. Of course.

el **clavel** carnation

¿Cómo has estado?/¿Cómo te ha ido? How have you been?

¿Cómo se dice…? How do you say…?

¿Cómo te llamas? What is your name?

¡Con permiso! Excuse me! (when passing through a crowd)

¿Cuál es tu apellido? What is your last name?

¿Cuánto hace que…? How long ago…?

la **cuestión** issue, matter, question

¡Cuídate! Take care!

De acuerdo OK

De nada./No hay de qué. You're welcome.

¿De veras? Really?

Dígame. Tell me.

Disculpe./Perdone. Excuse me.

El gusto es mío. The pleasure is mine.

¿En qué puedo servirle? How can I help you?

¡Encantado/a! Pleased to meet you!

Entre./Pase. Come in.

enturbiar to obscure

Es un placer… It is a pleasure…

Está en su casa. Make yourself at home.

estorbar to hinder

estrecho/a narrow

estupendo/a wonderful

explicar to explain

fantástico/a fantastic

el **favor** favor

flamear to blaze

Fue muy grato… It was a pleasure…

hablar to speak

hacer una pregunta to ask (pose) a question

Hasta la vista. So long.

Hasta luego. See you later.

Hasta pronto. See you soon.

Igualmente. Same here.

el **lago** lake

la **llama** flame

Lo siento (mucho). I am (very) sorry.

magnífico/a magnificent

Me gustaría + inf. I would like to…

Me llamo… ¿y tú? My name is… and yours?

Mil gracias./Un millón de gracias. Thank you very much.

Muchísimas gracias por su amabilidad. Thanks a lot for your kindness.

Mucho gusto. Nice to meet you.

mudo/a mute

Ni hablar. No way.

No lo puedo creer. I can't believe it.

No me digas. You don't say.

No mucho. Not much.

No sabes cuánto te agradezco. You don't know how much I appreciate it.

Nos vemos. See you.

pasar (una película, un programa) to show (a movie, a program)

la **patria** fatherland

pedir to ask for (something)

Permítame + inf. Allow me to…

Pero claro. Of course.

¿Podría + inf.? Could I?

Por favor. Please.

¿Por qué…? Why…?

Porque… Because…

la **pregunta** question

preguntar por to ask for (someone)

preguntar to ask (a question)

preguntarse to wonder

presentar a to introduce

¿Puedes + inf.? Can you…?

Qué alegría verte. How nice to see you.

¡Qué bien! Great!

Qué buena (mala) suerte. What good (bad) luck.

¿Qué hay de nuevo?/¿Qué me cuentas? What's new?

¡Qué lástima!/¡Qué pena! What a pity!

¿Qué opinas de…? What is your opinion about…?

¿Qué quiere decir…? What does…mean?

¿Qué se te ofrece? What can I do for you?

Qué sorpresa… What a surprise…

¿Qué tal? How are you?

¿Qué te parece si…? What do you think about…?

¡Qué va! No way!

Quisiera + inf. May I…?

recorrer to go over

retirar(se) to withdraw

saber to know (information)

sangriento/a bloody

sentarse to sit down

silencioso/a silent

¡Súper! Super!

Tanto gusto en conocerlo/a. Pleased to meet you.

temblar to tremble

tener un momento to have a minute

Todo igual./Todo lo mismo. Nothing new.

tomar asiento to take a seat

vacío/a empty

Vale. OK.

la **vela** candle

el **velo** veil

la **viuda** widow

¡Ya era hora! It is about time!

¿Sabía que...?

La Terminal 4 del aeropuerto Adolfo Suárez Madrid-Barajas es uno de los íconos arquitectónicos de la ciudad. Inaugurada en 2006, llama la atención del viajero por su diseño ondulado y sus colores, que representan el arco iris.

El atractivo de viajar

Escanee el código QR para mirar el video "De tapas".

Conocer las costumbres típicas de otros países es uno de los atractivos de viajar. ¿En qué consiste la costumbre española de "ir de tapas" o "tapear"? Explique en detalle su respuesta.

Pregunta clave

?

¿Qué se aprende cuando se viaja al extranjero?

Mis metas

En esta unidad:

▶ Usaré expresiones relacionadas con viajes dentro y fuera del país.

▶ Usaré los pronombres personales y los verbos regulares e irregulares en el presente de indicativo.

▶ Me familiarizaré con la riqueza artística, natural e histórica de España.

▶ Distinguiré el significado de palabras y frases según el contexto.

▶ Usaré correctamente el futuro de los verbos regulares e irregulares.

▶ Leeré un artículo sobre la celebración del *Año del Quijote* en España y los motivos de esta celebración.

▶ Publicaré mi opinión sobre "Gigantes", el logotipo del Quijote 2015, en una red social.

▶ Crearé un anuncio publicitario para promocionar el turismo en diferentes regiones de España.

▶ Desarrollaré nuevas destrezas de vocabulario.

▶ Usaré los comparativos y las diferentes formas del superlativo en español.

▶ Leeré el poema "He andado muchos caminos" del español Antonio Machado.

España

¿De quién es esta famosa obra de arte y cómo se llama?

Vocabulario 1

¡Nos vamos de viaje! 🎧

En el aeropuerto

Acuérdese de estas recomendaciones para viajeros, sobre todo si es la primera vez que viaja al extranjero.
- Confirme sus reservaciones antes del viaje y recuerde que debe estar en el aeropuerto con tres horas de anticipación para vuelos internacionales y dos para vuelos nacionales.
- Diríjase al mostrador de la línea aérea para facturar su equipaje. Tome precauciones si no quiere pagar por exceso de equipaje.
- Quítese cualquier artículo personal de metal antes de pasar por el detector de metales en el control de seguridad.
- Presente su visa, pasaporte y pasajes en emigración y, luego, diríjase a la sala de espera y manténgase allí hasta el momento de abordar el avión.

En la sala de espera

Última llamada para los pasajeros del vuelo 357 de Iberia, directo a la ciudad de Madrid. El avión está preparándose para el despegue.

En el avión

Siga las indicaciones de la tripulación a todo momento. En caso de turbulencia o de aterrizaje forzoso, mantenga la calma (no van a estrellarse) y haga lo que indique el (la) piloto o el (la) auxiliar de vuelo.

¿Cambiamos de asiento? Pedí uno de ventanilla o de pasillo, pero ya no había.

Tengan la amabilidad de apagar sus computadoras. Ya estamos próximos a despegar.

Abróchate el cinturón de seguridad que ya vamos a aterrizar.

Al bajarse del avión

- Después de pasar por inmigración, recoja su equipaje y pase por la inspección de aduana.
- Si está haciendo escala y pierde su vuelo de conexión, vaya al mostrador de la línea aérea donde lo/la ayudarán.
- Si lo necesita, generalmente hay una oficina de cambio (de moneda) en la planta baja del aeropuerto.

El inspector revisará sus maletas y maletín de mano para ver que no lleve contrabando.

Consulte el monitor de salidas y llegadas de vuelos para saber a qué hora sale su vuelo de conexión.

En el hotel

Al llegar al hotel, diríjase a la recepción para inscribirse y pedir la llave de su habitación. Recuerde que el botones puede ayudarle a subir o bajar su equipaje. Si tiene algún problema, no dude en hablar con el gerente del hotel.

¿Podría decirme si la Srta. Amelia Cárdenas aparece en su lista de huéspedes?

Claro que sí. Un momento, por favor.

¿Te acordaste de darle una propina?

¡Por supuesto!

Para conversar

Para hacer planes de turismo:

Queremos conocer España y nos gustaría hacer unas reservaciones. ¿Puede ayudarnos?

¿Les interesa viajar en coche, en barco, o en ferrocarril?

¿Desean viajar en primera clase o clase turística?

¿Cuánto cuesta un pasaje de ida y vuelta a...?

¿Tienen servicio de coche cama y coche comedor en este tren?

¿Qué hacemos si tenemos que cancelar o posponer el viaje?

¿A qué hora sale/llega...?

El tren sale del andén número...

¡Pasajeros al tren!

1 ¿Quién? 🎧

Escuche e indique la respuesta correcta.

1. el inspector / el viajero
2. la tripulación / el botones
3. el huésped / el gerente

4. el botones / el turista
5. el inspector / el pasajero

2 Vuelos nacionales e internacionales

El procedimiento para viajar en avión dentro y fuera del país es similar, pero no es igual. Decida si las siguientes regulaciones aplican solo a los vuelos internacionales o si aplican a los dos: vuelos nacionales e internacionales, como se ve a continuación.

Regulaciones	Vuelos nacionales	Vuelos internacionales
1. Llegar al aeropuerto con tres horas de anticipación		✓
2. Estar en el aeropuerto dos horas antes del viaje		
3. Mantener la calma en situaciones de emergencia		
4. Seguir las indicaciones de la tripulación del vuelo		
5. Dirigirse a inmigración después de salir del avión		
6. Consultar los monitores de llegada y salida de vuelos si tiene vuelos de conexión		

3 Dentro y fuera del país

Empareje cada oración de la derecha con el lugar más apropiado de la izquierda.

1. ¿Va a facturar su equipaje?
2. Favor de abordar el avión por la puerta de salida 8.
3. ¡Pasajeros al tren!
4. Aquí están las llaves de su habitación.
5. Abróchense el cinturón de seguridad.
6. Abra sus maletas, por favor.

A. la sala de espera
B. el mostrador de la línea aérea
C. la recepción del hotel
D. el andén de la estación del ferrocarril
E. la inspección de aduana
F. el avión

4 Al llegar al hotel

Complete las oraciones con las palabras del recuadro y, luego, colóquelas en orden lógico.

subir	huéspedes	el botones	la llave	confirmar	una propina

1. Le doy ____ al botones por su ayuda.
2. Voy a la recepción y hablo con la gerente para ____ mi reservación.
3. Afortunadamente, el botones me ayuda a ____ el equipaje hasta el tercer piso.
4. Dice que mi nombre no está en la lista de ____ .
5. A la llegada ____ me saluda cordialmente y me abre la puerta.
6. Al desocupar mi habitación, dejo ____ en la recepción.

¡Comunicación!

5 ¡Qué mala suerte! Interpersonal Communication

Imagine que hizo un viaje y tuvo todos los problemas que se mencionan a continuación. Escríbale un correo electrónico a su mejor amigo/a y cuéntele en detalle todo lo que pasó.

A. Perdió su vuelo de conexión.

B. Tuvo que pagar exceso de equipaje.

C. Tuvo que posponer el viaje de regreso.

D. En el hotel perdieron su reservación.

6 Hay que mantener la calma 👥 Interpersonal Communication

Dos amigas, Adriana y Alejandra, están haciendo un viaje a España. Adriana está muy nerviosa porque nunca ha viajado al extranjero y no sabe qué hacer y Alejandra tiene que ayudarla a mantener la calma a cada momento, especialmente en el aeropuerto. Con un(a) compañero/a hagan el papel de las dos jóvenes y representen la situación. ¿Qué diría o haría Adriana? ¿Qué diría o haría Alejandra para ayudarla? Incluyan información relacionada con los temas del recuadro, como se ve en el modelo.

equipaje	documentos	control de seguridad
inmigración	inspección de aduana	vuelos de conexión

MODELO   Llegada al aeropuerto

Adriana: ¿Por qué tenemos que estar tan temprano en el aeropuerto?

Alejandra: Como te dije, para vuelos internacionales hay que estar en el aeropuerto con tres horas de anticipación.

Gramática

Los pronombres personales y su uso

Los pronombres personales **yo**, **tú**, **Ud.**[1], **él**, **ella**, **nosotros/as**, **vosotros/as**, **Uds.**, y **ellos/as** hacen el papel del sujeto, el cual concuerda (*agrees*) con el verbo en número y persona. Por esa razón los pronombres personales generalmente se omiten.

<blockquote>—¿Adónde viajas? (tú)   —Viajo a Madrid. (yo)</blockquote>

- Los pronombres **Ud.** y **Uds.** se usan con más frecuencia como forma de cortesía.

    ¿Prefiere **Ud.** un asiento de ventanilla o de pasillo?

- Se usa el pronombre personal para nombrar, aclarar o dar énfasis al sujeto.

    —¿Quiénes son **ellos**?   —Son mis compañeros de viaje.
    —¿Tuvieron que pagar por exceso de equipaje?   —**Yo** no, pero **ella** sí tuvo que hacerlo.

- Para dar aún más énfasis al sujeto se puede usar **mismo/a/os/as** después del pronombre personal.

    ¿**Ud.** canceló las reservaciones?
    Sí, **yo misma** las cancelé.

- Con el verbo **ser**, en casos enfáticos, el pronombre va después del verbo.

    —¿Es Ud. el gerente del hotel?   —Sí, soy **yo**. ¿En qué puedo servirle?

- Siempre se deben incluir después de las palabras **según**, **como**, **entre**, **menos**, **excepto** e **incluso**, pues estas se usan para nombrar al sujeto.
    Según ellos, la recepcionista nunca recibió la reservación.

[1] **Usted** y **ustedes** se abrevian como **Ud.** y **Uds.** en forma escrita.

Un poco más

Tú es la forma familiar que se usa entre amigos y familiares. **Usted** (**Ud.**) se usa cuando una persona habla con personas que no conoce, personas mayores o para mostrar respeto. En los últimos años, sin embargo, ha habido una tendencia a usar más la forma familiar **tú**, sobre todo en España y en el Caribe.

---

7 ¿Qué pasa?

Complete el siguiente diálogo con los pronombres personales que correspondan, cuando sea necesario.

Daniela: ¿Eres __(1)__, Javier?

Javier: Sí, soy __(2)__. Ábreme la puerta.

Daniela: Hola, Javier.

Javier: Hola, Daniela. Ya veo que mamá no está. ¿Sabes dónde está __(3)__?

Daniela: No estoy segura, pero creo que __(4)__ viene pronto. __(5)__ veo que dejó la cena lista, así es que __(6)__ voy a poner la mesa.

Javier: Daniela, ¿qué pasa? ¿__(7)__ estás nerviosa?

Daniela: Un poco. __(8)__ acabo de recibir una carta de los abuelos. Quieren que __(9)__ los visite en Granada. __(10)__ prefiero esperar hasta el otoño, pero __(11)__ quieren que viaje de inmediato. Mira, toma la carta y léela __(12)__ mismo.

Gramática

8 Fiesta de bienvenida 👥

Daniela viaja a Granada y cuando llega sus abuelos le tienen una fiesta de bienvenida. Hace diez años que Daniela no está en España y no se acuerda mucho de sus familiares, así es que su abuela tiene que ayudarla a reconocerlos. Con su compañero/a, representen la situación, como se ve en el modelo.

MODELO
Francisco
Daniela: ¿Ese es Francisco?
Abuela: ¡Claro que es él!

1. la tía Sara
2. la hija de Sofía
3. Daniel y Pablo
4. Alejandro
5. los tíos
6. las hermanas García

El presente de indicativo

Conjugación de verbos regulares						
pregunt**ar**	pregunt**o**	pregunt**as**	pregunt**a**	pregunt**amos**	pregunt**áis**	pregunt**an**
comprend**er**	comprend**o**	comprend**es**	comprend**e**	comprend**emos**	comprend**éis**	comprend**en**
decid**ir**	decid**o**	decid**es**	decid**e**	decid**imos**	decid**ís**	decid**en**

Verbos de cambio radical

Los verbos de cambio radical tienen cambios en la raíz en todas las personas del presente de indicativo, menos **nosotros** y **vosotros**.

Cambio e → ie

pensar	p**ie**nso	p**ie**nsas	p**ie**nsa	pensamos	pensáis	p**ie**nsan

Verbos como **pensar**: cerrar, comenzar, despertarse, defender, encender, entender, perder, querer, advertir, divertir(se), mentir, preferir, sentir

Cambio e → i

pedir	p**i**do	p**i**des	p**i**de	pedimos	pedís	p**i**den

Verbos como **pedir**: reír, repetir, seguir, servir, sonreír

Cambio o/u → ue

poder	p**ue**do	p**ue**des	p**ue**de	podemos	podéis	p**ue**den
oler	h**ue**lo	h**ue**les	h**ue**le	olemos	oléis	h**ue**len
jugar	j**ue**go	j**ue**gas	j**ue**ga	jugamos	jugáis	j**ue**gan

Verbos como **poder** y **jugar**: acordar, almorzar, contar, encontrar, mostrar, probar, recordar, rogar, devolver, mover, resolver, soler, volver, dormir, morir

Un poco más

Oler es un verbo único en cuanto al cambio que sufre en la raíz porque ninguna palabra en español comienza con un diptongo. Por eso, es necesario anteponer una **h** al diptongo **ue**, en su conjugación.

Verbos de cambio ortográfico

Los siguientes verbos tienen cambios de ortografía en la primera persona del presente de indicativo.

- Los verbos que terminan en **-ger** y **-gir** cambian la **-g** a **-j** antes de **-o**.

recoger	recojo	recoges	recoge	recogemos	recogéis	recogen
dirigir	dirijo	diriges	dirige	dirigimos	dirigís	dirigen

Verbos como **recoger** y **dirigir**: coger, escoger, proteger, dirigir, exigir

- Los verbos que terminan en **-guir** pierden la **u** antes de **-o**.

distinguir	distingo	distingues	distingue	distinguimos	distinguís	distinguen

Verbos como **distinguir**: seguir, perseguir, proseguir

- Los verbos que terminan en **-cer** y **-cir** cambian la **-c** a **-zc** antes de **-o**.

conocer	conozco	conoces	conoce	conocemos	conocéis	conocen
conducir	conduzco	conduces	conduce	conducimos	conducís	conducen

Verbos como **conocer** y **conducir**: agradecer, (des)aparecer, (des)obedecer, producir, traducir

- Los verbos que terminan en **-uir** cambian la **-i** a **-y** en todas las formas del presente de indicativo, menos nosotros y vosotros.

construir	construyo	construyes	construye	construimos	construís	construyen

Verbos como **construir**: destruir, distribuir, huir, incluir

Verbos irregulares

Los verbos irregulares pueden tener cambios en la raíz, en la terminación o en toda la conjugación.

caber	quepo	cabes	cabe	cabemos	cabéis	caben
caer(se)	caigo	caes	cae	caemos	caéis	caen
dar	doy	das	da	damos	dais	dan
decir	digo	dices	dice	decimos	decís	dicen
estar	estoy	estás	está	estamos	estáis	están
hacer	hago	haces	hace	hacemos	hacéis	hacen
ir	voy	vas	va	vamos	vais	van
oír	oigo	oyes	oye	oímos	oís	oyen
poner	pongo	pones	pone	ponemos	ponéis	ponen
saber	sé	sabes	sabe	sabemos	sabéis	saben
ser	soy	eres	es	somos	sois	son
tener	tengo	tienes	tiene	tenemos	tenéis	tienen
venir	vengo	vienes	viene	venimos	venís	vienen
ver	veo	ves	ve	vemos	veis	ven

9 Ya vamos a aterrizar

Complete el párrafo con el presente de indicativo del verbo en paréntesis que corresponda según el contexto.

El piloto (**1.** *acabar*) de anunciar que el avión (**2.** *estar*) próximo a aterrizar. Los pasajeros que (**3.** *venir*) dormidos (**4.** *empezar*) a despertarse mientras las auxiliares de vuelo (**5.** *ir*) y (**6.** *venir*), revisando que todo esté en orden para el aterrizaje. Yo (**7.** *tener*) que llenar mi declaración de aduana pero no (**8.** *encontrar*) un bolígrafo en mi maletín de mano. Entonces, le (**9.** *pedir*) uno prestado a la señora que (**10.** *sentarse*) a mi lado y ella (**11.** *reírse*) nerviosa y me (**12.** *decir*) que no (**13.** *entender*) español. Me (**14.** *contar*) que es la primera vez que viaja a España y no (**15.** *saber*) muy bien qué hacer. Yo le (**16.** *decir*) que no debe preocuparse y (**17.** *ofrecerse*) a ayudarla en lo que pueda necesitar. Los dos (**18.** *salir*) del avión conversando animadamente, mientras que otros pasajeros (**19.** *seguir*) hacia su destino final.

10 Según sus necesidades

Con un(a) compañero/a túrnense para hablar de las necesidades especiales que puedan tener los pasajeros de un avión. Use los verbos del recuadro para unir los pasajeros con sus necesidades y expliquen su respuesta, como se ve en el modelo.

pedir	preferir	insistir en
requerir	necesitar	querer

Tiene que hacer arreglos especiales si quiere viajar con su mascota en la cabina.

MODELO Un grupo de estudiantes en una excursión

Un grupo de estudiantes en una excursión necesita un vuelo con tarifas bajas para poder hacer el viaje.

Pasajeros

1. una pareja en viaje de luna de miel
2. un grupo de estudiantes en una excursión
3. una famosa figura pública
4. un hombre o una mujer de negocios
5. una señora de mayor edad
6. una señora con una mascota
7. un señor en silla de ruedas
8. una familia con niños pequeños
9. un personaje importante del gobierno
10. el padre de un niño menor de edad que va a viajar solo

Necesidades

vuelo con tarifas bajas

conexión a la internet

más espacio entre asientos

tapones (*plugs*) para los oídos

bebidas gratis

música

reserva anticipada del asiento

películas

cabina más cómoda y amplia

tranquilidad

un DVD de *Río 2*

11 Estación de Atocha

Una viajera llega a la estación de trenes de Atocha en Madrid, pensando que todavía puede tomar el tren expreso para Segovia, pero se equivoca (*is mistaken*). Complete el diálogo con la forma del verbo del recuadro que corresponda según el contexto.

deber	**agradecer**	**salir**	**saber**	**poder**
hacer	**querer**	**tener**	**ser**	**hay**

Empleado: ¿En qué **(1)** servirle?

Viajera: **(2)** comprar un boleto para el expreso a Segovia.

Empleado: Lo siento. Ese tren acaba de salir.

Viajera: ¿Cómo? ¿Y cuándo sale el próximo tren expreso?

Empleado: A esta hora ya no **(3)** trenes expresos. El próximo tren **(4)** varias paradas.

Viajera: ¿A qué hora **(5)** el primer expreso mañana?

Empleado: A las siete de la mañana, pero Ud. **(6)** estar en la estación a las seis y media.

Viajera: De acuerdo. ¿ **(7)** Ud. si el tren **(8)** coche comedor?

Empleado: ¡Por supuesto! El servicio de comedor **(9)** muy bueno.

Viajera: Le **(10)** mucho su ayuda.

Estación de trenes Atocha, en Madrid, España

12 De vacaciones

Complete las siguientes oraciones con la forma del verbo entre paréntesis que corresponda según el contexto.

> MODELO Si estoy de vacaciones, yo... porque... (*preferir*)
>
> **Yo prefiero ir a una playa tranquila porque me gusta caminar y mirar el atardecer.**

1. Si estoy de vacaciones, yo... porque... (*preferir*)

2. Si tengo que escoger un espectáculo nocturno, yo... porque... (*elegir*)

3. Si quiero hacer deporte, yo... porque... (*ir a*)

4. Si me invitan a cenar en Madrid, yo... porque... (*tener que*)...

Gramática

Los usos del presente de indicativo

El presente de indicativo se usa generalmente para hablar de lo que sucede **ahora**, **en este momento**, **en la actualidad**. Sin embargo, el presente también se puede usar para hablar del pasado (presente histórico) o de un futuro cercano. El uso del tiempo presente es mucho más frecuente en español y equivale en inglés al presente simple, al presente enfático y al presente progresivo. (**Hablo** = *I speak, I do speak, I am speaking*.)

- Para expresar acciones generales o habituales:

    Voy de vacaciones a Madrid todos los años.

    Siempre **nos reunimos** para ir al cine todos los sábados.

- Para expresar una acción que ocurre al momento de hablar:

    El vuelo no **puede** despegar a causa de la nieve.

    No **encuentro** mi pasaporte. ¿**Sabes** dónde **está**?

- Para hablar de acciones en un futuro cercano:

    Nos vemos a las siete en el restaurante.

    Viajamos mañana por la noche.

- Como presente histórico, para narrar acciones del pasado:

    En agosto de 1945 **estallan** las primeras bombas atómicas sobre las islas japonesas de Hiroshima y Nagasaki.

    Las explosiones **causan** muchas muertes y **traen** la destrucción de ciudades enteras.

---

13 | Llamo para avisarte que...

Sara acaba de llegar al aeropuerto de Madrid y llama a su hermano Gabriel (quien la está esperando) para avisarle que su vuelo ya llegó, pero que se va a demorar en salir porque está esperando para pasar por la aduana. Cambie el inglés al español, usando el tiempo presente para expresar acciones que ocurren al momento de hablar.

¡Hola, Gabriel! *I'm calling you* __(1)__ para decirte que ya estoy en el aeropuerto y que *I'm going through customs* __(2)__ en este momento. ¡Qué proceso más interesante! El aduanero *is inspecting* __(3)__ todo: maletines, bolsos, computadoras, hasta los zapatos de los niños. El pasajero que está delante de mí *is showing* __(4)__ su pasaporte y el oficial *is asking* __(5)__ muchas preguntas. No sé qué, pero algo importante *is happening* __(6)__ aquí, Gabriel. El pasajero está demasiado nervioso, otro inspector se está acercando y tres policías *are observing* __(7)__ todo con mucho interés. Ay, hermano, esto *is* __(8)__ serio, como de película. ¡Ay, no lo vas a creer, pero....!

Ahora, use su imaginación para continuar esta historia en el tiempo presente.

14 Un viaje de urgencia 👥

Después de pasar solo dos días con su hermano Gabriel, Sara se entera de (*finds out about*) que su esposo necesita una cirugía urgentemente y por eso tiene que regresar inmediatamente a EE. UU. Con un(a) compañero/a representen la conversación entre Sara y Gabriel. Usen el presente para hablar del futuro cercano y túrnense para hacerse las preguntas y responderlas como se ve en el modelo.

MODELO   **Gabriel: ¿Qué vas a hacer?**
                  Sara: Salgo para Boston de inmediato.

1. ¿Qué vas a hacer?
2. ¿Vas a ir al apartamento primero?
3. ¿Cuándo van a hacerle la cirugía?
4. ¿Crees que vas a llegar a tiempo?
5. ¿Quién te va a recoger en el aeropuerto?
6. ¿Cuándo piensas volver a España?

¡Comunicación!

15 Los mejores incentivos 👥   Interpersonal Communication

Imagine que Ud. y sus compañeros trabajan en una línea aérea y les han pedido sugerencias para atraer a más pasajeros y mejorar las ventas. Representen la situación y túrnense para hablar de los incentivos que podrían ofrecer para lograr este objetivo.

MODELO   **A: Yo sugiero restablecer el servicio de comida gratis. ¿Y Uds.?**
                  B: ...
                  C: ...

16 ¿Qué recuerdan del pasado? 👥   Interpersonal/Presentational Communication

Con un compañero/a, túrnense para hablar de los siguientes acontecimientos usando el presente histórico. Luego, escriban un breve resumen y preséntelo en frente de la clase.

1. La abdicación del Rey Juan Carlos I de España: En junio de 2014
2. El alunizaje del Apolo 11: En julio de 1969
3. La caída del Muro de Berlín: En noviembre de 1989
4. El asesinato de Martin Luther King, Jr: En abril de 1968

¡Comunicación!

17 Nada como mi pueblo natal 👥 Interpersonal/Presentational Communication

Muchas personas piensan que no hay nada igual al lugar donde pasaron su niñez. Con un(a) compañero/a, túrnense para hacer y responder preguntas sobre los siguientes temas. Luego, comparen su información con la de otros compañeros y elijan las cuatro ciudades más interesantes para hacer una presentación enfrente de la clase.

1. Nombre del pueblo o ciudad donde nació
2. Sitios históricos importantes del lugar
3. Atracciones y horario de atención al público
4. ...

18 ¿Cómo es su personalidad? 👥 Presentational Communication

Complete las preguntas de esta encuesta con la forma del verbo entre paréntesis que corresponda según el contexto. Luego, túrnese con un(a) compañero/a para hacerse las preguntas y responderlas. Comparen sus respuestas con las de sus otros compañeros, hagan una tabla con los resultados de la encuesta y preséntenla a la clase.

1. Cuando vas de vacaciones...
   A. ¿____ viajar solo/a? (*preferir*)
   B. ¿Te ____ ir con tu familia o con compañeros? (*gustar*)
   C. ¿____ estar con un grupo turístico organizado? (*querer*)
2. Cuando vas de viaje...
   A. ¿____ en avión? (*viajar*)
   B. ¿____ el tren? (*tomar*)
   C. ¿____ en coche? (*ir*)
3. En un viaje en avión...
   A. ¿____ el equipaje? (*facturar*)
   B. ¿____ un maletín y una maleta? (*llevar*)
   C. ¿____ solo una mochila? (*usar*)

4. Para pasar el tiempo en el avión...
   A. ¿____ revistas o un libro? (*leer*)
   B. ¿____ con las personas que están a tu lado? (*charlar*)
   C. ¿____ la película que pasan y que posiblemente ya has visto? (*ver*)
5. Cuando el avión aterriza...
   A. ¿____ inmediatamente? (*salir*)
   B. ¿____ tu turno para salir? (*esperar*)
   C. ¿____ sentado hasta que todos salgan? (*quedarse*)

Resultados
Si tienes 3 o 4 con **A.**, eres una persona solitaria que prefiere no hacer amistades en un viaje.
Si tienes 3 o 4 con **B.**, eres una persona amigable y cortés y te gusta la compañía en los viajes.
Si tienes 3 o 4 con **C.**, eres a veces una persona poco práctica o que está dispuesta a aceptar lo que ofrecen sin protestar.

19 ¿Qué haría Ud. en este caso? Interpretive/Presentational Communication

Cuando se viaja al extranjero, pueden pasar muchos problemas imprevistos (*unforeseen*).

A. Lea este artículo sobre *Europ Assistance*, una compañía de asistencia al viajero y conteste las preguntas que siguen.

1. ¿Dónde están las personas de quienes trata el artículo y en qué situación se encuentran?

2. Describan los síntomas que sienten. ¿Por qué no se siente mal el niño?

3. ¿Cuáles son las dos mayores preocupaciones de estas personas?

4. ¿Cuáles son tres de los servicios que ofrece *Europ Assistance*?

5. ¿Qué problemas pueden ocurrir durante un viaje al extranjero?

6. ¿Qué se puede hacer para prevenirlos?

Esta noche han empezado a darme unos calambres en el estómago. Luego comenzaron los vómitos. Teresa sintió los mismos síntomas un poco más tarde y ahora, a las 6 de la madrugada, estamos encendidos de fiebre. El niño duerme tranquilo. No cenó lo mismo que nosotros. Ni siquiera sabemos cómo pedir un médico. En este hotel solo hablan alemán. Supongo que comprenderán que estamos enfermos pero, ¿adónde nos llevarán?, ¿cuándo?, ¿qué nivel de cuidados médicos vamos a recibir? ... ¿qué será del niño?

Hechos como este pueden ocurrir. Ocurren. Problemas de enfermedad, accidentes, robos y una multitud de incidentes de viaje. En todo el mundo y también en nuestro país. *Europ Assistance* es una compañía de asistencia al viajero. Es la primera, la inventora, la mayor y más experimentada de las compañías de asistencia.

Europ Assistance actúa, paga, resuelve sobre el terreno, en el momento en que está ocurriendo el contratiempo[1]. Está con el viajero abonado[2] y no lo deja hasta que este pueda seguir el viaje o haya sido repatriado a su lugar de origen.

[1] mishap   [2] subscribed

B. Ahora, imagine que Ud. usó los servicios de *Europ Assistance* durante un viaje al extranjero y quedó muy satisfecho con sus servicios. Narre su experiencia en un breve párrafo y publíquelo en su red social como muestra de agradecimiento. Use las palabras del recuadro al igual que la información del artículo y su propia experiencia como guía.

proteger	atención médica	enfermedad
accidente	ayudar	asistencia	hospital

¡Comunicación!

20 De excursión en Madrid 👥 Interpersonal/Presentational Communication

Imagine que Ud. está en Madrid con un grupo de turistas y que tienen que elegir uno de los tours que se ofrecen en la siguiente guía turística. Represente la conversación que Ud. tendría con uno de sus compañeros de viaje antes de tomar la decisión. Túrnense para hablar de los horarios, precios y actividades que se incluyen en cada recorrido y decidan qué quieren hacer. Luego, informen al grupo sobre su decisión y expliquen el por qué.

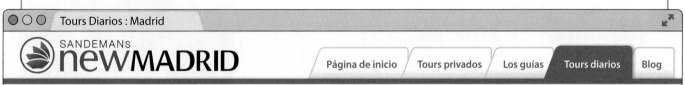

Tours Diarios : Madrid

SANDEMANS
new**MADRID**

Página de inicio | Tours privados | Los guías | **Tours diarios** | Blog

El Madrid Dorado

En estas dos horas y media de tour a pie podrás conocer el orgullo, dramatismo, color, arte y estilo característico del mejor Madrid: "El Madrid dorado".

Al este del centro madrileño encontramos el "Barrio de las letras", casa de muchos de los mejores escritores, poetas y comediantes del mundo. Descubre la vida de los escritores más famosos, sus historias oscuras, secretos, enemistades, asesinatos, condenas, y ejecuciones relacionadas con la Guerra Civil y con la Inquisición; paseando por las calles que hoy en día se han convertido en uno de los barrios más importantes de la ciudad, por sus teatros, bares y romanticismo. Visita la Casa de Lope de Vega y la de Cervantes, lugar del nacimiento del Quijote.

Madrid de Noche

¡Madrid, la ciudad que nunca duerme! Famosa por su vida nocturna, esta ciudad ha marcado tendencia en lo que a la noche se refiere, tanto en Europa como en el resto del mundo, ¡y queremos que seas parte de ello tú también! Por ello lo que te ofrecemos es una noche para recordar por siempre organizada en dos de los barrios más modernos y vivos de Madrid. Los domingos y lunes ven con nosotros al barrio de Huertas, junto al centro y con una oferta espectacular de bares y discotecas que te harán disfrutar de la noche en el centro de la capital; y de martes a domingo vente a disfrutar de la noche en Malasaña, el barrio alternativo y moderno, hogar de la Movida, que dio origen a la loca noche madrileña!

¡Esta experiencia incluye: retorno ilimitado con nuestra pulsera, entrada a tres bares y una discoteca, con chupitos gratis y ofertas en cada uno de los locales!

¡Ven a disfrutar de la verdadera noche madrileña con nosotros!

Tour de Tapas

Este tour te ofrece una forma divertida y asequible de visitar algunos de los mejores lugares de tapas en Madrid con los mejores entendidos en tapas de Madrid. Tu líder de grupo compartirá su pasión por la comida española y los secretos de la gastronomía española. Al final de la noche, habrás hecho nuevos amigos de todo el mundo y disfrutado de una experiencia inolvidable.

EL MADRID DORADO ▼

| LUN | | MIÉ | | VIE | SÁB |

Recogida	Comienzo
	14:30h
	Plaza Mayor

€12 Estándar / €10 Estudiante

Reservar ▶ | Leer más ▶

MADRID DE NOCHE ▼

| | MAR | MIÉ | JUE | VIE | SÁB |

Recogida	Comienzo
	22:00h
	Plaza Mayor

€12 Estándar / €12 Estudiante

Reservar ▶ | Leer más ▶

TOUR DE TAPAS ▼

| LUN | MAR | MIÉ | JUE | VIE | SÁB | DOM |

Recogida	Comienzo
	19:00h
	Plaza Mayor

€14 Estándar / €14 Estudiante

Reservar ▶ | Leer más ▶

HORARIO Y RESERVAS

| | MAR | MIÉ | JUE | VIE | SÁB | |

Salida de todos los tours

**Plaza Mayor
Punto de Inicio 22:00**

Frente de la Oficina de Información Turística

Madrid: Arte por todas partes

21 Comprensión

1. ¿En qué zona del país está ubicada Madrid?

2. ¿Qué deben visitar los viajeros que aman la pintura?

3. ¿Por qué se dice que Madrid es como un "museo al aire libre"?

La Puerta de Alcalá

22 Analice

1. ¿Qué cree Ud. que significa el hecho de que los habitantes de Madrid también visiten sus lugares más emblemáticos?

2. ¿Qué práctica gastronómica de su país se parece al tapeo español?

Muchas cosas pueden decirse de Madrid: que es la residencia oficial de los reyes de España, que es la capital del Estado español, que es una mezcla perfecta de modernidad y tradición. Pero para describir esta ciudad, situada en el corazón geográfico del país, la mejor palabra es "arte".

En Madrid, el "Paseo del Arte" es el recorrido obligado[1] de los viajeros que aman la pintura. Este itinerario incluye tres museos ubicados a pocos metros de distancia: el reconocido[2] Museo del Prado, el Thyssen-Bornemisza y el Museo Nacional Reina Sofía. En ellos se pueden contemplar[3] obras maestras de la pintura universal que abarcan diferentes movimientos y estilos pictóricos desde el siglo XVI hasta el siglo XX: Velázquez, Goya, El Greco, Rembrandt, Van Gogh, Cezanne, Dalí, Picasso y Kandinsky entre otros.

Las meninas de Diego de Velázquez

Pero en Madrid el arte no se limita a las grandes pinturas. Caminar por esta ciudad es como recorrer un museo al aire libre. Hermosos monumentos e impresionantes obras arquitectónicas aparecen casi en cada esquina: el Palacio Real, la plaza de Cibeles, la Puerta de Alcalá o el parque del Retiro, que perteneció a la monarquía española hasta fines del siglo XIX y donde se encuentra el maravilloso Palacio de Cristal. La zona del centro antiguo, llamado "viejo Madrid", está poblada de plazas con tabernas[4] de tapas, restaurantes y comercios tradicionales, como la Plaza Mayor. Y la mejor parte es que el viajero descubrirá enseguida que los lugares más emblemáticos[5] de Madrid son también los más queridos por sus habitantes: en la concurrida[6] Puerta del Sol, por ejemplo, el turista podrá sentir plenamente el ritmo y la intensidad de esta ciudad.

[1] all-important tour [2] renowned [3] admire [4] bars [5] representative [6] crowded

Búsqueda: paseo del arte madrid, plaza mayor, puerta del sol

Prácticas

"Ir de tapas" o "tapear" es una de las costumbres más típicas de España. Es una forma de socializar, relacionarse y pasar un rato divertido al tiempo que se consumen pequeñas porciones de alimento, siempre acompañadas de una bebida. Originalmente, las "tapas" se servían sobre la boca de la jarra o el vaso de bebida, de modo que "tapaba" (*covered*) el recipiente. Así se originó su nombre. "Tapear" es una costumbre española que se ha convertido en un símbolo de identidad del país.

Verde encanto

A la hora de elegir un destino, son muchas las razones que pueden atraer al viajero: disfrutar la belleza de un paisaje natural, enriquecerse con la cultura local o alojarse en un hotel de ensueño. Y hay un lugar donde todo eso es posible: la España verde, conformada por Galicia, Asturias, Cantabria y el País Vasco. Allí, en el litoral[1] norte español, con más de 2000 kilómetros de costa sobre el océano Atlántico y el mar Cantábrico, la naturaleza se asoma al mar y le ofrece innumerables paisajes de todos los verdes imaginables.

La España verde es un espacio ecológico que incluye acantilados[2], montañas, dunas, bosques, islas, ríos y playas. Por su belleza y biodiversidad, muchos de ellos han sido declarados Reserva de la Biosfera por la UNESCO, por ejemplo, el Parque Nacional de Los Picos de Europa, que abarca Cantabria y Asturias, y que además es el espacio protegido más extenso de España.

España, un país rico en paisajes naturales

Pero ser una valiosa reserva de flora y fauna (donde se puede observar una gran variedad de especies ornitológicas[3] o la mayor población de osos pardos en libertad de toda Europa) no impide que la España verde sea también un lugar lleno de historia. Lo que en otra época fueron antiguas líneas ferroviarias, trazados[4] de vías romanas, rutas y calzadas pecuarias[5] son hoy una red de senderos que el turista puede recorrer a pie, en bicicleta o a caballo.

La riqueza del patrimonio cultural español también se refleja en la oferta hotelera de esta zona. El visitante puede alojarse en mansiones que datan del siglo XV, acogedoras casas de labranza[6] reformadas u hoteles rurales o costeros que pueden incluir una gran torre medieval de piedra. En la España verde, el encanto no tiene fin.

[1] coast   [2] cliffs   [3] species of birds   [4] lines   [5] livestock routes   [6] farmhouse

Búsqueda: españa verde, unesco

Productos

El Transcantábrico es un tren turístico que recorre la España verde, desde San Sebastián hasta Santiago de Compostela. Creado en 1983 con la idea de imitar al clásico *Orient Express*, este hotel de lujo sobre raíles está considerado el mejor del mundo. Tiene vías especiales que le permiten circular por lugares a los que los trenes normales no pueden acceder.

El Transcantábrico es un tren de lujo.

23 Comprensión

1. ¿Por qué se llama "España verde" a la región norte del país?

2. ¿Cuál es el espacio protegido más grande de España?

3. ¿Qué sitios de interés histórico puede conocer el viajero en esta región de España?

24 Analice

1. ¿Qué características cree Ud. que debe tener un lugar para ser declarado Reserva de la Biosfera por la UNESCO?

2. ¿Qué diferencia cree que hay entre alojarse en un hotel que es un edificio moderno y uno que tiene muchos años de historia?

25 Comprensión

1. ¿Por qué motivos podría un lugar convertirse en Patrimonio de la Humanidad?

2. ¿Qué relación tienen con la naturaleza algunas Ciudades Patrimonio de la Humanidad de España?

3. ¿Qué compromiso tienen que cumplir las Ciudades Patrimonio?

26 Analice

1. ¿En qué sentido se puede decir que los lugares que son Patrimonio de la Humanidad son propiedad de todos?

2. ¿Por qué cree Ud. que es importante que algunos lugares sean Patrimonio de la Humanidad?

Casas colgantes de Cuenca

¡A visitar lo que es nuestro! 🎧

¿Sabía que Ud. es dueño de un acueducto romano en Segovia? ¿Qué le parece visitar la ciudad donde nació Cervantes, el autor del *Quijote*, que también es suya? En el mundo, hay muchos lugares maravillosos declarados Patrimonio de la Humanidad por la UNESCO y eso significa que nos pertenecen a todos, también a Ud.

Se trata de lugares importantes porque son un logro artístico único o porque fueron influyentes en algún momento de la historia o porque son el testimonio de una cultura desaparecida. Y muchos de ellos se encuentran en España, un país que por tradición, historia, riqueza y variedad tiene una herencia cultural incalculable[1]. Por eso, la UNESCO le ha otorgado[2] el privilegio de ser el tercer país del mundo con más lugares declarados Patrimonio de la Humanidad.

Algunas de las Ciudades Patrimonio de la Humanidad de España, como Córdoba, Toledo o Tarragona, reflejan una mezcla de las transformaciones e influencias de distintas épocas: el Imperio romano, el dominio musulmán, el catolicismo. Un elemento importante en estas ciudades es la integración del paisaje urbano y el entorno natural, por ejemplo, las "casas colgantes" de Cuenca, una ciudad que parece suspendida en el aire.

La Mezquita de Córdoba

En las Ciudades Patrimonio se encuentran grandes monumentos como la Mezquita de Córdoba, la Muralla de Ávila, la Universidad de Salamanca o la Catedral de Santiago de Compostela. Los edificios históricos están restaurados y algunos cumplen funciones diversas: centros de exposición y venta de artesanía, galerías de arte, mercados o alojamientos de primera categoría.

El grupo de Ciudades Patrimonio de la Humanidad españolas ofrecen la oportunidad de conocer un legado[3] histórico sobresaliente[4], pero también representan un compromiso universal: el de garantizar su protección y conservación para el disfrute de generaciones futuras.

[1] immeasurable   [2] awarded   [3] legacy   [4] outstanding

🔍 **Búsqueda:** unesco, patrimonio de la humanidad españa

Perspectivas

Para Federico Mayor Zaragoza, ex Director General de la UNESCO, el patrimonio cultural es un instrumento de desarrollo: "Al día siguiente de que se declara un patrimonio mundial hay miles de agencias de viajes que ponen: si viaja usted a tal sitio no deje de visitar tal; en esta ciudad hay este patrimonio inmaterial. […] Usted mire y verá cómo es inmediato el cambio en el número de personas que van a contemplar estas maravillas; por tanto, hay una influencia económica muy directa".

Según Federico Mayor Zaragoza, ¿qué consecuencias tiene para una ciudad que se la declare Patrimonio de la Humanidad?

Comparación y contraste: ¡Ojo con estas palabras!

En español, al igual que en inglés, hay varias formas de expresar el concepto de **tiempo**. Preste atención, pues su uso depende del contexto.

¿Cuántas **veces** has venido a Madrid?

Muchas veces, pero **cada vez** que vengo, me gusta más.

time — tiempo / vez (veces) / hora / rato / época

tiempo	*a period or duration of time*	—¿Cuánto **tiempo** vas a estar en Madrid?
		—Voy a quedarme una semana.
	time in the abstract	—¿Quieres acompañarme al Museo del Prado? Hace mucho **tiempo** que quiero ir.
		—Claro que sí.
una vez	*once, one time*	—¿Nunca has ido al museo?
cada vez	*each time*	—Sí. Fui **una vez** hace mucho tiempo y me encantó. Por eso, **cada vez** que vuelvo a España, quiero ir a visitarlo **otra vez**.
otra vez	*again*	
a veces	*sometimes*	—En cambio, yo he ido al museo en muchas oportunidades. **A veces** lo he hecho por gusto propio, pero muchas otras **veces** he tenido que hacerlo para llevar a amigos que quieren visitarlo, como tú.
veces	*times, occasions*	
hora	*time of day*	—¿Sabes a qué **hora** abren el museo hoy?
hora (de)	*the proper time to do something*	—No sé. Creo que abren a las diez. ¿Qué **hora** es?
		—Ya es **hora de** irnos. Acuérdate que no tenemos mucho tiempo.
		—Por supuesto. ¡Ya es **hora**!
rato	*a short time, a while*	—¿Cuánto tiempo piensan estar en el museo?
época	*time during a season, historical time*	—Solo vamos a estar un **rato**. En estos días de verano hay demasiados turistas.
		—Es verdad. Vienen muchos turistas en esta **época** del año.
Para expresar la idea de *to have a good time* use **divertirse** y **pasarlo bien**.		—¿Cómo les fue en el museo? **¿Se divirtieron?**
		—Claro que sí. **Lo pasamos muy bien.**

27 ¿Otra vez?

Primero, complete las oraciones con las palabras del recuadro. Luego, empareje las preguntas de la izquierda con las respuestas de la derecha.

| tiempo | vez | otra vez | cada vez | veces | hora | rato | época |

1. ¿____ de viaje?
2. ¿Por qué te gusta viajar en esta ____ del año?
3. ¿Fuiste alguna ____ al restaurante Lakasa?
4. ¿Sabes qué ____ es?
5. ¿A qué ____ sale tu vuelo?
6. ¿Quieres que te acompañe un ____?
7. ¡Cuánto ____ está atrasado el vuelo!

A. A las seis y veinte. Es ____ de despedirnos.
B. Sí, varias ____. La comida es deliciosa.
C. Sí, dentro de un ____ salgo para Madrid.
D. Porque no hay muchos turistas y es la ____ de conciertos.
E. Cálmate. ____ que vuelas te pones nerviosa.
F. Por favor, acompáñame hasta que sea ____ de abordar.
G. Son las cinco y cuarenta. ¡Cómo pasa el ____!

¡Comunicación!

28 ¡El mundo en la palma de la mano!   Interpersonal Communication

Imagine que Ud. trabaja en una agencia de viajes y está ayudando a dos clientes, Jairo y Elisa, a planear su viaje de luna de miel. Represente la situación con dos compañeros, turnándose para pedir y dar información. Incluyan los siguientes temas en su conversación, como se ve en el modelo.

- Lugar de destino
- Itinerarios
- Clases de vuelos, escalas y conexiones
- Precios y formas de pago aceptadas
- Ofertas de paquetes especiales que incluyan pasajes, comida y alojamiento

¿Han viajado al Caribe alguna vez?

MODELO   **Agente:** ¿En qué tiempo del año les gustaría viajar?
      Jairo: Bueno, la boda es en junio, pero tenemos cierta flexibilidad.
      Elisa: Sabemos que el verano es época de temporada alta.
      Agente: Muy bien. En ese caso...

¡Comunicación!

29 Se nos perdió el equipaje 👥 Interpersonal Communication

Imagine que después de un largo viaje de vacaciones por España, Ud. y su pareja están esperando en el aeropuerto Logan a que les entreguen las maletas. Después de una larga espera se dan cuenta de que su equipaje no ha llegado. En grupos, representen la conversación que Uds. tienen con el empleado de la línea aérea, el día que presentan su queja y, al otro día, cuando el empleado los llama para darles información del paradero (*whereabouts*) de su equipaje.

MODELO
A: Disculpe, señor, ya salieron todas las maletas, pero las nuestras no han llegado. ¿Nos puede ayudar?
B: Claro que sí. Para empezar, dígame su número de vuelo y procedencia.
C: Por supuesto. Es el vuelo 756 de Iberia, de Madrid a Boston.
B: ...

30 Intercambio de ideas 👥 Interpersonal/Presentational Communication

Trabajen en grupos de cuatro estudiantes e intercambien información sobre los viajes. Elijan a una persona del grupo para que tome apuntes y, al final, presenten un resumen de los temas discutidos enfrente de la clase.

Todo el mundo quiere viajar en los días festivos.

MODELO
A: ¿Cuál creen que es el mejor medio de transporte para viajar?
B: Depende. Si tienes prisa, viajar en avión es mucho más rápido.
C: Estoy de acuerdo. Pero también es mucho más costoso.

- ¿Cómo se sienten Uds. cuando viajan por avión? ¿En tren? ¿En autobús? ¿En coche? ¿En barco?

- ¿Qué medio de transporte piensan que es más cómodo y seguro? ¿Por qué?

- En general, ¿cuáles son las ventajas y las desventajas de estos medios de transporte?

- ¿Por qué hay que pasar por la inspección de aduana?

- ¿Qué cosas pueden considerarse artículos de contrabando?

- ¿Por qué revisan los inspectores unas maletas, pero no revisan otras? ¿Qué piensan Uds. al respecto?

¡Comunicación!

Imagine que Ud. es un agente de la estación de trenes en Barcelona y tiene que ayudar a un señor que quiere cambiar su boleto. El viajero iba a tomar el tren para Madrid a las seis de la tarde, pero se le presentó un contratiempo y necesita tomar el próximo tren. Con un(a) compañero/a, representen la conversación entre el agente y el viajero, y túrnense para pedir y dar la siguiente información, como se ve en el modelo.

> MODELO **Agente: ¿En qué puedo servirle?**
>
> **Viajero: Tengo un boleto para Madrid a las seis de la tarde, pero necesito cambiarlo.**

- Razón para querer cambiar el boleto
- Hora de salida del próximo tren
- Si sale del mismo andén que el tren de las seis
- Si es un tren de alta velocidad
- Si hace paradas, dónde las hace
- Si...

Lea el anuncio de la página que sigue sobre el servicio de trenes en España. Luego, imagine que Ud. piensa pasar un par de meses en Madrid y quiere saber más sobre el sistema de trenes pues quiere viajar dentro y fuera del país. Con un(a) compañero/a, representen la conversación entre Ud. y un empleado de la RENFE —Red Nacional de Ferrocarriles Españoles—, y túrnense para intercambiar información de acuerdo a la lectura y los siguientes temas, como se ve en el modelo.

- Información sobre horarios, paradas y reservaciones
- Transporte dentro de la ciudad y de las afueras a la ciudad
- Transporte desde Madrid a otras ciudades del norte y sur del país
- Transporte desde Madrid a otros países de Europa

> MODELO **A: ¿Dónde puedo hallar más información sobre el horario de trenes dentro de la ciudad?**
>
> **B: En el sitio web de RENFE hallará los horarios de todos los trenes suburbanos.**

Interrail

Tipos de Trenes en España

Hay diversos tipos de trenes en España en los que podrás viajar tanto de día como de noche. La mayor parte de la red ferroviaria española está operada por RENFE. Utiliza los horarios de trenes de Interrail para comprobar los horarios de los trenes en España.

Trenes regionales e InterCity en España

La principal red ferroviaria de España está formada por los siguientes trenes regionales e InterCity:

- Los trenes de Media Distancia conectan los destinos regionales con las ciudades más grandes. La red conecta con trenes de alta velocidad de larga distancia y los trenes hacen paradas frecuentes.

- Los Cercanías (trenes suburbanos) son una red de trenes que circulan en las grandes ciudades españolas, incluyendo Barcelona y Valencia.

Trenes regionales en España

En los horarios de Interrail los trenes de Media Distancia aparecen como "IR". Es necesario hacer reservas en la mayoría de estos trenes. Los trenes de cercanías no aparecen en este horario. Consulta el sitio web de Renfe para obtener más información sobre las horas de salida.

Trenes de alta velocidad en España

Trenes internacionales de alta velocidad en España

Estos trenes de alta velocidad circulan desde y hacia España:

Los trenes Renfe-SNCF en Cooperación conectan Madrid y Barcelona con Francia.

Los trenes Internacional conectan Vigo con Oporto (Portugal).

Trenes nacionales de alta velocidad en España

Trenes de alta velocidad en España

La extensa red española de trenes de alta velocidad está operada por trenes modernos que ofrecen un servicio de alta calidad durante tu viaje con Interrail.

Estos trenes de alta velocidad circulan dentro de España:

- Los trenes Avant circulan en rutas de corta distancia.

- Los trenes AVE alcanzan velocidades de hasta 300 km/h (186 mph) y te llevan de Madrid a Barcelona en menos de 3 horas.

- Los trenes Altaria conectan Madrid con las ciudades del sur de España.

- Los trenes Alvia y Arco operan entre Madrid y algunas ciudades del norte de España como Bilbao y San Sebastián.

- Los trenes Euromed operan en la ruta Barcelona - Valencia - Alicante.

En los horarios de Interrail, los trenes de alta velocidad aparecen como "IC", "ATR-Altaria", "AVE", "A" o "EM". En estos trenes siempre es obligatorio hacer una reserva.

Gramática

El tiempo futuro

El futuro de los verbos regulares se forma añadiendo al infinitivo las siguientes terminaciones.

Futuro de verbos regulares		
viajar	**volver**	**ir**
viajar**é**	volver**é**	ir**é**
viajar**ás**	volver**ás**	ir**ás**
viajar**á**	volver**á**	ir**á**
viajar**emos**	volver**emos**	ir**emos**
viajar**éis**	volver**éis**	ir**éis**
viajar**án**	volver**án**	ir**án**

Los verbos irregulares en futuro tienen cambios en la raíz, pero no en las terminaciones.

A veces se puede seguir un patrón (*pattern*) en la conjugación de estos verbos, como se ve a continuación.

Viajaremos a Sevilla este verano.

Futuro de verbos irregulares			
Cambio en la raíz	**Infinitivo**	**Raíz**	**Futuro**
	caber	cabr-	cabré
	haber	habr-	habré
Se omite la **e** del infinitivo.	poder	podr-	podré
	querer	querr-	querré
	saber	sabr-	sabré
	poner*	pondr-	pondré
	salir	saldr-	saldré
La **d** reemplaza la **e** o **i** del infinitivo.	tener*	tendr-	tendré
	valer	valdr-	valdré
	venir	vendr-	vendré
Se omiten las letras **ec** y **ce**, respectivamente	decir	dir-	diré
	hacer*	har-	haré

Los verbos que se derivan de estos, como **suponer, **mantener** y **deshacer**, se conjugan con la misma terminación en el futuro: **supondré**, **mantendré**, **desharé**, etc.*

Un poco más

Haber, cuando se usa como verbo impersonal, se conjuga solamente en la tercera personal del singular.

> **Hay** mucha gente en el aeropuerto.

> **Habrá** mucha gente en el aeropuerto.

Se conjuga en todas las personas cuando se usa como verbo auxiliar en la formación de los tiempos compuestos. Ver futuro perfecto, p. 409.

> Ya **habremos reclamado** el equipaje cuando pasemos por la aduana.

33 El horóscopo del mes

Complete el horóscopo con el futuro del verbo indicado.

Capricornio

Ud. (**1.** *salir*) de todas sus deudas mediante la oferta de trabajo que le (**2.** *ser*) ofrecida muy pronto.

Acuario

Busque la compañía de sus amigos. Ellos le (**3.** *ayudar*) con sus problemas, y su vida social (**4.** *comenzar*) un nuevo ciclo.

Piscis

Ud. (**5.** *sentir*) que el estudio es aburrido y (**6.** *tener*) dificultades, pero muy pronto (**7.** *poder*) resolverlas.

Aries

Ud. (**8.** *recibir*) dinero. Aproveche para dar fiestas. Muy buenos amigos (**9.** *buscar*) su compañía.

Tauro

Sus planes (**10.** *empezar*) a dar frutos. Ud. (**11.** *ganar*) más dinero y (**12.** *hacer*) el viaje soñado.

Géminis

Ud. (**13.** *tener*) momentos de duras luchas interiores. No se desanime; no (**14.** *ser*) nada muy grave.

Cáncer

Un amigo (**15.** *venir*) a buscarlo con planes para el futuro. (**16.** *valer*) la pena considerar su oferta.

Leo

Ud. (**17.** *sufrir*) una traición. (**18.** *tener*) que cuidar sus actos al hablar con parientes y amigos.

Virgo

El día 15 Ud. (**19.** *recibir*) la visita inesperada de un amigo que le (**20.** *contar*) sus penas y (**21.** *haber*) que consolarlo.

Libra

Uno de sus pasatiempos le (**22.** *producir*) dinero y (**23.** *firmar*) grandes contratos con compañías muy importantes.

Escorpión

Sus planes de viaje (**24.** *tomar*) un rumbo positivo. (**25.** *conocer*) Sudamérica y (**26.** *encontrar*) la felicidad y el amor.

Sagitario

Piense antes de aceptar un trabajo; de lo contrario (**27.** *tener*) muchos problemas que lo (**28.** *poner*) en dificultades.

El agente de ventas del Hotel Marbella Playa en la Costa del Sol está en el teléfono explicándole al Sr. Alvarado las ventajas que tendrá si elige este hotel. Complete la conversación, con la forma del futuro de los verbos en paréntesis, según corresponda.

Sr. Alvarado: —¿Cómo es su hotel?

Agente: —El Hotel Marbella Playa es un hotel de cuatro estrellas. En él Ud. (*1. encontrar*) todas las comodidades de los grandes hoteles.

Sr. Alvarado: —Las habitaciones, ¿tienen vista al mar?

Agente: —¡Por supuesto! Desde su habitación Ud. (*2. tener*) una maravillosa vista de la playa.

Sr. Alvarado: —Y..., dígame, ¿hay muchos turistas?

Agente: —Para esa época del año ya no (*3. haber*) muchos turistas y Ud. y su familia (*4. poder*) disfrutar de mucha tranquilidad.

Sr. Alvarado: —¿Es fácil llegar al hotel?

Agente: —Ud. no (*5. tener*) ningún problema para llegar al hotel y nosotros (*6. estar*) atentos a su llegada.

Sr. Alvarado: —¿Qué otros servicios ofrece el hotel?

Agente: —Nuestro servicio de comedor es excelente; ya lo (*7. ver*) Ud. Y si desea, el camarero le (*8. llevar*) el desayuno a su habitación. Ud. y su familia (*9. estar*) como en su casa. Recuerde que si viene con su familia nosotros le (*10. hacer*) un descuento especial.

Sr. Alvarado: —¿(*11. poder*) mis hijos usar el gimnasio? Son menores de dieciocho años.

Agente: —Sí, (*12. tener*) acceso a nuestro gimnasio entre las ocho y las diez de la mañana. Ellos también (*13. poder*) participar en el mini-club, que ofrece muchas actividades para los pequeños. Les (*14. gustar*) mucho el club.

Sr. Alvarado: —Bueno, cuando reciba los folletos, yo los (*15. leer*). Si a mi familia le gusta la idea, yo le (*16. llamar*) y (*17. hacer*) reservaciones para la primera semana de junio.

¡Comunicación!

35 ¡Qué pesadilla! 👥 Interpersonal Communication

Imagine que el Sr. Alvarado y su familia llegan al Hotel Marbella Playa y se sorprenden de ver que no hay ninguna de las comodidades que, según el agente, se ofrecían en el hotel. No hay habitaciones con vista al mar, ni gimnasio, ni mini-club. Tampoco hay servicio a la habitación, y el servicio de comedor no tiene nada de excelente. Con un(a) compañero/a, hagan el papel del Sr. Alvarado que viene a quejarse y el empleado del hotel que no tiene idea de los servicios y comodidades que supuestamente se debían ofrecer. Usen su imaginación y sentido del humor, como se ve en el modelo.

MODELO **A: Nos dijeron que tendríamos una maravillosa vista al mar.**

B: ¿Al mar? Ah... Temo que solo tendrán una buena vista del estacionamiento.

¡Comunicación!

36 Dejen volar su imaginación 👥 Interpersonal/Presentational Communication

Imagine que Ud. y su mejor amigo/a tienen la oportunidad de hacer el viaje que siempre han soñado y, para completar, cuentan con un presupuesto (*budget*) ilimitado. Con un(a) compañero/a, intercambien opiniones y decidan adónde irán y por qué. Luego, describan todos sus planes en un breve párrafo en tiempo futuro y, para finalizar, preséntenlo enfrente de la clase.

MODELO **Nosotros haremos un viaje por Asturias al norte de España. Visitaremos Gijón, Avilés y Oviedo. Iremos en el verano porque...**

Los usos del futuro

El futuro se usa en los siguientes casos.

- Para expresar una acción que se predice o anticipa desde el momento presente.

    El auxiliar de vuelo **explicará** las medidas de seguridad antes del despegue.
    El piloto anunció que el vuelo **llegará** a tiempo a Málaga.

- Para indicar una orden o mandato.

    No **te quedarás** aquí ni un solo minuto más. **Te irás** ahora mismo.

- Para expresar una conjetura o probabilidad en el presente. Este uso se distingue del uso regular solo por el contexto. No indica una acción que va a ocurrir, sino la probabilidad de una acción que en inglés se expresa con *probably, must* o *I suppose*.

    —¿Qué hora es?
    —**Serán** las nueve. (*It is probably nine.*)

    —¿Por qué no **habrán** llegado?
    —**Se habrá** retrasado el vuelo. (*I suppose the flight was delayed.*)

- La idea del futuro también se expresa por medio del presente, cuando la acción va a tener lugar en un futuro inmediato. A menudo se usa con adverbios de tiempo.

    Salgo esta tarde para Bilbao.

- Para expresar algo que va a ocurrir en un futuro cercano se usa **ir a + infinitivo**. Es equivalente del inglés *to be going (to do something).*

    Voy a hacer mis maletas ahora mismo.

- También es común usar el presente del verbo **querer + infinitivo** con sentido de futuro para pedir o solicitar algo. Es equivalente del inglés *will*.

    ¿**Quieres** ayudarme? (*Will you help me?*)

37 Tantos preparativos

Imagine que Ud. está haciendo planes para un viaje al extranjero y quiere hacer una lista de todos los preparativos. Piense en todo lo que tiene que hacer y cuándo tiene que hacerlo. Use las expresiones del recuadro y las fechas que se dan como guía, como se ve en el modelo.

MODELO   el mes antes del viaje...

El mes antes del viaje llamaré a la agencia de viajes para preguntarles si tienen paquetes especiales con todo incluido.

pedir información sobre...	llamar a la agencia	hacer reservaciones
comprar ropa nueva	conseguir el pasaporte	verificar el vuelo
cancelar el periódico	leer las guías turísticas	llamar a la línea aérea
	ir al banco	

1. El mes antes del viaje...

2. Una semana antes del viaje...

3. Un día antes del viaje...

4. El día del viaje...

38 ¡Qué día!

Imagine que Ud. trabaja en una agencia de viajes y se pregunta por qué hoy precisamente todos los clientes desean confirmar, posponer, cambiar o cancelar sus reservaciones. Primero, complete las oraciones con la forma del futuro de los verbos en paréntesis, según corresponda. Luego, túrnese con su compañero/a para representar cada una de las situaciones, dando la información que falta.

1. **Primera llamada**

   —¡Aló! ¿Es la agencia de viajes?

   —...

   —Tengo un pequeño inconveniente y por el momento necesito aplazar mi viaje a las Islas Baleares. Yo (**1.** *llamar*) mañana para darles mi próximo itinerario.

   —No se preocupe...

   —...

2. **Segunda llamada**

   —Soy... Llamo para modificar mi reservación. En vez de viajar el 20 de agosto, yo (**2.** *viajar*) el 30.

   —...

3. **Tercera llamada**

   —Buenos días, estoy llamando para confirmar mi viaje a... Hoy, yo le (**3.** *enviar*) un cheque por la suma total del viaje.

   —¡Vale! Recuerde que...

   —...

4. **Cuarta llamada**

   —Señor(ita), necesito cambiar la fecha de regreso de mi vuelo.

   —...

   —Necesito regresar cuatro días antes. ¿Cree Ud. que yo (**4.** *poder*) regresar el 10 de diciembre?

   —Lo siento, pero...

   —...

¡Comunicación!

39 ¿Qué te parece? 👥 Interpersonal Communication

Imagine que Ud. vive en España y Sofía, una amiga peruana, va a venir a visitarlo. Ella quiere conocer la región de Euskadi (el País Vasco) en el norte de España, y Ud. la llama por teléfono para contarle los planes que ha hecho. Lea el siguiente folleto y, luego, represente la conversación con un(a) compañero/a, turnándose para intercambiar opiniones y finalizar los planes y el itinerario. Usen el futuro en su conversación, como se ve en el modelo.

MODELO

Ud: Te cuento que ya tengo todo planeado. Primero iremos a Bilbao para no perdernos la celebración de la Semana Grande. ¿Qué te parece?

Sofía: Me encanta la idea. Y ya estando allá, podremos ir al Guggenheim. Siempre he querido conocerlo.

Euskadi

Viajar a **Euskadi** es explorar una rica cultura con raíces prehistóricas. Euskadi viene de *Euskal Herria*, que significa la tierra del euskera, su lengua. Ser *euskaldún* —el que tiene euskera— implica todo un sentido de identidad. Cuando llegues a esa hermosa tierra inmediatamente serás bienvenido Ve a Euskadi y *¡Ondo pasa!*, ¡Pásalo bien! Tres regiones, tres capitales, tres maravillas que te cautivarán por múltiples razones.

❶ Pasea por **Bilbao**, capital de Vizcaya, y experimenta su heterogeneidad: del vanguardista Museo Guggenheim, al neoclasicista teatro Arriaga, de las modernas torres Isozaki Atea a las antiguas Siete Calles del Casco Viejo[1]. En agosto, baila y celebra como todo un bilbaíno en la *Bilboko Aste Nagustia*, la Semana Grande de Bilbao, una fiesta recuperada del acervo[2] popular, con sus *konpartsak* (comparsas[3]) y la *Marijaia*, la Señora de las Fiestas.

❷ Disfruta la variada agenda cultural de **Donostia-San Sebastián**, capital de Guipúzcoa. ¡Por algo es la Capital Europea de la Cultura 2016! Hay de todo: Festival Internacional de Cine, Semana de Cine Fantástico y de Terror, Festival de Jazz y Quincena Musical. No te vayas sin degustar[4] su deliciosa comida; ¡es la ciudad del mundo con más estrellas Michelín por habitante! Prueba también sus típicos *pintxos*, o pinchos.

❸ Camina por **Vitoria-Gasteiz**, capital de Álava, y respira su entorno. Capital Verde Europea en 2012, es un referente mundial en planificación. Recorre sus múltiples parques y, especialmente, su Anillo Verde, una red ecológica que rodea la ciudad. Luego, sumérgete en los contrastes de su historia, desde el casco medieval y edificios románicos, hasta palacetes renacentistas y callejuelas de oficios antiguos: Cuchillería, Herrería, Zapatería...

Definitivamente, visitar Euskadi es para pedir *beste bat*, una repetición, y de seguro que haces muchos amigos. *¡Bai, noski!* ¡Claro que sí!

[1] old historic quarter   [2] heritage   [3] troupes   [4] taste, sample

Unidad 2 | setenta y tres   **73**

Lectura informativa

Antes de leer 🎧

Un personaje literario se convierte en un clásico universal cuando se sabe de él aunque no se haya leído la obra en la que aparece. ¿Qué sabe Ud. sobre don Quijote de La Mancha?

Estrategia

Hacer conexiones

Usar sus conocimientos previos y hacer conexiones entre lo que ya sabe y la información que se presenta en el texto lo ayudará a comprender mejor lo que lee.

○ ○ ○   2015, Año del Quijote

2015, Año del Quijote 🎧

ALVARO OCTAVIO LARA HUERTA   **14 de enero 2015 20:11:52**

Este 2015 será un año importante para el castellano y la literatura universal, ya que se cumple el cuarto centenario[1] de la publicación de *El ingenioso hidalgo don Quijote de la Mancha* (la segunda parte de la novela). [...]

A finales de 1615 salía a luz uno de los textos más importantes para el mundo de las letras y el máximo referente[2] para la lengua española. La primera novela moderna que ha sido traducida prácticamente a todos los idiomas y solo superada en ediciones por la Biblia.

Una obra que conjuga[3] la comedia, la poesía, el drama y la caballería[4] de una forma extraordinaria que ha cristalizado al personaje principal Alonso Quijano, don Quijote, en un símbolo de la cultura hispanoamericana que lo mismo ha tocado el cine, las artes visuales, la música y, por supuesto, la literatura, convirtiéndose en ese eterno espíritu libre, sabio e inquebrantable[5].

Seguramente el idealismo de don Quijote invadirá los eventos culturales del presente año, pues siempre es una delicia volver a los clásicos para redescubrir su actualidad y frescura, aun después de 400 años. La inventiva y "sabiduría popular" impregna cada frase, situación y diálogo a lo largo de los 74 capítulos que integran la obra con un sinfín[6] de recursos literarios.

El *Quijote* se ha vuelto un ícono de libertad y justicia, el héroe humanizado, la utopía alcanzable, la locura más realista, la razón de la sinrazón.

Cervantes con el *Quijote* se convirtió en el mayor y más longevo inspirador de la creación artística. La lucidez y grandeza reflejada en su obra cumbre[7] ha influenciado lo mismo a poetas, críticos, filósofos, literatos, intelectuales y dramaturgos, entre otros. [...]

El *Quijote* lo es todo: una parodia, una novela de aventuras, un tratado de la mente, un cuento picaresco, una historia de amor que no termina de sorprendernos <u>en las rendijas del discurso</u>[8].

---

[1] four hundred year anniversary   [2] example   [3] combines   [4] chivalry   [5] unyielding
[6] endless number   [7] masterpiece   [8] interwoven throughout the story

40 Comprensión

1. ¿Por qué el año 2015 es importante para el castellano y la literatura universal?

2. ¿Qué tipo de obra es *Don Quijote*?

3. ¿Qué clase de héroe es don Quijote?

41 Analice

¿Qué características cree Ud. que debe tener una obra literaria para convertirse en un clásico universal?

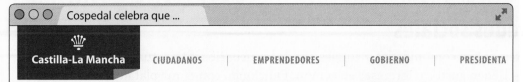

Castilla-La Mancha   CIUDADANOS | EMPRENDEDORES | GOBIERNO | PRESIDENTA

Cospedal celebra que "nuestro personaje más universal" acercará Castilla-La Mancha al mundo para crear riqueza 🎧

08/01/2015, Presidenta, Castilla-La Mancha

Subraya que el año 2015 hará que Castilla-La Mancha sea un referente conocido en cualquier parte del mundo en ámbito de la producción artística

Asegura que el logotipo ganador, 'Gigantes', "constituye una representación del Quijote y de nuestra tierra, clara, sencilla y reconocible pero, a su vez, vanguardista e innovadora"

La presidenta del Gobierno de Castilla-La Mancha, María Dolores de Cospedal, ha destacado que nuestra región va a utilizar este año "a nuestro personaje literario más conocido y a nuestro escritor más universal" para dar a conocer al resto del mundo las bellezas de nuestra cultura, patrimonio e historia, y a partir de ahí "que sean acicates[1], todos ellos, para nuestro crecimiento económico".

Así lo ha manifestado Cospedal durante la presentación del logo del IV Centenario de la publicación de la Segunda Parte del Quijote, donde se ha referido a la magnífica posibilidad que supondrá para el turismo cultural en nuestra tierra, "para que visitantes de otras partes de España y del mundo vengan atraídos por todo lo que representamos y que esa representación lo sea de lo que es esta tierra nuestra, el corazón de España".

Cospedal ha subrayado que este año 2015, "hará que en el ámbito de la producción artística, Castilla-La Mancha sea un referente conocido en cualquier parte del mundo". [...]

Un reto[2] importante

María Dolores de Cospedal ha hecho hincapié en[3] el "importante reto" que supone la celebración del IV Centenario de la publicación de la Segunda Parte del *Quijote*, "porque esta conmemoración es muy nuestra, porque no hay un personaje de ficción más conocido que don Quijote y tenemos la obligación de mirar al frente y cumplir ese reto con creces[4], como estoy convencida que vamos a hacer".

Por ello, la presidenta regional ha hecho referencia a toda una serie de actividades que se llevarán a cabo[5] a lo largo del año, "que van a plasmar[6], a través de las artes escénicas, de la música y exposiciones, la conmemoración de la obra más universal en lengua castellana y también dar a conocer el talento que hay en nuestra región".

Estos acontecimientos, ha señalado la presidenta, tendrán su continuación en el año 2016 con la conmemoración del IV Centenario del fallecimiento de Miguel de Cervantes. [...]

[1] stimuli   [2] challenge   [3] has emphasized   [4] exceeding expectations   [5] will take place   [6] express

🔍 **Búsqueda:** don quijote, miguel de cervantes, cuarto centenario del quijote, castilla-la mancha

42 Comprensión

1. ¿Qué beneficios le traerá a Castilla-La Mancha la celebración del IV Centenario de la publicación de la Segunda Parte del *Quijote*?

2. ¿Por qué este aniversario es una oportunidad magnífica para el turismo cultural en la región?

3. ¿Qué tipo de actividades planea el gobierno de Castilla-La Mancha para celebrar el aniversario?

43 Analice

¿Qué lugares de su país atraen visitantes por su relación con obras literarias famosas?

Escritura

Publicar en las redes sociales

Las redes sociales de la internet son comunidades virtuales donde los usuarios interactúan con contactos de todo el mundo con quienes tienen gustos o intereses en común. Funcionan como una plataforma donde se pueden publicar textos (en general, breves), fotos y videos.

¡Comunicación!

44 **"Gigantes", logotipo ganador Quijote 2015**   Interpretive Communication

Vuelva a leer lo que dice la presidenta de Castilla-La Mancha sobre el "Gigantes" ganador del concurso del logotipo del Quijote en la página anterior y lo que dice aquí su propia creadora, Ana María Escribano. A medida que lea, resuma los puntos principales en una tabla, como la que se da a continuación.

> Para la realización de la marca e imagen de dicha conmemoración excluí los referentes básicos y realicé una interpretación actualizada y moderna de las aspas de los molinos, estas dentro de un marco cuadrado reflejando así, de manera muy conceptual y abstracta, el movimiento causado por sus aspas, elemento tan importante en el *Quijote*. Se juega con la abstracción para hacer referencia a la pérdida del juicio del personaje, la visión sin sentido de sus aventuras y al mismo tiempo conseguir una marca moderna y actual, un ícono limpio y visible con opción de escalar a diferentes formatos y no perder su legibilidad, apoyado por una tipografía moderna, diseñada para la ocasión con pequeños referentes tipográficos de la época.

Interpretaciones del logo "Gigantes"	
Según la presidenta de Castilla-La Mancha	**Según Ana María Escribano**

45 **Mi propia interpretación**   Presentational Communication

¿Qué piensa Ud. de este ícono? ¿Qué cree que pensarán sus amigos o conocidos? Compare la información que acaba de reunir, haga su propio análisis del ícono y saque sus propias conclusiones. Luego, publique su interpetación en su red social favorita para ver cómo reaccionan los demás.

Un folleto turístico

Un folleto turístico es un texto que se escribe para atraer visitantes a un lugar. Su objetivo principal es promocionar lo mejor de ese lugar y, por eso, su estilo es muy parecido al de los textos publicitarios. Las instituciones como las secretarías de turismo u otros organismos del gobierno son quienes se encargan de publicar este tipo de folletos.

Los folletos turísticos suelen tener forma de cuadernillo o desplegable y, en general, se distribuyen de manera gratuita. Combinan partes descriptivas con secciones de consejos prácticos y elementos gráficos, como fotografías o mapas, que ilustran el lugar.

En los textos, se describen las características más atractivas o interesantes de la geografía del lugar, su historia y cultura, su gastronomía, las actividades que se pueden realizar allí o los distintos tipos de alojamiento. Usan un lenguaje que combina adjetivos y sustantivos para que las descripciones sean más vívidas y atrayentes: "imponente castillo", "cálidas aguas", "espléndidas vistas", etc.

> ### Para escribir más
>
> Puede usar los siguientes adjetivos para agregar detalles a su folleto turístico.
>
> **encantador**
> **espectacular**
> **fabuloso**
> **ideal**
> **increíble**
> **mágico**
> **sin comparación**
> **único**

¡Comunicación!

46 Turismo en Castilla y León 🎧 Interpretive Communication

Escuche el siguiente segmento sobre el turismo en la región de Castilla y León en España y tome notas de lo que dice Javier Ramírez, Presidente de la Junta de Castilla y León, al respecto. ¿Qué tiene para ofrecer esta región del país en términos de turismo, según Ramírez? Escriba sus respuestas en una hoja aparte.

47 ¿Por qué España? Presentational Communication

Imagine que Ud. trabaja para la Secretaría de Turismo de España y está encargado/a de crear un folleto publicitario para promocionar el turismo en varias regiones del país. Primero, repase la información que se ha presentado en la unidad* hasta ahora y resuma los puntos principales en un organizador gráfico como el que se ve a continuación.

Ahora, escriba el primer borrador de su folleto con base en la información que reunió y pídale a un(a) compañero/a que lo revise. Haga las correcciones necesarias y cree la versión final. Agregue fotos llamativas para que su folleto sea más interesante y, para terminar, preséntelo enfrente de la clase.

*Ver páginas 45 (video), 59–62, 65, 66, 73

Mejore su comprensión 🎧

Familiarizarse con este vocabulario le ayudará a leer "He andado muchos caminos" más adelante, y a mejorar su comprensión auditiva.

a lomos de mula vieja *exp. figurada:* Sin prisa, como si fueran (*as if they were*) montados en una mula vieja que anda despacio por su edad.

andar *v.* Ir de un lugar a otro a pie.

apestar *v.* Dar muy mal olor.

atracar *v.* Llegar una embarcación a tierra.

borracho *s.m.* Persona que está bajo los efectos del alcohol.

cabalgar *v.* Ir a caballo.

callar *v.* No hablar, en silencio.

camino *s.m.* Por donde se va de un sitio a otro.

caravana *s.f.* Grupo de personas que viajan juntas.

danzar *v.* Bailar al ritmo de una música.

¡Eso sí que es! Exclamación de afirmación cuyas iniciales deletrean la palabra *socks*.

fresco/a *adj.* Temperatura agradablemente fría.

laborar *v.* Trabajar la tierra.

mar *s.m.* Masa de agua salada que cubre la mayor parte de la superficie de la tierra.

melancólico/a *adj.* Triste.

navegar *v.* Viajar en una nave.

palmo *s.m.* Medida de longitud.

pedantones al paño *exp.* Personas sabelotodo.

ribera *s.f.* Borde del mar o de un río.

soberbio/a *adj.* Orgulloso.

sombra *s.f.* Imagen oscura reflejada por la luz en una superficie.

soñar *v.* Representar algo en la mente mientras se duerme.

taberna *s.f.* Lugar sencillo donde se sirven comidas y bebidas.

tierra *s.f.* Mundo; suelo donde crecen las plantas.

tristeza *s.f.* Sentimiento que tiende al silencio y al llanto.

un poco molesto/a *adj.* Algo disgustado(a).

Caminos y veredas del norte de España

vereda *s.f.* Camino estrecho formado por el paso de personas y ganado.

vino *s.m.* Bebida alcohólica que se obtiene de las uvas.

---

48 Identifique al intruso

Diga qué palabra no pertenece al grupo y explique por qué.

MODELO   atracar / navegar / cabalgar
Cabalgar no tiene que ver con embarcaciones.

1. vino / camino / taberna
2. palmo / melancólico / tierra
3. tristeza / caminos / caravanas
4. pedantón / sombra / soberbio
5. mar / vereda / ribera
6. soñar / danzar/ andar
7. atracar / callar / tierra
8. cabalgar / molesto / mula

49 ¿Cuál corresponde?

Complete las oraciones que siguen con la palabra del recuadro que corresponda según el contexto.

vino	laboran	melancólicas	navegan
andar	palmos	soberbia	camino
	atracan	borracho	

1. Ese hombre es un ___ que se la pasa bebiendo ___ de taberna en taberna.

2. Esos barcos inmensos ___ por el mar y ___ en sus riberas.

3. Esos campesinos ___ de sol a sol y viven de trabajar su par de ___ de tierra.

4. La tristeza es el gran mal que afecta a las personas ___ .

5. Ella es una persona ___ y orgullosa que se cree mejor que todos los demás.

6. Mañana tenemos que llegar a nuestro destino y todavía nos falta ___ gran parte del ___ .

50 El problema de una turista 🎧

Escuche el relato "El problema de una turista". Luego, Ud. oirá la primera parte de una pregunta y tres terminaciones posibles. Seleccione la letra de la respuesta con la terminación más lógica. La oración y las terminaciones se leerán dos veces.

1. A. ... no puede comprar ropa en un almacén.

   B. ... puede comprar ropa sin saber hablar inglés.

   C. ... puede comprar ropa porque habla inglés.

2. A. ... no comprar nada más.

   B. ... salir del almacén.

   C. ... comprar unos calcetines.

3. A. ... trata de explicarle lo que quiere.

   B. ... le explica lo que quiere.

   C. ... le habla en inglés.

Una señora quiere comprarle unos calcetines a su esposo.

4. A. ... la sección para caballeros.

   B. ... donde debe pagar.

   C. ... varios artículos de vestir.

5. A. ¡Eso sí que es!

   B. ¿Qué es eso?

   C. ¡Eso no es!

Gramática

Las comparaciones

Para hacer comparaciones de superioridad e inferioridad se usa **más** o **menos** como se ve a continuación.

- La palabra comparativa *than* se expresa con **que**, pero cuando ocurre antes de un número o una cantidad se expresa con **de**.

Las comparaciones de superioridad e inferioridad		
más/menos +	adjetivo + **que**	Los trenes de larga distancia son **más cómodos que** los trenes regionales.
	adverbio + **que**	Los vuelos directos llegan **más rápido que** los vuelos que hacen escalas.
	sustantivo + **que**	En primera clase hay **menos pasajeros que** en clase turista.
verbo + **más/menos que**		Tú **viajas más que** yo pero **te diviertes menos que** yo.
más/menos de +	número	La empresa invertirá **más de** 2 millones en el nuevo proyecto.
	cantidad	Pienso que lo vendieron por **menos de** la mitad del precio.

- Al contrario del inglés, después de **más que** y **menos que** se usan los negativos **nunca**, **nadie**, **nada** y **ninguno**.

    Estoy trabajando **más que nunca**.
    I'm working more than ever.

    Yo me preocupo **más que nadie**.
    I worry more than anyone.

Es más cómodo viajar en primera clase que en clase turista.

Comparativos irregulares		
Adjetivo	**Adverbio**	**Forma comparativa**
bueno (buen)	bien	mejor
malo (mal)	mal	peor
poco	poco	menos
mucho	mucho	más
pequeño		menor
grande (gran)		mayor

- Cuando **bueno** y **malo** se refieren al carácter de una persona y no a la calidad de una cosa, se usan las formas regulares.

  carácter: Antonio es **mucho más bueno** que tú: no se enfada nunca.

  Ese hombre es aún **más malo** que los otros.

  calidad: El segundo concierto fue **mejor** que el primero.

  El clima está **peor** que ayer.

- Cuando los adjetivos **grande** y **pequeño** se refieren a tamaño y no a edad, se usan las formas regulares.

  tamaño: Mi mochila es **más grande** que la tuya.

  Este aeropuerto es aún **más pequeño** que el aeropuerto de Granada.

  edad: Soy **mayor** que mi hermano Antonio, pero **menor** que mi hermana Rebeca.

¡Comunicación!

51 Alternativas y preferencias Interpersonal Communication

Piense en todas las alternativas que tiene cuando va de viaje: cómo viajar, dónde quedarse, qué hacer. ¿Cuáles serían sus preferidas? Con un(a) compañero/a, túrnense para expresar sus preferencias y sus razones, como se ve en el modelo.

MODELO viajar en tren / viajar en coche
(¿flexible? ¿rápido? ¿interesante?)

> A: **A mí me gusta más viajar en tren porque es más interesante que viajar en coche.**
>
> B: **A mí me gusta más viajar en coche que viajar en tren porque es más rápido.**

1. comer en un restaurante / comer en una cafetería
(¿caro? ¿interesante? ¿conveniente?)

2. quedarse en un hotel / quedarse en una pensión
(¿económico? ¿cómodo? ¿grande?)

3. hacer un viaje en grupo / hacer un viaje independiente
(¿limitado? ¿eficiente? ¿flexible?)

4. hacer turismo (*sightsee*) en autobús / hacer turismo a pie
(¿divertido? ¿económico? ¿aburrido?)

Siempre nos quedamos en un hotel cuando viajamos. Es mucho mejor.

¡Comunicación!

52 Decisiones y más decisiones 👥 Presentational Communication

Imagine que Ud. y un(a) compañero/a están en Palma de Mallorca y tienen la opción de quedarse en el Hotel Isla Mallorca & Spa o el Hotel Costa Azul. Lean la información sobre los dos hoteles y compárenlos según el precio, la ubicación (*location*), las comodidades y los servicios incluidos. Luego, infórmenle a la clase qué hotel eligieron y expliquen por qué. Escriban seis oraciones usando los comparativos y los verbos del recuadro, como se ve en el modelo.

estar	ofrecer	contar con	costar	hay	tener	ser	encontrarse

MODELO   El Hotel Isla Mallorca & Spa está más lejos del mar, pero ofrece...

Hotel Isla Mallorca & Spa
- Habitaciones con terraza
- Situado en una zona tranquila de Palma
- Restaurante (a la carta y buffet), Bar
- Piscina al aire libre, Jardín, Terraza
- Gimnasio, Spa, Wi-Fi gratis
- 180 euros al día

Hotel Costa Azul
- Habitaciones con vista al mar
- Ubicado frente al puerto deportivo de Palma
- Restaurante de tipo buffet y cafetería con terraza
- Sauna y piscina, cubierta en invierno
- Gimnasio, Wi-Fi gratuito, TV LED vía satélite
- 250 euros al día

53 ¡Qué interesante! 👥

Interpersonal Communication

Imagine una conversación entre dos pasajeros de un largo viaje en avión. Los dos son muy extrovertidos y comunicativos y terminan contándose, uno al otro, la historia de su vida. Con un(a) compañero/a representen la situación. Túrnense para hacerse las preguntas del caso y responderlas, como se ve en el modelo.

¿Viajas con mucha frecuencia?

MODELO   Ud.:   ¿Tienes una familia grande?

pasajero/a: No. Solo tengo dos hermanos. ¿Y tú?

Ud.:   Yo tengo cinco hermanos. Tengo muchos más que tú.

Gramática

Las comparaciones de igualdad

Para expresar una comparación de igualdad usamos **tan** o **tanto(a, os, as)** como se ve a continuación.

	Comparaciones de igualdad	
as... as	**tan** + adjetivo + **como**	—¿Serán menos seguros los aviones del futuro que los aviones actuales? —No. Serán **tan** seguros **como** los actuales.
	tan + adverbio + **como**	—¿Volarán más rápido que los actuales? —No. Volarán **tan** rápido **como** los actuales.
as much as	**tanto(a)** + sustantivo + **como**	—¿Consumirán más energía que los actuales? —No. Probablemente consumirán **tanta** energía **como** los actuales.
	verbo + **tanto como**	—¿Costarán más que los actuales? —No. Costarán **tanto como** los actuales o menos.
as many as	**tantos(as)** + sustantivo + **como**	—En los aviones del futuro, ¿viajarán menos pasajeros que en los actuales? —No. Viajarán **tantos pasajeros** como en los actuales.
	verbo + **tantos(as) como**	—¿Y tendrán tantos problemas como los actuales? —Claro que tendrán **tantos como** los actuales, pero serán diferentes.

54 Estoy de acuerdo

Dos turistas hablan sobre su experiencia en un hotel en Palma de Mallorca. Exprese lo que dicen usando comparaciones de igualdad según el modelo.

MODELO   Los huéspedes son amables. (*el personal*)
Estoy de acuerdo. Los huéspedes son tan amables como el personal.

1. Puede ir de excursión en barco. (*autobús*)
2. Llegan bastantes norteamericanos al hotel. (*españoles*)
3. Los precios del restaurante son económicos. (*la cafetería*)
4. Los jardines son bonitos. (*los patios*)
5. Los cuartos sencillos son muy agradables. (*los cuartos dobles*)
6. Se consiguen revistas internacionales en la tienda. (*periódicos*)

Gramática

55 **Avianca, Iberia y Aeroméxico**

Lea con atención los servicios que ofrecen las compañías de aviación Iberia, Avianca, y Aeroméxico y exprese una comparación de igualdad.

MODELO   Aeroméxico e Iberia tienen cuarenta y dos vuelos diarios.
Avianca tiene treinta y cuatro.

Aeroméxico tiene tantos vuelos como Iberia, pero Avianca no tiene tantos vuelos como Aeroméxico o Iberia.

1. Avianca y Aeroméxico tienen veinte pilotos. Iberia tiene veintiséis.

2. Los aviones de Iberia son modernos. Los de Avianca y Aeroméxico son menos modernos.

3. Iberia tiene cincuenta aviones. Avianca y Aeroméxico tienen cuarenta.

4. Los auxiliares de vuelo de Avianca trabajan solo ocho horas al día. Los auxiliares de vuelo de Aeroméxico e Iberia trabajan diez horas al día.

El superlativo

- Para formar el superlativo con adjetivos se añade el artículo definido (**el**, **la**, **los**, **las**) a la forma comparativa.

Adjetivo	Comparativo	Superlativo	
pesado (*heavy*)	más pesado	el más pesado	Mi equipaje es **el más pesado**.
bueno	mejor	el mejor	Estas son **las mejores** vacaciones que he tenido. (calidad)
malo	peor	el peor	Este es **el peor** asiento del avión. (calidad)

- Para formar el superlativo con adverbios, se usa la construcción **lo más** + **adverbio**.

Adjetivo	Comparativo	Superlativo	
claramente	más claramente	lo más claramente	Lea el informe **lo más claramente** posible.
bien	mejor	lo mejor	Haz **lo mejor** que puedas.

- Para expresar el superlativo en relación con otros elementos, se usa la forma superlativa seguida de la preposición **de** (inglés: *in* o *of*).

artículo + **más** + adjetivo + **de**
o
menos

Este viaje es **el más costoso de** todos.
Clara es **la menos alta de** las chicas.
Uds. son **los más estudiosos de** la clase.

- Para un superlativo independiente, se puede usar la siguiente construcción.

muy		Este viaje es **muy** costoso.
sumamente	+ adjetivo o adverbio	Clara es **sumamente** alta.
extraordinariamente		Diana es **extraordinariamente** inteligente.
extremadamente		Viaja **extremadamente** lejos.
adjetivo + **-ísimo(a, os, as)**[1]		Tiene una vista **hermosísima**.
		Le dio un regalo **carísimo**.
adverbio + **-ísimo**		La excursión de hoy fue **muchísimo** mejor que la de ayer.
		Se levantó **tempranísimo**.

[1] Se suprime la vocal final del adjetivo y se añade **-ísimo(a, os, as)**. Algunas formas sufren cambios.

z → c: feliz → felicísimo   c → qu: rico → riquísimo
g → gu: largo → larguísimo   ble → bil: amable → amabilísimo

56 Un viaje interplanetario   Conéctese: la astronomía

Es muy posible que en el futuro cercano, Ud. pueda planear un viaje interplanetario. Por eso es importante informarse sobre los planetas. Complete las oraciones con una expresión de inferioridad, superioridad, igualdad o con el superlativo. Cada espacio en blanco requiere una palabra.

1. Júpiter es ____ ____ grande de todos los planetas.

2. Mercurio es ____ pequeño ____ Saturno.

3. Júpiter tiene ____ lunas ____ la Tierra; tiene más ____ once lunas.

4. El "día" de un planeta es el tiempo que dura una rotación sobre su eje (*axis*). Un día en Júpiter dura un poco menos ____ diez horas; mientras que un día en Venus dura más ____ 243 días terrestres. Un día en la Tierra es ____ largo que uno en Júpiter, pero ____ largo que uno en Venus.

5. El "año" de un planeta es el tiempo que dura una revolución alrededor del sol. Un año en Mercurio dura casi ochenta y ocho días; una revolución de Plutón dura 249 de nuestros años terrenales. Un año en Mercurio es muchísimo ____ corto ____ un año en Plutón. Un hecho interesante: una rotación de Venus sobre su eje dura 243 días, mientras una revolución alrededor del sol dura sólo 225 días. Es decir, su "día" dura ____ tiempo ____ su "año."

6. La temperatura de la Tierra es 59 °F; la de Marte, 55 °F. Es decir, Marte es casi ____ caliente como la Tierra. En 1970 los científicos rusos midieron una temperatura de 885 °F en Venus, comprobando que este planeta es ____ ____ caliente ____ todos.

57 **El mejor y el peor** 👥 **Interpersonal Communication**

Con su compañero(a), intercambien ideas sobre los siguientes temas. Digan cuál es el mejor y el peor en cada una de las categorías. Sigan el modelo como guía.

MODELO   Un programa de la televisión

A: **¿Cuál crees que es el mejor programa de la televisión?**

B: *The Ellen DeGeneres Show.*

A: **¿Por qué?**

B: **Porque es muy chistoso (*funny*) cuando entrevista a personas famosas.**

1. Un libro que ha leído
2. La canción del momento
3. Una película que ha visto
4. Un viaje que ha hecho
5. El/La cantante del año
6. Un grupo musical

58 **¿Cuál es su favorito?** **Presentational Communication**

¿Cuál de los lugares que ha conocido le ha llamado más la atención? Describa un país, una ciudad o un pueblo que Ud. conozca y que le haya fascinado. Acuérdese de usar los comparativos y los superlativos para expresar su opinión. Luego, comparta lo que escribió con la clase.

MODELO   Bolivia es un país **sumamente** interesante. Su capital es La Paz. La ciudad está a 12.000 pies de altura. Es la capital **más** alta del mundo. Las montañas que rodean la ciudad son **altísimas**. La Paz es una ciudad colonial de calles **muy** estrechas que tienen un encanto **muy** especial.

Copacabana, Bolivia

Lectura literaria

He andado muchos caminos
de *Antonio Machado*

Sobre el autor

Antonio Machado (Sevilla 1875–Colliure 1939) es uno de los poetas más importantes de la Generación del 98 en España. Esta generación la formaron intelectuales españoles que reflexionaban sobre la situación de España tras la pérdida de sus últimas colonias en América y el Pacífico. Antonio Machado, conocido como "el poeta del pueblo," describió los pueblos de España y sus gentes en su poesía íntima y melancólica. Entre sus obras más importantes destacan *Soledades, Galerías y otros poemas* (1899–1907) y *Campos de Castilla* (1912).

Antonio Machado

Antes de leer

Machado dice en sus poemas que la mejor forma de conocer un país y su gente es caminando por sus caminos.

1. ¿Ha viajado de esta forma alguna vez?
2. ¿Ha conocido a alguien especial durante un viaje? Comparta su experiencia con sus compañeros/as de clase.

Estrategia

El tema

El tema de un poema es el punto de enfoque o concepto que el poeta desarrolla a través de sus ideas. En la poesía el tema no siempre es evidente. Por eso, para identificarlo, se requiere analizar el lenguaje y reflexionar sobre las ideas que el poeta trata de comunicar.

59 Practique la estrategia

En "He andado muchos caminos" Machado hace alusión a la gente sencilla y humilde que ha conocido por los caminos y veredas de España (la buena gente), al tiempo que censura a la gente soberbia y arrogante que se siente superior a todos los demás (la mala gente). Es en el fondo una crítica de las clases sociales en España. Busque en el poema dos ejemplos que ilustren a estas personas y dé su interpretación.

Versos del poema	Buena gente	Mala gente	Interpretación
"...y pedantones al paño que miran, callan y piensan que saben porque no beben el vino de las tabernas."		✓	No beben en las tabernas porque son lugares frecuentados por gente humilde, y si lo hacen, solo miran a la gente y piensan que son mejores que ellos y, por eso, no se toman ni la molestia de hablarles.

He andado muchos caminos
de *Antonio Machado*

60 Comprensión

1. ¿Qué quiere decir Machado cuando habla de "caravanas de tristeza" en la segunda estrofa, y a quiénes se refiere con esta metáfora?

2. ¿A quiénes se refiere Machado en los versos 16 a 18?

3. ¿Qué actitud de la gente se refleja en los versos 25 y 26?

61 Analice

Explique la ironía que se expresa en los versos 29 y 30.

He andado muchos caminos,
he abierto muchas veredas[1];
he navegado en cien mares,
y atracado[2] en cien riberas[3].

5 En todas partes he visto
caravanas de tristeza,
soberbios[4] y melancólicos
borrachos de sombra negra,

y pedantones al paño[5]
10 que miran, callan y piensan
que saben, porque no beben
el vino de las tabernas.

Mala gente que camina
y va apestando[6] la tierra...

15 Y en todas partes he visto
gentes que danzan o juegan,
cuando pueden, y laboran
sus cuatro palmos de tierra[7].

Nunca, si llegan a un sitio,
20 preguntan adónde llegan.
Cuando caminan, cabalgan
a lomos de mula vieja[8],

He andado muchos caminos.

y no conocen la prisa
ni aun en los días de fiesta.
25 Donde hay vino, beben vino;
donde no hay vino, agua fresca.

Son buenas gentes que viven,
laboran, pasan y sueñan,
y en un día como tantos,
30 descansan bajo la tierra.

[1] paths, trails   [2] anchored   [3] shores   [4] haughty   [5] pretentious   [6] polluting
[7] handspans of land   [8] on the backs of old mules

Después de leer

Cada paso que andamos ayuda a hacer nuestro camino en la vida. ¿Qué paso ha sido especialmente significativo en su vida? Compare su experiencia con la de un(a) compañero/a y, luego, compartan sus experiencias con el resto de la clase.

Para concluir

Proyectos

A ¡Manos a la obra!

Imagine que su clase de español celebra el IV Centenario de la publicación de *Don Quijote* en una jornada especial para conmemorar la obra.

A su grupo, le han asignado hacer una representación con alguno de estos personajes:

• Don Quijote

• Sancho Panza

• Dulcinea del Toboso

Primero, deben buscar información en la internet sobre el personaje elegido. Tomen nota sobre sus características: su aspecto físico, su personalidad, la relación con otros personajes. Luego, elijan un diálogo breve del libro en el que participe el personaje elegido. Busquen las expresiones que no entiendan en el diccionario o pidan ayuda a su profesor. Por último, representen el diálogo frente al resto de sus compañeros.

Don Quijote y Sancho Panza

B En resumen

Imagine que Ud. ha hecho un largo viaje por España y, a su regreso, le piden que escriba un artículo sobre su experiencia para la sección de viajes de una revista.

Primero, imagine el itinerario de su viaje a partir de la información que se presenta en las tres lecturas de Cultura. Luego, complete la tabla para organizar lo que ha aprendido en su viaje por España en cada lugar que ha visitado.

Atractivo natural	
Atractivo cultural	
Atractivo artístico	
Atractivo histórico	

Por último, escriba su artículo haciendo énfasis en todo lo que ha aprendido sobre la cultura española gracias a su viaje.

C ¡A escribir! Conéctese: la geografía

Investigue información en la internet sobre la Ruta de Don Quijote. Imagine que Ud. hizo una parte del recorrido de esa ruta cuando estuvo en España. Ud. acaba de llegar y todo el mundo quiere saber cómo le fue. Escriba un párrafo sobre su experiencia y publíquelo en su red social favorita para así compartir todo lo que aprendió sobre España y su cultura al hacer este recorrido.

Para escribir más

Primero...

Después...

Luego...

Al final...

Un día...

Al otro día..

D Paseo del Arte Conéctese: el arte

Elija uno de los museos del "Paseo del Arte" de Madrid. Busque su sitio web y averigüe qué colecciones de artistas españoles posee. Tome notas acerca de las obras más relevantes. Incluya datos como el título de la obra, el nombre del artista, el año en que fue terminada y el movimiento artístico al que pertenece. Busque imágenes de algunas de las obras y comparta la información que reunió con el resto de la clase.

E Se hace camino al andar Conéctese: la literatura

Lea y escuche el poema "Caminante, son tus huellas" de Antonio Machado y, luego, compárelo con "He andado muchos caminos", el poema que leyó en esta unidad. ¿En qué se parecen? ¿En qué se diferencian? Escriba sus respuestas en un diagrama de Venn y justifíquelas con citas textuales de los poemas.

"Caminante, son tus huellas" 🎧
de *Antonio Machado*

Caminante, son tus huellas
el camino, y nada más;
caminante, no hay camino,
se hace camino al andar.
Al andar se hace el camino,
y al volver la vista atrás
se ve la senda que nunca
se ha de volver a pisar.
Caminante, no hay camino,
sino estelas en la mar.

"Caminante, son tus huellas"   "He andando muchos caminos"

Los dos se refieren al camino de la vida.

Vocabulario de la Unidad 2

a lomos de mula vieja on the backs of old mules

¿A qué hora…? At what time…?

abordar to board

abrocharse el cinturón to fasten one's seatbelt

acordarse/recordar to remember

el **aeropuerto** airport

andar to walk

el **andén del tren** train platform

apagar to turn off

aparecer to appear, to be listed

apestar to pollute, to stink

el **asiento de pasillo** aisle seat

el **asiento de ventanilla** window seat

el **aterrizaje forzoso** forced landing

aterrizar to land

atracar to anchor

el/la **auxiliar de vuelo** flight attendant

el **avión** airplane

ayudar to help

bajar to go down, to bring down

el **barco** boat

el **borracho** drunkard

el **botones** bellman

cabalgar to ride

callar to keep quiet

el **camino** path, road

cancelar to cancel

la **caravana** caravan

la **clase turista** economy class

consultar to check

el **coche** car

el **coche cama** sleeping car

el **coche comedor** dining car

el **control de seguridad** security

con tres horas de anticipación three hours in advance

confirmar las reservaciones to confirm reservations

¿Cuánto cuesta…? How much does…cost?

danzar to dance

dar to give

desear + inf. to want, to wish

despegar to take off

el **despegue** takeoff

el **detector de metales** metal detector

dirigirse a to walk to

¡Eso sí que es! That's it!

Estamos próximos a… We are about to…

estrellarse to crash

facturar el equipaje to check luggage

el **ferrocarril** train

fresco/a fresh

el/la **gerente** manager

la **habitación** room

hacer to do, to make

hacer camino to forge a path

hacer escala to have a layover

hacer una parada to make a stop

hacer reservaciones to make reservations

el **hotel** hotel

indicar to indicate

la **inmigración** immigration

inscribirse to register

la **inspección de aduana** customs inspection

el/la **inspector(a)** inspector

ir a + inf. to be going + inf.

laborar to work

¿Les interesa…? Are you interested in…?

la **lista de huéspedes** guest list

la **llave** key

llevar contrabando to carry illegal goods

el **maletín de mano** carry-on luggage

mantener la calma to keep calm

mantenerse to stay, to remain

el **mar** sea

melancólico/a melancholy

el **monitor** monitor

el **mostrador de la línea aérea** airline counter

navegar to navigate

la **oficina de cambio (de moneda)** currency exchange office

pagar por exceso de equipaje to pay for excess baggage

el **palmo de tierra** handspan of land

el **pasaje de ida y vuelta** round trip ticket

el/la **pasajero/a** passenger

¡Pasajeros al tren! All aboard!

el **pasaporte** passport

pasar por… to go through…

los **pedantones al paño** people who are pedantic to the core

perder el vuelo to miss the flight

el/la **piloto** pilot

la **planta baja** ground floor

posponer to postpone

presentar to show

la **primera clase** first class

la **primera vez** the first time

la **propina** tip

querer + inf. to want + inf.

quitarse to remove, to take off

la **recepción del hotel** hotel lobby

la **recomendación** recommendation

recoger to pick up

revisar to inspect

la **ribera** shore

la **sala de espera** waiting room

la **salida y llegada de vuelo** flight departure and arrival

salir to leave

seguir las indicaciones to follow directions

el **servicio** service

soberbio/a pompous

la **sombra** shadow

soñar to dream

subir to go up, bring up

la **taberna** tavern

la **tierra** land, earth, soil

tomar precauciones to take precautions

la **tripulación** crew

la **tristeza** sadness

la **turbulencia** turbulence

la **última llamada** last call

molesto/a annoyed

la **vereda** path, trail

viajar al extranjero to travel abroad

el **viaje** trip

el/la **viajero/a** traveler

el **vino** wine

la **visa** visa

el **vuelo de conexión** connecting flight

el **vuelo directo** direct flight

el **vuelo internacional** international flight

el **vuelo nacional** domestic flight

¿Sabía que...?

Hoy en día, la tecnología forma parte esencial de un sistema educativo de calidad. Por eso, el Ministerio de Educación de Perú se propone entregar 80 mil laptops para que los estudiantes tengan acceso a la internet durante sus clases.

3

Paso a paso hacia el futuro

Escanee el código QR para mirar el video "El bailarín".

Lucía tiene que hacer una entrevista para su clase de arte. ¿Qué dice Eneko, su entrevistado, sobre lo que tiene que hacer para ser un bailarín profesional? Explique en detalle su respuesta.

Pregunta clave

?

¿Qué aspectos socioculturales de un país afectan el futuro de su gente?

Mis metas

En esta unidad:

▶ Hablaré sobre profesiones y ocupaciones y lo que puedo hacer para contribuir a mi futuro.

▶ Distinguiré la forma reflexiva y no reflexiva de algunos verbos y su significado.

▶ Leeré sobre la educación en Perú y lo que se está haciendo para mejorarla.

▶ Distinguiré el significado de palabras y frases según el contexto.

▶ Distinguiré el uso de los verbos **ser**, **estar**, **haber**, **hacer**, **tener**, **nevar** y **llover**.

▶ Me familiarizaré con un programa de verano de la Universidad del Pacífico.

▶ Escribiré una carta para solicitar ingreso al programa de verano en Cusco.

▶ Escribiré una recomendación del programa de la Universidad del Pacífico y la publicaré en la internet.

▶ Desarrollaré nuevas destrezas de vocabulario.

▶ Usaré expresiones de obligación y de probabilidad y las preposiciones **en** y **de** en español.

▶ Leeré el cuento "El alacrán de fray Gómez", del peruano Ricardo Palma.

¿Cómo se llama este colegio de Perú y por qué es importante?

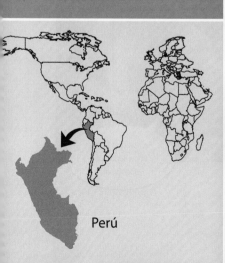

Perú

Así nos preparamos 🎧

¿Qué puede representar un título de ingeniero, arquitecto o médico en su futuro?

la feria del trabajo

Tú puedes ser uno de estos estudiantes.

El rector y los decanos de la Universidad del Pacífico hacen entrega de diplomas a cientos de estudiantes.

Consejos prácticos para ingresar a la universidad

¿Qué puede hacer Ud. para prepararse?

¿Cuánto cuesta la matrícula?

¡Qué padre!

Mira, en esta ofrecen becas buenísimas.

¿Qué requisitos debe cumplir?

- Aprobar todas las asignaturas requeridas para graduarse del bachillerato.
- Llenar los formularios requeridos.
- Presentarse al examen de admisión y aprobarlo con buenas calificaciones.
- Matricularse dentro del plazo indicado.

¿Qué hay que hacer para solicitar ayuda financiera?

Antes que todo, debes llenar una solicitud.

- Investigue diferentes universidades. ¿Cuáles son las ventajas y desventajas de cada una?
- Visite la universidad y asista a las conferencias de orientación dictadas por los catedráticos de cada facultad.
- Haga preguntas sobre las carreras y especializaciones que ofrecen. Acuérdese de que no es lo mismo estudiar para ser abogado que sacar una licenciatura en humanidades.
- Hable con un consejero sobre los planes de estudios —cursos optativos y obligatorios—, y los horarios de clases.

Familiarícese con las instalaciones de la universidad

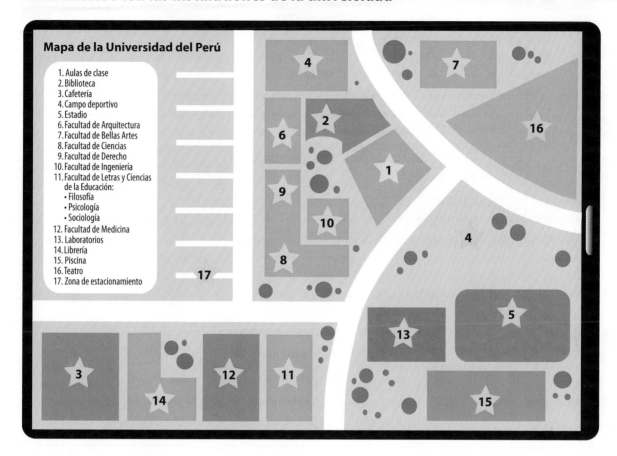

Mapa de la Universidad del Perú

1. Aulas de clase
2. Biblioteca
3. Cafetería
4. Campo deportivo
5. Estadio
6. Facultad de Arquitectura
7. Facultad de Bellas Artes
8. Facultad de Ciencias
9. Facultad de Derecho
10. Facultad de Ingeniería
11. Facultad de Letras y Ciencias de la Educación:
   • Filosofía
   • Psicología
   • Sociología
12. Facultad de Medicina
13. Laboratorios
14. Librería
15. Piscina
16. Teatro
17. Zona de estacionamiento

Para conversar

Para hablar de profesiones y campos de trabajo:
La informática es la carrera del futuro.
   No faltan trabajos para programadores.
La física, la química o la biología son buenas opciones si te gusta la investigación. Podrías volverte un científico famoso.
Para ser economista se necesita tener cabeza para los números y la estadística.
Puedes ser profesor de matemáticas si eres bueno para enseñar y resolver problemas.
Si eres sociólogo/a o psicólogo/a, puedes dar cursos en la universidad o tener una práctica privada.
La filosofía es un campo interesante, pero es difícil conseguir trabajo de filósofo.
Lo mismo pasa con las letras y las bellas artes (escritores, artistas, etc.). Es un campo muy competitivo y es difícil tener éxito si no se tiene mucho talento.

Para hablar de lo que puedes hacer ahora para contribuir a tu éxito futuro:
Primero que todo, desarrollar buenos hábitos de estudio.
Asistir a clase, aunque los profesores no pasen lista.
Prestar atención en clase, hacer preguntas y tomar apuntes.
Hacer todas las tareas y, si es necesario, quedarte después del colegio para estudiar y repasar para los exámenes.
Esforzarte por sacar buenas notas y no reprobar ninguna materia.

1 Ud. escoge

Escuche e indique la terminación correcta.

1. solicitarla / sacarla
2. resolverlos / reprobarlos
3. repasarlo / llenarlo
4. prepararlo / prestarlo
5. quedarse / graduarse

2 Series de palabras

Complete las siguientes series de palabras con la palabra o expresión del recuadro que mejor corresponda, como se ve en el modelo.

laboratorios	sociología	escritor	librería	beca
graduarse	catedrático	estadio	repasar	carrera

MODELO   **rector, decano, catedrático**

1. rector, decano, ____
2. química, física, ____
3. formulario, solicitud, ____
4. humanidades, profesor, ____
5. biblioteca, aula de clase, ____
6. filosofía, psicología, ____
7. campo deportivo, gimnasio, ____
8. plan de estudios, especialización, ____
9. prestar atención, hacer preguntas, ____
10. sacar una licenciatura, obtener un diploma, ____

3 Definiciones

Empareje cada definición con la profesión u ocupación que mejor le corresponda.

1. estudio de los seres vivos
2. persona que ejerce la carrera de leyes
3. estudio de las enfermedades y sus curas
4. persona que diseña construcciones y edificios
5. persona que trabaja en el mundo de las finanzas
6. estudio del proceso mental de las personas
7. estudio de la información por medio de las computadoras
8. la persona a cargo de la administración de una universidad
9. facultad donde estudian los futuros maestros o escritores
10. profesión en que se requiere de creatividad, talento y suerte para tener éxito

A. medicina
B. rector
C. abogado
D. biología
E. arte
F. psicología
G. letras
H. arquitecto
I. economista
J. informática

Me gustaría ser profesor de matemáticas, pero no sé si tengo suficiente paciencia para enseñar.

4 ¿Requisito o recomendación?

Diga si cada una de las siguientes declaraciones es una recomendación o un requisito que se debe cumplir para ingresar a la universidad.

	Requisito	Recomendación
1. Desarrollar buenos hábitos de estudio		✓
2. Llenar una solicitud si va a solicitar una beca		
3. Pedir ayuda financiera con anticipación		
4. Hablar con los consejeros sobre los programas de estudio		
5. Presentar y aprobar el examen de admisión		
6. Prestar atención en clase, hacer preguntas y tomar apuntes		
7. Llenar los formularios y matricularse dentro del plazo indicado		

5 Una buena decisión

Este estudiante universitario decide cambiar su especialización. Llene los espacios con la forma correcta de las palabras del recuadro, según el contexto.

aprobar	horario	catedrático	facultad	asistir
dictar	carrera	laboratorio	informática	nota

Comencé mis estudios en la Universidad de Lima en septiembre de este año e ingresé en la __(1)__ de arquitectura. Los __(2)__ son extraordinarios y el programa es fascinante, pero es muy difícil para mí. Saco malas __(3)__ en mis clases de física y estoy seguro de que no puedo __(4)__ el curso básico de diseño (design). ¡Qué lata! En esta situación es mejor cambiar de __(5)__, ¿verdad? Voy a estudiar __(6)__ porque me encantan las computadoras. Esta noche, uno de los profesores va a __(7)__ una conferencia sobre metodologías para el desarrollo de *software* y pienso ir a escucharla después de trabajar. Creo que el semestre entrante va a ser mejor porque tengo un __(8)__ de clases que coordina perfecto con mis horas de trabajo. Voy a __(9)__ a clases cuatro veces por semana y voy a trabajar como asistente en el __(10)__ de lenguas los miércoles.

¡Comunicación!

6 ¿Qué nos falta hacer? 👥 Interpersonal Communication

Imagine que Ud. y su mejor amigo/a se van a graduar este año y están preparándose para ingresar a la universidad. Mencionen: lo que han hecho ya, los problemas que han encontrado y cómo los han resuelto. Túrnense para hacerse preguntas y responderlas, como se ve en el modelo.

MODELO   A: ¿Qué carrera vas a seguir: ciencias o humanidades?

B: No he decidido. Estoy considerando las ventajas y desventajas de cada una. ¿Y tú?

Gramática

Los verbos reflexivos

Los verbos reflexivos se usan para indicar que la persona que realiza la acción del verbo también la recibe. En otras palabras, la misma persona hace las veces de sujeto y objeto directo de la oración. Los verbos reflexivos se conocen porque terminan en **se** en la forma del infinitivo. En la forma conjugada, esa terminación se reemplaza por los pronombres reflexivos correspondientes de acuerdo a la conjugación.

| Levantar**se**: | **me** levant**o** | **te** levant**as** | **se** levant**a** | **nos** levant**amos** | **os** levant**áis** | **se** levant**an** |

Yo **me** levanto a las siete, pero mi hermana **se** levanta a las seis.

- La posición de los pronombres reflexivos varía según las formas del verbo.

con verbos conjugados:	Todos los días **me** levanto temprano, **me** ducho y **me** visto mientras mi hermana Adela **se** prepara para salir.
con el infinitivo:	**Nos** tenemos que ir al colegio al mismo tiempo —yo la llevo en mi carro—, pero es un gran problema porque ella tarda eternidades en arreglar**se**.
con el gerundio:	Es un lío. Hace un momento estaba pintándo**se** las uñas y ahora **se** está maquillando.
con el participio:	Y todavía no **se** ha secado el pelo. ¡Qué horror!
con los mandatos afirmativos y negativos:	—Adela, da**te** prisa que ya son casi las ocho. Vamos a llegar tarde. —Cálma**te**. Ya casi estoy lista.

- Los pronombres reflexivos **nos**, **os** y **se** pueden usarse para expresar una acción recíproca equivalente a *each other* o *one another* en inglés.

  Mi amiga y yo **nos** hablamos por teléfono todos los días y **nos** vemos los lunes y los jueves.

- Algunas veces es necesario aclarar a quiénes se refiere el pronombre **se**. En ese caso, se puede añadir **uno a otro** (**una a otra**, **unos a otros**, **unas a otras**).

  Se miraban **los unos a los otros** con asombro, sin poder explicarse lo que estaba pasando.

Mi hermana tarda mucho en arreglarse.

- Muchos verbos transitivos (aquellos que admiten complemento directo) cambian de significado según se usen en forma reflexiva o no reflexiva.

  Yo **me despierto** a las seis de la mañana todos los días.

  A las siete **despierto a mis niños** para que **se levanten** y **se alisten** para ir al colegio.

  Me visto y luego **visto a mi niño** menor pues es muy pequeño. Mi hijo mayor **se viste** solo.

Forma no reflexiva		Forma reflexiva	
aburrir	to bore	aburrirse	to get bored
acostar (ue)	to put to bed	acostarse	to go to bed
calmar	to calm	calmarse	to calm down
casar	to marry	casarse	to get married
despertar (ie)	to wake someone	despertarse	to wake up
mover (ue)	to move something	moverse	to make a movement
mudar	to change	mudarse	to move (change address)
preparar	to prepare	prepararse	to get ready
reunir	to gather	reunirse	to get together
sentar (ie)	to seat (someone)	sentarse	to sit down
sentir (ie) (+ sust.)	to feel	sentirse (+ adj.)	to feel

- Algunos verbos toman un significado algo diferente al hacerse reflexivos.

  —¿Cómo **se llama** ese chico al que **llamas** a toda hora?
  —¿No **te acuerdas**? Ya te lo he dicho muchas veces.
  —No, no me acuerdo, pero ya es tarde. **Despídete** y ve a acostarte.
  —Mamá...
  —Lo siento, pero es lo que **acordamos**.

Forma no reflexiva		Forma reflexiva	
acordar (ue)	to agree	acordarse de	to remember
beber	to drink	beberse	to drink something all up
comer	to eat	comerse	to eat something all up
despedir (i)	to dismiss, fire	despedirse	to say good-bye
dormir (ue)	to sleep	dormirse	to fall asleep
ir	to go	irse	to leave; to go away
llamar	to call	llamarse	to be named
parecer	to seem	parecerse	to resemble
perder (ie)	to lose	perderse	to get lost; to miss out on something
poner	to put, place	ponerse	to put on

- Otros verbos se usan siempre en forma reflexiva. Frecuentemente van seguidos de las preposiciones **a**, **de** o **en**.[1]

—¿**Te enteraste** de que aumentaron la cantidad de becas del gobierno para algunas profesiones?
—Sí, **me di cuenta**. Parece que puedes obtener gran ayuda si **te decides** por enseñar.

acercarse a	*to approach*	**darse cuenta de**	*to realize*
alegrarse de	*to be glad*	**decidirse a**	*to make up one's mind to*
apresurarse a	*to hasten to*	**empeñarse en**	*to insist on; to persist*
atreverse a	*to dare to*	**enterarse de**	*to find out*
burlarse de	*to make fun of*	**fijarse en**	*to notice*
convertirse en (ie)	*to become*	**quejarse de**	*to complain about*

- Hay algunos verbos que al usarse en forma reflexiva toman en inglés el significado de *to become*.

Hacerse: Expresa un cambio basado en el esfuerzo personal.
He hecho muchos esfuerzos para **hacerme** abogado.
Nos haremos dueños de este negocio.

Ponerse: Expresa un cambio físico o emocional.
—**Me pongo** muy nerviosa cuando lo veo.
—Y cuando no lo ves, **te pones** triste. ¿Quién te entiende?

Volverse: Expresa un cambio de un estado a otro. No hay esfuerzo personal.
Se está volviendo loco.

[1] Para una lista más completa de los verbos reflexivos que llevan preposición, consulte el Apéndice 5: **¿Lleva el verbo una preposición?**

7 No más preguntas, por favor

Consulte la lista de verbos y complete las preguntas de la columna I con base en las respuestas correspondientes de la columna II.

reunirse	quejarse	irse	casarse
dormirse	mudarse	ponerse	empeñarse

I	II
1. ¿Por qué ____ siempre con esos chicos?	Estudiamos en grupo para el examen.
2. ¿Por qué ____ en llamar a Sara?	Me cae bien y quiero conocerla mejor.
3. ¿Por qué ____ fuera de la universidad?	Soy muy independiente y prefiero vivir solo.
4. ¿Por qué ____ esa camiseta?	Voy al gimnasio después de clases.
5. ¿Por qué ____ en la clase?	Me acuesto muy tarde y no duermo bien.
6. ¿Por qué ____ tanto de esa clase?	No me gusta y la estoy reprobando.
7. ¿Por qué no van a ____ como planearon?	Decidieron hacerlo después de graduarse.
8. ¿Por qué ____ ahora?	¡Ya estoy cansado de tantas preguntas!

8 Una buena motivación

Escriba la forma del verbo entre paréntesis que complete cada oración correctamente. Luego, conteste las siguientes preguntas.

Por lo general yo no (**1.** *sentir / sentirse*) muy motivada para (**2.** *despertar / despertarse*) temprano por la mañana. Me gusta mucho (**3.** *dormir / dormirse*) y prefiero (**4.** *quedar / quedarse*) tranquila y cómoda en la cama hasta que mi compañera de cuarto me saca con gritos y reclamos. Pero este semestre es diferente. Tengo una motivación muy fuerte para (**5.** *levantar / levantarse*). (**6.** *llamar / llamarse*) Andrés Camacho y es un nuevo compañero de clase. Normalmente las clases de historia me (**7.** *aburrir / aburrirse*), pero *Historia contemporánea 101* se ha convertido en mi asignatura favorita. Tres veces por semana, a las nueve de la mañana, nosotros (**8.** *reunir / reunirse*) en una pequeña aula, y durante una hora intento prestarle atención al profesor. ¡No es nada fácil! (**9.** *parecer / parecerse*) que le gusto a Andrés porque, aunque todavía no se ha atrevido a invitarme a salir, él (**10.** *sentar / sentarse*) junto a mí y siempre (**11.** *acordar / acordarse*) de traerme algún detalle... un café, una fruta, un bagel. ¿Faltar a esta clase? ¡Ni hablar! Tengo que aprobar este curso para poder tomar *Historia contemporánea 102*.

1. ¿Por qué se siente más motivada la joven para asistir a su clase de historia contemporánea?

2. ¿Cree Ud. que Andrés se da cuenta de sus sentimientos?

3. En su opinión, ¿por qué Andrés no se atreve a invitarla a salir?

4. ¿Cree que el profesor y los otros estudiantes se fijan en lo que está pasando entre ellos dos?

5. ¿Por qué se empeña ella en tomar otra clase de historia?

9 Ya no aguanto más

Amalia no se lleva bien con Cristina, su compañera de dormitorio, en la universidad. Complete el párrafo con la forma presente de los verbos **hacerse**, **ponerse** y **volverse**, según corresponda de acuerdo al contexto.

La situación con mi compañera de dormitorio, Cristina, __(1)__ insoportable (*unbearable*). Es que somos muy diferentes. Normalmente, soy una persona responsable y razonable. Mi compañera de dormitorio, en cambio, se enoja y __(2)__ nerviosa fácil y frecuentemente. Tengo metas (*goals*). Mi vida está bien planeada y me estoy esforzando mucho para __(3)__ bióloga. Cristina vive de día en día. Se levanta cuando quiere, falta mucho a las clases y nunca limpia el apartamento. Cuando regreso a casa después de un día largo y difícil y veo que todavía está en la cama, ¡ __(4)__ histérica! Si este problema no se resuelve pronto, creo que voy a __(5)__ loca.

¡Comunicación!

10 Programa de orientación 👥 Interpersonal Communication

Imagine que está en el programa de orientación de una universidad que está considerando, y que tiene que pasar los siguientes dos días con uno de los estudiantes que le servirá de guía. Ud. tiene muchas preguntas con relación a la rutina diaria, los horarios, las clases y las diferentes actividades que van a realizar. Represente la situación con un(a) compañero/a y túrnense para hacer las preguntas del caso y responderlas. Usen los verbos del recuadro y otros que recuerden en su conversación, como se ve en el modelo.

Todos los días me despierto a las siete de la mañana.

levantarse	arreglarse	almorzar	estacionar
ducharse	divertirse	ver la tele	hacer deporte
reunirse	enterarse	prepararse	acordarse

MODELO

A: ¿A qué hora te acuestas todas las noches?

B: Casi siempre me acuesto a eso de las once o doce de la noche.

A: ¿Por qué tan tarde?

B: ...

11 Bienvenidos Presentational Communication

Imagine que Ud. es uno de los guías en el programa de orientación que ofrece su universidad y le han encargado hacer una presentación de tres minutos para motivar a los estudiantes a decidirse por su universidad. Primero que todo, haga un borrador con los puntos principales que debe tratar, con base en las preguntas que se dan a continuación. Desarrolle sus ideas y ensaye su presentación frente al espejo para asegurarse de no pasarse de los tres minutos. Para terminar, haga la presentación enfrente de su clase.

- ¿Por qué se decidió Ud. por esta universidad?
- ¿Qué carrera eligió y por qué lo hizo?
- ¿Cómo se enteró de los diferentes planes de estudio?
- ¿Qué requisitos tuvo que cumplir para ingresar?
- ¿Qué clase de ayuda financiera pudo conseguir?

- ¿Cómo se sintió cuando recibió la notificación de admisión?
- ¿Cuántos años dura su carrera?
- ¿Qué podrá hacer después de graduarse?
- ¿Qué pueden hacer los estudiantes hoy mismo para prepararse?
- ¿Cuál es el mejor consejo que les puede dar?

Cultura

Pregunta clave

¿Qué aspectos socioculturales de un país afectan el futuro de su gente?

Con la mira puesta en el futuro

Ciertas características socioculturales de Perú son alarmantes y afectan el futuro de su gente. En términos educativos, la sociedad peruana presenta condiciones que causan preocupación. Los peruanos pobres crecen con problemas nutricionales que les impiden desarrollar todo su potencial. Estudian en colegios estatales de bajos recursos y en general no pueden acceder a la universidad ni conseguir trabajos competitivos. Por su parte, quienes pertenecen a los sectores más privilegiados sí logran desarrollar todo su potencial y estudian en buenos colegios, acceden a la universidad y consiguen trabajos bien remunerados. En consecuencia, se perpetúa la brecha[1] entre pobres y ricos.

Todos los estudiantes peruanos quieren una buena educación.

Los resultados del Programa para la Evaluación Internacional de Alumnos (PISA) indican que el rendimiento académico[2] de Perú se encuentra en los últimos lugares a nivel mundial. Estos resultados no pueden atribuirse exclusivamente a las diferencias individuales, sino que están condicionados por las desigualdades económicas y sociales. Los especialistas en el campo de la educación afirman que el sistema educativo de Perú necesita cambios dramáticos y urgentes.

La buena noticia es que algunos de esos cambios ya se han puesto en marcha. El Ministerio de Educación peruano tiene varios proyectos alentadores[3]. Se anticipa que el proyecto de jornada escolar completa para secundaria se termine de implementar en todos los colegios del país en 2021. Los estudiantes tendrán diez horas más de clases semanales para reforzar la enseñanza de asignaturas clave. Otra iniciativa muy importante es el programa de apoyo escolar. Los estudiantes con dificultades podrán tomar clases adicionales fuera del horario escolar. Así, podrán recibir la ayuda necesaria para no repetir el grado y seguir adelante con sus estudios.

[1] gap   [2] academic performance   [3] encouraging

Búsqueda: sistema educativo en perú, programa pisa

12 Comprensión

1. ¿Qué consecuencias trae a las personas la desigualdad en el sistema educativo?

2. ¿Por qué necesita cambios urgentes el sistema educativo de Perú?

3. ¿Qué cambios se están implementando para mejorar la educación?

13 Analice

1. ¿Por qué cree Ud. que la educación ocupa un lugar tan importante en el desarrollo de las personas?

2. Compare las iniciativas para mejorar el sistema educativo en Perú con las que se llevan adelante en su región o país.

Productos

Para que la educación (pública) eduque, de J.F. Vega Ganoza (exjefe de planificación del Ministerio de Educación), es un libro publicado en 2005 que permite conocer cuáles son las causas profundas de la baja calidad de la educación peruana. Este breve ensayo habla con suma franqueza acerca del carácter sistémico y de las inercias sociales contra las que lucha y entre las que se debate la escuela pública. El autor quita la máscara al gobierno y a los maestros, alumnos, padres y expertos educativos.

Los estudiantes peruanos tienen ganas de aprender.

Del elitismo a la meritocracia

14 Comprensión

1. ¿Qué factores influyen en el rendimiento educativo de los estudiantes peruanos?

2. ¿Qué es un modelo educativo meritocrático?

3. ¿Quiénes pueden acceder a los Colegios de Alto Rendimiento? ¿Quiénes acceden a la Educación Básica Alternativa?

15 Analice

1. ¿Cree Ud. que los COAR solucionan el problema del acceso a una educación de calidad? ¿Por qué?

2. ¿Qué semejanzas y qué diferencias encuentra entre la situación de la educación en Perú y la de su país?

Estudiantes peruanos en un COAR

Según diversas investigaciones, el pobre desempeño[1] de los estudiantes peruanos estaría asociado en primer lugar a factores del ambiente familiar, como el nivel económico de la familia, el nivel educativo de los padres y la lengua materna. Otras variables importantes son el tipo de colegio (público o privado), la región natural del colegio (costa, sierra o selva) y su ubicación (Lima u otros lugares), situación que evidencia la desigualdad de la calidad educativa en Perú. Así, un niño peruano que vive en un hogar no pobre, con padres educados, tiene el castellano como lengua materna, estudia en un colegio privado, de la costa y en Lima, obtendría mejores resultados que aquella vasta mayoría que no cumple estas condiciones.

Una manera de mejorar esta situación es pasar de un modelo educativo elitista a un modelo meritocrático[2] que dé la oportunidad a los jóvenes más talentosos y esforzados, de todos los niveles socioeconómicos y de todas las regiones, de acceder a una educación de calidad. Esa idea es la razón de ser de los Colegios de Alto Rendimiento (COAR) de Perú. Los estudiantes más destacados[3] de todo el país, tras aprobar evaluaciones muy exigentes, acceden a una beca integral[4] otorgada por el Estado que cubre todas sus necesidades, desde los materiales educativos hasta el alojamiento y la alimentación. Los COAR brindan[5] una formación académica de excelencia que permite a los estudiantes continuar con éxito su educación en el nivel superior.

[1] performance   [2] based on individual merit   [3] outstanding   [4] full scholarship   [5] provide

🔍 **Búsqueda:** modelo educativo elitista perú, modelo educativo meritocrático perú, colegios de alto rendimiento perú

Prácticas 🎧

La Educación Básica Alternativa (EBA) es una modalidad del sistema educativo peruano dirigida a jóvenes y adultos, así como a adolescentes que superan la edad escolar a partir de los 14 años de edad, que necesitan compatibilizar el estudio con el trabajo. Los estudiantes de la EBA son aquellos que no se insertaron oportunamente en el sistema educativo, no pudieron culminar su educación básica, requieren compatibilizar el trabajo con el estudio, desean continuar sus estudios después de un proceso de alfabetización o se encuentran en extra-edad para la Educación Básica Regular.

Escuela de Educación Básica Alternativa Carlos W. Sutton en La Joya, Perú

Diversidad y educación en Perú 🎧

Perú presenta una diversidad cultural y lingüística muy amplia. Algo más de cuatro millones de personas hablan como lengua materna una lengua originaria[1] (quechua, aymara y otras). Durante mucho tiempo, las comunidades indígenas que hablan lenguas distintas del español fueron excluidas de un

Estudiantes indígenas disfrutan de una educación bilingüe.

sistema educativo centrado en el idioma español, ajeno[2] a su realidad cultural. En la actualidad[3], Perú se ha sumado a la tendencia universal de respetar la diversidad y reconoce el derecho de las culturas indígenas a una educación intercultural y bilingüe. Los niños asisten a escuelas donde aprenden en su lengua natal y en español, con docentes[4] bilingües. Los contenidos y la forma de enseñarlos se corresponden con su realidad cultural y su contexto social. Gracias a este enfoque educativo, los estudiantes pueden conservar su lengua y sus raíces culturales. Así se evita que la cultura dominante las vuelva invisibles y se reconoce la riqueza que aporta la diversidad; en el pasado, esa diversidad era considerada un obstáculo para la educación.

En el marco de la educación intercultural bilingüe, el Ministerio de Educación implementó el programa "Tinkuy" ("encuentro" en quechua) para promover el diálogo entre alumnos de distintos contextos sociales, culturales y lingüísticos. En 2014, más de cien niños indígenas de entre diez y trece años que hablan 47 lenguas originarias y pertenecen a comunidades de distintas regiones visitaron Lima para compartir su cultura y sus experiencias con estudiantes limeños[5]. Además, tuvieron la oportunidad de visitar museos, un zoológico, el Palacio de Gobierno y conocer el mar. Al evento asistieron también profesores y autoridades de educación a escuchar a los estudiantes, para informarse sobre cómo ven su educación, qué problemas tienen y cuáles son sus perspectivas para el futuro. Este tipo de iniciativas favorece la integración de estudiantes que provienen de distintos contextos.

[1] indigenous language   [2] unconnected   [3] currently   [4] teachers
[5] from Lima

🔍 **Búsqueda:** comunidades indígenas perú, lenguas originarias perú, educación intercultural bilingüe, programa tinkuy

16 Comprensión

1. ¿En qué consiste la educación intercultural bilingüe?

2. ¿En qué consiste el programa Tinkuy? ¿Qué se hizo en 2014?

3. Según el ministro de Educación, ¿de qué manera se puede construir un país mejor?

17 Analice

1. ¿Qué dificultades cree Ud. que puede tener un niño que debe aprender en una lengua distinta a su lengua materna?

2. ¿Qué comunidades de su país se benefician o podrían beneficiarse con la educación intercultural bilingüe?

Perspectivas

Durante la cita, el ministro de Educación, Jaime Saavedra Chanduví, manifestó su emoción. "Es una linda experiencia estar en este Tinkuy 2014 porque refleja la inmensa diversidad del país", declaró. "A pesar de las diferencias todos estamos juntos y queremos que los niños peruanos tengan igualdad de acceso a la educación, sin perder sus costumbres y valores. Hay que explotar esa diversidad cultural que tenemos para construir un país mejor", agregó. ¿De qué manera afectará esta experiencia el futuro de los niños peruanos que la vivieron?

Vocabulario 2

Comparación y contraste: ¡Ojo con estas palabras!

En español, al igual que en inglés, hay varias formas de expresar estas palabras. Preste atención, pues su uso depende del contexto.

Estas jóvenes están tomando un examen para ingresar a la universidad.

to fail — fracasar, reprobar, dejar de, faltar (a)

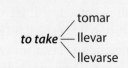

to take — tomar, llevar, llevarse

fracasar   *to fail, to be unsuccessful*

Muchos estudiantes **fracasaron** en las pruebas estandarizadas.

Puedes hacer algo hoy para no **fracasar** mañana.

reprobar (a alguien)   *to fail (someone)*

En muchos colegios hispanos, si **repruebas** tres materias **repruebas** el curso y tienes que repetirlo.

dejar de   *to fail (to do something); to stop*

¿No te dije que no debías **dejar de** asistir al colegio? ¿Por qué no me haces caso?

Ya **deja de** aconsejarme que yo tengo mis razones.

faltar (a)   *to fail (to fulfill); to be lacking; to miss (an appointment)*

Si **faltas** a clase una vez más, te van a suspender.

Te recojo cuando **falten** quince minutos para las siete.

tomar   *to take; to get hold of; to drink; to take (a bus, cab, etc.)*

¿Cuántas materias vas a **tomar** este semestre?

¿Por qué no vamos y nos **tomamos** un café?

¿Quieres **tomar** el autobús o vamos caminando?

llevar[1]   *to take a person somewhere; to take or carry something*

¿Quién te va a **llevar** a la entrevista?

¿Qué papeles debo **llevar** a la entrevista?

llevarse   *to take away; to carry off*

Llévese solo lo que necesite.

Se llevó a su hija a vivir a otro país.

[1] **Llevar** se usa también con el significado de *to wear*:
La novia **llevaba** un vestido muy elegante.

acabar *to finish*

Voy a **acabar** mis estudios de bachillerato y, luego, me voy a conseguir un trabajo.

acabarse *to run out; to terminate*

Va a conseguir una beca porque ya **se** le **acabó** el dinero que tenía para la matrícula de este semestre.

Mis sentimientos cambiaron… ya todo **se acabó**.

acabar de + infinitivo *to have just… ; (past tense) had just…*

Acabo de llenar los formularios para solicitar ayuda financiera.

Acabábamos de salir cuando empezó a nevar.

Otras expresiones idiomáticas

seguir una carrera *to pursue a career*

¿Qué carrera piensas **seguir**?

Me gustaría **seguir** una carrera en Humanidades.

examinarse (de) *to take an exam*

Ese día van a **examinarse** más de trescientos estudiantes.

quitarse *to take off (clothing)*

Tuve que **quitarme** el abrigo antes de entrar al aula donde iba a examinarme.

sacar *to take out*

Solo nos permitieron **sacar** un lápiz y una hoja en blanco para el examen.

tener lugar/suceder *to take place*

El concierto **tuvo lugar** anoche a las siete.

---

18 ¿Cuál corresponde?

Complete las oraciones con la palabra que corresponda según el contexto.

1. (*faltan / toman*) cinco minutos para que comience la ceremonia.

2. Los muchachos (*se llevarán / tomarán*) un vuelo directo a Lima.

3. En diez minutos te (*llevo / tomo*) a la estación. Debes (*llevar / tomar*) el primer tren de la tarde.

4. No (*faltes a / dejes de*) llamarnos por teléfono los fines de semana.

5. Si estudias todo el año no vas a (*fracasar / faltar*).

6. ¿Sabes si Alfredo piensa (*llevar / llevarse*) a Beatriz a la fiesta?

7. El profesor me (*fracasó / reprobó*) en matemáticas.

8. Cuando entra a la sala (*suspende / se quita*) el sombrero y (*deja de/falta a*) hablar.

19 Copa Mundial de Fútbol

Complete el siguiente diálogo con los verbos del recuadro en presente o futuro, según corresponda. Los verbos pueden usarse más de una vez.

acabar de	acabarse	faltar	llevar	tener lugar

— ¿Sabes que solo __(1)__ una semana para la Copa Mundial de Fútbol?

— ¡No me digas! Por la tele el reportero __(2)__ decir que James Rodríguez no jugará para la selección nacional de Colombia.

— ¿Dónde __(3)__ los partidos?

— En los estadios que __(4)__ construir en varias ciudades por Europa. Iremos todos en grupo y __(5)__ a varios amigos para que hagan barra (*to cheer*) con nosotros.

— En ese caso, avísame si vas a __(6)__ a tu primo. Tenemos que comprar los boletos cuanto antes. Ya sabes que si __(7)__ los boletos tendremos que comprarlos de los revendedores (*scalpers*), y eso, hermano, nos va a costar muy caro.

¡Comunicación!

20 Cita con el consejero Interpersonal Communication

Imagine que Ud. acaba de graduarse y está en la oficina de su consejero/a solicitando la siguiente información sobre la universidad a la que quiere asistir. Con un(a) compañero/a, túrnense para hacerse las preguntas y responderlas, como se ve en el modelo.

> **MODELO** **Consejero:** ¿Piensa solicitar ayuda financiera?
>
> **Estudiante:** Sí. Me gustaría dejar de trabajar y dedicarme por completo al estudio.

- Los requisitos para ingresar a la universidad
- Las carreras y los planes de estudio
- Las posibilidades de ayuda financiera
- Los formularios que se deben llenar
- Los plazos de matrícula
- Los cursos de orientación

21 Mi nueva rutina Presentational Communication

Imagine que es su primera semana en la universidad y su familia está ansiosa por saber cómo le está yendo. Escríbales un correo electrónico contándoles todo sobre su nueva rutina diaria. Use verbos reflexivos y los adverbios del recuadro para hablar de sus actividades, como se ve en el modelo.

casi siempre	enseguida	a veces	luego
de vez en cuando	a menudo	después	nunca

> **MODELO** Generalmente me levanto tarde los domingos. Casi siempre desayuno algo ligero y luego salgo a correr.

¡Comunicación!

22 ¿Cuál es su opinión? 👥 Interpersonal Communication

Intercambie información con su compañero/a sobre los siguientes temas. Túrnense para hacer las preguntas y den respuestas según su propia opinión y experiencia.

- ¿Es importante saber hablar muchos idiomas si se vive en EE. UU.? Explica. ¿Qué quiere decir "tener buenos conocimientos de un idioma" y "dominio y fluidez de una lengua"? ¿Cuáles son dos idiomas muy útiles (aparte del inglés)? Explique.

- En Estados Unidos, ¿es importante tener un título para obtener trabajo? ¿Qué tipo de trabajo se puede obtener con un título universitario en artes (B.A.) o en ciencias (B.S.)? ¿Con un máster? ¿Con un doctorado?

- ¿Qué opinas del movimiento político en Estados Unidos que quiere exigir que el inglés sea la lengua oficial? ¿Qué opinas de la educación bilingüe?

- ¿Crees que con una fuerte preparación en idiomas se puede conseguir un buen trabajo? Explica.

23 Intercambio de ideas 👥 Interpersonal/Presentational Communication

Reúnase con tres o cuatro compañeros para comentar de los siguientes temas. Intercambien ideas y opiniones, lleguen a acuerdos, saquen conclusiones y presenten un informe al resto de la clase.

- **Sistema de enseñanza actual**

  Se dice que la filosofía de la enseñanza está cambiando día a día. ¿Está Ud. de acuerdo con esta afirmación? ¿Podría Ud. explicar qué le gusta del sistema de enseñanza de hoy? ¿Qué no le gusta? ¿Qué tipo de enseñanza le gustaría tener para sus hijos? ¿Más estricto? ¿Más liberal? ¿Cuáles son algunas ventajas o desventajas de un sistema de educación más liberal o de uno más estricto? Se dice también que los estudiantes de ciencias ya no estudian humanidades. ¿Opina Ud. que deben hacerlo o no?

- **¿Trabajar, viajar o ingresar a la universidad?**

  Hoy en día, muchos estudiantes deciden empezar a trabajar tan pronto se gradúan del bachillerato, en lugar de asistir a la universidad. Otros deciden viajar para conocer el mundo, ya sea con programas de intercambio o por su propia cuenta. ¿Cuáles son las ventajas y las desventajas de esas decisiones?

24 ¿Qué diría Ud.? 👥 Interpersonal/Presentational Communication

Reúnanse en grupos de tres estudiantes y comenten la siguiente situación. ¿Qué dirían y harían Uds. en el lugar del director y los padres de familia? Escriban el diálogo que tiene lugar entre ellos y, luego, represéntenlo enfrente de la clase.

Tres padres de alumnos de la escuela primaria hablan con el/la director(a) y reclaman para sus hijos una educación bilingüe. El/La director(a) les explica que no hay fondos, que no es conveniente para los niños y que no hay suficientes maestros bilingües. Además los estudiantes, en su papel de padres y madres de familia, deben dar razones poderosas para establecer los programas que desean para sus hijos.

Gramática

Los usos de *ser* y *estar*

Los verbos **ser** y **estar** expresan *to be*. Se debe prestar mucha atención al uso de estos verbos.

ser + adjetivo
Expresa las características esenciales del sustantivo.

> El amigo de Juan **es** guapo.
> La profesora de música **es** joven.

estar + adjetivo
Expresa una condición o estado especial en un determinado momento.

> El amigo de Juan **está** guapo (*looks handsome*) hoy.
> ¡Qué joven **está** la profesora de música!

ser de
Expresa propiedad, origen o material.

> Ese apartamento **es de** Lucas.
> Esos jóvenes **son de** Lima.
> Aquel trofeo **es de** plata.

estar de
Es equivalente a "trabajar como..." (*to be working as...*).

> Ernesto **estaba de** arquero en el equipo de fútbol.
> Ahora **está de** delantero y ha marcado muchos goles.

ser para
Expresa destino, propósito o plazo.

> Estos formularios **son para** Ricardo.
> La investigación **es para** entregar el lunes.

estar para + infinitivo
Es equivalente a "listo para..." (*to be about to...*).

> Después de recibir mis notas **estaba para** llorar.

sustantivo o pronombre + *ser* + sustantivo
Iguala el sujeto al sustantivo.

> Ellos **son** amigos.
> Este laboratorio **es** de física.

estar + sustantivo o pronombre
Se refiere a: listo, aquí, allí, en casa.

> ¿**Está** Mariana? (*Is Juanita **there/here/at home**?*)
> Llegué a tiempo a la clase, pero el profesor no **estaba** (allí).
> ¿Ya **están** los ejercicios (listos)?

ser y el tiempo cronológico
Expresa el día, la fecha y la hora.

> Hoy **es** viernes.
> **Es** el diez de marzo.
> **Son** las dos menos cuarto.

estar y el tiempo atmosférico
Expresa el estado del tiempo.

> Hoy **está** muy húmedo.
> El día **está** caluroso.

ser = tener lugar
(*to take place [an event]*)

> El concierto **será** en el auditorio.
> El ensayo **es** a las siete.

estar en
Expresa el lugar de las personas o cosas.

> Los estudiantes **están** en la cafetería.
> Los libros **están** en el escritorio.

sujeto + *ser* + adjetivo de nacionalidad (región) o religión

Expresa origen o religión.

Todos **somos** cristianos.
¿Uds. **son** peruanos?

***ser* en expresiones impersonales**

Expresa una idea general.

Es la clase más importante de la carrera.
¿**Es** necesario ir a la biblioteca?

***estar* + gerundio (-*ando*, -*iendo*)**

Expresa una acción en progreso.[1]

Estás estudiando poco.
Ellas no **están escuchando** al conferencista.

***estar* + participio[2] pasado**

Expresa el resultado de una acción anterior.

El partido ya **está** terminado.
¿**Está cerrada** la cafetería?

Expresiones con el verbo *estar*	
estar atrasado/a	*to be late, be behind*
estar de acuerdo con	*to be in agreement with*
estar de buen/mal humor	*to be in a good/bad mood*
estar de regreso	*to be back*
estar de vacaciones	*to be on vacation*
estar de viaje	*to be on a trip*
estar equivocado/a	*to be wrong*
estar harto/a de	*to be fed up with*
estar listo/a para	*to be ready to (for)*

Ellos están de vacaciones.

[1] Vea el Capítulo 10 para estudiar más sobre el gerundio. Recuerde que los verbos que terminan en **-ar** forman el gerundio en **-ando** (**caminar → caminando**) y los verbos en **-er** y en **-ir** en **-iendo** (**comprender → comprendiendo**, **escribir → escribiendo**).

[2] Después de **estar**, el participio pasado funciona como adjetivo y concuerda en género y en número con el sustantivo.

---

25 ¿Están de acuerdo?

Conteste las siguientes preguntas. Luego, compare sus respuestas con las de un(a) compañero/a de clase. ¿Están de acuerdo o en desacuerdo?

sí   no

1. ___ ___ ¿Está Ud. satisfecho/a con la enseñanza que recibe en este colegio?

2. ¿Está Ud. de acuerdo con el establecimiento de los siguientes cursos con carácter obligatorio?

   ___ ___ **A.** idiomas extranjeros

   ___ ___ **B.** estudios étnicos

3. ___ ___ ¿Piensa Ud. que debemos usar uniformes en el colegio?

sí   no

4. ___ ___ Para Ud., ¿es mejor el sistema de trimestres?

   ___ ___ ¿De semestres?

5. ¿Le gustaría que el semestre terminara...

   ___ ___ **A.** antes de las fiestas de fin de año?

   ___ ___ **B.** después de las fiestas de fin de año?

¡Comunicación!

Imagine que es su primera semana en la universidad y todavía no se ha familiarizado con los diferentes lugares adónde tiene que ir. Represente la conversación que tendría con su compañero/a de cuarto, quien quiere ayudarlo. Túrnense para hacerse preguntas sobre las instalaciones de la universidad, su ubicación, descripción y horas de servicio. Usen el mapa de la universidad del Perú en la página 95 y el vocabulario que se da a continuación, como guía.

Ubicación: a la izquierda, a la derecha, cerca de, lejos de, al frente de, detrás de, lejos de, al norte / sur /este / oeste

Descripción: limpio/a, sucio/a, viejo/a, nuevo/a, moderno/a, cómodo/a, incómodo

MODELO
la biblioteca

A: **¿Dónde está la biblioteca?**

B: **Está a la derecha de la cafetería.**

A: **¿Y cómo es?**

B: **Es muy grande y completa. Está abierta de 7:00 AM a 10:00 PM.**

27 *Ser, estar* **y las preposiciones**

El año académico en la Universidad de Lima va a terminar muy pronto. Jackie, una estudiante norteamericana, quiere conocer Machu Picchu antes de volver a Estados Unidos. Consulte las listas de las páginas 110 y 111 y complete el siguiente diálogo con el presente del verbo **ser** o **estar** y las preposiciones que correspondan según el contexto.

Vista de Machu Picchu

Alberto: Jackie, __(1)__ __(2)__ muy mal humor. ¿Qué te pasa?

Jackie: __(3)__ lista __(4)__ regresar a los Estados Unidos y aún no he visto Machu Picchu. No puedo volver a casa sin ver ese asombroso santuario inca.

Alberto: No te puedo acompañar porque no __(5)__ __(6)__ vacaciones. ¿Por qué no vas con Miguel y Sandra? Ahora Miguel __(7)__ __(8)__ guía turístico y sabrá muy bien orientarte en Machu Picchu, Sandra __(9)__ __(10)__ la ciudad del Cusco, que no está muy lejos de las ruinas. De Cusco salen muchos trenes diarios para Machu Picchu. ¿No te parece una excelente idea?

Jackie: __(11)__ __(12)__ acuerdo contigo, Alberto. Sandra __(13)__ __(14)__ clase ahora, pero va a __(15)__ __(16)__ regreso en una hora más o menos. Entonces hablaré con ella sobre el viaje. Hoy es tu cumpleaños, ¿no es cierto, Alberto? Este regalo __(17)__ __(18)__ ti, querido amigo. ¡Feliz cumpleaños!

Alberto: Gracias, ¡qué suéter más interesante! __(19)__ __(20)__ lana peruana, ¿verdad? Me gusta mucho.

28 **Use su imaginación** 👥 **Interpersonal/Presentational Communication**

Prepare los siguientes diálogos. Llene los espacios con la forma correcta de **ser** o **estar** y use su imaginación para terminar las oraciones. Compare sus diálogos con los de un(a) compañero/a, hagan los cambios necesarios y elijan uno para presentar a la clase.

A. La ducha no funciona.

—Oiga, la ducha no funciona desde hace tres días, no puedo __(1)__ sin ducharme por tanto tiempo.

—Lo siento muchísimo. Voy a ver qué es lo que __(2)__ roto y vuelvo...

—Esta es la segunda vez que... ¿Cree Ud. que para la noche... ?

—...

B. En busca de alojamiento.

—¡Estoy harta de __(3)__ aquí!

—¿ __(4)__ pensando en buscar otra residencia?

—Sí, __(5)__ mejor para...

—¿Crees que __(6)__ difícil... ?

—Francamente no lo sé, pero si quieres...

—...

C. Una llamada telefónica.

—¡Aló!, ¿... ? ¿Qué __(7)__ haciendo?

—Estoy esperando a un amigo para...

—¿ __(8)__ seguro de que irá por ti?

—...

—Bueno, en ese caso...

—...

D. ¿Por qué tan serio/a?

—¿Qué te pasa, chico/a? ¡ __(9)__ muy serio/a!

—Creo que mi novio/a __(10)__ saliendo con otro/a.

—¡No puede ser! ¿Por qué?

—...

Gramática

Los verbos *haber, hacer, tener, nevar y llover*

- **Haber**, en la tercera personal del singular, expresa existencia.

  hay (*there is/are*)
  En Colombia **hay** muchas universidades.

  hubo (*there was/were; took place*)
  Anoche **hubo** un accidente fatal.

  había (*there was/were*)
  Había unos tipos desconocidos en la residencia.

- **Hacer** y **tener** se usan en expresiones de tiempo en los siguientes casos.

  hacer
  En la tercera persona singular, expresa el tiempo meteorológico: **hace frío**, **hace calor**, **hace buen/mal tiempo**, **hace viento**, **hace sol**.
  —¿Qué tiempo **hace** en Barcelona?
  —**Hace buen tiempo. Hace** mucho **sol**.

  tener
  Expresa el efecto de la temperatura en las personas y animales: **tener frío**, **tener calor**.
  Si **tienes calor**, quítate la bufanda.

- Otros verbos que describen el tiempo son **nevar** y **llover**. Estos verbos siempre se usan en la tercera persona singular. Observe que tienen cambios en el radical.

  nevar
  Nieva mucho en los Andes.

  llover
  Cuando **llueve** prefiero quedarme en casa.

Otras expresiones con el verbo *tener*	
tener cuidado	*to be careful*
tener prisa	*to be in a hurry*
tener ganas de	*to be in the mood for, to feel like*
tener razón	*to be right*
tener sed	*to be thirsty*
tener hambre	*to be hungry*
tener sueño	*to be sleepy*
tener miedo de	*to be afraid of*
tener suerte	*to be lucky*

—¿**Tienes ganas de** salir con este frío?
—Ni hablar, hay demasiada nieve.

¡Comunicación!

29 ¿Cómo está el tiempo en Perú? Interpersonal Communication

Diga qué tiempo hace en este momento en las siguientes ciudades peruanas según el mapa. Luego, pregúntele a su compañero/a de clase sobre el tiempo en otras ciudades del mundo, consultando un mapa metereológico en el periódico o la internet.

MODELO   Lima

A: ¿Cómo está el tiempo en Lima?

B: Hace sol. (Está despejado.)

1. Arequipa   3. Trujillo   5. Iquitos

2. Cusco   4. Machu Picchu   6. Huancayo

Hace sol./Está despejado. ☀

Está nublado. ☁

Llueve. ☔

Hay tormenta. ⚡

Heladas. **H**

Hay niebla. ◯

Hace viento. →

30 Situaciones Interpersonal Communication

Con un(a) compañero/a, hablen de lo que hacen en las siguientes situaciones. Túrnense para hacer preguntas y responderlas como se ve en el modelo.

MODELO   estar de buen humor

A: ¿Qué haces cuando estás de buen humor?

B: Salgo con mis amigos. ¿Y tú?

A: ...

1. hacer calor   4. estar atrasado/a   7. hacer buen tiempo

2. tener miedo   5. tener hambre   8. estar de buen humor

3. llover   6. estar furioso/a

Darío y Manuel viven juntos en un apartamento cerca de la universidad. Hoy la tía de Darío viene de visita. Consulte la página 114 y llene los espacios con la forma apropiada de las expresiones con el verbo **tener**.

Manuel: ¿Y esa cara?

Darío: Ay, es que hoy viene mi tía Emilia, y tú sabes cómo es ella. Yo no **(1)** escuchar sus comentarios y críticas sobre el apartamento, mi forma de comer, de limpiar, etc. Me trata como si fuera un niño de cinco años... Alguien llama a la puerta. ¡Es ella! ¿Adónde vas, Manuel? Quédate un rato más.

Manuel: Solo unos minutos. **(2)** por llegar al campus. No quiero perder mi clase de historia.

Tía Emilia: Hola, muchachos. Déjame verte, Darío. ¡Estás hecho un esqueleto (*skeleton*)! Seguramente tú **(3)** . Te voy a preparar unos espaguettis sabrosos. ¿Y esas ojeras (*dark eye circles*)? ¿ **(4)** ? Debes **(5)** con tu salud (*health*) aquí en la universidad. Ponte este suéter porque parece que tú **(6)** . ¿No tienes calefacción (*heating*) en este apartamento? Siempre leo en los diarios que por aquí hay mucho crimen. ¿Tú y Manuel no **(7)** de vivir aquí, solos, en este barrio? Ya sabes que siempre son bienvenidos en mi casa.

Manuel: No entiendo por qué te quejas tanto de tu tía. Creo que tú **(8)** de tener alguien que se preocupa tanto por ti.

Darío: Sí, tú **(9)** , amigo. No voy a quejarme más de mi tía Emilia.

¡Comunicación!

Para poder tener éxito en los EE. UU. es esencial saber leer, entender, escribir y hablar bien el inglés. Las familias hispanas recién llegadas a nuestro país, ¿qué pueden hacer para asegurarse de que sus niños reciban una buena educación en la escuela si no saben hablar inglés? Muchas ciudades con grandes poblaciones de hispanos ofrecen varias soluciones. Por ejemplo, en Cambridge, Massachusetts, el programa "Amigos" les ofrece a los estudiantes hispanohablantes y los estudiantes angloparlantes la oportunidad de compartir su cultura y su idioma.

Busque información en la internet sobre este programa y, con un(a) compañero/a, túrnense para contestar las siguientes preguntas.

• ¿Qué son los "Programas intensivos de inglés"?

• ¿Cuál es el enfoque del programa?

• ¿Cuáles son algunas de las universidades que ofrecen este programa?

• ¿Son grandes las clases? Explique.

• ¿Cómo se consigue una visa para poder estudiar en los EE. UU.?

Ahora, investiguen programas similares en el área donde viven. ¿Qué opciones tienen las personas que no saben hablar inglés pero quieren aprender? Hagan un resumen de la información y preséntenla al resto de la clase.

Lectura informativa

Antes de leer

¿Cómo se imagina que puede ser la experiencia de estudiar en otro país donde la lengua y la cultura son distintas de las propias?

Estrategia

Leer para buscar información

Antes de leer, mire los títulos, los subtítulos y las ilustraciones para identificar el tema. Haga una primera lectura para tener una idea general del contenido. Luego, vuelva a leer el texto y concéntrese en las ideas principales. Preste atención al contexto cuando no comprenda algo.

Verano en Cusco

UNIVERSIDAD DEL PACÍFICO

INFORMACIÓN PARA: SELECCIONAR   Buscar...

ADMISIÓN   CARRERAS   ESCUELA DE POSTGRADO   CENTRO DE IDIOMAS   FONDO EDITORIAL   INVESTIGACIÓN   VIDA EN EL CAMPUS

Verano en Cusco

Bienvenido a la Universidad del Pacífico

En las tres últimas décadas, la Universidad del Pacífico (UP) ha sido clasificada como la más prestigiosa institución de educación superior en sus campos de especialización en Perú. Fortaleciendo nuestros esfuerzos de internacionalización, la UP ha abierto un Programa Internacional en Cusco para ofrecer a los estudiantes la oportunidad de aprender más sobre el entorno[1] de negocios en el Perú y América Latina, que cuenta con uno de los mercados emergentes más importantes del mundo. Los participantes podrán estudiar en un entorno arqueológico e histórico único, vivir una experiencia intercultural y obtener créditos académicos.

Curso de verano: "Del conocimiento local a los negocios globales"

Este curso de dos semanas de duración ofrece una combinación de temas especializados relacionados con el comercio, el espíritu empresarial y la cooperación internacional desde la perspectiva de un país en desarrollo[2]. Los estudiantes examinarán cuestiones conceptuales aplicadas a casos prácticos en una dimensión de la vida real, con el objetivo de producir estrategias adecuadas para el entorno empresarial internacional, y tendrán la oportunidad de participar en excursiones de aprendizaje, talleres[3] culturales, y conocer a gente de todo el mundo en uno de los mejores destinos turísticos de Perú: Cusco.

Acerca del curso

Requisitos: Los estudiantes de pregrado y postgrado[4] de ciencias sociales, negocios, economía y campos relacionados. Conocimiento de comercio internacional, los entornos socioculturales, economía, gestión[5], y temas relacionados.

Alojamiento en casas de familia

La Universidad del Pacífico apoya a los estudiantes en la búsqueda de alojamiento en Cusco. Contamos con una red de alojamiento familiar especializada en la recepción de estudiantes internacionales. Los estudiantes interesados en vivir con familias locales para una experiencia intercultural real deben enviar un correo electrónico a: cuscoprograms@up.edu.pe y nosotros nos encargaremos de coordinar su alojamiento en Cusco.

[1] environment   [2] developing country   [3] workshops
[4] undergraduate and graduate students   [5] management

33 Comprensión

1. ¿En qué consiste el Programa Internacional de Cusco?

2. ¿Qué temas incluye el curso de verano?

3. Además de los contenidos del curso, ¿qué otras cosas se ofrecen a los participantes?

34 Analice

¿Por qué cree Ud. que alojarse en una casa de familia en el extranjero puede ser una experiencia enriquecedora?

35 Comprensión

1. ¿Con qué dos importantes reconocimientos internacionales cuenta la ciudad de Cusco?

2. ¿Cuál es la forma más conveniente de llegar a Cusco? ¿Qué precauciones hay que tomar?

3. ¿Cómo es el clima en Cusco?

36 Analice

¿Por qué cree Ud. que la universidad eligió un destino turístico famoso en todo el mundo para su Centro Internacional?

○ ○ ○   Vida en Cusco

UNIVERSIDAD DEL PACÍFICO

INFORMACIÓN PARA: SELECCIONAR   Buscar...

ADMISIÓN   CARRERAS   ESCUELA DE POSTGRADO   CENTRO DE IDIOMAS   FONDO EDITORIAL   INVESTIGACIÓN   VIDA EN EL CAMPUS

Vida en Cusco 🎧

Acerca de Cusco

Cusco es una ciudad en el sureste de Perú, cerca del Valle de Urubamba en la cordillera de los Andes. Cusco no es solo una ciudad, Cusco fue el escenario de la histórica capital del Imperio inca y declarada Patrimonio de la Humanidad en 1983 por la UNESCO.

A pesar de que tendrá muchos lugares para visitar en la ciudad, Machu Picchu es el más popular, especialmente desde 2007, cuando la Fundación New7Wonders designó a Machu Picchu como una de las Nuevas Siete Maravillas del Mundo. Si no conoces Cusco, te estás perdiendo de mucho. No hay otro lugar como este. Y esa es la razón por la que la Universidad del Pacífico decidió colocar su Nuevo Centro Internacional en "La Capital Arqueológica de América".

Cómo llegar a Cusco

Por avión

La forma más conveniente de llegar a Cusco es por avión. Si llegas por primera vez a Lima, podrás tomar un avión directo a Cusco. Hay vuelos diarios a Cusco en horarios diferentes, pero es importante reservar su vuelo lo antes posible. Por favor, tenga en cuenta que si no está planeando quedarse en Lima unos días es preferible organizar su viaje a Cusco desde su ciudad local, ya que podría no encontrar vuelos disponibles y los precios pueden ser considerablemente más altos. El vuelo dura unos 60 minutos. Algunas líneas aéreas: LAN PERÚ, STAR PERÚ, PERUVIAN AIRLINES. El costo aproximado del vuelo es (Lima-Cusco-Lima) US$ 120 o más.

Por tierra

Aunque es posible acceder a Cusco por tierra, esto no es lo más conveniente, dado que la ruta es larga y el viaje puede ser agotador[6], ya que toma aproximadamente 24 horas. Las empresas de transporte: Cruz del Sur, Excluciva, Civa, Oltursa. El costo aproximado (Lima-Cusco): US$ 40 a 60.

Clima

Cusco tiene un clima subtropical. Su clima es generalmente seco y templado, con dos estaciones definidas. La estación seca se extiende de abril a octubre, con abundante sol, y ocasionales heladas[7] nocturnas: julio es el mes más frío con una media de 9,6 °C (49,3 °F). La temporada de lluvias dura de noviembre a marzo, con heladas nocturnas menos comunes: el promedio de noviembre es de 13,4 °C (56,1 °F). A pesar de que las heladas y el granizo[8] son comunes, la nieve es prácticamente desconocida.

[6] exhausting   [7] frost   [8] hail

🔍 **Búsqueda:** universidad del pacífico, cusco, estudiantes internacionales en perú, machu picchu

Escritura

Una carta formal

Una carta formal es un mensaje que se envía a una persona (que muchas veces no se conoce) para tratar temas relacionados con el trabajo, el comercio, las instituciones educativas, etc. Las cartas formales ofrecen información concreta y completa y están organizadas con claridad y precisión. El lenguaje debe ser formal y el tratamiento al destinatario será de "usted". En esta actividad, escribirá una carta formal para solicitar que lo acepten en el curso de la Universidad del Pacífico.

Una carta formal debe incluir:

- El **lugar** donde se encuentra la persona que escribe y el **día** en que se escribió la carta
- El **nombre completo del destinatario**, su tratamiento (Dr., Sra., etc.) y el puesto que ocupa
- Una forma de **saludo formal**, por ejemplo: *Estimado señor...*
- El **cuerpo**, donde se presenta quien escribe y explica el motivo de la carta
- La **despedida**, que es un pequeño párrafo donde se cierra la comunicación

Para escribir más

Use las siguientes frases para el saludo y la despedida en las cartas formales.

Estimado señor...

De mi consideración

Quedo a la espera de su pronta respuesta

Lo saluda atentamente

Me despido cordialmente

¡Comunicación!

37 Por medio de la presente... | Presentational Communication

Vuelva a leer la información sobre el curso de verano en Cusco que ofrece la Universidad del Pacífico. Preste atención a los contenidos del curso y a los requisitos que se deben cumplir para inscribirse. Luego, escriba una carta formal al rector de la universidad solicitando que lo acepten para el curso de este verano. Dé información detallada sobre sus estudios previos para explicar por qué Ud. es un buen candidato para el programa. Antes de escribir su carta, complete el organizador gráfico para hacer un borrador con sus ideas.

¿A quién va dirigida la carta?	
¿Cuál es el propósito de la carta?	
¿Por qué le interesa asistir a este programa?	
¿Por qué es Ud. un buen candidato?	
¿Cuáles son sus estudios previos y cómo se relacionan con el contenido de este curso?	
¿Cuáles son sus planes de estudio en el futuro y cómo se beneficiarían si Ud. asiste a este curso de verano?	

Una recomendación

Una recomendación es un relato en primera persona en el que se describe una experiencia positiva. El propósito es que otras personas conozcan las virtudes de una película, un libro, un destino turístico, etc. y aconsejarlas para que ellas también vivan esa experiencia.

¡Comunicación!

38 Un verano en Cusco 🎧 Interpretive Communication

Escuche los siguientes comentarios de estudiantes que asistieron al curso de la Universidad del Pacífico que ofrece a los estudiantes extranjeros la oportunidad de familiarizarse con el entorno de los negocios en Perú y América Latina. Tome apuntes en una hoja aparte.

39 Una experiencia maravillosa Presentational Communication

Vuelva a leer la información sobre el programa de verano de la Universidad del Pacífico y tome apuntes de los puntos principales. Imagine que Ud. participó de este programa intercultural y escriba una recomendación en la que comente su experiencia, con base en la lectura, los comentarios que acaba de escuchar y los temas que se dan enseguida, como guía. Asegúrese de mencionar todo lo que le haya parecido agradable y positivo, con un tono entusiasta que invite a otras personas a inscribirse en el curso. Para finalizar, publique su recomendación en línea y agregue fotos para hacerla más llamativa.

Con la Universidad del Pacífico se pueden visitar sitios inolvidables como Machu Picchu.

- La geografía del lugar
- Las instalaciones de la universidad
- El contenido del curso
- El horario de clases y actividades diarias
- Su relación con los demás estudiantes

Vocabulario 3

Mejore su comprensión 🎧

Familiarizarse con este vocabulario le ayudará a leer "El alacrán de fray Gómez" más adelante, y a mejorar su comprensión auditiva.

alacrán *s.m.* Animal venenoso, escorpión.

alhaja *s.f.* Joya de metal o piedras preciosas.

apuro *s.m.* Problema, necesidad de dinero.

buhonero *s.m.* Vendedor ambulante.

celda *s.f.* Cuarto individual de un convento.

codicia *s.f.* Deseo excesivo de riqueza.

convento *s.m.* Casa de religiosos/as.

desbocado/a *adj.* Se dice del caballo que corre sin control.

descalabrarse *v.* Herirse en la cabeza.

desempeñar *v.* Realizar las funciones propias de un trabajo; recuperar algo empeñado.

deuda *s.f.* Dinero que se le debe a alguien.

devoto/a *adj.* Dedicado a una causa.

empeñar *v.* Dejar una cosa en garantía de dinero prestado.

empeñarse en *v.* Insistir.

esconder *v.* Poner algo donde no se lo pueda encontrar.

estar de vuelta a *exp.* Volver a un lugar.

holgazanería *s.f.* Pereza, falta de ganas de trabajar.

jaqueca *s.f.* Dolor fuerte de cabeza.

lucirse *v.* Impresionar.

milagro *s.m.* Hecho que se explica por intervención divina.

patitieso/a *adj.* Que se queda sin sentido y no puede mover los pies o las piernas.

perseverar *v.* Insistir sin perder el ánimo.

pícaro/a *adj.* Que es listo y tiene habilidad para conseguir lo que quiere.

prendedor *s.m.* Joya que se lleva en la ropa.

Un prendedor en forma de alacrán

préstamo *s.m.* Entrega de algo con la condición de que sea devuelto.

principiar *v.* Empezar o dar comienzo.

quejumbroso/a *adj.* Con voz de dolor o pena.

sabandija *s.f.* Insecto.

usurero *s.m.* Persona que presta dinero a cambio de interés o ganancia excesiva.

40 Identifique al intruso

Diga qué expresión no pertenece al grupo y explique por qué.

1. préstamo   deuda   celda

2. pícaro   devoto   convento

3. alhaja   prendedor   milagro

4. codicia   usurero   sabandija

5. empeñarse   lucirse   perseverar

6. empeñar   desempeñar   principiar

Complete los párrafos con la palabra del recuadro que corresponda según el contexto.

desbocado	convento	buhonero	jaqueca
se descalabró	devotos	patitieso	de vuelta

El hombre cabalgaba por el campo cuando su caballo se paró de repente y echó a correr __(1)__ . El hombre salió a volar por el aire y al caer al suelo __(2)__ . Un __(3)__ que andaba de pueblo en pueblo vendiendo mercancía lo encontró __(4)__ y quejumbroso en medio del camino y lo llevó a un __(5)__ cercano donde lo ayudaron. Pasó un par de días con una gran __(6)__ , pero pronto estuvo bien y __(7)__ con su familia. Estaba agradecido porque, como dijeron los __(8)__ padres: "No se mató de puro milagro".

Escuche el relato "El milagro de la dialéctica". Luego, Ud. oirá unas preguntas y tres respuestas posibles. Seleccione la letra de la respuesta con la terminación más lógica. La pregunta y las terminaciones se leerán dos veces.

El joven almuerza con su padre.

1. **A.** Un joven estudiante no quiere volver a su pueblo.
   B. Un joven estudiante, de vuelta a su pueblo, no quiere almorzar con sus padres.
   C. Un joven estudiante, de vuelta a su pueblo, quiere lucirse con sus padres.

2. **A.** Esconde uno de los huevos que hay en el plato.
   B. Se come uno de los huevos que hay en el plato.
   C. Rompe uno de los huevos que hay en el plato.

3. **A.** Uno.
   B. Dos.
   C. Tres.

4. **A.** El padre se sorprende de los estudios de su hijo.
   B. La madre se sorprende de los conocimientos de su hijo.
   C. Los padres se miran sorprendidos.

5. **A.** Pone un huevo en el plato de su hijo.
   B. Pone dos huevos en el plato de su hijo.
   C. No pone huevos en el plato de su hijo.

Gramática

Expresiones de obligación y probabilidad

- **Tener que + infinitivo** (*to have to, must*) expresa una fuerte obligación personal.

  Ellos **tienen que estudiar** mucho para el examen final.
  Mi mejor amigo **tendrá que presentarse** pronto.

- **Haber** (**hay**) **que + infinitivo** expresa una necesidad u obligación impersonal (*one must, it is necessary to…*).

  Hay que disfrutar las vacaciones al máximo.
  Había que cancelar el concierto por mal tiempo.
  Habrá que resolver la situación.

- **Deber** (**de**) **+ infinitivo** y **haber de + infinitivo** expresan…

  obligación moral (*to be supposed to, should*)

  Debo estudiar para aprobar todas las materias.
  Ahora que estamos jóvenes, **hemos de aprovechar** mejor el tiempo libre.

  probabilidad (*must, probably*)

  Debe (**de**) **ser** muy buen profesor.
  Ha de tener mucha experiencia.

¡Comunicación!

43 ¿Qué sabes? 👥 Interpersonal Communication

En parejas, creen diálogos como los del modelo.

MODELO   la rectora

A: ¿Qué sabes de la rectora?
B: Sé que tiene que dar una conferencia.

la rectora		dar una conferencia
los profesores		prisa por salir
la consejera		muy equivocado/a
el ingeniero	tener	de vacaciones
los hombres	tener que	repasar la materia
el filósofo	deber de	mucha hambre
la abogada	estar	ser muy talentoso
los estudiantes		ayudar a sus clientes
esa estudiante		miedo de los exámenes
nosotros		solicitar una beca
		pensar en el futuro

Gramática

Ud. estuvo enfermo/a y no ha podido asistir a los primeros días de clase. Pregúntele a su compañero/a lo siguiente.

MODELO los requisitos para estar en la clase

A: ¿Cuáles son los requisitos para estar en la clase?

B: Tenemos que asistir a cuatro clases semanales y hay que ir una vez al laboratorio.

1. Los requisitos para estar en la clase
2. Los libros
3. El número de pruebas
4. El día del examen final
5. El número de estudiantes matriculados en la clase
6. Las horas de consulta del/de la profesor(a)
7. La hora a la que comienza y termina la clase
8. El horario del laboratorio

Las preposiciones *en* y *de*

En se usa...

- para designar el lugar donde algo ocurre o se localiza (*in, at*).
- con el significado de **encima de** (*on*) o **dentro de** (*in*).
- en expresiones de tiempo para designar lo que ocurre en un momento dado (*in*).

Ejemplos

Mi familia vive **en** Cusco.
La fuente está **en** la plaza principal.

Los exámenes están **en** la mesa.
Colgué tu abrigo **en** el armario.

En esos días todo era más fácil.
Viviremos en Marte **en** el siglo XXII.

De se usa...

- para indicar posesión (*of*).
- para indicar origen o nacionalidad (*from*).
- con un sustantivo para indicar el material de que esta hecho algo (*of*).
- para designar una hora específica (*in*).

Ejemplos

Este suéter es **del** profesor.
El carro no es **de** Lucía; es mío.

Es una flor **de** esta región.
Ellos son **de** Chile.

Se ganó una medalla **de** oro.
Su cama es **de** madera.

Ya van a ser las ocho **de** la noche.
Viajarán a las dos **de** la tarde.

De también se usa...

- para designar el lugar al que pertenecen personas o cosas (*in, on*).

  Lo encontré en la tienda **de** la esquina.
  Él es mi amigo **de** la calle Sol.

- seguido de un sustantivo, para indicar la condición, la función o el estado de algo, y expresa la idea de **como** (*as a*).

  El niño se viste siempre **de** vaquero.
  Vino para ser nuestro profesor **de** idiomas.
  De niño, era mi mejor amigo.

- después de un adjetivo para expresar la causa de un estado o una acción (*of, with*).

  Regresaron cansados **de** tanto jugar.
  Estoy contento **del** trabajo que hizo.

- para describir el uso práctico o el contenido de un objeto (*of*).

  Encontraron el libro **de** recetas.

---

45 Lo vamos a echar de menos 👥

Luis Bonilla estudia economía en la universidad. Al salir de clase, su compañera lo invita a tomar un café. Con un(a) compañero/a de clase, completen la conversación entre los dos amigos, utilizando **en**, **de** o **del**.

Los jugadores son de Perú.

—¿Dónde es la fiesta __(1)__ los estudiantes para el profesor Azpillaga?

—Es __(2)__ casa de Juan Carlos.

—Es una pena que el profesor se jubile __(3)__ junio. ¿No crees?

—Sí, la verdad es que es un profesor excelente. Yo, __(4)__ viejo, quisiera ser como el profesor Azpillaga.

—¿Sí? ¿Por qué dices eso?

—Porque es un hombre __(5)__ gran corazón y gran cabeza. Uno de los reporteros __(6)__ periódico *El Mundo* ha escrito hoy un artículo sobre su vida.

—¿En serio? ¿Qué periodista?

—Ese que siempre lleva pantalones __(7)__ cuero negro.

—Pero, volviendo al tema __(8)__ la fiesta para el profesor Azpillaga, ¿vamos a comprarle algo entre todos los estudiantes del máster?

—Creo que es una buena idea. El otro día vi, __(9)__ la mesa __(10)__ su despacho, un librito __(11)__ poesía __(12)__ Mario Benedetti. Podemos ir a la librería que está __(13)__ la esquina para preguntar qué otros libros __(14)__ Benedetti tienen.

—Perfecto. __(15)__ este momento no tengo nada que hacer. ¡Vamos!

Lectura literaria

El alacrán de fray Gómez
de *Ricardo Palma*

Sobre el autor

Ricardo Palma nació en Lima, Perú, en 1833. Periodista y literato, empezó publicando poesía y obras de teatro, aunque su obra más importante la componen sus relatos breves. En estos cuentos, Palma describe la sociedad colonial, con sus usos y lenguaje propios. Palma trabajó para fijar y tratar de que se reconociera el léxico propio del español de Perú, un lenguaje popular que caracteriza su literatura. Murió en Miraflores, Perú, en 1919.

Busto de Ricardo Palma

Antes de leer

¿Sabe algún dicho popular o frase hecha del inglés que no tenga sentido al traducirse literalmente al español?

Estrategia

Los dichos populares o frases hechas

Los dichos populares o frases hechas son expresiones de la cultura popular que, por lo general, no pueden traducirse literalmente. Analizar el uso y el significado de estas frases sirve como ayuda para entender mejor el texto.

46 Practique la estrategia

Identifique el contexto de los siguientes dichos populares a medida que lea "El alacrán de fray Gómez". Explique su significado y piense en un dicho del inglés que pueda tener un significado similar.

Frases hechas o dichos populares	Contexto	Interpretación	Frases o dichos similares en inglés
hacerse el sordo	Pero es el caso, padre, que hasta ahora Dios **se me hace el sordo**, y en acorrerme (ayudarme) tarda...	finge no escucharme	*to turn a deaf ear*
a mantas			
no gastar tinta			
estar en vena			
como por ensalmo			
ser paja picada			
ser a carta cabal			
con cerrojo y cerrojillo			

El alacrán de fray Gómez
de *Ricardo Palma*

"El alacrán de fray Gómez" es una tradición. Las tradiciones son una forma literaria en la que se describen costumbres de otras épocas. En las tradiciones se mezclan elementos históricos y ficticios, y se utiliza un lenguaje arcaico con frases y dichos de la cultura popular. Muchas veces contienen elementos fantásticos y maravillosos, como es frecuente en los cuentos hispanoamericanos. En esta tradición, Ricardo Palma describe costumbres limeñas de la época de la colonia.

El personaje de fray Gómez es un monje conocido porque hace milagros. En este caso, el monje toma un alacrán, un ser de la naturaleza que provoca rechazo y miedo por ser venenoso, y lo usa mágicamente para ayudar a un trabajador pobre.

Fray Gómez era conocido por todos porque hacía milagros.

A *Casimiro Prieto Valdés*
Principio, principiando;
principiar quiero
por ver si principiando
5   principiar puedo.

In *diebus illis*[1], digo, cuando yo era muchacho, oía con frecuencia a las viejas exclamar, ponderando[2] el mérito y precio de una alhaja:

—¡Esto vale tanto como el alacrán de fray Gómez!

Tengo una chica, remate de lo bueno, flor de la gracia y espumita de la sal,
10 con unos ojos más pícaros y trapisondistas[3] que un par de escribanos:

chica que se parece
al lucero del alba[4]
cuando amanece,

al cual pimpollo[5] he bautizado, en mi paternal chochera[6], con el mote[7] de
15 *alacrancito de fray Gómez*. Y explicar el dicho de las viejas y el sentido del piropo con que agasajo[8] a mi Angélica es lo que me propongo, amigo y camarada Prieto, con esta tradición.

El sastre paga deudas con puntadas[9], y yo no tengo otra manera de satisfacer la literaria que con usted he contraído que dedicándole estos
20 cuatro palotes[10].

[1] (Latin) In those days [2] considering [3] intriguing [4] morning star
[5] beautiful young person [6] affection [7] nickname [8] I praise, I honor
[9] stitches [10] scribbles

47 Comprensión

1. ¿Qué decían las mujeres viejas en ese tiempo para hablar de algo que tenía mucho valor?

2. ¿Cómo es la chica a quien el autor quiere dedicar esta tradición y cómo se llama?

3. ¿Qué piropo usa el autor para agasajarla?

48 Analice

¿Qué quiere decir el autor cuando compara la chica con el "lucero del alba"?

49 Comprensión

1. ¿Qué trabajo desempeñaba fray Gómez en el convento?

2. ¿Qué le pasó al jinete cuando el caballo lo arrojó al suelo?

3. ¿Qué hizo fray Gómez y cuál fue el resultado?

4. ¿Cómo reaccionó la gente ante los hechos?

5. ¿Qué versión de la crónica se basa claramente en la fantasía?

50 Analice

¿Por qué gritaba la gente que fueran por el santo óleo cuando el jinete se descalabró? Explique.

Este era un lego[11] contemporáneo de don Juan de la Pipirindica, el de la valiente pica, y de San Francisco Solano; el cual lego desempeñaba en Lima, en el convento de los padres seráficos[12], las funciones de refitolero[13] en la enfermería u hospital de los devotos frailes. El pueblo lo llamaba

25 fray Gómez, y fray Gómez lo llaman las crónicas conventuales, y la tradición lo conoce por fray Gómez. Creo que hasta en el expediente que para su beatificación y canonización existe en Roma no se le da otro nombre.

Fray Gómez hizo en mi tierra milagros a mantas, sin darse cuenta de ellos

30 y como quien no quiere la cosa. Era de suyo milagroso, como aquel que hablaba en prosa sin sospecharlo.

Sucedió que un día iba el lego por el puente, cuando un caballo desbocado arrojó sobre las losas[14] al jinete. El infeliz quedó patitieso, con la cabeza hecha una criba[15] y arrojando sangre por boca y narices.

35 —¡Se descalabró, se descalabró! —gritaba la gente—. ¡Que vayan a San Lázaro por el santo óleo[16]!

Y todo era bullicio y alharaca[17].

Fray Gómez acercóse pausadamente al que yacía en la tierra, púsole sobre la boca el cordón de su hábito, echóle tres bendiciones, y sin más médico

40 ni más botica el descalabrado se levantó tan fresco, como si golpe no hubiera recibido.

—¡Milagro, milagro! ¡Viva fray Gómez! —exclamaron los infinitos espectadores.

Y en su entusiasmo intentaron llevar en triunfo al lego. Este, para

45 substraerse[18] a la popular ovación, echó a correr camino de su convento y se encerró en su celda.

La crónica franciscana cuenta esto último de manera distinta. Dice que fray Gómez, para escapar de sus aplaudidores, se elevó en los aires y voló desde el puente hasta la torre de su convento. Yo ni lo niego ni lo afirmo.

50 Puede que sí y puede que no. Tratándose de maravillas, no gasto tinta en defenderlas ni en refutarlas.

[11] layman   [12] belonging to the order of Saint Francis of Assisi

[13] man in charge of the dining hall in a monastery   [14] flagstones   [15] sieve (full of holes)

[16] holy oil   [17] noise and fuss   [18] to get away from

Aquel día estaba fray Gómez en vena de hacer milagros, pues cuando salió de su celda se encaminó a la enfermería, donde encontró a San Francisco Solano acostado sobre una tarima, víctima de una furiosa jaqueca.

55　Pulsólo[19] el lego y le dijo:

—Su paternidad está muy débil, y haría bien en tomar algún alimento.

—Hermano —contestó el santo—, no tengo apetito.

—Haga un esfuerzo, reverendo padre, y pase siquiera un bocado.

Y tanto insistió el refitolero, que el enfermo, por librarse de exigencias que
60　picaban ya en majadería[20], ideó pedirle lo que hasta para el virrey habría sido imposible conseguir, por no ser la estación propicia para satisfacer el antojo[21].

—Pues mire, hermanito, solo comería con gusto un par de pejerreyes[22].

Fray Gómez metió la mano derecha dentro de la manga[23] izquierda, y sacó
65　un par de pejerreyes tan fresquitos que parecían acabados de salir del mar.

—Aquí los tiene su paternidad, y que en salud se le conviertan. Voy a guisarlos.

Y ello es que con los benditos pejerreyes quedó San Francisco curado como por ensalmo.

70　Me parece que estos dos milagritos de que incidentalmente me he ocupado no son paja picada. Dejo en mi tintero otros muchos de nuestro lego, porque no me he propuesto relatar su vida y milagros.

Sin embargo, apuntaré, para satisfacer curiosidades exigentes, que sobre la puerta de la primera celda del pequeño claustro, que hasta hoy sirve de
75　enfermería, hay un lienzo pintado al óleo representando estos dos milagros, con la siguiente inscripción:

"El Venerable Fray Gómez. —Nació en Extremadura en 1560. Vistió el hábito en Chuquisaca[24] en 1580. Vino a Lima en 1587. —Enfermero fue cuarenta años, Ejercitando todas las virtudes, dotado de favores y
80　dones celestiales. Fue su vida un continuado milagro. Falleció en 2 de mayo de 1631, con fama de santidad. En el año siguiente se colocó el cadáver en la capilla de Aranzazú, y en 13 de octubre de 1810 se pasó debajo del altar mayor, a la bóveda donde son sepultados los padres del convento. Presenció la traslación de los restos el Señor doctor don
85　Bartolomé María de las Heras. Se restauró este venerable retrato en 30 noviembre de 1882, por M. Zamudio".

[19] took his pulse　　[20] foolishness　　[21] whim　　[22] a type of fish　　[23] sleeve
[24] today, the city of Sucre

51 Comprensión

1. ¿Qué le recomendó fray Gómez al hermano San Francisco Solano después de tomarle el pulso?

2. ¿Qué antojo tenía el hermano?

3. ¿Por qué habría sido imposible hasta para el virrey conseguir los pejerreyes que quería el hermano y qué hizo fray Gómez para conseguirlos?

4. Explique por qué se considera que este suceso fue un milagro.

5. ¿Qué quiere decir la expresión "dejo en mi tintero"?

52 Analice

1. ¿Conoce Ud. otros relatos de personas como fray Gómez a quienes se les atribuye el poder de hacer milagros? Explique.

2. ¿Por qué cree Ud. que el autor consideró importante incluir la información sobre la muerte y el lugar donde descansan los restos (remains) de fray Gómez?

II

Estaba una mañana fray Gómez en su celda entregado a la meditación, cuando dieron a la puerta unos discretos golpecitos, y una voz de quejumbroso timbre dijo:

90 —*Deo gratias*[25]... ¡alabado sea el Señor!

—Por siempre jamás, amén. Entre, hermanito —contestó fray Gómez.

Y penetró en la humildísima celda un individuo algo desarrapado, *vera efigies*[26] del hombre a quien acongojan pobrezas, pero en cuyo rostro se dejaba adivinar la proverbial honradez del castellano viejo.

95 Todo el mobiliario de la celda se componía de cuatro sillones de vaqueta[27], una mesa mugrienta[28], y una tarima sin colchón, sábanas ni abrigo, y con una piedra por cabezal o almohada.

—Tome asiento, hermano, y dígame sin rodeos lo que por acá le trae —dijo fray Gómez.

100 —Es el caso, padre, que yo soy hombre de bien a carta cabal...

—Se le conoce y que persevere deseo, que así merecerá en esta vida terrena la paz de la conciencia, y en la otra la bienaventuranza.

—Y es el caso que soy buhonero, que vivo cargado de familia y que mi comercio no cunde[29] por falta de medios, que no por holgazanería[30] y
105 escasez de industria en mí.

—Me alegro, hermano, que a quien honradamente trabaja Dios le acude.

—Pero es el caso, padre, que hasta ahora Dios se me hace el sordo, y en acorrerme tarda...

—No desespere, hermano, no desespere.

110 —Pues es el caso que a muchas puertas he llegado en demanda de habilitación[31] por quinientos duros, y todas las he encontrado con cerrojo y cerrojillo. Y es el caso que anoche, en mis cavilaciones[32], yo mismo me dije a mí mismo:

—¡Ea!, Jeromo, buen ánimo y vete a pedirle el dinero a fray Gómez, que si
115 él lo quiere, mendicante y pobre como es, medio[33] encontrará para sacarte del apuro. Y es el caso que aquí estoy porque he venido, y a su paternidad le pido y ruego que me preste esa puchuela[34] por seis meses, seguro que no será por mí quien se diga:

En el mundo hay devotos
120 de ciertos santos;
la gratitud les dura
lo que el milagro;
que un beneficio
da siempre vida a ingratos
125 desconocidos.

---

25 (Latin) Thank God   26 (Latin) the real image of   27 calfskin   28 filthy   29 isn't doing well

30 laziness   31 loan   32 thoughts   33 means, way   34 small amount of money

---

53 Comprensión

1. ¿Quién golpeó a la puerta de fray Gómez?

2. ¿Cómo era el hombre que vino a visitarlo?

3. ¿Cómo era la celda de fray Gómez?

4. ¿Qué ocupación tenía el hombre y cuál era su problema?

5. ¿Qué le pidió el hombre a fray Gómez?

54 Analice

¿Por qué cree el hombre que fray Gómez, pobre y mendicante como es, puede sacarlo del apuro? Explique.

—¿Cómo ha podido imaginarse, hijo, que en esta triste celda encontraría ese caudal?

—Es el caso, padre, que no acertaría a responderle; pero tengo fe en que no me dejará ir desconsolado.

130 —La fe lo salvará, hermano. Espere un momento.

Y paseando los ojos por las desnudas y blanqueadas paredes de la celda, vio un alacrán que caminaba tranquilamente sobre el marco de la ventana. Fray Gómez arrancó una página de un libro viejo, dirigióse a la ventana, cogió con delicadeza a la sabandija, la envolvió en el papel, y tornándose
135 hacia el castellano viejo le dijo:

—Tome, buen hombre, y empeñe esta alhajita[35]; no olvide, sí, devolvérmela dentro de seis meses.

El buhonero se deshizo en frases de agradecimiento, se despidió de fray Gómez y más que de prisa se encaminó a la tienda de un usurero.

140 La joya era espléndida, verdadera <u>alhaja de reina morisca</u>[36], por decir lo menos. Era un prendedor figurando un alacrán. El cuerpo lo formaba una magnífica esmeralda engarzada sobre oro, y la cabeza un grueso brillante con dos rubíes por ojos.

El usurero, que era hombre conocedor, vio la
145 alhaja con codicia, y ofreció al necesitado adelantarle dos mil duros por ella; pero nuestro español se empeñó en no aceptar otro préstamo que el de quinientos duros por seis meses, y con un interés judaico, se entiende.

150 Extendiéronse y firmáronse los documentos o papeletas de estilo, acariciando el agiotista[37] la esperanza de que a la postre[38] el dueño de la prenda acudiría por más dinero, que con el recargo de intereses lo convertiría en
155 propietario de joya tan valiosa por su mérito intrínseco y artístico.

El alacrán negro.

Y con este capitalito fuele tan prósperamente en su comercio, que a la terminación del plazo pudo desempeñar[39] la prenda, y, envuelta en el mismo papel en que la recibiera, se la devolvió a
160 fray Gómez.

Este tomó el alacrán, lo puso sobre el alféizar de la ventana, le echó una bendición y dijo:

—Animalito de Dios, sigue tu camino.

Y el alacrán echó a andar libremente por las paredes de la celda.

165 Y vieja, pelleja,
aquí dio fin la conseja[40].

[35] small jewel   [36] exotic, precious jewel   [37] moneylender   [38] in the end
[39] redeem, get out of pawn   [40] advice

55 Comprensión

1. ¿Qué tomó fray Gómez del marco de la ventana?

2. ¿Qué le dijo al buhonero cuando se lo dio?

3. ¿Adónde se dirigió el buhonero y por qué?

4. ¿Cómo era la joya?

5. ¿Qué esperanza tenía el usurero?

6. ¿Qué pasó cuando el buhonero le devolvió la joya a fray Gómez?

56 Analice

¿Por que cree Ud. que el autor le dio a Angélica el apodo de "el alacrancito de fray Gómez"? Explique su respuesta.

Después de leer

Conteste las siguientes preguntas sobre la lectura.

1. El alacrán es...

A. una joya de reina mora de oro, esmeraldas y rubíes.

B. un libro de texto religioso que usa fray Gómez todos los días.

C. un insecto venenoso y peligroso.

D. una olla donde fray Gómez prepara la comida todos los días.

2. ¿Qué le sucede al jinete caído?

A. Se hirió y se recuperó.

B. Se fue corriendo a encerrarse al convento.

C. Se hirió y murió.

D. Se elevó y voló hasta el convento.

3. ¿Cómo curó fray Gómez a San Francisco Solano?

A. Le cocinó un par de pescados.

B. Le pidió al virrey un par de pescados.

C. Lo llevó a la enfermería.

D. Le preparó un bocadillo.

4. ¿Cuál es la situación del hombre que visita a fray Gómez?

A. Es holgazán y no le rinde el comercio.

B. Es un vendedor pobre que necesita un préstamo.

C. Tiene fe y necesita que recen por él.

D. Es vendedor y no tiene suficientes hijos que lo ayuden.

5. ¿Qué le da fray Gómez para ayudarle?

A. Un libro viejo.

B. Un escorpión.

C. Unos buenos consejos.

D. El dinero que necesita.

6. ¿Qué decide hacer el vendedor?

A. Dejar libre al alacrán.

B. Empeñar la joya por más dinero del que necesita.

C. Vender la joya en su comercio.

D. Empeñar la joya por el dinero que necesita.

Extensión

A. ¿Qué consejo o moraleja cree Ud. que se da en esta leyenda? Explique su respuesta.

B. El autor nos cuenta que la leyenda sobre fray Gómez dio origen a un dicho popular: "¡Esto vale más que el alacrán de fray Gómez!" Ricardo Palma busca en el folclore literario de Perú esta leyenda como fuente para su relato. ¿Existe alguna leyenda asociada con la región donde Ud. vive? ¿Conoce algún dicho popular que esté basado en un hecho verdadero o en una leyenda?

Para concluir

Proyectos

? Pregunta clave

¿Qué aspectos socioculturales de un país afectan el futuro de su gente?

A ¡Manos a la obra!

Trabaje con un(a) compañero/a. Imagine que Ud. es el director de uno de los Colegios de Alto Rendimiento de Perú y que su compañero/a es un estudiante peruano que recién va a comenzar en este nuevo programa educativo.

Busquen más información sobre estos colegios en la internet y usen esos datos para inventar un cronograma con la rutina diaria de los estudiantes del COAR.

Luego, preparen una entrevista entre el director y el estudiante, que hará preguntas sobre las materias de estudio, los horarios, el alojamiento, la alimentación, etc. El director responderá a las preguntas del estudiante siguiendo el cronograma que sigue. Usen verbos reflexivos en la entrevista.

	LUNES	MARTES	MIÉRCOLES	JUEVES	VIERNES	SÁBADO	DOMINGO
mañana							
tarde							
noche							

B En resumen

Relea la información de las páginas de Cultura sobre la educación en Perú. Piense en los datos que le parezcan más llamativos o interesantes y compárelos con la situación del sistema educativo de su estado o país. Por ejemplo, ¿cómo son los resultados PISA en cada caso?, ¿qué tipo de proyectos de mejora educativa hay?, ¿cómo se maneja la diversidad lingüística?, ¿qué diferencias hay entre escuelas estatales y privadas?

Si es necesario, busque información adicional en la internet. Luego, complete el organizador gráfico para presentar su comparación a la clase. Explique qué aspectos socioculturales pueden explicar las diferencias entre ambos sistemas educativos.

	Sistema educativo de Perú	Sistema educativo de Estados Unidos
Resultados PISA		
Mejoras educativas		
Diversidad lingüística		
Estatales versus privadas		
Otros		

C ¡A escribir! Conéctese: las ciencias sociales

Repase los problemas y complejidades que presenta el sistema educativo peruano. Imagine que Ud. quiere ser presidente de Perú y escriba un discurso en el que presente nuevas ideas y proyectos para enfrentar esos problemas. Puede incluir en su discurso algunos de los programas que ya están en funcionamiento en Perú, pero también puede pensar propuestas innovadoras. Luego, lea su discurso a la clase.

Estrategia

Problema/Solución

Muchas veces es bueno organizar las ideas antes de empezar a escribir. Primero, haga una lista de los problemas. Luego, piense en una o más soluciones para cada uno.

D El sistema educativo peruano

En la gráfica de abajo, se muestra cómo está organizado el sistema educativo peruano. Trabaje con un(a) compañero/a y preparen una gráfica similar con la organización del sistema educativo en su país. ¿Cuáles son las diferencias más llamativas? ¿A qué cree que se deben estas diferencias?

Educación básica o inicial
Edad: niños de hasta 5 años
Obligatoria para los niños de 5 años

Educación primaria
Edad: niños de entre 6 y 12 años
Duración: seis años
Obligatoria
Un solo maestro dicta todas las materias, excepto música, educación física, idiomas y religión.

Educación secundaria
Edad: entre 12 y 17 años
Duración: cinco años
Obligatoria
Todas las materias de estudio son impartidas por profesores especializados.

Educación superior
Edad: a partir de los 17 años
Se brinda en institutos superiores y universidades
Los institutos superiores otorgan títulos de profesional, técnico y experto, y también los de segunda y ulterior especialización profesional. Las universidades otorgan títulos de bachiller, maestro y doctor, así como certificados y títulos profesionales, incluso los de segunda y ulterior especialización.

E Una experiencia intercultural

Los viajes de estudio son una experiencia única. Vuelva a leer el texto sobre el curso que ofrece la Universidad del Pacífico. Trabaje en grupo para inventar un curso nuevo que se dictará en otra ciudad de Perú. Investiguen en la internet sobre ciudades peruanas que presenten características particularmente interesantes. Piensen en los temas que se enseñarán en el curso, los

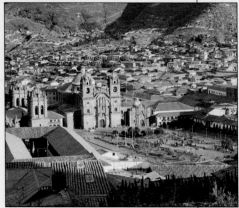

Descubra las bellezas de Perú en un viaje de estudio.

requisitos que deben cumplir los aspirantes, los detalles del alojamiento, etc. Luego, creen un cartel para promocionar el curso. Pueden incluir fotos y una tipografía que resulte atractiva.

Vocabulario de la Unidad 3

el/la **abogado/a** lawyer
acabar(se) to finish; to run out
acabar de + inf. to have just
el **alacrán** scorpion
la **alhaja** jewel
aprobar (ue) to pass
el **apuro** financial bind
el/la **arquitecto/a** architect
la **arquitectura** architecture
el/la **artista** artist
la **asignatura** subject
asistir a clase to attend classes
el **aula de clase** classroom
el **bachillerato** high school
la **beca** scholarship
las **bellas artes** arts
la **biblioteca** library
la **biología** biology
el **buhonero** peddler
las **calificaciones** grades
el **campo deportivo** athletic field
el **campo de trabajo** field of work
la **carrera** profession
el/la **catedrático/a** full professor
la **celda** cell
las **ciencias** sciences
el/la **científico/a** scientist
la **codicia** greed
competitivo/a competitive
conseguir un trabajo to get a job
el/la **consejero/a** counselor
contribuir to contribute
el **convento** monastery
cumplir con los requisitos to fulfill the requirements
el **curso obligatorio/optativo** mandatory/elective course
dar un curso de… to teach a course on…
el/la **decano/a** dean
dejar de to fail to do something
el **derecho (leyes)** law
desarrollar buenos hábitos de estudio to develop good study habits
desbocado/a runaway
descalabrarse to be hurt
desempeñar to hold a position; to redeem
la **deuda** debt
devoto/a devout, pious
dictar una conferencia to give a lecture
el **diploma** diploma

el/la **economista** economist
empeñar to pawn
empeñarse to be determined
enseñar to teach
esconder to hide
el/la **escritor(a)** writer
esforzarse to make an effort
la **especialización** major
el **estadio** stadium
la **estadística** statistics
estar de vuelta to be back
el **examen de admisión** admission test
examinarse to take an exam
la **facultad** school (of a university)
faltar a to fail to fulfill
familiarizarse to become familiar
la **filosofía** philosophy
el/la **filósofo/a** philosopher
la **física** physics
fracasar to fail
el **futuro** future
graduarse to graduate
hacer entrega to award
hacer las tareas to do homework
la **holgazanería** laziness
el **horario** schedule
la **informática** computer science
la **ingeniería** engineering
el/la **ingeniero/a** engineer
ingresar to enroll
la **investigación** research
la **jaqueca** migraine headache
los **laboratorios** laboratories
las **letras** humanities
la **librería** bookstore
la **licenciatura** university degree
llenar formularios to fill out forms
llenar una solicitud to fill out an application
llevar(se) to take; to take away
lucirse to show off
la **matrícula** registration (fee)
matricularse to register
la **medicina** medicine
el/la **médico/a** doctor
el **milagro** miracle
ofrecer to offer
pasar lista to call the roll
patitieso/a paralyzed
perseverar to persevere
pícaro/a mischevious

la **piscina** pool
el **plan de estudios** curriculum
el **plazo (de matrícula)** (registration) period, deadline
la **práctica privada** private practice
el **prendedor** brooch
presentarse to show up
el **préstamo** loan
prestar atención to pay attention
primero que todo first of all
principiar to begin
la **profesión** profession
el/la **profesor(a)** professor
el/la **programador(a)** programmer
la **psicología** psychology
el/la **psicólogo/a** psychologist
quedarse to stay
¡Qué padre! How cool!
quejumbroso/a in a painful tone
la **química** chemistry
quitarse to take off (clothing)
el/la **rector(a)** president (of a university)
repasar to review
reprobar (una materia) to flunk, fail (a subject)
requerido/a required
resolver problemas to solve problems
la **sabandija** creepy-crawly
sacar (buenas notas) to take out; to get good grades
la **sociología** sociology
el/la **sociólogo/a** sociologist
solicitar ayuda financiera to apply for financial aid
el **teatro** theater
tener cabeza para los números to be good with numbers
tener éxito to be successful
tener lugar to take place
tener talento to have talent
título (diploma) title
tomar (apuntes) to take (notes)
el/la **usurero/a** money lender, usurer
las **ventajas (desventajas) de…** advantages (disadvantages) of…
la **zona de estacionamiento** parking zone

¿Sabía que...?

El aguayo boliviano forma parte de la vida familiar desde su inicio: antes de casarse la mujer teje un par de aguayos con el nombre de los novios. Al día siguiente de la boda, sobre esos aguayos se exponen los regalos que recibieron los recién casados en un ritual tradicional de "conteo de regalos".

4

La vida del hogar

Escanee el código QR para mirar el video "Las tareas del hogar".

Alex y su amigo Joaquín hablan de cómo se hace la limpieza en sus respectivas casas. ¿Qué hace Alex para ayudar con los quehaceres y cómo se compara con lo que hace Joaquín? Explique su respuesta.

Pregunta clave

?

¿Cómo se refleja la herencia cultural de un país en las prácticas familiares?

¿En qué fecha se celebra el Día Internacional de la Familia en Bolivia?

Mis metas

En esta unidad:

▶ Usaré expresiones relacionadas con la casa, la familia y los quehaceres.

▶ Repasaré las formas del pretérito y el imperfecto.

▶ Leeré sobre la familia y las prácticas familiares en Bolivia.

▶ Distinguiré el significado de palabras y frases según el contexto.

▶ Distinguiré el uso del pretérito y el imperfecto.

▶ Leeré un artículo sobre las trabajadoras del hogar en Bolivia.

▶ Trataré el tema de la vida del hogar en Bolivia y Estados Unidos en una carta.

▶ Escribiré un relato comparando la vida de una trabajadora del hogar antes y ahora.

▶ Desarrollaré nuevas destrezas de vocabulario.

▶ Usaré expresiones con **hace que...** y **hacía que...**

▶ Leeré el cuento "Las medias rojas" de la española Emilia Pardo Bazán.

Bolivia

Vocabulario 1

En casa nos repartimos los quehaceres 🎧

Acabamos de comprar una nueva casa y estamos muy contentos.

Es una casa de techo rojo con puertas y ventanas de madera. La casa tiene nueve habitaciones: cuatro dormitorios, sala, comedor, cocina y dos baños. Es bastante grande.

En la sala hay una gran chimenea que podemos encender en el invierno y un sofá muy cómodo para ver la tele. El comedor es amplio, perfecto para las cenas familiares. Tan pronto como nos mudamos dimos una gran fiesta de bienvenida.

Todos los electrodomésticos de la cocina (la estufa, la nevera, el lavaplatos, el horno y el microondas) son de acero inoxidable, súper modernos, al igual que el fregadero.

Mamá se encarga de cocinar. A mi hermanita le encanta ayudarla a hornear. Es feliz batiendo huevos para hacer nuestras tortas favoritas.

En casa nos repartimos los quehaceres. Mi hermanastra Ana recoge la mesa y siempre lava y seca los platos después del desayuno y el almuerzo.

Mi hermano y yo ayudamos a papá. Pasamos la aspiradora por las alfombras, y sacudimos los sillones, las lámparas y los cuadros de las paredes.

Nuestra abuelita vive con nosotros desde que quedó viuda. A ella le encanta regar las plantas y trabajar en el jardín.

En mi dormitorio hay una cama y una cómoda para guardar la ropa. También tengo un escritorio, un equipo de sonido y una computadora, donde puedo escuchar mis CDs o mirar mis DVDs.

Mi hermana mayor arregla los baños. Siempre limpia los espejos del botiquín, los inodoros, los lavabos y las tinas y se asegura de que no falte jabón, papel higiénico o pasta de dientes.

Para conversar 🎧

Para hablar de otros artículos de la casa:

En el cuarto de la lavandería hay una lavadora y una secadora eléctricas que usamos todo el tiempo.

También hay una mesa para planchar y una plancha (aunque casi nadie las usa), y un clóset para guardar la escoba y otras cosas para limpiar.

En la cocina hay muchos gabinetes para guardar las ollas, las sartenes y otros electrodomésticos, como la licuadora, el exprimidor de frutas y la batidora.

La cafetera y la tostadora para tostar el pan están sobre el mostrador de la cocina pues las usamos a toda hora.

Siempre nos reunimos en la cocina a la hora de desayunar, almorzar y cenar.

En todas las habitaciones hay armarios para colgar abrigos y guardar las colchas, mantas, sábanas y almohadas que no estén en uso.

También hay ventiladores y conexiones de teléfono, aunque todos tenemos celular.

La abuela tiene un teléfono con contestador automático en su habitación y un despertador para despertarse todas las mañanas.

También tiene un radio para escuchar las noticias y hasta tiene un televisor con videocasetera. Ella es muy chapada a la antigua.

Para contar la historia de la familia:

En mi familia no somos muchos. Apenas once, entre padres, hijos, hermanos y cuñados y sin contar a mi madre Cristina Soto, quien murió hace mucho tiempo.

Mi padre, Alberto Echeverría Agudelo, quedó viudo muy joven, cuando yo tenía dos años. Después de unos años se enamoró de Elena Salazar y se casó con ella. Ellos tuvieron dos hijas, Julia y Adriana, mis medio-hermanas.

Yo quiero mucho a mi madrastra, pues me ha criado como si fuera su propio hijo.

También quiero mucho a mis medio-hermanas aunque de niños peleábamos y estábamos celosos los unos de los otros.

Julia y Adriana ya están las dos casadas. Julia y su esposo Fernando Sánchez tienen una niña pequeña. Se llama Carolina y es mi sobrina favorita.

Adriana y su esposo Alberto Correa, mi cuñado, acaban de tener gemelos, Tony y Dany. Sus suegros están encantados pues los niños son sus únicos nietos.

Elena es hija única y mi padre solo tiene una hermana, mi tía Carmen, divorciada y sin hijos. Por eso es que no tengo primos ni primas.

¿Y yo? Pues yo soy César, el soltero de la familia. Tengo una novia a la que amo mucho y vivo muy feliz.

1　Series de palabras

Complete las siguientes series de palabras con la palabra o expresión del recuadro que mejor corresponda, como se ve en el modelo.

jabón	dormitorio	radio	almohadas
nevera	plancha	cenar	batidora

MODELO　　lavabo, tina, ____

lavabo, tina, jabón

1. lavabo, tina, ____

2. sala, comedor, ____

3. lavadora, secadora, ____

4. estufa, microondas, ____

5. colchas, sábanas, ____

6. tostadora, licuadora, ____

7. desayunar, almorzar, ____

8. equipo de sonido, televisor, ____

2　¿Para qué sirven?

Complete cada oración de la columna I con la frase que le corresponda de la columna II.

I

1. El armario sirve para ____

2. La escoba sirve para ____

3. El fregadero sirve para ____

4. Los gabinetes sirven para ____

5. Los sillones y el sofá sirven para ____

6. La aspiradora sirve para ____

II

A. barrer el piso.

B. colgar la ropa.

C. limpiar las alfombras.

D. lavar los platos.

E. guardar las ollas y las sartenes.

F. sentarse a ver la tele.

3 Un árbol genealógico

Vuelva a leer la información sobre la familia de César en la página 140 y complete el árbol genealógico con los nombres y apellidos de los diferentes miembros de su familia.

página 140

Un poco más

Por lo general, los hispanos tienen dos apellidos. Julia Torres Parra lleva el apellido de su padre, Torres, seguido por el apellido de su madre, Parra. Al casarse, muchas mujeres mantienen el apellido de su padre seguido del apellido de su esposo. Así, si Julia se casa con Osvaldo Medina, su nombre completo será: Julia Torres de Medina.

1.
2.
3.

César Echeverría Soto

4.
5.
6.
7.

8.
9.
10.

4 La vida de todos los días 🎧

La familia Camacho sigue la misma rutina todas las mañanas. Escuche e indique la terminación correcta.

1. enciende el televisor / apaga el televisor
2. pone la mesa / recoge la mesa
3. los cuelga / los seca
4. la cuelgan / la riegan
5. la deja para congelar / la deja para descongelar
6. hacen la cama / hacen una llamada
7. regarlas / arreglarlas

La señora Camacho se encarga de cuidar el jardín.

¡Comunicación!

5 ¡Ya estoy harta de cosas viejas! Presentational Communication

Imagine que sus padres acaban de comprar una casa nueva y su madre, que está harta de tener muebles, arreglos y electrodomésticos de hace veinte años, se va a ir de compras para reemplazarlos todos.

Mire el dibujo de la cocina de sus padres cuando estaban recién casados y haga una lista de todo lo que su mamá va a tener que comprar. Organice su lista según las categorías que se dan.

Lista de cosas que vamos a comprar			
Muebles	Adornos	Electrodomésticos	Otros

6 ¿Se llevaban muy bien? Interpersonal Communication

Imagine que Tania le está mostrando fotos de su familia a su novio, Javier. Él quiere saber cómo era la vida de Tania cuando era niña y le hace muchas preguntas. Con un(a) compañero/a, hagan el papel de Tania y Javier y túrnense para hacerse preguntas y responderlas. Usen el pretérito y el imperfecto para hablar de Tania, su casa y sus costumbres familiares en ese tiempo, como se ve en el modelo.

MODELO Javier: ¿Cuántos años tenías en esta foto?

Tania: Tenía solo siete años.

Javier: Y tus padres... ¡Qué jóvenes eran! ¿Se llevaban muy bien?

Tania: Sí, y siempre compartían el trabajo de la casa.

Javier: ...

Mis padres siempre hacían fiestas para toda la familia.

Gramática

El tiempo pretérito

El pretérito se usa para narrar acciones que ocurrieron en momentos específicos del pasado.

Conjugación de los verbos regulares en pretérito						
lav**ar**	lav**é**	lav**aste**	lav**ó**	lav**amos**	lav**asteis**	lav**aron**
barr**er**	barr**í**	barr**iste**	barr**ió**	barr**imos**	barr**isteis**	barr**ieron**
sacud**ir**	sacud**í**	sacud**iste**	sacud**ió**	sacud**imos**	sacud**isteis**	sacud**ieron**

Verbos de cambio ortográfico

Los siguientes verbos tienen cambios de ortografía en la conjugación del pretérito, en la primera persona del singular.

- Los verbos que terminan en **-car** cambian la **-c** a **-qu** antes de **-e**.

secar	se**qué**	secaste	secó	secamos	secasteis	secaron

   Verbos como **secar**: buscar, colocar, dedicar, explicar, sacar, tocar

- Los verbos que terminan en **-gar** cambian la **-g** a **-gu** antes de **-e**.

apagar	apa**gué**	apagaste	apagó	apagamos	apagasteis	apagaron

   Verbos como **apagar**: colgar, entregar, jugar, llegar, pagar, regar

- Los verbos que terminan en **-zar** cambian la **-z** a **-c** antes de **-e**.

almorzar	almor**cé**	almorzaste	almorzó	almorzamos	almorzasteis	almorzaron

   Verbos como **almorzar**: abrazar, comenzar, empezar, gozar

- Los verbos que terminan en **-aer** y **-eer**, al igual que **oír**, cambian la **-i** a **-y** en la tercera persona del singular y del plural, y todas las otras personas llevan tilde sobre la **-í**.

caer	caí	caíste	ca**y**ó	caímos	caísteis	ca**y**eron
leer	leí	leíste	le**y**ó	leímos	leísteis	le**y**eron
oír	oí	oíste	o**y**ó	oímos	oísteis	o**y**eron

   Verbos que siguen la misma regla: creer, poseer

Verbos de cambio radical

Los verbos regulares de la tercera conjugación (**-ir**), que cambian el radical en el presente, sufren en el pretérito un cambio en la vocal de la tercera persona del singular y del plural.

Cambio e → i

sentir	sentí	sentiste	sintió	sentimos	sentisteis	sintieron

Verbos como **sentir**: advertir, conseguir, divertirse, mentir, pedir, preferir, repetir, vestirse

Cambio o → ue

dormir	dormí	dormiste	durmió	dormimos	dormisteis	durmieron
morir	morí	moriste	murió	morimos	moristeis	murieron

Verbos irregulares

- Los siguientes verbos son irregulares. Tienen cambios de radical, pero comparten las mismas terminaciones.

Infinitivo	Radical	Terminaciones en común					
andar	anduv-	anduve	anduviste	anduvo	anduvimos	anduvisteis	anduvieron
caber	cup-	cupe	cupiste	cupo	cupimos	cupisteis	cupieron
estar	estuv-	estuve	estuviste	estuvo	estuvimos	estuvisteis	estuvieron
haber	hub-	hube	hubiste	hubo	hubimos	hubisteis	hubieron
hacer	hic-	hice	hiciste	hizo	hicimos	hicisteis	hicieron
poder	pud-	pude	pudiste	pudo	pudimos	pudisteis	pudieron
poner	pus-	puse	pusiste	puso	pusimos	pusisteis	pusieron
saber	sup-	supe	supiste	supo	supimos	supisteis	supieron
tener	tuv-	tuve	tuviste	tuvo	tuvimos	tuvisteis	tuvieron
querer	quis-	quise	quisiste	quiso	quisimos	quisisteis	quisieron
venir	vin-	vine	viniste	vino	vinimos	vinisteis	vinieron
decir	dij-	dije	dijiste	dijo	dijimos	dijisteis	dijeron
producir	produj-	produje	produjiste	produjo	produjimos	produjisteis	produjeron
traer	traj-	traje	trajiste	trajo	trajimos	trajisteis	trajeron

- Los verbos **ir**, **ser**, **dar** y **ver** son completamente irregulares.

ir/ser	fui	fuiste	fue	fuimos	fuisteis	fueron
dar	di	diste	dio	dimos	disteis	dieron
ver	vi	viste	vio	vimos	visteis	vieron

7 ¿Hiciste tus quehaceres?

Complete la conversación entre estas dos hermanas con la forma correcta del verbo entre paréntesis.

Ana: ¿Qué (**1.** *hacer*) tú ayer?

Andrea: (**2.** *estar*) todo el día en casa ayudando a mamá con todos los quehaceres.

Ana: ¿Por dónde (**3.** *comenzar*) tú?

Andrea: ¡Por la cocina, por supuesto! (**4.** *lavar*) los platos y (**5.** *ordenar*) los estantes. Mamá y yo (**6.** *poner*) todo en orden.

Ana: ¿No me digas que tú (**7.** *barrer*) el piso? Sé que odias hacerlo.

Andrea: Por supuesto. No solo (**8.** *barrer*) el piso, sino que lo (**9.** *limpiar*) con un nuevo producto que es una maravilla.

Ana: Me imagino que tú también (**10.** *poner*) en orden mi habitación. ¿Verdad?

Andrea: ¡Qué va! Si tú no la (**11.** *arreglar*), ¿por qué tenía que hacerlo yo? Yo (**12.** *hacer*) mi cama, (**13.** *cambiar*) las sábanas y (**14.** *andar*) de un lugar a otro sacudiendo los muebles.

Ana: ¿Y por qué no (**15.** *salir*) de casa después de que acabaste de ayudar con los quehaceres?

Andrea: No (**16.** *poder*). Mamá (**17.** *tener*) que salir y yo (**18.** *tener*) que quedarme a cuidar a Luisito. Pero no importa, ella me (**19.** *pagar*) muy bien por cuidarlo.

¡Comunicación!

8 ¿Qué hiciste? Interpersonal Communication

Con un(a) compañero/a, hablen sobre lo que han hecho últimamente. Usen el pretérito y los temas que se dan como guía y túrnense para hacerse preguntas y responderlas, como se ve en el modelo.

MODELO por la mañana / por la tarde

A: ¿Qué hiciste ayer por la mañana?

B: Fui a la biblioteca y preparé un informe.

A: Y por la tarde, ¿qué hiciste?

B: Me fui al cine con Sara. Vimos una buena película.

1. ayer / anoche
2. por la mañana / por la tarde
3. en la clase de español / en la clase de inglés
4. después de llegar a casa / antes de acostarse
5. después de clase / antes del examen
6. la semana pasada / el mes pasado
7. después de la escuela / después de hacer la tarea
8. después del almuerzo / después de la cena

Estuve en la biblioteca unas tres horas.

Cambie los siguientes comentarios que oyó sobre la boda de su hermana al tiempo pretérito.

1. A los novios les dan muchos regalos.
2. Mamá no puede hablar de la emoción.
3. Papá recibe a los invitados en la sala.
4. Los invitados se divierten muchísimo.
5. Como siempre, Carlos llega tardísimo.
6. Tú traes un regalo magnífico.
7. El abuelo invita a bailar a la abuela.
8. Todos bailan y cantan sin parar.
9. La fiesta es estupenda.
10. Yo saco muchas fotos de los novios.

¡Comunicación!

10 ¡Hablemos! Interpersonal Communication

Cuéntele a su compañero todos los detalles de la boda de su hermana: quiénes asistieron, qué regalos le dieron, dónde hicieron la recepción, qué comieron y otras cosas que se le ocurran.

11 ¿Qué tal está Marta? Interpretive Communication

Marta acaba de mudarse a Santa Bárbara para estudiar en la universidad y le envía un mensaje de texto a su amiga Julia para contarle cómo le ha ido. Conteste las siguientes preguntas sobre el mensaje que Marta le envió a su amiga.

1. ¿Por qué no llamó Marta a su amiga cuando llegó a la universidad?
2. ¿Cuándo llegó a Santa Bárbara?
3. ¿Qué lugares vio primero?
4. ¿Cuándo empezaron las clases?
5. ¿Qué pasó con su novio?
6. ¿Qué otros problemas tuvo?

Iba a llamarte cuando llegué a Santa Bárbara, hace cinco días, pero no pude. No te imaginas lo ocupada que he estado. Al principio me encantó el campus. Cuando vi las playas y la laguna creí estar en el cielo.

Pero el lunes, cuando comenzaron las clases, volví a la cruda realidad. No pude matricularme en mis clases favoritas, me enojé con mi novio y casi tuve un accidente de bicicleta. ¡Qué día tan horrible!

12 Desde la universidad Presentational Communication

Imagínese que Ud. acaba de ingresar a la universidad. Escríbale mensaje de texto a un(a) amigo/a, contándole cuándo llegó y a qué se dedicó los primeros días. Después, léale el mensaje a la clase.

13 ¡Qué maravilla!   Interpretive Communication

Alicia y su amiga Eugenia acaban de licenciarse en una universidad española y ahora están de viaje en Sudamérica. Desde Bolivia, Alicia le envía un correo electrónico a su prima Lucía. Lea el mensaje, y luego, complete las oraciones que le siguen con la información que corresponda de acuerdo al mensaje.

● ○ ○	¿Sabes qué?	⤢
De:	Alicia	
Para:	Lucía	
Asunto:	¿Sabes qué?	

Querida Lucía:

¿Sabes qué, primita? Este país es una maravilla. Al llegar a Bolivia **quedé** tan impresionada con una de sus tradiciones que **decidí** dedicar unas líneas para describírtela. ¡Es el sombrero! No me vas a creer pero la gente indígena, tanto los niños como los adultos, usa más de 300 estilos de sombreros, gorros[1] y tocados[2]. Ojalá estuvieras aquí para verlos.

Hace casi quinientos años que Francisco Pizarro y sus hombres **desembarcaron**[3] en este continente y **conquistaron** el Imperio inca, primero en Perú y luego en Bolivia. Hoy se ven indígenas que llevan cascos[4] similares a los usados por los conquistadores, aunque ya no son de acero[5] sino de cuero con adornos de lana. El otro día en el mercado de una pequeña población **pude** ver los sombreros y gorros más extraordinarios. La variedad de colores y de formas era infinita y tan impresionante como cualquier desfile de modas[6] de París. Cuando **fui** a La Paz, en seguida me di cuenta de que el compañero inseparable de las mujeres era el bombín londinense[7]. Mientras **estuve** allí no **vi** a ninguna mujer indígena que no llevara bombín. Nuestro guía turístico nos **dijo** que en el pasado los hombres se los daban a las mujeres indígenas a cambio de favores. **Explicó** que ninguna mujer saldría a la calle sin él y que ningún hombre se atrevería[8] a llevarlo. Hay más bombines en La Paz que los que ha habido en Londres en cualquier época.

Con cariño,
Alicia

---

[1] caps [2] headdresses [3] arrived [4] helmets
[5] steel [6] fashion show [7] British bowler hat
[8] would dare

1. Alicia es de ____ pero está de ____ en Sudamérica. Le escribe una carta a Lucía, su ____ .

2. Algo que le impresionó mucho a Alicia es la costumbre boliviana de llevar ____ .

3. Hay más de 300 ____ .

4. Para las mujeres bolivianas, el estilo más popular es el ____ .

El volcán Licancabur, cerca del lago Blanca, en Bolivia

Gramática

14 ¿Qué cuenta Alicia de Bolivia? Interpretive Communication

Conteste las preguntas sobre el correo electrónico en la página 147 que Alicia le escribió a su prima.

1. ¿Qué le impresionó a Alicia al llegar a Bolivia? Como resultado, ¿qué decidió hacer?

2. Según Alicia, ¿cuándo desembarcó Francisco Pizarro en Bolivia?

3. ¿Qué hicieron Pizarro y sus hombres?

4. ¿Qué vio Alicia cuando estuvo en el mercado?

5. ¿Qué le dijo su guía turístico?

Una mujer boliviana con bombín

Unas mantas típicas de lana

El tiempo imperfecto

El imperfecto se usa para hacer descripciones de las personas, las cosas y los hechos en el pasado y para indicar su ubicación.

Conjugación de los verbos regulares en imperfecto					
guardar	guardaba	guardabas	guardaba	guardábamos	guardabais	guardaban
recoger	recogía	recogías	recogía	recogíamos	recogíais	recogían
compartir	compartía	compartías	compartía	compartíamos	compartíais	compartían

Verbos irregulares

Los únicos verbos irregulares en imperfecto son los verbos **ir**, **ser** y **ver**.

Verbos irregulares en imperfecto					
ir	iba	ibas	iba	íbamos	ibais	iban
ser	era	eras	era	éramos	erais	eran
ver	veía	veías	veía	veíamos	veíais	veían

15 ¡Qué suerte!

Complete la conversación entre una madre y su hija con el imperfecto de los verbos entre paréntesis.

Madre: Te digo, hija, que los tiempos han cambiado. Tu abuela, por ejemplo, (*1. ser*) la perfecta ama de casa (*housewife*), aunque no le gustaba para nada.

Hija: ¿Por qué dices eso?

Madre: Bueno, pues porque ella (*2. tener*) que quedarse en casa todo el tiempo. Casi nunca (*3. poder*) salir porque (*4. pasar*) todo el tiempo haciendo quehaceres domésticos. Primero (*5. arreglar*) la casa: (*6. hacer*) las camas, (*7. sacudir*) los muebles y (*8. pasar*) la aspiradora. Luego, (*9. lavar*) la ropa a mano, porque no había lavadoras, y la (*10. colgar*) a secar en el patio. Cuando (*11. estar*) seca, la (*12. traer*) adentro, la (*13. planchar*), la (*14. doblar*) y la (*15. guardar*) en los armarios.

Hija: Y..., ¿quién (*16. preparar*) las comidas?

Madre: Ella, ella lo (*17. hacer*) todo, pues era lo que se (*18. esperar*) de las mujeres en esa época. ¡Es una suerte que no te tocó vivir en los tiempos de la abuela!

Hija: Sí, ¡gracias a Dios!

¡Comunicación!

16 Uno de los mejores recuerdos 👥 Interpersonal Communication

¿Qué recuerda Ud. con más cariño de su niñez? Con un(a) compañero/a, hablen de las actividades que más recuerdan de su infancia. Usen los temas que se dan como guía y túrnense para hacerse preguntas y responderlas, como se ve en el modelo.

MODELO **A:** ¿Qué hacían durante las vacaciones de verano?

B: Durante las vacaciones nos gustaba viajar a las montañas. Mi papá conducía el coche y todos cantábamos en coro hasta que nos quedábamos dormidos de cansancio. Es uno de los mejores recuerdos de mi infancia.

- Vacaciones de verano
- Navidad y Año Nuevo
- Compañeros de juego
- En la escuela primaria
- Familiares preferidos
- En mi cumpleaños

Cuando era niño me divertía mucho jugando con mi hermana.

Pregunta clave

¿Cómo se refleja la herencia cultural de un país en las prácticas familiares?

Mujeres: El eje central de la familia boliviana

17 Comprensión

1. ¿Qué importancia tiene la madre en la familia boliviana?

2. ¿Con qué hecho histórico está relacionado el Día de la Madre en Bolivia?

3. Además de las madres, ¿qué otras mujeres desempeñan un rol importante en la vida familiar boliviana? ¿Por qué?

18 Analice

1. ¿Cómo se celebra el Día de la Madre en su país?

2. Compare el rol de la madre en Bolivia con el que tiene en su cultura. ¿Qué semejanzas y diferencias encuentra?

Las madres se encargan de cuidar a los hijos.

En Bolivia, la madre es el pilar fundamental del hogar, ya que la mayoría de las familias se caracterizan por la ausencia del padre, que suele migrar[1] a otras regiones del país o a países vecinos en busca de trabajo. En muchísimos casos, son las mujeres quienes quedan a cargo de mantener y criar a los hijos.

El papel central de las madres en Bolivia está relacionado con las celebraciones tradicionales. En el mes de mayo se las homenajea[2] por razones históricas peculiares. El 27 de mayo de 1812, un grupo de mujeres de Cochabamba sacrificó su vida combatiendo contra las tropas realistas[3] españolas. Con el fin de proteger a sus hijos, se organizaron con la consigna[4] "nuestro hogar es sagrado". Todas fueron masacradas. En 1927, en reconocimiento a la valentía de estas heroínas, se consagró[5] oficialmente el 27 de mayo como Día de la Madre en Bolivia. Desde entonces, es un día muy especial para el que se preparan actividades, homenajes y regalos con anticipación.

Las trabajadoras del hogar son otro ejemplo de mujeres que desempeñan un rol destacado en la vida familiar. En Bolivia, es muy común pagarle a una persona para que se ocupe de los quehaceres y del cuidado de los niños. Las trabajadoras del hogar suelen vivir en las casas donde trabajan.

[1] move   [2] are honored   [3] royalist   [4] slogan   [5] established

Búsqueda: día de la madre en bolivia, heroínas de la coronilla

Prácticas

El Día Internacional de la Familia, que se celebra cada 15 de mayo y fue establecido por la ONU, es una ocasión para celebrar los vínculos que existen entre los miembros de una familia. En 2013, la Cámara de Senadores boliviana sancionó (*passed*) una ley para convertir a esa fecha en fiesta nacional, reconociendo la importancia de la familia como núcleo fundamental de la sociedad boliviana.

Una familia boliviana

El matrimonio en la cultura aymara

El matrimonio entre los aymaras, que es el grupo de pobladores originarios más numeroso de Bolivia y representa el 30 % de la población, no es un asunto personal, sino un acontecimiento[1] social que concierne a la comunidad. El noviazgo no se practica y es común que las uniones sean concertadas[2] por los padres. Los jóvenes pueden casarse si cumplen algunos requisitos de carácter social y cultural.

Uno de los requisitos para el varón es haber ejercido cargos de autoridad en la comunidad, como haber supervisado los bailes que se realizan antes de los carnavales. Se considera que un joven puede ser responsable con su familia solo si ha demostrado ser responsable con la comunidad. Otros requisitos incluyen tener ahijados[3], tener cantidad suficiente de vestimentas y saber arar[4], techar una casa y tejer[5]. Para la mujer, los requisitos son similares. Después de casarse, pasan a ser considerados "personas completas".

Una pareja aymara contrae matrimonio.

Los padrinos[6] son los responsables directos de los novios. No es solo una responsabilidad espiritual sino total, porque deben apoyar y ayudar en los trabajos comunales a la nueva pareja. Se los considera segundos padres y su responsabilidad es tal que se dice que de ellos depende el éxito de la nueva pareja.

[1] event   [2] arranged   [3] godchildren   [4] plow   [5] weave   [6] godparents

Búsqueda: matrimonio aymara, padrinazgo en la comunidad aymara

Productos

La "enramada" es la primera residencia de los recién casados en la cultura aymara. Se trata de una construcción provisional hecha con varas de eucalipto y un toldo. La entrada se decora por completo con hojas frescas y flores de kantuta, típicas del altiplano. En ese lugar se recibe y agasaja (*are honored*) a los novios, los padrinos y las autoridades comunitarias.

Flores de kantuta

19 Comprensión

1. ¿Qué importancia tiene la comunidad en los matrimonios aymara?

2. ¿Qué papel desempeñan los padrinos de un matrimonio aymara?

3. ¿Qué es la "enramada"?

20 Analice

1. ¿Qué ventajas y desventajas opina Ud. que puede tener el hecho de que la comunidad tenga tanta influencia en los matrimonios?

2. ¿Por qué cree Ud. que tener ahijados es un requisito para casarse?

El aguayo

El aguayo es un tejido colorido hecho a mano que usan las mujeres del altiplano[1] para cargar bebés, sentarse y exponer[2] productos. Su uso se consolidó en el siglo XIX debido a la presencia masiva de mujeres aymaras, que habían migrado del campo a la ciudad. Actualmente, está íntimamente relacionado con las cholas (mujeres de raíces aymaras y de corte urbano[3]) y es un accesorio imprescindible de su atuendo[4], como la falda y el sombrero.

21 Comprensión

1. ¿Qué es el aguayo y para qué se usa?

2. ¿Quiénes son las cholas?

3. ¿Qué concepción del tiempo tienen los aymaras?

El aguayo es bonito además de útil.

22 Analice

1. ¿Qué ventajas o desventajas cree Ud. que tiene el uso del aguayo para las madres?

2. Algunas teorías sobre la crianza de los niños sostienen que el uso de aguayos o elementos similares para cargar a los bebés son beneficiosos para los niños. ¿Qué opina Ud. al respecto?

Tradicionalmente, se envuelve al bebé en un aguayo pequeño, con los brazos pegados al cuerpo para que no pase frío ni se arañe[5] la cara. Luego se coloca al bebé en el aguayo más grande y la mujer lo pone sobre su espalda y lo amarra[6] a su cuerpo.

Detrás de esta costumbre cotidiana, se encierra una concepción del tiempo. En el mundo aymara, el tiempo no es lineal, sino que es un círculo en el cual las personas caminan mirando al pasado, que es lo conocido, y de espaldas al futuro, que es lo desconocido. Por eso, al bebé, que representa el futuro, se lo lleva en la espalda.

Perspectivas

La psicóloga Ivonne Ramírez Martínez, que realizó una investigación sobre el uso del aguayo para cargar niños, señaló: "Es un elemento totalmente correlacionado con un aspecto antropológico que implica que el ser humano hasta la edad de dos años no puede valerse por sí mismo". Según esta cita, ¿cuál cree que es la relación entre el uso del aguayo y los valores familiares de la cultura aymara?

[1] Andean plateau   [2] display   [3] urban style   [4] outfit   [5] scratch   [6] ties

Búsqueda: aguayo boliviano, chola boliviana, tejidos bolivianos

Comparación y contraste: ¡Ojo con estas palabras!

En español, a diferencia del inglés, *to know* tiene dos significados diferentes.
Preste atención, pues el uso del uno o el otro depende del contexto.

> Óyeme, ¿tú sabes manejar este teléfono? Ayúdame.

> Yo no sé, pero conozco a alguien que sabe hacerlo y puede ayudarte.

to know — saber
conocer

Saber

> *to have knowledge of facts, concepts, or information*
> **¿Sabes** cuándo se celebra en Bolivia el Día de la Madre?

> *to know by heart*
> **Sé** de memoria los nombres de todos los países del mundo hispano.

> *to know how to do something*
> ¿Cuántos de Uds. **saben** hablar dos idiomas?

Conocer

> *to be acquainted with a person or place; to be familiar with*
> No **conozco** bien esta área del país y tampoco **conozco** bien las señales de tránsito en español.

> *to meet (someone) for the first time*
> Ayer **conocí** a los hermanos de mi esposo por primera vez.
> Hoy voy a **conocer** a mis suegros y estoy muy nerviosa.

To meet tiene otras variaciones de significado, además de **conocer**, como se ve a continuación.

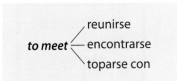

to meet — reunirse
encontrarse
toparse con

reunirse   *to meet with a group or club*
Siempre **nos reunimos** para hacer las tareas después de clases.

encontrarse   *to meet by appointment or chance*
Ayer **me encontré** con tu madre en el supermercado.

toparse (tropezarse) con   *to meet by accident; to run into*
A que no adivinas **con** quién **me topé/me tropecé** a la salida del cine.

Nos divertimos mucho cuando nos reunimos en grupo a trabajar.

Complete las oraciones con la forma de **saber** o **conocer** según corresponda de acuerdo al contexto.

1. Hacía mucho tiempo que yo (*conocía / sabía*) a Marcela y (*conocía / sabía*) que era boliviana.

2. No (*conocía / sabía*) su casa pero (*conocía / sabía*) que era agradable y moderna.

3. Cuando Marcela (*conoció / supo*) que mi prima y yo estábamos de vacaciones en La Paz, nos invitó a su casa.

4. Allí (*conocimos / supimos*) a toda su familia.

5. Yo (*conocía / sabía*) que a Marcela le gustaba cocinar y, como era de esperar, la cena que preparó estaba riquísima.

6. Nos divertimos mucho en La Paz y en compañía de Marcela (*conocimos / supimos*) muchos lugares interesantes.

7. Hoy recibí una carta de Marcela. Dice que hace seis meses (*conoció / supo*) a un muchacho boliviano pero no (*conoce / sabe*) si se casarán pronto o no.

8. Yo (*conocía / sabía*) que tarde o temprano encontraría en su país al hombre de sus sueños.

9. Ellas (*conocieron / supieron*) del accidente durante la cena.

10. Yo (*conocía / sabía*) las capitales de los países del mundo cuando era niña. Ahora no recuerdo ninguna.

11. Mi mejor amigo (*conoce / sabe*) mucho sobre autos de carrera.

12. Mi padre (*conocía / sabía*) que yo estaba triste, pero él me hizo reír de todos modos.

13. Mi hermano y su novio (*se conocieron / se supieron*) hace un año.

14. Mis padres (*sabían / conocían*) conducir bien en La Paz.

15. Nosotros (*conocemos / sabemos*) llegar al aeropuerto.

16. ¿(*conocía / sabía*) la respuesta a su pregunta? ¡Yo no!

> ## Un poco más
>
> El verbo **saber** toma el significado de **enterarse** (*to find out*) cuando se usa en pretérito.
>
> ¿Cuándo supiste la noticia de la boda?
>
> *When did you find out the news about the wedding?*

¡Comunicación!

Imagine que lleva varios años en la universidad y un día se encuentra en la calle con un(a) compañero/a de colegio a quien no ha visto desde hace mucho tiempo. Los dos se ponen a conversar sobre todos los amigos que tenían en la secundaria y lo que ha sido de sus vidas. Con un(a) compañero/a, representen la conversación entre los dos amigos. Usen los verbos del recuadro y túrnense para hacerse preguntas y responderlas, como se ve en el modelo.

saber	conocer	reunirse	encontrarse	toparse

MODELO A: ¿Qué sabes de la vida de Hannah?

B: No mucho. Me la encontré un día saliendo de un concierto, pero no tuvimos tiempo de hablar. Unos días después supe que se había casado.

 ¡Comunicación!

25 Una boda fuera de lo normal 👥 Interpersonal Communication

Imagine que Ud. iba de regreso a casa después de su trabajo cuando se encontró en medio del terrible embotellamiento de tráfico que se muestra en la ilustración. Al principio no sabía qué estaba pasando, pero luego supo que en ese mismo momento estaba teniendo lugar una boda completamente fuera de lo normal.

Ud. decide avisarle a su esposa la razón de su retraso y, al enterarse, ella empieza a hacerle muchas preguntas. Tiene gran curiosidad de saber todos los detalles de una boda tan extravagante. Con un(a) compañero/a representen la conversación entre el esposo y su esposa, con base en los temas que se dan como guía y otros de su propia imaginación. Túrnense para intercambiar información, como se ve en el modelo.

© Quino

MODELO

> **Leo:** Ana, perdona pero voy a llegar tarde a cenar.
>
> **Ana:** ¿Por qué? ¿Qué pasa? ¿Estás bien?
>
> **Leo:** ¿No sabes lo que está pasando en el puro centro de la ciudad?
>
> **Ana:** Supe algo en las noticias sobre una boda que ha paralizado todo el tráfico, pero no sé detalles. Cuéntame más.
>
> **Leo:** …

- El lugar de la boda
- La iglesia
- Los alrededores
- La ropa del novio
- La ropa de la novia
- El sombrero de la madrina (*godmother*)

- El traje del padrino
- El clima esa mañana
- Los conductores
- El tráfico
- Los transeúntes (*passersby*)
- La actitud de los transeúntes

¡Comunicación!

26 ¿En qué se parecen? 👥 Interpersonal Communication

Trabajen con un(a) compañero/a e imaginen que la casa que se muestra es la casa donde cada uno pasó su niñez. Observen la fachada y el plano de la casa y digan en qué se parece o se diferencia de la casa donde viven hoy en día. Hagan las comparaciones con base en los puntos que se dan a continuación y túrnense para hacerse preguntas y responderlas como se ve en el modelo.

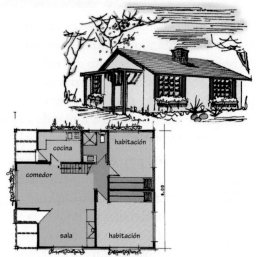

> **MODELO**
>
> **A:** ¿Qué tienen en común tu casa de hoy en día y la casa de tu niñez?
>
> **B:** No se parecen mucho. La casa de mi niñez era mucho más pequeña que la casa donde vivimos ahora.

- Tamaño de la casa y número de plantas
- Cantidad y tamaño de las habitaciones
- Distribución de las habitaciones
- Estilo y arquitectura

27 ¿Estás loco? 👥 Interpersonal Communication

Imagine que Ud. y su esposo/a viven con sus padres hace tiempo, pero ellos se van a jubilar (*retire*) y se van a ir a vivir lejos. Ud. y su esposo van a mudarse a un nuevo apartamento que es mucho más pequeño y por eso van a tener que vender muchas cosas. El problema es que no pueden ponerse de acuerdo en lo que van a vender. Siempre que su esposo sugiere vender una cosa u otra, Ud. encuentra una razón para no querer venderla. Con un(a) compañero/a, hagan los papeles del esposo y la esposa y representen la situación. Intercambien información sobre las cosas que deben vender y las razones por las cuales quieren o no quieren deshacerse de ellas, como se ve en el modelo.

> **MODELO**
>
> **Esposo:** Tenemos que vender el juego de comedor. Es demasiado grande, pero es fino. Lo podremos vender bien.
>
> **Esposa:** ¿El comedor? ¿Estás bromeando? En esos muebles está la historia de mi niñez, de todas las veces que nos reuníamos a comer o a celebrar en familia.
>
> **Esposo:** ...

28 Querida mamá Presentational Communication

Ahora, escríbale un correo electrónico a su madre y cuéntele en detalle cómo Ud. y su esposo resolvieron el problema de la actividad anterior. ¿Cómo hicieron para ponerse de acuerdo, qué cosas vendieron y a qué precio y qué compraron para el nuevo apartamento con el dinero que reunieron?

¡Comunicación!

29 Soltero por gusto propio 👥 Interpersonal Communication

¿Qué piensa Ud. de las personas que llevan una vida de soltero/a por gusto propio, no por falta de pareja? Primero, complete las oraciones según su opinión. Luego, compare sus respuestas y sus razones con las de un(a) compañero/a de clase. ¿Están de acuerdo o en desacuerdo?

1. Ser soltero/a es muy conveniente y significa...

   A. no tener que darle explicaciones a nadie si...

   B. poder dejar... amontonados (*piled up*) sin que esto le moleste a nadie.

   C. poder quedarse todo el día... o toda la noche...

   D. poder comer...

   E. nunca tener que...

2. Pero ser soltero/a tiene sus desventajas y puede significar...

   A. que los fines de semana...

   B. tener que quedarse...

   C. que en la casa...

   D. no tener excusas para...

   E. no tener con quién...

3. ¿Cuáles son tres razones convincentes para quedarse soltero/a?

4. ¿Cuáles son tres razones convincentes para casarse?

30 Intercambio de ideas 👥 Interpersonal/Presentational Communication

Reúnanse en grupos de tres o cuatro estudiantes para hablar de los siguientes temas. Intercambien información y tomen nota de los puntos en que estén de acuerdo y en desacuerdo. Luego, nombren a un representante para que presente las conclusiones de su grupo al resto de la clase.

1. La edad perfecta para casarse

   Los muchachos de hoy en día no desean casarse muy jóvenes. ¿Cuál es la mejor edad para casarse? ¿Cuáles son algunas ventajas de casarse joven? ¿Es mejor vivir un tiempo con su pareja antes de casarse? ¿Qué ventajas hay en esta convivencia? ¿Qué desventajas?

2. Cambios en la familia

   ¿Creen Uds. que en una familia donde existe unión, afecto y diálogo los problemas se resuelven más rápido? ¿Saben Uds. cómo ha cambiado la familia en los últimos diez o veinte años? ¿Qué razones ha habido para esos cambios? Expliquen su respuesta.

3. El matrimonio como institución

   ¿Piensan Uds. que el matrimonio está pasado de moda? ¿Por qué tantas parejas se divorcian hoy en día? ¿Cómo han cambiado nuestras ideas sobre las obligaciones de los esposos? ¿Cómo ven Uds. el papel de la mujer y del hombre en la familia?

¿El matrimonio está pasado de moda?

Gramática

El pretérito vs. el imperfecto

En general, el pretérito se usa para narrar acciones que se completaron en el pasado, que empezaron y terminaron en un momento específico.

- Narra acciones que ocurrieron en un momento específico.

    Mi primo Eduardo **vino** a cenar anoche.

    Eduardo **llegó** a las seis en punto.

- Narra acciones sucesivas que se consideran terminadas en el pasado.

    Después de cenar, yo **barrí** el suelo, **lavé** y **sequé** los platos, y **pasé** la aspiradora.

El imperfecto se usa para describir acciones que transcurrían (*were taking place*) en el pasado y que pueden haber o no haber terminado.

- Se usa para describir acciones que se repiten de forma habitual en el pasado (*would, used*)

    Eduardo **venía** a visitarnos todas las vacaciones. Siempre **llegaba** el viernes por la noche y **se marchaba** el domingo.

- Describe acciones que ocurren al mismo tiempo en el pasado, sin precisar su duración.

    Cuando él nos **visitaba** siempre **hacíamos** una cena especial.

- Describe escenas y condiciones que ocurren en el pasado sin prestar atención a su duración o resultado.

    Eduardo nos **contaba** de su vida, su trabajo y sus amigos.

    Siempre **salía** con chicas muy bonitas.

- Describe acciones que ocurren en el pasado como parte del escenario (*background*) de otras acciones que ocurren durante ese tiempo. Ese uso es equivalente del inglés *was/ were + -ing form of the verb*.

    Cuando **viajaba** por Sudamérica, **conoció** a Nancy, una chica muy especial.

    Cuando **estaba viajando** por Sudamérica, **conoció** a Nancy, una chica muy especial.

Ya se imaginaba vestida con su traje de novia.

- Se usa para describir los estados y características de las personas y las características de las cosas, los hechos o acontecimientos.

    De niña **me ponía** muy feliz cuando mi primo Eduardo nos visitaba. Él **era** muy simpático y **tenía** buen sentido del humor.

- Se usa para decir la hora y la edad en el pasado.

    Tenía cinco años cuando nos mudamos a esta ciudad y conocí a mi primo por primera vez.

    Eran las ocho cuando Eduardo llegó a cenar anoche y **era** muy tarde cuando se marchó.

En la misma oración, el imperfecto puede describir el escenario o ambiente en el que otra acción (en el pretérito) parece ser una interrupción.

Después de la cena, **hablábamos** en el salón cuando Eduardo **anunció** que **estaba** comprometido.

Como resultado de la diferencia entre el pretérito y el imperfecto, algunos verbos se traducen al inglés usando palabras diferentes.

conocer	to know, be acquainted with	**Conocía** a Eduardo desde que era pequeña.
	to meet for the first time	Anoche **conocimos** a su novia durante la cena.
saber	to know	Yo **sabía** que eran novios desde hacia tiempo.
	to find out	Apenas hoy **supimos** que iban a casarse este verano.
poder	to be able	Él no **podía** venir a vernos con frecuencia.
	to manage to, succeed in	Por fin **pudo** venir con ella por unos días.
querer	to want, to try to	**Quería** que la conociéramos personalmente.
no querer	not to want, to refuse	Mi tía **estaba** muy disgustada y no **quiso** venir a la cena a conocerla.

31 Antes de que te cases, mira lo que haces

Complete la conversación entre dos amigos, Jorge y Lucas, con la forma del pretérito o del imperfecto que corresponda de acuerdo al contexto.

Jorge: Y tú, Lucas, ¿dónde (**1**. *conocer*) a Mariela?

Lucas: La (**2**. *conocer*) una noche en una fiesta, el verano pasado.

Jorge: Esa noche, ¿tú (**3**. *saber*) que su familia (**4**. *ser*) tan, tan... fuera de lo común?

Lucas: ¡Para nada, Jorge! Lo (**5**. *saber*) mucho más tarde, una noche cuando (**6**. *visitar*) su casa.

Jorge: Cuéntame. ¿Qué (**7**. *pasar*) esa noche? Recuerdo que tú (**8**. *ir*) a su casa para pedir su mano. ¿(**9**. *poder*) hacerlo?

Lucas: ¡Claro que no! Yo (**10**. *querer*) hablar con el padre de Mariela, como había intentado muchas veces antes, pero...

Jorge: No entiendo.

Lucas: Pues, cada vez que (**11**. *querer*) hablar con su padre, Mariela me (**12**. *decir*) que no (**13**. *poder*) porque....

Ahora, use la imaginación y diga por qué no podía Lucas hablar con su padre.

Jorge: ¡No lo puedo creer, Lucas! Menos mal que tú (**14**. *saber*) eso antes, para no casarte con Mariela. Ya sabes el viejo refrán, "Antes de que te cases, mira lo que haces."

Para decir más

Fíjense que...	Notice that...
¿Se pueden imaginar que...?	Can you imagine that... ?
Fue algo espantoso...	It was something frightening...
Escuchen lo que les voy a contar...	Listen to what I'm going to tell you...
Fue algo muy divertido...	It was something very funny...
Cuando tenía... años...	When I was... years old...
Les cuento que...	I'm telling you that...
No me van a creer, pero...	You are not going to believe me, but...
A mí me gustaba...	I liked...

32 Una vieja costumbre

Complete las oraciones con el imperfecto o el pretérito del verbo que está entre paréntesis según corresponda al contexto.

Siempre disfrutábamos una excursión al campo.

En mi familia, el sábado (**1.** *ser*) día de excursiones al campo. Todos los fines de semana yo (**2.** *levantarse*) temprano y (**3.** *correr*) a la cocina para desayunar. Allí (**4.** *estar*) mi papá, sentado a la mesa con mis dos hermanos. Ellos (**5.** *leer*) el periódico y (**6.** *escuchar*) las noticias en la radio. Mi mamá y la abuelita (**7.** *hacer*) los preparativos para nuestro día de campo. Mientras mi mamá (**8.** *poner*) frutas en bolsas de plástico, la abuelita (**9.** *preparar*) los tamales y el pollo picante. ¡Qué rico!

Un día yo (**10.** *levantarse*) temprano para ir al campo, como siempre, pero no (**11.** *sentirse*) bien. (**12.** *tener*) náuseas y dolor de cabeza. Cuando mi mamá me (**13.** *ver*) me (**14.** *preguntar*) qué pasaba. Yo (**15.** *empezar*) a llorar porque (**16.** *querer*) ir al campo a pesar de (*in spite of*) estar enfermo. En ese momento mi papá (**17.** *entrar*) al cuarto y (**18.** *decir*) que (**19.** *llover*) muy fuerte y que no (**20.** *ser*) posible ir de excursión.

33 ¿Qué, cuándo y por qué?

Forme oraciones completas con un elemento de cada columna. Use el pretérito con los verbos de la columna B y el imperfecto con los verbos de la columna C.

MODELO   **Ayer me levanté tarde porque era día de fiesta.**

A	B		C
El domingo...	...ponerme el impermeable...	...porque...	...llover.
La semana pasada...	...llamar a mi amigo(a)...		...ser mi (su) cumpleaños.
	...levantarme tarde...		...no tener ganas de salir.
Anoche...	...recoger la mesa...		...ser día de fiesta.
El otro día...	...limpiar la casa...		...acabar de almorzar.
Ayer...	...quedarme en casa...		...tener una cita a las siete y media.
Esta tarde...	...ir al mercado...		...querer ver las noticias.
Esta mañana...	...encender el televisor...		...venir mis padres a visitar.
El año pasado...	...lavar la cafetera...		...necesitar ir de compras.
	...salir de casa a las siete...		...estar sucia.

34 | Problemas sin solución

Complete el párrafo con el pretérito o imperfecto de los verbos entre paréntesis según corresponda de acuerdo al contexto.

Mientras (**1.** *estoy, estaba*) en el aeropuerto, me (**2.** *di, daba*) cuenta de que no (**3.** *tuve, tenía*) el pasaporte. No (**4.** *estuvo, estaba*) en la maleta. Pensé que tal vez (**5.** *estuvo, estaba*) en casa. Pero yo me acuerdo que anoche lo (**6.** *puse, ponía*) en la maleta. Estoy seguro: (**7.** *fue, era*) un robo. Tenía que serlo. También me (**8.** *faltó, faltaba*) el cambio que me (**9.** *dio, daba*) el taxista. (**10.** *pensé, pensaba*) que todavía (**11.** *pude, podía*) arreglar el asunto, pero eso no (**12.** *fui, iba*) a suceder. Me (**13.** *fastidió, fastidiaba*) pensar que no (**14.** *hubo, había*) solución. Pero lo cierto es que debo llamar a la policía y volver a casa. No puedo resolver mi problema. ¡Qué bobada!

¡Comunicación!

35 | Una pequeña equivocación

Interpersonal Communication

En parejas, miren la ilustración a la derecha y piensen en posibles escenarios que expliquen lo que pasó en el hospital cuando nacieron estos niños. Usen el pretérito y el imperfecto para describir la situación: qué pasó con los bebés, qué hacían las madres cuando eso sucedió, qué estarán pensando ahora que se están enterando de la realidad. Túrnense para dar su opinión, como se ve en el modelo.

—*Esta es la señora que ocupaba la cama contigua a la mía en la maternidad.*

MODELO

A: ¿Crees que apenas ahora se enteraron de que se había cometido una gran equivocación?

B: No sé. Seguramente sospechaban algo, pero solo ahora lo saben con certeza.

¡Comunicación!

36 El teléfono roto 👥 **Interpersonal Communication**

Divídanse en dos grupos para hacer el siguiente juego y formen dos círculos.

- Para empezar, un(a) estudiante comienza el juego en cada círculo, diciendo que ayer/la noche anterior/la semana pasada vio a uno de sus cantantes favoritos (o a uno de sus amigos) salir de un lugar.

- El/la siguiente estudiante repite lo que recuerda y agrega algo más. Uno a uno, los estudiantes van agrandando la increíble historia hasta completarla.

MODELO **Estudiante 1: Escuchen lo que les voy a contar. Anoche vi a Ricky Martin salir de un lugar muy extraño.**

Estudiante 2: Anoche vi a Ricky Martin salir de un lugar muy extraño. Iba de jeans y chaqueta negra.

Estudiante 3: Anoche vi a Ricky Martin salir de un lugar muy extraño. Iba de jeans y chaqueta negra y estaba con un hombre que yo no reconocí.

37 Anécdotas del pasado 👥 **Presentational Communication**

En un grupo de tres o cuatro compañeros(as) de clase, cuenten una historia interesante o divertida de su pasado. Túrnense para contar sus anécdotas y usen las expresiones que se dan como guía.

- Una caída en público
- Un viaje al extranjero
- Una fiesta inolvidable
- Un regalo importante
- Una equivocación graciosa
- Un paseo increíble

Me encantaba abrir los regalos que me daba mi novio.

¡Comunicación!

38 ¡A que no sabes qué pasó! Interpretive Communication

Lea el correo electrónico que Alicia le escribió a su amiga Cristina, en el que explica por qué tuvo que acortar su viaje por Sudamérica y, luego, conteste las preguntas que siguen.

○○○   Nuevo mensaje

De:	Alicia
Para:	Cristina
Asunto:	¡A que no sabes qué pasó!

Querida Cristina:

Seguramente estás preocupada por mi silencio. Pensé enviarte unas líneas cuando estuve en Perú pero sucedieron muchas cosas.

Después de licenciarme en la Universidad de Salamanca pude realizar uno de mis sueños: hacer un viaje largo por Sudamérica. Esta vez fui con mi amiga Eugenia. Decidimos ir a Brasil, Argentina, Chile, Perú y Bolivia. Todo iba muy bien hasta el día que llegamos a Lima. En lugar de enviarle a mis padres el típico correo electrónico se me ocurrió llamar por teléfono a casa para saber cómo estaba la familia.

Mi sorpresa fue grande al oír que mi hermana Lucía, la menor de todos los hermanos, se había comprometido y se casaba muy pronto. Eugenia tuvo que continuar el viaje sola y a mí no me quedó más remedio[1] que volver a España.

Cuando llegué a casa, todos estaban muy nerviosos y ocupados. Mi madre llevaba un mes haciendo el vestido de novia y los trajes de gala de mis sobrinos. Mi padre intentaba, sin mucho éxito, mantener la calma y vigilar los preparativos de la boda. Mis primos, mis hermanos y yo nos pasamos los días que precedieron a la boda junto a mis tías y a la abuela, que ayudaban a mi madre.

Felizmente, todo salió bien. La boda fue muy bonita y los novios se veían muy contentos. Ya te enviaré algunas fotos.

Escríbeme pronto,
Tu amiga de siempre,
Alicia

[1] I had no choice

---

1. ¿Por qué seguramente estaba preocupada Cristina, la amiga de Alicia?

2. ¿Qué hizo Alicia después de terminar sus estudios?

3. ¿Por qué no les envió un correo electrónico a sus padres?

4. ¿Por qué tuvo que interrumpir su viaje?

5. ¿Cómo estaba la familia días antes de la boda?

6. ¿Cómo fue la boda de Lucía? ¿Cómo se veían los novios?

Lectura informativa

Antes de leer 🎧

En Bolivia, es usual que las trabajadoras del hogar vivan en la casa en la que trabajan. ¿Qué ventajas y desventajas cree Ud. que pueda tener este sistema?

39 Comprensión

1. ¿Qué motivó la creación de la cooperativa *Sin patrón ni patrona*?

2. ¿Qué servicios ofrece la cooperativa?

3. ¿Qué ventajas tiene este sistema de trabajo?

40 Analice

¿Por qué cree Ud. que a muchas trabajadoras podría resultarles difícil tomar la decisión de sumarse a esta iniciativa?

Página SIETE

La Paz, Bolivia
Viernes 27 de Marzo
13:42 hs

↘ Ingresar   👤 Registrarse

ECONOMÍA   NACIONAL   PLANETA   GENTE   CULTURA   MIRADAS

Las trabajadoras del hogar se asocian y ofrecen servicios domésticos por hora

La ropa bien planchada luego de un lavado exigente, la casa reluciente y unos niños bien cuidados son los principios de la autodenominada "cooperativa" de trabajadoras del hogar *Sin patrón ni patrona*. Este emprendimiento[1] lo lidera un grupo de trabajadoras que optaron por la oferta de servicios para mejorar la calidad de su trabajo y optimizar los resultados.

Un piso de machimbre[2], limpio y brillante, se deja ver luego de abrir la puerta de una casa antigua típica del paceñísimo[3] barrio de Sopocachi. Se trata de la sede de *Sin patrón ni patrona*. La iniciativa surgió hace un año cuando siete mujeres decidieron dejar de ser trabajadoras del hogar para ofrecer servicios como lavado y planchado de ropa, limpieza de casas y departamentos, además de cuidado de niños y niñas. La principal característica de esta oferta es que se cobra por hora trabajada.

Recientemente inauguraron un restaurante con capacidad para 16 personas, donde ofrecen almuerzos diarios con ensalada bufet. También brindan servicio de *catering* y bocaditos[4] para reuniones sociales. [...]

Desde que emergió esta iniciativa, quienes la lideran buscan que se diferencie de las agencias de empleos, donde se "coloca"[5] a la gente. En *Sin patrón ni patrona*, en cambio, se ofrecen servicios; las trabajadoras disponen de su tiempo y ya no tienen que pedir permiso a nadie para realizar sus actividades, dado que el trabajo que realizan es por horas, a causa de la flexibilidad de los horarios que tienen.

Al subir las cuidadas y limpias gradas[6] de la sede no se encuentra ni rastro de polvo en las barandas[7] de madera. Allá, arriba, están los cuartos principales, donde habitan las socias de la "cooperativa". En la planta baja está el cuarto de Victoria que fue trabajadora del hogar durante 30 años. [...]

Los recursos que ganan con los servicios que ofertan los comparten entre ellas. Victoria explica que todas las socias de este emprendimiento trabajan y que del total del monto que ganan, el 10 % se destina para el mantenimiento y sustento de *Sin patrón ni patrona*. [...]

[1] undertaking   [2] tongue-and-groove boards   [3] very typical of La Paz   [4] snacks   [5] place
[6] steps   [7] handrail

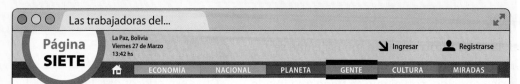

Las trabajadoras del...

Página SIETE

La Paz, Bolivia
Viernes 27 de Marzo
13:42 hs

↘ Ingresar 👤 Registrarse

ECONOMÍA   NACIONAL   PLANETA   GENTE   CULTURA   MIRADAS

Son las 10:30. Se oyen pasos apresurados en el primer piso. Alguien baja trotando las gradas. "Ella es Cristina Ibáñez", dice Victoria. [...] "Está yendo a la radio", justifica ante las miradas de este periodista y el fotógrafo, que preguntan "¿A dónde se dirige?". "Tenemos nuestro programa, pues... Hasta para eso nos turnamos, para atender eso por días y horarios", añade.

El espacio radial se denomina *Soy trabajadora del hogar con orgullo y dignidad*, desde donde publicitan su emprendimiento cooperativo. A través de este medio, que transmite de lunes a viernes con una duración de una hora, también difunden[8] historias e investigaciones de su ámbito de trabajo.

[...] También cuentan con una página en Facebook, llamada *Sin patrón ni patrona*, donde los posibles clientes pueden realizar las reservas para el restaurante y consultar sobre las tarifas[9] de sus servicios. [...]

Ellas consideran que es mejor trabajar de esta forma, a estar expuestas a una situación de explotación laboral, cuando desempeñan su labor "cama adentro". "A cualquier hora, los empleadores llegan y te dicen 'servime un té o un café', porque vives en la misma casa", comenta Yolanda, luego de explicar que esa fue una de las razones por las cuales se creó la "cooperativa".

Trabajadoras del hogar

Esta iniciativa —según ella— es una alternativa para que las trabajadoras del hogar se den cuenta del valor de su trabajo y aprovechen de mejor manera su tiempo. Es para que tengan suficiente margen para realizar otras actividades como dedicarse al estudio. [...]

Entre micrófonos, plumeros y detergente

En Facebook El 12 de junio *Sin patrón ni patrona* creó su página de Facebook, en la que los potenciales clientes pueden solicitar información sobre tarifas además de reservar almuerzos.

Programa Soy trabajadora del hogar, con orgullo y dignidad se llama el programa de radio en el cual se habla sobre la temática[10] relacionada con este sector laboral. Se emite de lunes a viernes por radio Deseo 103.3 FM de 14:00 a 15:00.

Capacitación in situ Las capacitaciones[11] en limpieza para nuevas integrantes las realiza la encargada del área, Yolanda Mamani, en los mismos ambientes donde contratan los servicios de *Sin patrón ni patrona*. En las primeras sesiones llevan sus propios implementos de limpieza.

Niñeras 24 horas Dentro de la oferta está establecido el servicio de cuidado de niños y niñas las 24 horas del día con previa reserva. [...]

[8] spread   [9] rates   [10] topics   [11] training sessions

🔍 **Búsqueda:** trabajadoras del hogar en bolivia, sin patrón ni patrona, soy trabajadora del hogar con orgullo y dignidad

41 Comprensión

1. ¿Qué medios usa la cooperativa para darse a conocer?

2. ¿Qué significa "trabajar cama adentro"?

3. ¿Qué servicio les ofrece *Sin patrón ni patrona* a las nuevas integrantes de la cooperativa?

42 Analice

Emplear a mujeres para que realicen las tareas del hogar es una práctica muy común en Bolivia. ¿Es esta una práctica común en su país o región? ¿Cómo se organizan las familias con las tareas domésticas en el lugar donde vive?

Una carta informal

Al igual que la carta formal, la carta informal es un mensaje que se envía a otra persona. La diferencia principal es que la carta informal está dirigida a un destinatario conocido, con el que se tiene un vínculo de cierta confianza. Por lo tanto, no aparecerán aquí fórmulas de tratamiento ni elementos formales sino un tono más personal y hasta cariñoso y tratamiento de "tú" para el destinatario.

Recuerde que, de todos modos, la carta informal debe incluir:

- El **saludo**, por ejemplo: *Hola, José.*
- El **cuerpo**, donde aparece el motivo por el que escribe.
- La **despedida**, donde se cierra la comunicación, por ejemplo: *Escríbeme pronto.*

> ### Para escribir más
>
> Otras expresiones de saludo y despedida en una carta informal.
>
> **Querido/a**
> **Recordado/a**
> **Con cariño**
> **Un fuerte abrazo**
> **Recuerdos**

¡Comunicación!

43 Querido Ernesto Presentational Communication

Escriba una carta informal a un amigo boliviano en el que comente las características típicas relacionadas con la vida en el hogar en Estados Unidos. Compare y contraste esas características con las que son tradicionales en Bolivia. Vuelva a leer los textos de Cultura de la unidad si es necesario y considere las siguientes preguntas como punto de partida:

- ¿Qué papel ocupan las madres y los padres, o las mujeres y los hombres en general, en el hogar de cada país?
- ¿Hay celebraciones típicas en las que se refleje ese papel?
- ¿Qué costumbres cotidianas se practican en el hogar, como el uso del aguayo en Bolivia?
- ¿Qué prácticas y requisitos son tradicionales para los jóvenes que quieren formar un nuevo hogar?

Una novia boliviana

Un relato

Un relato es un texto narrativo, cuya extensión puede variar, en el que se cuentan o narran una sucesión de hechos. Además de las acciones, que suelen estar encadenadas en una sucesión causal o lógica, en un relato hay uno o más personajes y un conflicto o un desencadenante de la acción. El propósito de un relato puede ser desde entretener al lector hasta enseñarle una lección o moraleja.

Puede tratarse de hechos reales o ficticios, puede estar escrito en prosa o en verso y el punto de vista puede ser de primera persona (el narrador usa el pronombre "yo") o de tercera persona (el narrador no se menciona a sí mismo en el relato).

En resumen, las características del relato son:

• Los hechos pueden ser reales o ficticios, o una mezcla de ambos.

• Suele estar escrito en prosa.

• El punto de vista puede ser de primera persona (el narrador se identifica con un "yo") o de tercera persona.

¡Comunicación!

44 Soy trabajadora del hogar 🎧 Interpretive Communication

Escuche la canción del programa de radio *Soy trabajadora del hogar con orgullo y dignidad* y diga si las siguientes afirmaciones son verdaderas o falsas.

1. Las trabajadoras del hogar se avergüenzan de su oficio y por eso luchan.

2. Una de las formas de maltrato que destacan en la canción son los nombres o apodos con que las patronas se dirigen a las trabajadoras del hogar.

3. Es común que las patronas piensen que las trabajadoras del hogar roban por necesidad.

4. Las trabajadoras del hogar creen que su situación laboral nunca va a cambiar.

5. En Bolivia no hay ninguna ley que ampare y proteja el oficio de trabajadora del hogar.

45 Ya no soy una empleada Presentational Communication

Vuelva a leer la lectura informativa teniendo en cuenta lo que se dice en la canción. Imagine que Ud. es una trabajadora del hogar boliviana que se ha independizado y escriba un relato en primera persona en el que cuente cómo era su vida antes y cómo es ahora. ¿Cómo han cambiado las cosas? Incluya detalles en el relato, no solo sobre la vida laboral de esta trabajadora del hogar sino también sobre su historia personal. Luego, comparta su relato con el resto de la clase.

Ya trabajo con dignidad y orgullo.

Para escribir más

Puede incluir algunas de estas expresiones en su relato.

Mi vida dio un vuelco cuando...

Las limitaciones que tenía antes...

Ahora gozo de más libertad para...

Vocabulario 3

Mejore su comprensión 🎧

Familiarizarse con este vocabulario le ayudará a leer "Las medias rojas" más adelante, y a mejorar su comprensión auditiva.

a la moda *exp.* De actualidad.

acosar *v.* Perseguir a alguien sin darle descanso.

agarrar *v.* Coger o sujetar con la mano.

amenazador(a) *adj.* Que supone un peligro.

amilanarse *v.* Intimidarse.

aporrear *v.* Golpear algo de forma repetida y violenta.

apretando los dientes *exp.* Cerrar con fuerza los dientes.

arrojar *v.* Lanzar de manera violenta.

aturdido/a *adj.* Confuso.

aturdir *v.* Confundir.

bosque *s.m.* Terreno grande poblado de árboles.

chillar *v.* Dar gritos.

cosecha *s.f.* El producto de la siembra.

defenderse *v.* Protegerse de algún peligro.

en arriendo *exp.* Dado en alquiler.

escudarse *v.* Defenderse de un peligro o amenaza.

espanto *s.m.* Terror, susto.

esperanza *s.f.* Confianza de que ocurra lo que se desea.

fantasma *s.m.* Ser irreal que vive en la imaginación.

fiambre *s.m.* Alimento que se come frío.

gritar *v.* Levantar la voz más de lo acostumbrado.

herir *v.* Hacer daño físico a una persona.

insólito/a *adj.* Poco frecuente, no común.

ira *s.f.* Enfado muy fuerte o violento.

lastimado/a *adj.* Herido o con daño físico.

leña *s.f.* Madera de los árboles que se corta en trozos y se usa para hacer fuego.

lujo *s.m.* Riqueza y comodidades que no son necesarias.

moza *s.f.* Mujer que presta servicios domésticos.

pegar *v.* Dar golpes.

por falta de pago *exp.* Por no haber pagado.

puño *s.m.* Mano cerrada.

sano/a *adj.* Con buena salud.

sin previo aviso *exp.* Sin decir anteriormente.

temor *s.m.* Sentimiento de miedo y desprotección.

trémulo/a *adj.* Temblorosa o que tiembla.

tuerto/a *adj.* Que no tiene visión en un ojo.

zarandear *v.* Mover de un lado a otro con violencia.

Los cuentos de fantasmas me dan espanto.

---

46 Sinónimos

Elija la respuesta correcta.

1. *Espanto* es sinónimo de ____ .

   A. ira   **B.** trémulo   **C.** temor

2. *Gritar* es sinónimo de ____ .

   A. amilanarse   **B.** chillar   **C.** acosar

3. *Herir* es sinónimo de ____ .

   A. zarandear   **B.** lastimar   **C.** amenazar

4. *Aporrear* es sinónimo de ____ .

   A. aturdir   **B.** chillar   **C.** pegar

47 Otra versión

Complete esta versión de "La llorona" con la palabra del recuadro que corresponda según el contexto.

espanto	bosque	leña	esperanza	confundida	fantasma
gritando	fiambre	insólito	en arriendo	amilanarse	indefensos

Dice la leyenda que hace mucho, mucho tiempo, en un pueblo del norte de México, siempre al toque de las doce, ocurría este **(1)** suceso. Se veía la figura de una mujer, toda vestida de blanco, que corría desesperada y **(2)** por las calles, chillando de dolor y **(3)** el nombre de sus hijos y, así, tan de repente como aparecía, se desaparecía camino del **(4)** . Dicen que es el **(5)** de La llorona, una pobre mujer cuyo esposo murió, dejándola viuda y con tres hijos y sin forma de valerse por sí misma. Cuentan que ni siquiera tenía **(6)** con que hacer fuego para calentar a sus hijos, ni un trozo de **(7)** con que alimentarlos y que para completar, por falta de pago, perdió la casa que tenía **(8)** . Dicen que al verse en la calle sin **(9)** alguna de salir adelante, agarró a sus hijos y los ahogó en el río. Luego de que realizó con **(10)** el horror de sus acciones, ella misma, sin temor y sin **(11)** se arrojó al mismo río donde había acabado con la vida de sus pobres inocentes e **(12)** hijos.

48 Un original día de campo 🎧

Escuche el relato "Un original día de campo". Luego, Ud. oirá la primera parte de una oración y tres terminaciones posibles. Seleccione la letra de la respuesta con la terminación más lógica. La oración y las terminaciones se leerán dos veces.

Los pequeños se divirtieron enormemente.

1. **A.** ... pasaron el fin de semana en el bosque.

   B. ... le hicieron una cortesía a la compañía de luz y gas.

   C. ... tuvieron un original día de campo en su casa.

2. **A.** ... les cortó los servicios domésticos sin previo aviso.

   B. ... les cortó los servicios domésticos por tres meses.

   C. ... consumió muchísima luz y gas.

3. **A.** ... vio con sorpresa que eran las nueve de la noche.

   B. ... se lavó la cara con agua caliente.

   C. ... bajó a la cocina a preparar el desayuno, pero no había electricidad.

4. **A.** ... le reinstalaron los servicios.

   B. ... nadie contestó porque era sábado.

   C. ... alarmó a sus niños.

5. **A.** ... para ir al bosque a pasar el fin de semana.

   B. ... para enseñar a los niños a sobrevivir en el bosque.

   C. ... para jugar a que todos estaban perdidos en el bosque.

6. **A.** ... porque los hijos tenían miedo de los fantasmas.

   B. ... porque no tenía ni electricidad ni agua caliente.

   C. ... porque la Sra. Morales había pagado sus deudas.

Gramática

Expresiones con *Hace que...* y *Hacía que...*

Hace que... y **Hacía que...** se usan para expresar el tiempo transcurrido (*that has passed*) de una acción, con relación a un momento del presente y del pasado, respectivamente.

- Use **hace** + tiempo + **que** + **presente o presente progresivo** para hablar del tiempo transcurrido de una acción que comenzó en el pasado y todavía continúa en momento presente.

¿Cuánto tiempo **hace que vives** en Estados Unidos?	*How long have you been living in the United States?*
Hace diez años **que vivo** en Estados Unidos. **Hace** diez años **que estoy viviendo** en Estados Unidos.	*I have been living in the United States for ten years.*

- Use **hace** + tiempo + **que** + **pretérito** para hablar del tiempo transcurrido de una acción que comenzó y terminó en el pasado.

¿Cuánto **hace que te mudaste** a esta ciudad?	*How long ago did you move to this city?*
Hace dos años **que me mudé** a esta ciudad.	*I moved to this city two years ago.*

- Use **hacía** + tiempo + **que** + **imperfecto** para hablar de la duración de una acción en el pasado.

¿Cuánto **hacía que no ibas** de regreso a tu país?	*How long had it been since you went back to your country?*
Hacía casi seis años **que no iba** de regreso a mi país.	*I had not been back to my country in almost six years.*

¡Comunicación!

49 ¿Cuánto hace que...? Interpersonal Communication

Con un(a) compañero/a, túrnense para hacerse las siguientes preguntas y responderlas. Usen **hace que** + **presente** como se ve en el modelo.

MODELO   no ir a cine

         A: ¿Cuánto tiempo hace que no vas al cine?

         B: Hace un mes que no voy al cine.

1. no ir al cine
2. no visitar a tu familia
3. estudiar español
4. conocer a tu mejor amigo/a
5. terminar con tu novio
6. vivir en la casa de tus padres

¡Comunicación!

50 Con imaginación — Interpersonal Communication

Con un(a) compañero/a, túrnense para formular preguntas usando **hace que** + **pretérito** y los temas que se dan a continuación. Usen su imaginación para ampliar sus respuestas como se ve en el modelo.

MODELO   casarse (*tus padres*)

> A: ¿Cuánto tiempo hace que se casaron tus padres?
> B: Hace veinticinco años que se casaron.
> A: Increíble cómo pasa el tiempo, ¿verdad?
> B: Sí. Este año van a celebrar sus bodas de plata.

1. casarse (*tus padres*)
2. ir de vacaciones a Bolivia (*Uds.*)
3. aprender a conducir (*tú*)
4. comer en tu restaurante favorito (*tú*)
5. conocer a tu novio/a (*tú*)
6. graduarse de la universidad (*tu hermano/a*)

51 Amigas de por vida — Interpersonal Communication

Imagine que Ud. y su mejor amiga se gradúan de la secundaria este año y se van a ir a estudiar a universidades distintas. El día antes de la partida, se sientan a recordar todo lo que han compartido desde que se conocieron, el primer día de cuarto año de primaria. Represente la situación con un(a) compañero/a y usen el **pretérito**, el **imperfecto** y **hace que** en su conversación, como se ve en el modelo.

MODELO

> A: ¿Cuánto tiempo hace que somos amigas?
> B: Hace casi ocho años que nos conocimos. ¿Te acuerdas?
> A: Como si fuera ayer. Estabas sentada en un rincón del patio del colegio.
> B: Sí, hacía un mes que...

Hacía un mes que llevaba puesto un yeso en el brazo.

52 Ahora le toca a Ud. — Presentational Communication

A todos nos encanta que nos cuenten historias de suspenso. Ahora le toca a Ud. contar un cuento de suspenso, ya sea inventado o basado en la realidad. Empiece su relato con la fórmula: "**hacía + tiempo + que + verbo en el imperfecto...**" y preste atención al uso del pretérito y el imperfecto. Cuando termine de escribir, lea su relato en voz alta, enfrente de la clase.

MODELO

> **Hacía una hora que miraba tele en mi cuarto, mientras afuera caía una lluvia torrencial: rayos y relámpagos y, de repente, silencio y oscuridad total. Solo se oía el sonido del viento golpeando las ventanas...**

¡Comunicación!

53 Amor y despedida ⚏ Interpersonal/Presentational Communication

¡Anoche fue la noche más triste de su vida! Salió a cenar solo/a a un restaurante y terminó enamorándose y despidiéndose, todo al mismo tiempo. Use el pretérito y el imperfecto para completar las oraciones y, luego, cuéntele la historia a un(a) compañero/a de clase. Al final, intercambien información, turnándose para hacerse preguntas y saber más sobre la historia.

1. Anoche yo... y conocí a un(a) muchacho/a muy... en... y...
2. Él/Ella era..., tenía... y le gustaba...
3. Fuimos a... y allí... Todo...

4. Durante toda la noche...
5. Al final de la cena él/ella me dijo que... y que...
6. La despedida fue muy... Yo... y él/ella...

54 ¿Hace cuánto que celebraron las bodas de oro? ⚏ Conéctese: las matemáticas

Interpretive/Interpersonal Communication

Martín habla de los momentos más importantes de su vida. En grupos de tres estudiantes, lean los datos, calculen las fechas y contesten las preguntas que siguen. ¡A ver cuál es el grupo más rápido de la clase! Al final, comparen sus respuestas con las de otros grupos para ver si acertaron en las fechas.

• Hace cincuenta y cinco años que Antonia y yo somos marido y mujer.

• Hace cuarenta y cinco años que estamos viviendo en la misma casita en Bolivia.

• Hace cincuenta y siete años que Antonia y yo nos conocimos en la clase de ciencias cuando los dos éramos estudiantes de la universidad en La Paz.

• Cuando nos conocimos, hacía tres años que yo estaba estudiando en La Paz y hacía solo un año que Antonia estudiaba allí.

• Hace cincuenta y siete años que terminé mi licenciatura y hace cincuenta y cinco que Antonia terminó la suya. El mismo año en que Antonia terminó, nos casamos.

• Hoy es nuestro aniversario de bodas. Hace cincuenta y cinco años que nos casamos y hace cinco años que celebramos nuestras bodas de oro.

• Durante nuestros dos primeros años de casados, trabajábamos juntos en la biblioteca de la universidad.

• Dos años más tarde cambiamos de trabajo porque estábamos cansados de vivir entre libros.

• Por muchos años ahorramos para poder hacer un viaje largo. Hace un año hicimos nuestro sueño realidad cuando le dimos la vuelta al mundo.

1. ¿En qué año comenzó Martín sus estudios universitarios? ¿Y Antonia?
2. ¿Cuándo se mudaron a su casita? ¿En qué año?
3. ¿En qué año se conocieron Martín y Antonia?

4. ¿Cuándo pudieron hacer el viaje de sus sueños? ¿En qué año fue?
5. ¿En qué año comenzaron a trabajar en la biblioteca? ¿En qué año terminaron?
6. ¿En qué año se casaron?
7. ¿En qué año celebraron sus bodas de oro?

55 Minidrama en dos actos

En grupos de tres personas, representen el siguiente minidrama.

Lugar: Una vivienda modesta

Personajes:

Paco Juárez, esposo de Josefina;

Josefina Méndez de Juárez, esposa de Paco;

Doña Matilde, madre de Josefina

Antecedentes: Paco y Josefina Juárez se casaron hace cinco años. Los primeros años de matrimonio fueron muy felices. Por supuesto que discutían de vez en cuando, como todas las parejas jóvenes, pero muy pronto hacían las paces.

Cuando Josefina dio a luz a su primer bebé, doña Matilde fue para ayudar con la niñita y con los quehaceres de la casa.

Al principio, Paco estaba muy contento con su suegra porque ella se encargaba de todo y ni él ni Josefina tenían que preocuparse de nada. Pero después de seis meses de hacer las cosas como quería la mamá de Josefina, Paco comenzó a sentirse como un extraño en su propia casa, y desde hace dos semanas busca la oportunidad de hablar con su esposa sobre esta situación.

¿Cómo crees que me siento? Hace más de seis meses que no hago más que escuchar los consejos y reproches de mi madre día tras día.

Guía para la escenificación

Primer acto:

¿Qué dirá Paco? ¿Cómo reaccionará la esposa? ¿Estará enojada con Paco? ¿O estará de acuerdo con él y tendrá ganas de independizarse de su madre y cuidar personalmente a su niña?

Segundo acto:

Paco y Josefina han discutido el asunto y ahora están en presencia de doña Matilde. ¿Qué le dirán? ¿Le agradecerán por todo y la devolverán a su propio hogar donde su esposo la necesita más? ¿Cuál será la reacción de la suegra?

Las medias rojas
de *Emilia Pardo Bazán*

Emilia Pardo Bazán

Sobre la autora

Emilia Pardo Bazán nació en 1851 en Galicia, España, en el seno de una familia culta que la motivó a leer los clásicos y a escribir. Viajó por Europa y entró en contacto con el movimiento naturalista y las obras de Zolá. La publicación de sus artículos explicando este movimiento literario en *La cuestión palpitante* (1882) causó un escándalo que la llevó a separarse de su marido. A pesar de la fuerte oposición machista de la época, Pardo Bazán fue la primera mujer que tuvo una cátedra de literatura en la Universidad Central de Madrid. Allí murió en 1921.

Antes de leer

Este relato describe una escena rural entre un padre y su hija. Las medias rojas son algo más que un objeto de lujo para la hija de un labrador. Representan otro tipo de vida que ella tiene la esperanza de alcanzar y, por eso, se convierten en la causa de la fatal discusión entre ella y su padre. ¿Qué motivos de discusión cree Ud. que son frecuentes entre padres e hijos?

Estrategia

Causa y efecto

Las relaciones de causa y efecto en una lectura explican qué pasa y por qué. La causa es la razón de lo que pasa y el efecto es el resultado de esa acción. Si la causa y el efecto no están explícitas en la lectura, el lector tiene que inferirlas basándose en su conocimiento previo y su propia experiencia.

56 Practique la estrategia

A medida que lea, identifique las causas que dieron lugar a los siguientes efectos y escríbalas en sus propias palabras como se muestra a continuación.

Causa	Efecto
Había llovido mucho la semana anterior.	La leña estaba húmeda y ardía mal.
1.	Saltó del banco donde estaba, agarró a su hija por los hombros y la zarandeó brutalmente.
2.	Un diente bonito, juvenil, le quedó en la mano.
3.	El médico dijo que sufrió un desprendimiento de la retina (*detachment of the retina*).
4.	El padre no quería emigrar.
5.	Nunca pudo irse en el barco que la hubiera llevado a nuevos horizontes de holganza (*pleasure*).

Las medias rojas 🎧
de *Emilia Pardo Bazán*

Cuando la rapaza[1] entró, cargada con el <u>haz de leña[2]</u> que acababa de merodear[3] en el monte del señor amo, el tío Clodio no levantó la cabeza[...].

Ildara soltó el peso en tierra y se atusó[4] el cabello, peinado a la moda «de las señoritas» y revuelto por los enganchones de las ramillas que se agarraban a él. Después, con la lentitud de las faenas[5] aldeanas, preparó el fuego, lo prendió, desgarró las berzas[6], las echó en el pote[7] negro, en compañía de unas patatas mal troceadas y de unas judías asaz secas, de la cosecha[8] anterior, sin remojar[9]. Al cabo de estas operaciones, tenía el tío Clodio liado su cigarrillo, y lo chupaba desgarbadamente, haciendo en los carrillos dos hoyos como sumideros, grises, entre el azuloso de la descuidada barba.

Sin duda la leña estaba húmeda de tanto llover la semana entera, y ardía mal, soltando una humareda acre; pero el labriego[10] no reparaba: al humo ¡bah!, estaba él bien hecho desde niño. Como Ildara se inclinase para soplar y activar la llama, observó el viejo cosa más insólita: algo de color vivo, que emergía de las <u>remendadas y encharcadas sayas[11]</u> de la moza... Una pierna robusta, aprisionada en una media roja, de algodón...

—¡Ey! ¡Ildara!

—¡Señor padre!

—¿Qué novidá[12] es esa?

—¿Cuál novidá?

—¿Ahora me gastas medias, como la hirmán[13] del abade[14]?

Incorporóse la muchacha, y la llama, que empezaba a alzarse, dorada, lamedora[15] de la negra panza del pote, alumbró su cara redonda, bonita, de facciones pequeñas, de boca apetecible, de pupilas claras, golosas de vivir.

—Gasto medias, gasto medias —repitió sin amilanarse—. Y si las gasto, <u>no se las debo a ninguén[16]</u>.

—Luego nacen los cuartos[17] en el monte —insistió el tío Clodio con amenazadora sorna[18].

—¡No nacen!... Vendí al abade unos huevos, que no dirá menos él... Y con eso merqué[19] las medias.

Una luz de ira cruzó por los ojos pequeños, engarzados en duros párpados, bajo cejas hirsutas, del labrador...

Saltó del banco donde estaba escarrancado, y agarrando a su hija por los hombros, la zarandeó brutalmente, arrojándola contra la pared, mientras barbotaba[20]:

Agarró a su hija por los hombros y la arrojó contra la pared.

[1] young girl [2] bundle of firewood [3] to collect [4] fixed [5] chores [6] cabbages
[7] pot [8] harvest [9] without soaking [10] farmworker [11] patched and soaked skirts
[12] novelty [13] sister [14] priest [15] licking [16] I don't owe them to anyone (*nadie*)
[17] the money [18] malice [19] to trade, to buy [20] said through his teeth

57 Comprensión

1. ¿Qué faenas hizo Ildara después de regresar del bosque?

2. ¿Qué notó el viejo cuando Ildara se inclinó a soplar la llama del fuego?

3. ¿Cómo dijo Ildara que consiguió el dinero para comprar las medias rojas y cómo reaccionó su padre cuando se lo dijo?

58 Analice

¿Qué recurso literario usa el autor cuando el tío Clodio dice con sorna: "Luego nacen los cuartos en el monte"? Explique.

59 Comprensión

1. ¿Qué hizo Ildara para defenderse?

2. ¿Por qué era importante que Ildara protegiera su belleza?

3. ¿Qué trato había hecho Ildara con el gancho y cómo se relaciona con el incidente de las medias?

4. ¿Qué adivinó el padre que iba a suceder y por qué le dio eso tanta furia?

5. ¿Por qué no logra Ildara realizar el sueño de tener un porvenir distinto del que le espera con su padre?

60 Analice

1. ¿Qué figura literaria usa la autora cuando dice: "...donde el oro rueda por las calles y no hay sino bajarse para cogerlo...."? Explique.

2. ¿Qué clase de vida se puede deducir que en realidad les esperaba a aquellos que viajaban en el barco si tenían que ser jóvenes, capaces y sanos?

—¡Engañosa! ¡Engañosa! ¡Cluecas[21] andan las gallinas que no ponen!

Ildara, apretando los dientes por no gritar de dolor, se defendía la cara con las manos. Era siempre su temor de mociña[22] guapa y requebrada[23], que el padre la mancase[24], como le había sucedido a la Mariola, su prima, señalada por su propia madre en la frente con el aro de la criba[25], que le desgarró los tejidos. Y tanto más defendía su belleza, hoy que se acercaba el momento de fundar en ella un sueño de porvenir[26]. Cumplida la mayor edad, libre de la autoridad paterna, la esperaba el barco, en cuyas entrañas tanto de su parroquia[27] y de las parroquias circunvecinas se habían ido hacia la suerte, hacia lo desconocido de los lejanos países donde el oro rueda por las calles y no hay sino bajarse para cogerlo. El padre no quería emigrar, cansado de una vida de labor, indiferente de la esperanza tardía: pues que se quedase él... Ella iría sin falta; ya estaba de acuerdo con el gancho[28], que le adelantaba los pesos para el viaje, y hasta le había dado cinco de señal[29], de los cuales habían salido las famosas medias... Y el tío Clodio, ladino[30], sagaz, adivinador o sabedor, sin dejar de tener acorralada y acosada[31] a la moza, repetía:

—Ya te cansaste de andar descalza de pie y pierna[32], como las mujeres de bien, ¿eh, condenada? ¿Llevó medias alguna vez tu madre? ¿Peinóse como tú, que siempre estás dale que tienes con el cacho[33] de espejo? Toma, para que te acuerdes...

Y con el cerrado puño hirió primero la cabeza, luego, el rostro, apartando las medrosas[34] manecitas, de forma no alterada aún por el trabajo, con que se escudaba Ildara, trémula. El cachete[35] más violento cayó sobre un ojo, y la rapaza vio como un cielo estrellado[36], miles de puntos brillantes envueltos en una radiación de intensos coloridos sobre un negro terciopeloso[37]. Luego, el labrador aporreó la nariz, los carrillos. Fue un instante de furor, en que sin escrúpulo[38] la hubiese matado, antes que verla marchar, dejándole a él solo, viudo, casi imposibilitado de cultivar la tierra que llevaba en arriendo, que fecundó[39] con sudores tantos años, a la cual profesaba un cariño maquinal, absurdo. Cesó al fin de pegar; Ildara, aturdida de espanto, ya no chillaba siquiera.

Salió fuera, silenciosa, y en el regato[40] próximo se lavó la sangre. Un diente bonito, juvenil, le quedó en la mano. Del ojo lastimado, no veía.

Como que el médico, consultado tarde y de mala gana, según es uso de labriegos, habló de un desprendimiento de la retina, cosa que no entendió la muchacha, pero que consistía... en quedarse tuerta.

Y nunca más el barco la recibió en sus concavidades para llevarla hacia nuevos horizontes de holganza y lujo. Los que allá vayan, han de ir sanos, válidos, y las mujeres, con sus ojos alumbrando y su dentadura completa...

[21] broody   [22] young girl   [23] short   [24] hurt, leaving a permanent mark
[25] the ring of a sieve   [26] future   [27] church parish   [28] middleman
[29] as a downpayment   [30] astute, cunning   [31] cornered and harassed
[32] barefoot and barelegged   [33] a piece   [34] fearful   [35] slap   [36] saw stars
[37] velvety black   [38] without scruples   [39] sowed   [40] puddle

Para concluir

? Pregunta clave

¿Cómo se refleja la herencia cultural de un país en las prácticas familiares?

Proyectos

A ¡Manos a la obra! 👥

Trabaje con un compañero. Vuelvan a escuchar la canción del programa de radio *Soy trabajadora del hogar con orgullo y dignidad.* Conversen sobre otros aspectos del oficio que no aparecen mencionados en la canción, por ejemplo, la cantidad de horas que trabajan, el sueldo que cobran, los beneficios que reciben o las distintas maneras en que pueden luchar por sus derechos.

Pueden buscar más información en la internet, por ejemplo, leer la Ley 2450 para enterarse de los derechos que tienen las trabajadoras del hogar en Bolivia. Luego, usen esas ideas para escribir una nueva estrofa de cuatro versos para la canción. Canten juntos la nueva estrofa frente al resto de la clase.

B En resumen

Ud. está de visita en Bolivia y decide enviar un correo electrónico a un amigo para contarle los aspectos que más le han llamado la atención de la vida familiar boliviana. En particular, quiere describir el papel central que desempeñan las mujeres en esa cultura.

Complete el siguiente organizador gráfico y use esos apuntes para escribir su correo electrónico.

Papel de las mujeres en la cultura boliviana	¿Por qué es importante?
Papel de la madre en el hogar	
Papel de la trabajadora del hogar	
Papel histórico de las mujeres en las luchas por la independencia	

C ¡A escribir!

Lea el siguiente resumen sobre uno de los ritos de paso que atraviesan los jóvenes aymara a la hora de conformar su propia vida familiar: el matrimonio de prueba. Escriba un breve ensayo de opinión en el que exprese dos ventajas y dos desventajas del matrimonio de prueba.

En todo el mundo andino, se practica el matrimonio de prueba o noviciado del matrimonio. Se trata de una etapa de pasaje o ritual de paso en el que, antes de casarse formalmente en una ceremonia civil y religiosa, los futuros esposos conviven durante un tiempo (alrededor de uno o dos años). Este período de prueba se toma muy en serio en la cultura aymara. Se espera que los jóvenes se ajusten mutuamente y evalúen si el matrimonio tendrá éxito. En ocasiones, después de algunos meses de ensayo, los jóvenes deciden separarse y quedan en libertad de formar una nueva pareja.

D El aguayo, tradición y familia Conéctese: la publicidad

A lo largo de esta unidad, Ud. ha leído sobre los distintos usos del aguayo, un objeto tradicional de la cultura boliviana, que tiene mucho peso en la vida cotidiana y familiar. Imagine que Ud. es publicista y está preparando un anuncio para el periódico que promocione la compra de aguayos para fomentar la economía de su producción artesanal.

Use las siguientes preguntas como guía de los aspectos que puede mencionar en su anuncio. Busque más información en la internet si la necesita.

¿Qué características del diseño del aguayo son llamativas? ¿Qué tipos de diseños hay? ¿Qué usos se le da al aguayo? ¿Usos cotidianos? ¿Usos comerciales? ¿Usos rituales? ¿Qué tradiciones aymaras se reflejan en esos usos?

Prepare su anuncio e incluya fotografías que lo ilustren.

¡Qué diseños más llamativos!

E El matrimonio 👥 Conéctese: las ciencias sociales

Con un(a) compañero/a, conversen sobre las características del matrimonio en la comunidad aymara. Luego, comparen y contrasten esos datos con las características del matrimonio en su país. ¿Hay puntos en común? ¿Qué diferencias son las más notables? Completen la tabla.

El matrimonio	Comunidad aymara	Su comunidad
¿Se trata de un evento íntimo, personal, familiar, comunitario?		
¿Hay un noviazgo previo? ¿Cómo se suelen formar las parejas?		
¿Se puede saber si el matrimonio tendrá éxito?		
¿Qué requisitos deben cumplir los futuros esposos?		
¿Qué papel cumplen los padrinos de boda?		
¿Cómo son los ritos que rodean a la boda? ¿Hay ceremonias, agasajos, fiestas, regalos?		

Vocabulario de la Unidad 4

a la moda in style
el/la **abuelo/a** grandfather/ grandmother
el **acero inoxidable** stainless steel
agarrar to grab
la **alfombra** rug, carpet
las **almohadas** pillows
el **almuerzo** lunch
amar to love
amenazador(a) threatening
amilanarse to be frightened
aporrear to hit
apretando los dientes clenching teeth
el **armario** closet
arrojar to fling, to hurl
aturdido/a stunned
aturdir to stun
el **baño** bathroom
la **batidora** beater
batir to beat
el **bosque** forest
el **botiquín** medicine cabinet
la **cafetera** coffeepot
la **cama** bed
la **casa** house
casado/a married
el **celular** cell (phone)
chapado/a a la antigua old-fashioned
chillar to scream
la **chimenea** fireplace
la **cocina** kitchen
cocinar to cook
la **colcha** bedspread
el **comedor** dining room
como si fuera as if (he/she) were
la **cómoda** dresser
cómodo/a comfortable
la **conexión de teléfono** telephone connection
conocer to know, to meet, to be familiar with
el **contestador automático** answering machine
la **cosecha** harvest
criar to raise
el **cuadro** framed picture
el/la **cuñado/a** brother-/sister-in-law
de poco uso not used much
defenderse to defend oneself
el **despertador** alarm clock
divorciado/a divorced

el **dormitorio** bedroom
los **electrodomésticos** household appliances
en arriendo in lease
encargarse de to be in charge of
encender to light
encontrarse to meet
el **equipo de sonido** sound system
la **escoba** broom
escudarse to shield oneself
el **espanto** terror, panic, fright
el **espejo** mirror
la **esperanza** hope
el/la **esposo/a** husband/wife
estar celoso/a to be jealous
la **estufa** stove
el **exprimidor** juicer
el **fantasma** ghost
el **fiambre** cold cuts
el **gabinete** cabinet
los **gemelos/as** twins
gritar to cry out
guardar to put away
la **habitación** room
herir to injure
el/la **hermanastro/a** stepbrother/ stepsister
el/la **hermano/a** brother/sister
el/la **hijo/a único/a** only child
hornear to bake
el **horno** oven
incorporarse to stand up
el **inodoro** toilet
insólito/a unusual
la **ira** fury
el **jabón** soap
la **lámpara** lamp
lastimado/a injured
el **lavabo** sink
la **lavadora** washer
la **lavandería** laundry
el **lavaplatos** dishwasher
lavar to wash
la **leña** firewood
la **licuadora** blender
limpiar to clean
el **lujo** luxury
la **madera** wood
la **madrastra** stepmother
la **madre** mother
la **manta** blanket
el **microondas** microwave

el **mostrador** counter
la **nevera** refrigerator
el/la **nieto/a** grandson/ granddaughter
las **ollas** pots
el **padre** father
el **papel higiénico** toilet paper
pasar la aspiradora to vacuum
la **pasta de dientes** toothpaste
pegar to hit
pelear to fight
la **plancha** iron
planchar to iron
los **platos** dishes
por falta de pago for lack of payment
el/la **primo/a** cousin
propio/a own
la **puerta** door
el **puño** fist
los **quehaceres** chores
recoger la mesa to clear the table
regar las plantas to water the plants
repartirse to divide up
reunirse to get together
las **sábanas** sheets
saber to know (information)
la **sala** living room
sano/a healthy
la **sartén** frying pan
la **secadora** dryer
secar to dry
el **sillón** armchair
sin previo aviso without previous warning
el/la **sobrino/a** nephew/niece
soltero/a single
los **suegros** parents-in-law
el **techo** roof
el **temor** fear
la **tina** bathtub
el/la **tío/a** uncle/aunt
toparse con to meet by accident, to run into
la **torta** cake
la **tostadora** toaster
tostar el pan to toast bread
trémulo/a trembling
tuerto/a blind in one eye
los **ventiladores** house fans
viudo/a widower/widow
zarandear to shake

¿Sabía que...?

Las culturas mesoamericanas en México ya practicaban el comercio en red. La diferencia es que en la actualidad usamos enlaces electrónicos y en aquel entonces se usaban enlaces con "tamemes" (cargadores humanos) y canoas que transportaban mercancías entre los diferentes poblados.

Unidad

5

Empleos y finanzas

Escanee el código QR para mirar el video "Entrevista de trabajo".

Pedro Valentín asiste a una entrevista para un puesto que ofrecen en un centro comercial de la ciudad. El entrevistador le pide que se describa a sí mismo y le cuente por qué quiere ese trabajo. ¿Qué contesta Pedro? Explique en detalle su respuesta.

Pregunta clave

?

¿Qué factores afectan la situación económica de un país y de su gente?

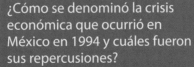

¿Cómo se denominó la crisis económica que ocurrió en México en 1994 y cuáles fueron sus repercusiones?

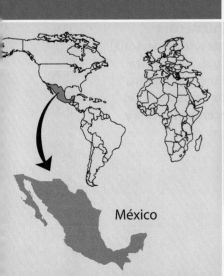

México

Mis metas

En esta unidad:

▶ Usaré expresiones relacionadas con la búsqueda de empleo y las finanzas personales.

▶ Repasaré las formas y usos del pretérito perfecto y el pluscuamperfecto.

▶ Leeré sobre la economía de México a nivel nacional y personal.

▶ Distinguiré el significado de palabras y frases según el contexto.

▶ Usaré correctamente los pronombres de complemento directo, indirecto y de preposición.

▶ Leeré sobre la situación actual del empleo en México.

▶ Crearé una hoja de vida para solicitar empleo.

▶ Escucharé un segmento donde dan consejos para una entrevista laboral y haré un resumen de este.

▶ Desarrollaré nuevas destrezas de vocabulario.

▶ Usaré el verbo **gustar** y verbos similares.

▶ Distinguiré los usos especiales del pronombre **se**.

▶ Repasaré el uso de las preposiciones **a** y **con**.

▶ Leeré el poema "Autorretrato" de la mexicana Rosario Castellanos.

Vocabulario 1

Aduéñate de tus finanzas 🎧

¿Está cansado de andar sin chamba, de solicitar empleo y de tratar en vano de que le den una entrevista? Si es así, no se preocupe más. ¡Deje su búsqueda en nuestras manos! Somos la solución a sus necesidades de empleo: UbicaEmpleos.com.

NUEVO

¿Quiere ser su propio jefe, trabajar horas flexibles, ganar un buen sueldo y jubilarse joven? Si eso es lo que busca, únase a nuestro grupo de agentes de bienes raíces.
¡Lo invitamos a hacerse socio de nuestra empresa!

Se ofrece puesto de jornada completa como gerente de ventas de prestigiosa empresa internacional. Se requiere estar capacitado en cuestiones de finanzas (cambios de moneda, tasas de interés y préstamos). También se requiere tener experiencia tratando con ejecutivos, compradores y otros hombres y mujeres de negocios en el extranjero.

NUEVO

Se busca persona capacitada para desempeñar el puesto de jefe de personal en gran empresa nacional. Se necesita alguien que sepa de recursos humanos y pueda supervisar a los empleados sin contratiempos. Se ofrecen beneficios y posibilidades de ascenso.

https://ubicaempleos.com

| EMPLEOS | CURRÍCULUM VITAE | EMPRESAS | ENTREVISTAS | INICIA SESIÓN |

NUEVO

Estamos contratando a cajeros que tengan experiencia atendiendo a los clientes y se lleven bien con los otros trabajadores. Postulantes, favor de llenar la solicitud de empleo y enviarla a la sucursal principal del Banco de la República: Avenida Juárez #124, Ciudad de México. Se entrevistará a los candidatos del 15 al 20 este mes.

En una entrevista

¿Alguna vez la han despedido de un puesto o le han pedido que renuncie voluntariamente?

¿Solo ofrecen puestos de media jornada en esta fábrica? Yo necesito un puesto de jornada completa.

Para conversar

Para hablar de las finanzas personales y cómo manejarlas:

Debes abrir una cuenta corriente y una cuenta de ahorros tan pronto tengas un empleo.

Debes revisar el saldo de tu cuenta antes de girar un cheque o usar tu tarjeta de débito. Así evitas sobregirarte.

Acuérdate de endosar cualquier cheque que vayas a cobrar o a ingresar, ya sea en el banco o en el cajero automático.

Es importante ahorrar un poco cada mes y nunca gastar más de lo que se gana.

También es buena idea invertir algo de dinero, por ejemplo en acciones de una compañía. Pero primero se debe averiguar cuáles tienden a producir ganancias en lugar de pérdidas.

Es mejor pagar al contado (en efectivo) que usar tarjetas de crédito o pedir préstamos.

Es importante regatear con los vendedores, especialmente cuando se compra algo costoso. Si no te rebajan el precio en ese almacén, en otro te lo darán con descuento.

Si compras mercancía a plazos, debes averiguar el total que vas a deber al banco, el porcentaje de interés (tanto por ciento) que debes pagar y el número de cuotas mensuales y su fecha de vencimiento.

No te olvides de abrir toda tu correspondencia a diario. Es mejor resolver cualquier problema a tiempo que tener que irritarse más tarde.

Acuérdate, tú eres la persona encargada de tus propias finanzas, ¡nadie más!

1 ¿Quién?

Escuche e indique la persona que corresponde a cada descripción.

1. la postulante / la encargada
2. el comprador / el socio
3. el postulante / el empleado
4. el vendedor / el comprador

5. la encargada / la cajera
6. la socia / la compradora
7. el ejecutivo / el trabajador

2 Series de palabras

Complete las siguientes series de palabras con la palabra del recuadro que mejor corresponda, como se ve en el modelo.

empresa	precio	invertir	regatear	saldo
puesto	cheques		interés	gerente

MODELO   jefe, ejecutivo, ____

jefe, ejecutivo, gerente

1. chamba, empleo, ____
2. vendedor, comprador, ____
3. acciones, socio, ____
4. pérdidas, ganancias, ____

5. a plazos, préstamos, ____
6. rebajar, mercancía, ____
7. sobregirarse, cuenta corriente, ____
8. tarjeta de crédito, tarjeta de débito, ____

3 Consejos

Complete cada oración de la primera columna con la información que le corresponda de la segunda, según el contexto.

I

1. No puedes cobrar este cheque porque...
2. Es mejor cerrar tu cuenta de ahorros porque...
3. Debes ingresar tu cheque cuanto antes porque...
4. No es necesario llevar mucho dinero en efectivo porque...
5. Piensa bien antes de pedir un préstamo porque...

II

A. solo pagan un interés del dos por ciento.
B. la tasa de interés es muy alta.
C. puedes usar el cajero automático.
D. no lo has endosado.
E. estás sobregirado.

4 Una recomendación

La jefa de personal de un banco en Ciudad de México piensa renunciar a su puesto y le pide a uno de los gerentes que le dé una carta de recomendación. Complete esta parte de la recomendación con la forma correcta de los verbos y expresiones del recuadro, de acuerdo al contexto.

irritarse	atender	preocuparse por	resolver	llevarse bien	ponerse furiosa

...y la señora de la Cruz __(1)__ a todos los clientes con la mayor cortesía. Es eficiente y está muy capacitada para __(2)__ cualquier problema que pueda surgir. En cuanto al personal, la señora de la Cruz __(3)__ con todos en el departamento; __(4)__ nuestro bienestar, nunca __(5)__ por los contratiempos inevitables que ocurren con frecuencia en un banco y solo una vez la he visto __(6)__ con un empleado, y este bien se lo merecía (*deserved it*). Para mí, ha sido un placer trabajar con la señora Patricia de la Cruz y, por tanto, la recomiendo sin reservaciones.

¡Comunicación!

5 Comprobante de depósito   Interpretive Communication

Observe este comprobante de depósito y conteste las preguntas que siguen.

1. ¿En qué banco se hizo este depósito?
2. ¿Quién hizo el depósito?
3. ¿Cuál es el número de la cuenta?
4. ¿Qué clase de cuenta es?
5. ¿Cuántos cheques se incluyen en el depósito y por qué cantidades?
6. ¿Cuánto dinero se depositó en efectivo?
7. ¿Cuánto dinero se depositó en total?

Complete esta descripción sobre el mundo de los negocios en México con las palabras del recuadro que correspondan según el contexto. Asegúrese de cambiar las formas de los verbos, sustantivos y adjetivos según sea necesario.

contratar	ascenso	encargado	sucursal	despedir
emplear	fábrica	sueldo	ganar	empresa
	ganancias	capacitado	vender	

Las principales ciudades mexicanas cuentan con grandes __(1)__ que tienen __(2)__ en muchas partes del país. Los empresarios ganan __(3)__ impresionantes y muchos se han hecho riquísimos. Sin embargo, la mayoría de las compañías mexicanas están en manos de pequeños y medianos empresarios, cuya situación resulta difícil. Ellos __(4)__ suficientes productos para sobrevivir y trabajan solos o __(5)__ a familiares. Hay expertos en mercadeo que están __(6)__ para sacar adelante estas pequeñas compañías, pero las __(7)__ reducidas de los dueños no les permiten __(8)__ a estos especialistas.

Una situación aún más deprimente existe a lo largo de la frontera entre México y Estados Unidos. Allí han surgido una larga cadena de compañías extranjeras en cuyas __(9)__ trabajan miles de mexicanos que han venido para el norte en busca de empleo. La vida para estos mexicanos pobres suele ser muy difícil. __(10)__ un sueldo miserable, no existen posibilidades de __(11)__ para ellos y los __(12)__ están obligados a __(13)__ a las mujeres embarazadas. ¡Es un callejón de miseria sin salida!

Forme sustantivos a partir de los verbos que se dan a continuación y luego úselos en oraciones como se ve en el modelo.

MODELO   ganar > **ganancias**
          Las acciones de la empresa subieron y los empleados obtuvieron grandes ganancias.

1. depositar _____

2. ahorrar _____

3. comprar _____

4. emplear _____

5. encargarse _____

6. fabricar _____

7. ingresar _____

8. perder _____

9. solicitar _____

10. vender _____

¡Comunicación!

8 UbicaEmpleos.com Interpretive/Interpersonal Communication

Vuelva a leer los anuncios de empleo en UbicaEmpleos.com en *Vocabulario 1* y luego túrnese con un(a) compañero/a para contestar las preguntas que siguen. Usen su conocimiento y su imaginación para ampliar las respuestas, según sea el caso.

Lo mejor de UbicaEmpleos.com es que puedo buscar empleo sin tener que ir de empresa en empresa.

1. ¿Por qué cree Ud. que es conveniente usar una agencia de empleo en línea?

2. ¿Qué anuncio ofrece la posibilidad de ganar un buen sueldo y un horario flexible?

3. ¿Qué requisitos se necesitan para solicitar el puesto de gerente de ventas?

4. ¿Por qué cree que la persona que solicite el puesto de jefe de personal debe estar familiarizada con recursos humanos?

5. ¿Por qué es importante conseguir un puesto donde ofrezcan posibilidades de ascenso?

6. ¿Qué clase de beneficios cree Ud. que quiera alguien que busca trabajo?

7. ¿Qué clase de experiencia deben tener las personas interesadas en solicitar el puesto de cajero en un banco?

8. ¿Qué diferencia cree Ud. que hay entre renunciar voluntariamente a un puesto y ser despedido de un puesto? Explique su respuesta.

9 Aduéñate de tus finanzas Interpersonal Communication

Imagine que Ud. acaba de mudarse a vivir por su cuenta. Ahora tiene un trabajo, independencia y, por supuesto, responsabilidades. Sin embargo, su madre se preocupa mucho y todas las noches lo/la llama para saber cómo está manejando sus finanzas. Represente la situación con un(a) compañero/a y túrnense para hacerse preguntas y responderlas con base en los temas que se dan como guía y en su propia experiencia e imaginación.

MODELO

> **Madre:** ¿Ya abriste la cuenta corriente, como te dije?
>
> **Hijo/a:** No, mamá, todavía no.
>
> **Madre:** ¿Por qué? No entiendo. ¿No sabes que es algo importante?
>
> **Hijo/a:** La voy a abrir pronto, mamá. Tan pronto me paguen. ¡No te preocupes!

- Estado de su cuenta
- Tarjeta de crédito
- Cuenta de ahorros

- Cajeros automáticos
- Problemas con sobregiros
- Compras en efectivo y a plazos

El pretérito perfecto

El pretérito perfecto se forma con el presente del verbo **haber** y el participio pasado del verbo principal. El participio pasado de los verbos regulares se forma reemplazando la terminación **-ar** del infinitivo por **-ado** y las terminaciones **-er**, **-ir** por **-ido**.

Formación del pretérito perfecto

Infinitivo	Presente del verbo *haber*	Participio pasado
ahorr**ar** vend**er** consegu**ir**	he has ha hemos habéis han	ahorr**ado** vend**ido** consegu**ido**[1]

Un poco más

En ciertas regiones de España y en algunos países hispanoamericanos, se usa el pretérito perfecto en lugar del pretérito para expresar una acción terminada en un pasado no muy reciente.

Jaime **ha pedido** (pidió) un préstamo.

*Jaime **has requested** (requested) a loan.*

- El pretérito perfecto se usa para referirse a una acción que ha o no ha terminado en el pasado inmediato o a una acción pasada que continúa o puede repetirse en el presente.

 —¿Ya conseguiste empleo?

 —No, todavía no **he conseguido**. **He enviado** cantidades de solicitudes en los últimos meses y nadie me **ha respondido**.

- Algunos participios pasados son irregulares.[2]

Participios pasados irregulares

Infinitivo	Terminación irregular	Participio pasado
abrir		abierto
cubrir		cubierto
describir		descrito
escribir		escrito
morir	-to	muerto
poner		puesto
resolver		resuelto
romper		roto
ver		visto
volver		vuelto
decir		dicho
hacer	-cho	hecho
satisfacer		satisfecho
imprimir	-so	impreso

[1] Los verbos con cambios en el radical no tienen cambios en la forma del participio pasado: **encontrar → encontrado, conseguir → conseguido**.

[2] Las formas compuestas de estos verbos llevan la misma irregularidad en el participio pasado: **suponer → supuesto, devolver → devuelto, descubrir → descubierto**.

10 Todo en un día

Hoy ha sido un día difícil en el Departamento de Recursos Humanos de una empresa. Use el pretérito perfecto de los verbos entre paréntesis y, luego, forme oraciones lógicas con la información de las dos columnas.

I	II
1. El jefe del departamento (*ponerse furioso*)	**A.** a su trabajo.
2. Silvia, muy ofendida, (*renunciar*)	**B.** los puestos de Silvia y Ana.
3. Otra secretaria, Ana, (*jubilarse*)	**C.** a ninguno de ellos.
4. Dos candidatos capacitados (*solicitar*)	**D.** después de 30 años de servicio.
5. El jefe (*entrevistar*)	**E.** con su secretaria, Silvia.
6. Pero no (*contratar*)	**F.** a los dos candidatos para el puesto.

11 ¿Qué ha sido de su vida?

Imagine que Ud. se encuentra con Alex, un compañero de la universidad que no ve hace tiempo, y se ponen a charlar sobre la vida de sus otros compañeros. Complete sus conversaciones con el pretérito perfecto de los verbos entre paréntesis.

Hemos entrevistado a muchos jóvenes de talento.

Ud.: ¿Tú (*1. ver*) a Felipe últimamente?

Alex: Sí, ¡cómo (*2. cambiar*)! Parece más viejo. ¿Qué le (*3. pasar*)?

Ud.: Alguien me (*4. decir*) que le va mal con su negocio.

Alex: ¡Qué lástima! Pero hablando de algo más alegre, ¿te enteraste de que Lucía y Jaime (*5. casarse*)?

Ud.: ¡No me digas! Y ¿qué tal les va?

Alex: ¡Estupendamente! Ellos (*6. poner*) un negocio de comida italiana y les está yendo muy bien.

Ud.: ¡Cuánto me alegro!

Alex: Bueno, ¿y tú? ¿Cómo (*7. estar*)? ¿Cómo va tu empresa?

Ud.: Bastante bien. La empresa (*8. crecer*) enormemente y nosotros (*9. tener*) que emplear a mucho personal nuevo.

Gramática

El pluscuamperfecto

El pluscuamperfecto se forma con el imperfecto del verbo **haber** y el participio pasado del verbo principal.

Formación del pluscuamperfecto		
Infinitivo	**Imperfecto del verbo** *haber*	**Participio pasado**
pag**ar** ofrec**er** invert**ir**	había habías había habíamos habíais habían	pag**ado** ofrec**ido** invert**ido**

- El pluscuamperfecto se usa para referirse a una acción que ocurrió antes de otra acción en el pasado.

  Cuando mi jefa **llegó** a la oficina ayer, yo ya **había atendido** a dos clientes, **había escrito** tres cartas y **había resuelto** muchos problemas.
  *When my boss **arrived** at the office yesterday, I **had** already **waited** on two clients, I **had written** three letters, and I **had resolved** many problems.*

  Tuvimos que cerrar la empresa y **perdimos** todo el dinero que **habíamos invertido**.
  *We had to go out of business and **lost** all the money we **had invested**.*

12 ¿Qué había pasado antes?

Complete las oraciones con el pluscuamperfecto del verbo entre paréntesis para explicar qué había pasado antes en las siguientes situaciones.

1. Lo llamaron para ofrecerle una entrevista, pero él ya (*aceptar*) otro empleo.

2. Le ofrecieron un puesto de jornada completa, pero ella (*solicitar*) uno de media jornada.

3. No pudo depositar el cheque de su esposo porque él no lo (*endosar*).

4. El banco les cobró un recargo (*fee*) porque ellos se (*sobregirar*) en su cuenta corriente.

5. No me rebajaron más el precio del carro porque el vendedor ya me (*dar*) un descuento.

Cancelé todas mis tarjetas de crédito porque pensé que me las habían robado.

6. El mercado se recuperó, pero muchas personas ya (*perder*) todo su dinero.

7. No tuvieron que preocuparse al jubilarse pues (*ahorrar*) dinero por muchos años.

13 Antes y después

Diga qué había hecho antes de encontrarse en las siguientes situaciones. Use el pluscuamperfecto, incluya la palabra **ya** y no repita los verbos de las frases.

MODELO   visitar la Ciudad de México
Antes de visitar la Ciudad de México, ya había estado en Guadalajara y Monterrey.

1. tomar esta clase de español
2. cumplir dieciocho años
3. desayunar esta mañana
4. estudiar para el examen con un grupo de compañeros
5. ser estudiante en este colegio
6. salir con mi novio/a actual

14 ¿Pretérito perfecto o pluscuamperfecto?

Complete el siguiente párrafo con el pretérito perfecto o el pluscuamperfecto, según corresponda al contexto.

Ese día, antes de salir de la oficina, yo (**1.** *cobrar*) mi sueldo y quería hacerle un regalo a mi madre. Ella me (**2.** *decir*) que le gustaría tener una blusa de seda. Sus amigas la (**3.** *invitar*) a una fiesta y deseaba estar muy elegante.

Entré a un almacén pensando en una blusa que (**4.** *ver, yo*) la semana anterior. Aún no la (**5.** *encontrar, yo*) cuando oí a la vendedora que me decía:

—La compañía (**6.** *rebajar*) el precio de estas blusas y son muy bonitas. (**7.** *vender, nosotros*) muchísimas. ¿Las (**8.** *ver, Ud.*)?

15 ¿Qué hay en los clasificados?

Lea los clasificados de la siguiente página y conteste estas preguntas.

1. ¿Cuántos años de experiencia requiere el puesto de sous chef?
2. ¿Qué tipo de gastronomía hay que dominar para el puesto de chef?
3. ¿Qué nivel de inglés requiere el puesto de ingeniero mecánico o eléctrico?
4. ¿Qué salario se ofrece para el puesto de asistente ejecutiva?
5. ¿Qué estudios requiere el puesto de asistente dental?
6. ¿Qué debe tener quien se postule como técnico plomero?

ANUNCIOSCLASIFICADOS.COM   *http://anunciosclasificados.com*

PORTADA CLASIFICADOS >> EMPLEOS

RESTAURANTE/COMIDA

• Cocinero • con experiencia, medio tiempo. Dirigirse a Zaragoza No. 17, Tepoztlán, Morelos.	Publicado: 28 de abril Fuente: Diario de Morelos
• Cocinero • con experiencia. Turno diurno y nocturno. Tiempo completo. San Luis Potosí. ►(444) 813-1113	Publicado: 28 de abril Fuente: El Sol de San Luis
• Sous chef • Gastronomía local gourmet. Cinco años de experiencia, dominio del inglés. Postularse en Tonalá 111, Colonia Roma, D.F.	Publicado: 26 de abril Fuente: Excélsior, México
• Chef • con experiencia en gastronomía mexicana y vasca. Presentarse de 11 AM – 5 PM en 500 Polanco, Miguel Hidalgo, Ciudad de México. ►(55) 5282-2222	Publicado: 25 de abril Fuente: El Universal, México

INGENIERÍA

• Ingeniero mecánico o eléctrico • Recién graduado con disponibilidad para recibir entrenamiento. Nivel de inglés avanzado. Sueldo mensual $18.000 a $21.000, más las prestaciones de ley. Enviar currículum y concertar entrevista por Adecco reclutador@adecco.com	Publicado: 28 de abril Fuente: El Heraldo

ADMINISTRATIVOS/OFICINA

• Asistente ejecutiva • Lic. en Administración o carrera afín. Inglés intermedio. $13.000 a $15.000 netos + beneficios. Llene la solicitud de másRH Consultores	Publicado: 28 de abril Fuente: La Prensa
• Asistente legal • Bufete de abogados. Mínimo dos años de experiencia en auditorías legales. Paseo de la Reforma, Cuauhtémoc, Ciudad de México ►(55) 5207-3997	Publicado: 27 de abril Fuente: Reforma

SALUD

• Asistente dental • en consultorio dental Carrera en área de salud (asistencia dental, auxiliar de enfermería). Nezahualcóyotl. Contactar a la Dra. Villa al ►(668) 462-5734	Publicado: 25 de abril Fuente: Diario de Nezahualcóyotl

ELECTRICIDAD

• Electricista liniero • Técnico electricista. Experiencia en instalación de líneas aéreas y subterráneas. Guanajuato ►(477) 470-3566	Publicado: 28 de abril Fuente: El Sol de León

PLOMERÍA

• Técnico plomero • con medio de transporte y herramientas propias. Sueldo según experiencia. Toluca, Estado de México ►(723) 564-6066	Publicado: 28 de abril Fuente: Impulso, Estado de México

Guardar anuncio   ★ ◙ 🖫

¡Comunicación!

16 Una entrevista   Interpretive/Interpersonal Communication

Imagine que Ud. ha enviado su hoja de vida en respuesta a algunos de los clasificados arriba mencionados y que acaban de llamarlo para invitarlo a una entrevista. Con un(a) compañero/a, hagan el papel del entrevistador y el entrevistado y representen la conversación. Usen el pretérito perfecto, el pluscuamperfecto, y los temas que se dan como guía, como se ve en el modelo.

MODELO	Entrevistador:	Veo que Ud. está solicitando el puesto de asistente legal. Cuénteme, ¿qué experiencia ha tenido en ese campo?
	Entrevistado:	Bueno, en realidad no he tenido mucha experiencia, pero he tomado varios cursos sobre auditorías. Solicité un puesto similar a este cuando salí de la universidad, pero, desafortunadamente, ya habían empleado a alguien.

- Experiencia
- Estudios
- Intereses
- Sueldo
- Beneficios
- Recomendaciones
- Disponibilidad de tiempo
- Posibilidades de ascenso

La importancia de la economía

La economía de un país es el sistema que administra los recursos para satisfacer las necesidades de su gente. Esos recursos son los bienes y servicios que se producen e intercambian en el mercado. El problema es que los recursos son escasos[1], por lo que es necesario utilizarlos de manera eficaz y razonable para evitar que se produzca una crisis.

Las crisis económicas pueden cambiar la vida de la gente.

En México, en 1994, se produjo una crisis económica de magnitud[2], cuyas causas fueron, entre otras, una moneda nacional sobrevalorada[3], el fuerte endeudamiento en dólares y un gran déficit del sector público. Fue la primera crisis financiera de alcance global y en el mundo se la conoció como "efecto Tequila". Las repercusiones sociales de esta crisis fueron incalculables: muchas familias mexicanas lo perdieron todo y el 50 % de la población cayó en pobreza. Llegó a plantearse que era el fin de la clase media en México.

Con el tiempo, y mediante algunas medidas macroeconómicas que reestructuraron las finanzas del país, México pudo mejorar su situación y empezar a salir de la crisis. El NAFTA y otros acuerdos comerciales hicieron crecer exponencialmente las exportaciones, lo que tuvo resultados significativos en la reducción de la tasa[4] de pobreza.

[1] scarce [2] major [3] overrated [4] rate

Búsqueda: efecto tequila, nafta, crisis económica en méxico

17 Comprensión

1. ¿Por qué es importante administrar bien los recursos de un país?

2. ¿Qué ocurrió en México en 1994? ¿Cuáles fueron sus consecuencias?

3. ¿Cómo se logró salir de la crisis?

18 Analice

1. Piense en alguna crisis económica que haya atravesado su país y en las medidas que lo ayudaron a salir de ella. ¿Hay similitudes o diferencias con la crisis mexicana de 1994?

2. ¿Qué efecto cree Ud. que tienen las remesas que envían los trabajadores mexicanos sobre la economía de su país?

Productos

Las remesas son envíos de dinero que los mexicanos que trabajan en el extranjero, en especial en Estados Unidos, mandan a sus familias de México. Ese dinero es una fuente de ingresos considerable para la economía de esas familias en particular, pero también para la economía mexicana en general. Para incentivar este flujo de divisas al país, se ha implementado el programa ***Dos por Uno***: por cada peso de las remesas que contribuyan voluntariamente las familias de los emigrantes, el Estado aporta dos pesos para la construcción de infraestructura en sus comunidades.

Por cada peso que se envía, el estado aporta dos.

19 Comprensión

1. ¿Qué aspectos de la vida diaria están relacionados con la economía?

2. ¿En qué sentido es la educación un factor económico importante?

3. ¿Qué papel puede jugar el gobierno en la economía de una familia?

A veces es difícil tomar decisiones económicas.

20 Analice

1. Además de la vivienda, ¿qué otros gastos importantes cree Ud. que incluye un presupuesto familiar?

2. ¿Hay alguna frase que refleje la visión cultural de su país sobre el ahorro? ¿Hay similitudes o diferencias con la frase "Ya Dios proveerá"?

La economía real 🎧

Muchas veces los temas económicos, con todas sus estadísticas e indicadores, nos parecen un asunto abstracto que no tiene ningún punto de contacto con nuestra vida real. Pero lo cierto es que tanto nuestra forma de vida en general como nuestras decisiones diarias se ven afectadas por la economía: ¿Tenemos un trabajo que nos dé ingresos[1]?¿Cuáles son nuestros gastos?¿Podemos solventarlos[2] con esos ingresos? ¿Tenemos capacidad de ahorro?

Por ejemplo, tomar la decisión de continuar o abandonar nuestros estudios puede afectar económicamente nuestros futuros ingresos. En México, tener un buen nivel educativo es un requisito importante para encontrar empleo: si bien alrededor del 61 % de las personas en edad de trabajar tienen un empleo remunerado, ese porcentaje varía mucho si las personas no han obtenido un título secundario[3].

Elegir una casa donde vivir es otra decisión que puede afectar mucho nuestra economía. Una gran proporción del presupuesto familiar mexicano está destinada a los costos de vivienda. El pago de un alquiler[4] suele representar el gasto individual más grande de muchas familias, a lo que debe sumarse el pago de los servicios. En México, las familias gastan en promedio el 21 % de su ingreso solo en mantener su vivienda.

En este contexto, el apoyo que puede brindar el gobierno en prestaciones y servicios públicos gratuitos o de muy bajo costo, como la salud, la educación o el transporte, es clave para reducir los riesgos de pobreza, fomentar[5] el desarrollo infantil y mejorar la calidad de vida de su gente.

[1] income   [2] cover them   [3] high school diploma   [4] rent   [5] promote

🔍 **Búsqueda:** empleo remunerado en méxico, servicios públicos en méxico

Perspectivas

La frase "Ya Dios proveerá" dice mucho sobre la visión que tienen los mexicanos de la planificación financiera y el ahorro. Es una expresión arraigada en la cultura, que delega en Dios la responsabilidad de proveer bienes materiales en el futuro. Originalmente, la frase fue acuñada en el ámbito rural, donde las circunstancias cambiantes de la naturaleza determinaban la suerte de las cosechas.

Una frase que refleja la visión mexicana sobre el ahorro

Beneficios del teletrabajo

El teletrabajo[1] es el esquema que permite a los empleados de una empresa desarrollar sus actividades a distancia, sin necesidad de asistir a la oficina. Esta modalidad es una tendencia global que llegó de la mano del desarrollo tecnológico y que presenta múltiples ventajas económicas: reduce los costos fijos de la empresa en materia de infraestructura y servicios; aumenta la productividad, ya que motiva a los empleados; y ahorra el tiempo invertido en traslados[2] del hogar al trabajo.

No hace falta salir de casa para estar "en el trabajo".

Sin embargo, en México esta metodología no ha logrado afianzarse[3]. Mientras que uno de cada cinco puestos utiliza esta modalidad en Estados Unidos, la mayoría de las empresas mexicanas se resisten a implementarla. Algunas argumentan[4] motivos de seguridad, ya que no cuentan con plataformas que garanticen la protección de información corporativa importante y confidencial. Otros dicen que es necesario actualizar las regulaciones laborales antes de ponerla en práctica.

Pero ocurre que el cambio va más allá de las cuestiones prácticas: se trata de una concepción nueva del trabajo a la que las personas no están acostumbradas. Los jefes quieren seguir teniendo a sus empleados enfrente, y los empleados, a su vez, lo ven como una oportunidad para trabajar menos.

Todavía hay mucho por hacer para que el teletrabajo se generalice en México. La tecnología existe y está disponible, pero todavía no hay una cultura de "ser productivo" sin estar en la oficina.

[1] telecommuting   [2] commuting   [3] establish itself   [4] contend

Búsqueda: teletrabajo en méxico, portales de empleo de méxico

21 Comprensión

1. ¿Cuáles son las ventajas del teletrabajo?

2. ¿Por qué dicen las empresas mexicanas que no quieren implementar el teletrabajo?

3. ¿Qué aspecto cultural de México impide que se implemente el teletrabajo?

22 Analice

1. ¿Por qué cree Ud. que el teletrabajo logró implementarse en su país pero no en México?

2. ¿Qué diferencia importante cree Ud. que hay entre la filosofía del trabajo entre México y Estados Unidos?

Prácticas

Hay un dicho en México: "Los estadounidenses viven para trabajar, pero los mexicanos trabajamos para vivir". En realidad, no se trata solo de un dicho; es algo que ponen en práctica a diario. El trabajo no es más que el medio de conseguir los bienes esenciales para subsistir. Una vez que se obtiene lo necesario, ya no se trabaja tiempo extra, sino que se prefiere pasar el tiempo en familia o con amigos. La dedicación al trabajo no es considerada una virtud moral y no hay una actitud competitiva, ya que en general no se ve compensada por una motivación al logro.

Los mexicanos disfrutan su tiempo libre en familia.

Vocabulario 2

Comparación y contraste: ¡Ojo con estas palabras!

En español, al igual que en inglés, el verbo **pensar** tiene variaciones de significado cuando se usa con diferentes preposiciones o sin ellas. Preste atención a estas variaciones de significado.

> ¿Qué **piensa** del horario de trabajo? ¿No va a interferir con sus estudios?

> No, **pienso** terminar mis estudios de noche para poder trabajar la jornada completa.

to think
- pensar de
- pensar (que)
- pensar en + infinitivo
- pensar en

pensar de   *to think of, have an opinion of*
—¿Qué **piensas de** la frase "Ya Dios proveerá", tan popular en México?

pensar (que)   *to think, to think that*
—**Pienso que** refleja la mentalidad de muchos hispanos.

pensar + infinitivo   *to intend/to plan + infinitive*
—¿Qué **piensas hacer** después de graduarte?

pensar en   *to think of, consider doing something*
—Estoy **pensando en** hacer un viaje a México.

El concepto de **ir** y **venir** también se expresa de manera diferente en inglés y en español y, por eso, es importante prestar atención a su uso.

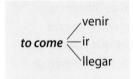

to come
- venir
- ir
- llegar

venir   *to come*

ir   *to go*

llegar (a)   *to come to, arrive*

ir   *to come (when you move toward the person being spoken to)*

—¿**Vienes** en avión o en carro?

—**Voy** en avión.

—¡Qué bueno! ¿A qué hora **llega** tu vuelo?

—Marisa, ven a hablar con tu hermana. Apúrate.
—Ya **voy**, mamá, ya **voy**.

23 Piense en una solución

Complete esta conversación con la palabra del recuadro que corresponda según el contexto.

ir	pienso	llegar	de	que	venir	en	voy	piensa

Sr. Salazar: Srta. Gómez, como le digo, estamos muy interesados. Cuénteme, ¿qué piensa __(1)__ la oferta de empleo?

Srta. Gómez: Pienso __(2)__ es una gran oportunidad, pero __(3)__ y venir desde tan lejos va a ser un poco difícil. Tengo que pensar __(4)__ alguna solución.

Sr. Salazar: Le cuento que Cristina, una de nuestras empleadas, vive cerca de su barrio. Podrían __(5)__ a un acuerdo y viajar juntas. ¿Qué __(6)__ ?

Srta. Gómez: Perfecto. ¿Cuándo me la puede presentar?

Sr. Salazar: Pues, __(7)__ hacerlo ahora mismo. Permítame un momento.

Sr. Salazar: ¿Aló? ¿Cristina? ¿Puede __(8)__ un momento a mi oficina?

Cristina: Por supuesto Sr. Salazar. Ya mismo __(9)__ .

24 ¿Qué prefieres?

Complete estos mensajes de texto con el presente de los verbos **ir**, **venir** o **llegar** según corresponda.

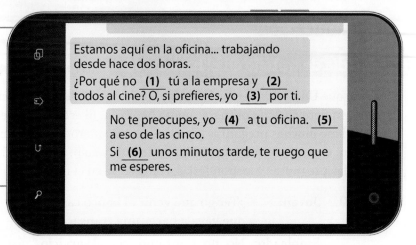

Estamos aquí en la oficina... trabajando desde hace dos horas.
¿Por qué no **(1)** tú a la empresa y **(2)** todos al cine? O, si prefieres, yo **(3)** por ti.

No te preocupes, yo **(4)** a tu oficina. **(5)** a eso de las cinco.
Si **(6)** unos minutos tarde, te ruego que me esperes.

¡Comunicación!

25 A que no te imaginas   Interpersonal Communication

Imagine que Ud. acaba de conseguir un puesto en el centro de la ciudad y llama a su madre para contarle la noticia. Represente la situación con un(a) compañero/a con base en los temas que se dan y su imaginación, como se ve en el modelo.

MODELO

Luis: Mamá, a que no te imaginas... ¡acabo de conseguir un puesto fabuloso!

Madre: ¿Cómo? No puedo creerlo. ¿Dónde?

Luis: Aquí en el centro de la ciudad.

Madre: ...

- El nombre de la empresa
- La clase de negocio
- El tipo de trabajo
- El sueldo que va a ganar
- La jornada de trabajo
- Los beneficios que le ofrecen
- Las posibilidades de ascenso
- ¿...?

Para decir más

Use estas expresiones como ayuda para hacer las Actividades 25 y 26.

Estupendo.
Fantástico.
No me digas.
Qué alegría.
Qué sorpresa.
Qué suerte.
Es muy importante que...
Es una lástima que...
No puedo entender por qué...
Siento decirle que...
Tienen que esforzarse, porque...

26 Cosas del oficio   Interpersonal Communication

Imagine que Ud. es el/la jefe/a de personal de una empresa y tiene que resolver los siguientes problemas que han surgido con sus empleados. En parejas y en grupos pequeños, representen una de las siguientes situaciones.

- Clara, una de sus mejores empleadas, ha empezado a llegar unos quince minutos tarde todas las mañanas. ¿Qué va a hacer para resolver este problema?

- Ud. ha decidido despedir a Berta, una secretaria que nunca ha sido muy eficiente. Además, últimamente sus cartas han estado llenas de errores. ¿Qué debe hacer?

- Dos de sus mejores empleados se han peleado. Se cruzan sin mirarse y no se dirigen la palabra. Además, están dividiendo la oficina en dos campos enemigos. ¿Qué hará Ud. para mantener la armonía en la oficina?

¡Comunicación!

Imagine que Ud. trabaja en un banco y tiene que atender a un joven que acaba de conseguir su primer trabajo y quiere abrir su primera cuenta bancaria. Él está muy interesado en manejar bien sus finanzas, así que tiene muchas preguntas. Con un(a) compañero/a, representen la conversación entre el empleado y el joven. Usen los temas que se dan como guía y su propia experiencia e imaginación y túrnense para hacerse las preguntas y responderlas, como se ve en el modelo.

MODELO

Joven:	**¿Tengo que venir al banco cada vez que vaya a hacer una transacción?**
Empleado:	**No, no. Contamos con el servicio de Banca Móvil. Ud. puede realizar muchas de sus transacciones en su celular, 24 horas al día.**
Joven:	**¿De veras? ¿Y cuánto cuesta ese servicio?**
Empleado:	**...**

Uso mi celular para hacer mis transacciones bancarias.

- Productos y servicios que ofrece su banco
- Cuentas corrientes y de ahorros
- Depósitos de cheques y efectivo
- Cheques y sobregiros
- El cajero automático
- Las tarjetas de débito
- Las tarjetas de crédito
- Préstamos, intereses y pagos mensuales

Imagine que Ud. trabaja en una empresa y su supervisora acaba de despedirlo/a. Ud. piensa que ella ha sido injusta (*unfair*) y decide ir a hablar con el jefe de personal. Con un(a) compañero/a, representen la situación. Túrnense para hacer preguntas sobre el incidente y dar las explicaciones del caso, como se ve en el modelo.

MODELO

Empleado:	**Gracias por atenderme sin previo aviso, Sr. Sánchez.**
Jefe de personal:	**Por supuesto. Explíqueme con calma lo que pasó.**
Empleado:	**Verá Ud. Yo he trabajado bajo la supervisión de la Sra. de Alarcón por más de un año, desde que ella llegó. Y la verdad es que me ha tratado mal desde el primer instante en que me vio.**
Jefe de personal:	**Ya veo... Ud. piensa que ella lo despidió por razones personales, ¿verdad?**
Empleado:	**...**

29 Intercambio de ideas 👥 Interpersonal Communication

Reúnase con tres o cuatro compañeros/as e intercambien ideas sobre uno de los siguientes temas.

- La adicción al trabajo

   El ritmo de la vida actual hace que los que trabajan en grandes empresas comerciales, bancarias, etc., sientan la necesidad de estar ocupados todo el día. ¿Creen Uds. que esta adicción al trabajo es una clase de enfermedad? ¿Conocen Uds. a personas que se sienten culpables si no están trabajando? ¿Tienen Uds. esa sensación? ¿Trabajan en su tiempo libre? ¿Necesitan informarles a los demás del motivo por el cual no están trabajando en un determinado momento? ¿A qué se debe este problema?

- Sugerencias para una entrevista de empleo

   ¿Han tenido alguna vez una entrevista de trabajo? Intercambien algunas ideas para salir bien en una entrevista de trabajo. ¡De una buena entrevista puede depender su futuro! Aquí van algunas preguntas importantes: ¿Qué ropa se debe llevar el día de la entrevista? ¿Qué debe decir uno? ¿Qué debe preguntar? Si uno ha sido despedido, ¿se debe mencionar el empleo anterior? ¿Es importante averiguar el sueldo? Si a uno le ofrecen el puesto, ¿hay que aceptarlo de inmediato?

30 Situaciones 👥 Interpersonal Communication

Reúnanse en grupos pequeños para representar una de las siguientes situaciones. ¡Usen la imaginación!

- Convenza a sus padres de que ellos deben dejarlo/a estudiar para ser maestro/a de yoga. Insisten en que estudie derecho.

- Es dentista pero no le gusta su profesión por varias razones. Explíquele estas razones a un(a) consejero/a, quien tratará de ayudarlo/a a cambiar de profesión.

- Quiere pedirle su jefe/a un aumento de sueldo, pero al llegar a la oficina todo le sale mal.

Necesito un aumento de sueldo.

Gramática

Los pronombres de complemento

Los pronombres de complemento directo

Los pronombres de complemento directo se usan para referirse al complemento directo de la oración, el cual se conoce, y evitar repetición.

—Conseguí un empleo.
Complemento directo

—¿Dónde **lo** conseguiste?
p.c.d.

Formas de los pronombres de complemento directo			
yo	**me**	nosotros(as)	**nos**
tú	**te**	vosotros(as)	**os**
él, ella, Ud.	**lo, la**	ellos(as), Ud.	**los, las**

- El pronombre de complemento directo hace las veces del complemento directo, la persona o cosa sobre la que recae la acción del verbo. Cuando se trata de una persona se debe usar la **a** personal.

    —¿Sabes si aprobaron el aumento de sueldo?
    —Sí, **lo** aprobaron.

    —¿Y emplearon a los nuevos vendedores?
    —No, todavía no **los** han empleado.

- Cuando el pronombre que hace el papel del complemento directo es ambiguo, se puede acalarar mencionando a la persona o personas a quien(es) se refiere.

    —**Los** van a despedir hoy.
    —¿A quiénes? ¿A ellos?
    —No, a Uds.

> ### Un poco más
>
> En algunas regiones de España e Hispanoamérica se usa **le** y **les** en lugar de los complementos directos **lo** y **los** cuando se refieren a personas:
>
> —¿Atendiste al cliente?
> —Sí, **le** atendí.
>
> —¿Y viste a los compradores?
> —Sí, **les** vi.

Lo como complemento directo invariable

- Se usa **lo** como pronombre del complemento directo invariable para referirse a una idea o conceptos ya expresados.

    —¿Decidiste aceptar la oferta de trabajo?
    —No, todavía **lo** estoy pensando.

- También se usa en oraciones que constan únicamente del verbo **ser** o **estar**, generalmente en respuesta a una pregunta.

    —¿Crees que es una buena inversión?
    —Sí, **lo** es.

    —¿Están interesados en el negocio?
    —Sí, **lo** están.

- Tiene el mismo uso con los verbos **hacer**, **decir**, **pedir**, **preguntar** y **saber** cuando no se expresa el complemento.

    —¡Tú eres el encargado de tus finanzas!
    —Sí, **lo** sé.

    —Llama al banco y pide una explicación.
    —Sí, **lo** haré.

Los pronombres de complemento indirecto

Los pronombres de complemento directo hacen las veces del complemento indirecto de la oración.

Amalia fue a la entrevista ayer, pero no **le** dieron el puesto.

p.c.i.

Formas de los pronombres de complemento indirecto			
yo	**me**	nosotros(as)	**nos**
tú	**te**	vosotros(as)	**os**
él, ella, Ud.	**le**	ellos(as), Ud.	**les**

- El pronombre de complemento indirecto indica la persona o las personas que se benefician indirectamente de la acción del verbo.

  —¿**Te** dieron una buena recomendación?   —Sí, **me** dieron una gran recomendación.

- Cuando el pronombre que hace el papel del complemento indirecto es ambiguo, se puede aclarar mencionando a la persona o personas a quien(es) se refiere.

  Le prestó mucho dinero.   → ¿a Ud.?
  → ¿a él?
  → ¿a ella?

- El pronombre de complemento indirecto se usa con verbos de comunicación como **decir**, **pedir**, **preguntar** y **rogar**, y con verbos como **agradecer**, **ayudar**, **impedir**, **pagar** y **prohibir** para indicar a quién se dirige la acción.

  —¿Qué **les** dijo el gerente sobre el aumento de sueldo?
  —**Nos** dijo que lo empezarían a pagar a partir del próximo mes.

Posición de los pronombres de complemento directo e indirecto

- Los pronombres de complemento directo e indirecto se colocan antes de un verbo conjugado.

  La llamaremos más tarde y **le** comunicaremos nuestra decisión.

- Se colocan antes del verbo en construcciones con el participio pasado (*-ado*, *-ido*).

  No **la** han llamado y no **le** han dicho nada.

- Los pronombres se pueden colocar antes o después del verbo en infinitivo o en gerundio[1].

  Compré el carro y **lo** estoy pagando a plazos.   Compré el carro y estoy pagándo**lo** a plazos.
  Me están dando muy buen interés.   Están dándo**me** muy buen interés.

  Lo voy a pagar en seis cuotas mensuales.   **Le** voy a girar un cheque ahora mismo.
  Voy a pagar**lo** en seis cuotas mensuales.   Voy a girar**le** un cheque ahora mismo.

- Se colocan después del verbo en los mandatos afirmativos y antes en los mandatos negativos.

  Aquí tiene su tarjeta de crédito. Guárde**la** en un lugar seguro y no **la** use en exceso.
  Somos clientes aquí desde hace años. Hága**nos** un descuento o no **nos** cobre tanto interés.

[1] Recuerde que el gerundio exige un acento escrito cuando se añaden los pronombres. Asimismo, el infinitivo y el mandato afirmativo exigen acento escrito si se añaden dos pronombres.

Posición de los dos pronombres en la misma oración

- Cuando se usan los dos pronombres en la misma oración, el pronombre de complemento indirecto precede al complemento directo.

    Vendí las acciones pero no **me las** han pagado.

- Se usa el pronombre **se** en lugar de **le** y **les** delante de los pronombres **lo**, **la**, **los** y **las**.

    Le enviaremos <u>la mercancía</u> esta misma tarde. **Se la** enviaremos por correo aéreo.

Los pronombres de complemento de preposición

Pronombres de preposición	
Singular	**Plural**
mí	nosotros(as)
ti	vosotros(as)
él, ella, Ud.	ellos, ellas, Uds.
sí (reflexivo)	sí (reflexivo)

- Los pronombres preposicionales, con excepción de **mí** y **ti**, tienen las mismas formas que los pronombres personales. Se usan después de una preposición.

    Compré una calculadora **para ti** y otra **para él**.

- Si el sujeto del verbo está en la tercera persona del singular o del plural o en la forma Ud., y la acción es reflexiva, se usa el pronombre **sí** después de la preposición.

    El candidato tímido vino para una entrevista, pero prefirió no hablar **de sí**.
    Ellos ahorraron mucho dinero y lo guardaron **para sí**.

- La preposición **con** seguida de **mí**, **ti** o **sí** tiene formas especiales:

    con + mí = **conmigo**   con + ti = **contigo**   con + sí = **consigo**

    —¿Quieres ir **conmigo** al salón de exhibiciones?
    —Sí, me gustaría ir **contigo**. Juan irá también, y llevará los documentos **consigo**.

- Cuando el sujeto del verbo y el pronombre se refieren a la misma persona, es frecuente el uso de **mismo** (**-a**, **-os**, **-as**) después de los pronombres.

    Marta, investígalo **por ti misma**.
    Pienso **en mí mismo** y no en los demás.
    Él tiene confianza **en sí mismo** y por eso tiene éxito.

- Las preposiciones **entre**, **según**, **salvo**, **excepto** y **menos** se usan con pronombres personales en vez de preposicionales.

    Te diré algo, pero tiene que quedar **entre tú** y **yo**, porque es un secreto: todos están enterados de la fiesta sorpresa para Carlos, **excepto él**, claro.

31 Qué casualidad

Complete la siguiente conversación entre Janet y Óscar con el pronombre de complemento directo que corresponda según el contexto.

Janet: ¿Has conocido a María Elena Reyes ya?

Óscar: Sí, claro que __(1)__ conocí.

Janet: ¿Dónde __(2)__ conociste?

Óscar: __(3)__ conocí en la reunión el martes. Pero, ¡qué casualidad! Ella __(4)__ había visto (a mí) hace un mes cuando vino a la oficina para su entrevista. Resulta que ella quería conocer __(5)__ a mí, y le preguntó a Pablo si él sabía mi número de teléfono. ¡Claro que él __(6)__ sabía! Es mi compañero de cuarto.

Janet: Y, ¿ __(7)__ llamó (a ti)?

Óscar: Sí. Ella __(8)__ llamó. Hablamos por una hora, y después yo __(9)__ invité a cenar.

Janet: ¿Vas a volver a ver __(10)__ ?

Óscar: ¡Sí, __(11)__ voy a ver esta noche. Vamos a ver la nueva película de Salma Hayek. ¿ __(12)__ has visto tú?

Janet: No, no __(13)__ he visto todavía. Espero ver __(14)__ el domingo.

32 Todo está en orden

Imagine que Ud. trabaja para la empresa mexicana SIDEC S.A. Su jefe acaba de volver de un viaje de negocios y quiere saber si todo está en orden y si se cumplieron sus instrucciones durante su ausencia. Conteste las preguntas sustituyendo el complemento directo por el pronombre de complemento directo correspondiente, como se ve en el modelo.

MODELO   ¿Contestó la correspondencia que le indiqué?

           Sí, la contesté.

1. ¿Entrevistó a los postulantes para el puesto de secretario?
2. ¿Mandó el documento al banco en el D.F.?
3. ¿Resolvieron los abogados el problema con la sucursal en Acapulco?
4. ¿Consiguió Ud. las salas para la reunión?
5. ¿Aprobó la fecha de la reunión el licenciado del Castillo?
6. ¿Hizo Ud. todo lo que le pedí?

¿Se cumplieron mis instrucciones durante mi ausencia?

33 Consejos útiles

Complete el párrafo con el pronombre de complemento directo o indirecto que corresponda según el contexto.

El costo de vida aumenta y sentimos la necesidad de ganar más y más dinero. Nuestros clientes siempre **(1)** preguntan: "¿Cómo podemos obtener **(2)** ? ¿Cómo **(3)** decimos a nuestro jefe que necesitamos un aumento de sueldo?" Pues bien, a continuación **(4)** sugerimos a Ud. algunos consejos útiles para estos casos.

- Primero, es importante que Ud. **(5)** pida a uno de sus superiores que hable con el jefe sobre Ud. y que **(6)** dé información positiva acerca de su trabajo.

- Demuéstre **(7)** a su jefe que le gusta su profesión y que **(8)** toma muy en serio.

- Tenga una actitud positiva. Ser optimista **(9)** ayudará mucho con su jefe. El optimismo es contagioso.

- Si tiene problemas con algunos compañeros en la oficina, muéstre **(10)** a todos que Ud. es capaz de resolver **(11)** .

- Si tiene ideas creativas, compárta **(12)** con su jefe. Quizás él **(13)** agradecerá con un aumento de salario.

34 ¿Qué hicieron?

Forme oraciones con información de cada columna para hablar de lo que hicieron las siguientes personas. Luego, vuelva a escribir cada oración con los pronombres de complemento directo e indirecto, como se ve en el modelo.

MODELO   La compañía le pagó **al postulante pasajes de ida y vuelta** para la entrevista.
La compañía **se los** pagó.

A	B	C
Mi hermano/a...	...describir los trabajos...	...a los clientes.
El/La jefe/a...	...dictar una carta...	...al botones.
La compañía...	...querer vender sus productos...	...al/a la gerente/a.
El/La empleado/a...	...enviar la mercadería...	...a las niñas.
Mi amigo/a...	...desear escribir cartas...	...a los viajeros.
La abuela...	...pedir un descuento...	...a su novio/a.
La azafata...	...dar un consejo...	...a los turistas.
El turista...	...dar una propina...	...a mí.
Los estudiantes...	...hablar por teléfono...	...al/a la secretario/a.
	...mandar una tarjeta...	...a mi padre.
		...a nosotros.
		...al/a la profesor(a).

¡Comunicación!

35 Intercambios 👥 Presentational Communication

Con un(a) compañero/a, túrnense para completar las conversaciones con el pronombre preposicional que corresponda según el contexto y, luego, representen sus diálogos delante de la clase.

A. Entre tú y yo

—Ya me has dicho muchas veces que no te gusta deber dinero y que para __(1)__ es muy importante pagar en efectivo.

—¡Ya lo creo! Los intereses de las tarjetas de crédito son muy altos.

—Estoy de acuerdo con __(2)__. Más vale no tener deudas.

B. Entre Ud. y yo

—¿Podría hablar con Ud.?

—Si Ud. quiere hablar con __(3)__, le ruego que pase por mi despacho. Ud. sabe que las relaciones entre __(4)__ y __(5)__ han sido últimamente muy difíciles.

—Ya lo sé. A __(6)__ me parece que a Ud. le molestan mis ofertas. ¿No le interesa hacer negocios con __(7)__?

—Me interesan los negocios, pero no los malos negocios.

36 En un almacén de ropa 👥 Interpersonal Communication

Imagine que Ud. está en un almacén de ropa y habla con el vendedor o a la vendedora sobre lo que desea: el color, la talla, el estilo, etc. Represente la conversación con un(a) compañero/a con base en los temas que se dan y su propia imaginación, como se ve en el modelo.

MODELO

A: **Quisiera comprar una blusa.**

B: **¿De qué color la desea?**

A: **La deseo amarilla.**

B: **Aquí la tiene.**

1. Deseo unos pantalones.

2. Busco un abrigo.

3. Necesito unas medias.

4. Quiero un buen paraguas.

5. Desearía ver camisas.

6. …

Quisiera comprar una blusa.

Lectura informativa

Antes de leer 🎧

¿Cree Ud. que tener un título universitario facilita la búsqueda de empleo?

Estrategia

Usar los conocimientos previos

Antes de empezar a leer, piense en el tema y en lo que sabe sobre él. Mientras lee, relacione la información nueva con sus conocimientos previos.

37 Comprensión

1. ¿Qué condiciones laborales presentan los mexicanos encuestados?

2. ¿Qué opina la mayoría de los mexicanos encuestados sobre su situación laboral actual?

3. Según los mexicanos encuestados, ¿qué posibilidades consideran para cambiar su realidad quienes no están contentos con ella?

38 Analice

¿Cómo es la situación laboral de los universitarios en su país? ¿Varía según la carrera que han seguido?

○○○ El 59 % de los universita... ⤢

| INICIO | EL ABC | DE INTERÉS | BIBLIOTECA | NOTAS | VACANTES | TOP JOB NEWS |

ul Universo Laboral   Buscar...   Follow @

El 59 % de los universitarios mexicanos no cuenta actualmente con un empleo 🎧

Trabajando.com y Universia consultaron a los usuarios en el marco de las Encuestas de Empleo que realizan en conjunto.

Entre los datos recogidos, el 88 % no está contento con su situación actual y pretende cambiar: el 38 % se imagina como jefe de área[1] en los próximos 5 años.

En el estudio participaron 25.788 personas de Argentina, Brasil, Chile, Colombia, España, México, Perú, Puerto Rico y Uruguay. Entre los encuestados, aparece una mayor presencia masculina (51 %) por sobre la femenina (49 %). En cuanto a edad, el 71 % reveló tener más de 27 años, seguido por un 24 % de entre 21 y 26. Por su parte, el 5 % tiene entre 18 y 20 años. **La muestra[2] de México fue de 1394 usuarios que contestaron.**

Los resultados marcan un panorama[3] difícil en materia de empleo para Iberoamérica: el 63 % reveló estar sin trabajo, mientras que el 21 % tiene uno pero desea cambiarlo. Entre los restantes, el 11 % tiene trabajo y el 5 % trabaja y estudia a la vez. **En México el panorama tampoco resulta muy alentador[4] ya que el 59 % de los usuarios que contestaron esta encuesta se encuentra sin trabajo; el 24 % cuenta con empleo pero quiere cambiarse y apenas el 2 % combina el estudio y el trabajo.**

De la mano del resultado antes señalado y conscientes de la situación que atraviesan, el 88 % manifestó no estar contento con la situación en la que se encuentra; solo el 12 % está satisfecho.

Para el 88 % de los mexicanos encuestados, la situación actual en la que se encuentran tampoco resulta satisfactoria.

¿Cómo cambiar la realidad con la que la mayoría dice no estar contento? Para el 59 % una posibilidad es tener un trabajo donde pueda desarrollarse profesionalmente. Se aprecia aquí el valor que los encuestados le otorgan a la formación obtenida en sus carreras[5]. Mientras que el 31 % persigue un propósito que le otorgue rendimientos[6] a corto plazo: conseguir un trabajo donde tenga un buen salario y grandes beneficios. Otras opciones que los encuestados consideran son seguir estudiando (5 %) y viajar al extranjero a estudiar o trabajar (5 %).

---

[1] department head   [2] sample   [3] scenario   [4] encouraging   [5] majors (in college)
[6] yields results

INICIO   EL ABC   DE INTERÉS   BIBLIOTECA   NOTAS   VACANTES   TOP JOB NEWS

ul Universo Laboral

Buscar...   Follow @

En México, el 61 % se visualiza mejorando su situación actual teniendo un trabajo donde se puedan desarrollar profesionalmente; el 34 % de los encuestados consideran que estarían mejor con un trabajo donde tengan un buen salario y grandes beneficios, y tan solo el 4 % cree que irse al extranjero a estudiar y/o trabajar favorecería su futuro.

A la hora de elegir el tipo de empresa en la que les gustaría trabajar a los encuestados, los resultados ponen de manifiesto una clara preferencia de la empresa privada (57 %) frente a la pública (29 %). Por su parte, un 10 % de los encuestados muestran interés por el emprendimiento[7] como modo de desarrollo profesional, mientras que al 4 % le interesaría trabajar en una Organización No Gubernamental (ONG).

¿En qué tipo de empresa te gustaría trabajar?
Privada: 57 %
Pública: 29 %
ONG: 4 %
Emprendimiento personal: 10 %

¿En qué puesto te imaginas trabajando en los próximos 5 años?
Jefe de área: 41 %
Encargado: 16 %
Empleado: 15 %
Dueño de un emprendimiento: 17 %
Gerente general: 11 %

En México, el 54 % de los encuestados manifestaron que les gustaría trabajar en una empresa privada, el 32 % quisiera desempeñarse en una entidad de gobierno, mientras que el 12 % buscaría oportunidades de emprender y tan solo el 2 % quisiera trabajar en una ONG.

Entre el 12 % de los encuestados que estaban satisfechos con su situación laboral, el 42 % lo justificó indicando que su actual empleo le permitirá tener mejores oportunidades de futuro. Similar es el pensamiento del 17 %, que argumentó tener grandes proyecciones de crecimiento. En ambos casos, se desprende una visión a medio-largo plazo, como resultado de la formación y la experiencia profesional adquirida. En tanto, el 30 % lo justificó por estar haciendo lo que le gusta y el 11 % porque tiene una buena renta[8] y beneficios.

Finalmente, las proyecciones sobre el puesto de trabajo a 5 años vista son ambiciosas. El 41 % se imagina como jefe de área, el 17 % dueño de su propia empresa y el 16 % como encargado[9]. Es decir, se esperan pronósticos favorables en el futuro laboral de los encuestados. El 15 %, en tanto, se proyecta como empleado y el 11 % entiende que tiene posibilidades de ser nombrado gerente general[10].

A comparación de los resultados a nivel Iberoamérica, los encuestados en **México indican que en 5 años el 38 % de los usuarios se visualizan como jefes de área; el 32 % se ve como gerente general de alguna empresa; el 20 % de los encuestados quisiera ser dueño de su propia empresa y tan solo el 3 % se ve como empleado.**

---

[7] entrepreneurship   [8] income   [9] manager   [10] general manager

🔍 **Búsqueda:** inserción laboral de los universitarios latinoamericanos, desempleo entre los universitarios mexicanos

39 Comprensión

1. ¿Qué preferencias muestran los encuestados mexicanos en cuanto al lugar de trabajo?

2. ¿Por qué puede concluirse que el pronóstico es favorable con respecto a la proyección a cinco años que tienen los encuestados?

3. ¿Qué diferencia hay entre los resultados de Iberoamérica y México entre quienes se proyectan como empleados dentro de cinco años?

40 Analice

¿Qué ventajas y desventajas cree Ud. que tiene una persona que se dedica a su propia empresa?

Escritura

Una hoja de vida

Una hoja de vida, o currículum vitae, es un texto que presenta los datos personales, los antecedentes académicos y la experiencia laboral de una persona que desea obtener un empleo. Debe ser breve para que, a simple vista, el lector se dé una idea del perfil del postulante. La información debe estar bien organizada e incluir solo datos veraces y relevantes.

Algunas consideraciones para redactar una hoja de vida:

- Datos personales: Debe incluir el nombre, la dirección de residencia, los teléfonos y el correo electrónico.

- Perfil profesional: Debe resumir las características distintivas puntuales (conocimientos, intereses, habilidades, experiencia previa) por las que se considera idóneo para ese puesto en particular.

- Formación académica: Debe enumerar los estudios cursados, con el nombre del título obtenido, la fecha y la institución.

- Experiencia laboral: Debe enumerar los puestos de trabajo anteriores, con fecha, nombre de la empresa y una descripción del cargo.

¡Comunicación!

41 **¿Cómo es su hoja de vida?** Presentational Communication

Escriba una hoja de vida para solicitar el empleo que se ofrece en el siguiente anuncio. Tenga en cuenta las consideraciones dadas para redactar una hoja de vida y use su imaginación para dar la información que se requiere.

OFERTAS DE EMPLEO

VENDEDORES
Tienda por departamentos
hace 1 día

Requisitos
Edad: 18 a 50 años
Educación: Bachillerato/Secundaria
Experiencia laboral: 1 año mínimo
Otros: Puntualidad
    Gusto por las ventas

Beneficios
Sueldo: Acorde con experiencia
Comisiones
Cálido ambiente laboral
Oportunidades de crecimiento

Contacto
empleos@tienda.com

Un resumen

Un resumen es una versión abreviada de otro texto que contiene solo las ideas principales. Para hacer un resumen, se debe sintetizar, en términos breves y precisos, el contenido fundamental de lo dicho por el autor original. Resumir es una técnica muy útil para comprender textos y diferenciar ideas principales y secundarias.

A la hora de hacer un resumen, puede seguir las siguientes pautas:

• Haga una lectura general.

• Asegúrese de haber comprendido el texto.

• Avance párrafo por párrafo subrayando lo más importante.

• Parafrasee con sus propias palabras las ideas principales.

¡Comunicación!

42 Siga estos consejos 🎧

Interpretive Communication

Escuche esta entrevista con la psicóloga Antonella Greco quien nos habla de cómo prepararnos para una entrevista laboral. Luego, prepare un resumen teniendo en cuenta lo que ella dice con relación a los siguientes temas.

• Preparación previa

• Puntualidad

• Presentación personal

• Veracidad

• Forma de expresarse

Entrevista laboral

43 Favor de responder **Presentational Communication**

Imagine que recibe un correo electrónico del gerente de la tienda por departamentos, en el que le informan que están interesados en su perfil como vendedor. Le piden que responda una serie de preguntas específicas, antes de decidir si lo convocarán para una entrevista personal. Escriba un correo electrónico de respuesta, teniendo en cuenta los consejos que escuchó en el audio.

• ¿Qué características de su personalidad lo hacen un buen vendedor?

• ¿Qué aspectos del trabajo de vendedor son los que más le gustan?

• ¿Hay algún sector de la tienda que le interese por sobre los demás?

• ¿Tiene flexibilidad en cuanto a los horarios?

• ¿Está interesado en trabajar medio día?

• ¿Cuál es la remuneración mensual que pretende?

Mejore su comprensión 🎧

Familiarizarse con este vocabulario le ayudará a leer "Autorretrato" más adelante, y a mejorar su comprensión auditiva.

acariciar *v.* Rozar con la mano de forma muy suave.

amistad *s.f.* Relación de cariño y simpatía entre dos personas.

campesino *s.m.* Persona que vive y trabaja en el campo.

charlar *v.* Conversar por pasatiempo.

colaborar *v.* Trabajar con otras personas en algo.

con frecuencia *exp.* Acto o suceso que se repite.

corteza *s.f.* Capa exterior de los árboles.

descompuesto/a *adj.* Que está estropeado o que ha dejado de funcionar.

docena *s.f.* Conjunto de doce cosas.

encanecer *v.* Ponerse el pelo blanco.

espejo *s.m.* Objeto de vidrio que refleja o da la imagen de algo.

estreno teatral *exp.* Espectáculo de teatro que se representa por primero vez.

felicitación *s.f.* Palabras con las que nos alegramos por algo bueno que le ha ocurrido a alguien.

gafas *s.f.* Anteojos que se apoyan en la nariz y en las orejas y que sirven para ver mejor.

inapelable *adj.* Referido esp. a una sentencia que no se puede modificar o anular.

ir *v.* Moverse de un lugar a otro.

juez *s.m.* Persona con la autoridad de juzgar a alguien y darle una sentencia.

llanto *s.m.* Salida de lágrimas generalmente acompañada de lamentos.

mediocre *adj.* Que no tiene la capacidad para la actividad que realiza.

mostrador *s.m.* Especie de mesa alargada sobre la que se muestran las mercancías o las bebidas en un bar.

obligatorio *adj.* Que se debe cumplir u obedecer.

óptico *s.m.* Persona que se dedica a la venta de objetos relacionados con la visión.

pasear *v.* Andar para pasar el rato.

rehuir *v.* Evitar algo o a alguien.

rugoso/a *adj.* Que tiene arrugas o pequeños desniveles.

sufrir *v.* Soportar o aceptar algo que resulta doloroso.

verdugo *s.m.* Persona encargada de ejecutar las penas de muerte u otros castigos corporales.

whisky sobre las rocas *exp.* Whisky solo servido sobre cubos de hielo.

La sentencia del juez es inapelable.

---

44 Antónimos

Elija el antónimo correspondiente a cada una de las siguientes palabras.

1. mediocre

  A. descompuesto

  B. competente

  C. inapelable

2. obligatorio

  A. rugoso

  B. óptico

  C. opcional

3. rehuir

  A. charlar

  B. colaborar

  C. pasear

4. verdugo

  A. amigo

  B. campesino

  C. juez

45 Identifique al intruso

Diga qué palabra no pertenece al grupo y explique por qué.

MODELO   charlar / encanecer / pasear
Encanecer no es algo que se hace por diversión.

1. sufrir / llanto / rehuir
2. corteza / óptico / gafas
3. amistad / amigos / verdugo
4. juez / inapelable / campesino
5. estreno teatral / felicitación / corteza
6. whisky sobre las rocas / mostrador / espejo

46 Solo ha sido un sueño

Complete el párrafo con la palabra del recuadro que corresponda según el contexto.

mediocre	docenas	llanto	charlaba
felicitación	rehuían	espejo	verdugos

Un día, mientras __(1)__ con una amiga mía, una actriz famosa, me contó este sueño que tenía con frecuencia.

Había fracasado (*failed*). Solo unas cuantas __(2)__ de personas se habían presentado a su estreno teatral. Estaba sola en su cuarto. Sufría y no podía resistir su propio __(3)__ . Se miraba al __(4)__ y se preguntaba si en realidad era tan __(5)__ que no merecía ni una simple __(6)__ . Pero no, todos se habían vuelto jueces y __(7)__ y hasta sus propias amistades la __(8)__ al pasar. Luego se despertaba con alivio (*relief*) al darse cuenta de que solo había sido un sueño.

47 Las gafas 🎧

Escuche el relato "Las gafas". Luego, Ud. oirá la primera parte de una oración y tres respuestas posibles. Seleccione la letra de la respuesta con la terminación más lógica. La oración y las terminaciones se leerán dos veces.

1. **A.** … para la fiesta de San Isidro.
   B. … para la fiesta de Santa Isidora.
   C. … para comprarse gafas.

2. **A.** … para ver todo, contemplarlo y admirarlo.
   B. … porque nunca habían visitado Madrid.
   C. … porque eran campesinos.

3. **A.** … vio a una señora con gafas.
   B. … vio a un señor que quería comprar gafas.
   C. … vio a una señora que quería comprar gafas.

4. **A.** … empezó a leer el periódico.
   B. … empezó a ponerse gafas.
   C. … se compró unas gafas.

5. **A.** … si sabía leer.
   B. … si podía ver.
   C. … si quería leer.

6. **A.** … si pudiera ver, no compraría las gafas.
   B. … si tuviera dinero, compraría las gafas.
   C. … si supiera leer, no necesitaría gafas.

Gramática

El verbo *gustar* y verbos similares

El verbo **gustar** tiene una construcción especial. Aunque se puede conjugar de forma regular (*gusto*, *gustas*, *gusta*, *gustamos*, *gustáis*, *gustan*), se usa con mayor frecuencia en compañía de los pronombres de complemento indirecto en la tercera persona singular y plural[1].

Formas del verbo gustar	
Forma singular	**Forma plural**
Si el sujeto (lo que gusta) está en singular o es un infinitivo o una serie de infinitivos, se usa el verbo **gustar** en la forma singular: **gusta**.	Si el sujeto (lo que gusta) está en plural, se usa el verbo **gustar** en la forma plural: **gustan**.
Me **gusta** la vendedora. Me **gusta** ahorrar e invertir mi dinero.	Me **gustan** las cosas costosas, pero solo cuando están rebajadas. Me **gustan** mucho los descuentos.

- Dado que los pronombres **le** y **les** son ambiguos, se pueden aclarar usando la construcción **a** + **nombre** o **pronombre preposicional** apropiado.

  A Juan le gusta el gerente.   **A ellos les** gusta el gerente.

- También se pueden usar frases preposicionales para enfatizar el objeto indirecto.

  A mí me gusta pagar al contado, pero **a ti te** gusta pagar con tarjeta de crédito.

[1] Para expresar cariño entre personas se puede usar **gustar** en todas sus conjugaciones: **Tú me gustas**, **Yo te gusto**, etc.

Verbos como *gustar*

Muchos verbos se conjugan de la misma forma que **gustar**.

- **caer bien/mal:** A ti **te cae bien** José, pero a mí **me cae mal**.

- **convenir:** **Me conviene** pagar esta compra con tarjeta de crédito.

- **doler:** Raúl no vino a trabajar porque **le duele** la cabeza.

- **encantar:** **Me encanta** ir de compras.

- **faltar:** ¿Cuánto tiempo **les falta** para terminar el trabajo?

- **importar:** Francamente, a mí no **me importa** lo que diga la gente.

- **interesar:** ¿**Le interesaría** volverse miembro de nuestra empresa?

- **molestar:** **Me molestan** sus preguntas indiscretas.

- **parecer:** El horario de media jornada **nos parece** conveniente.

- **quedar:** Era mucho dinero: todavía **nos quedan** veinte dólares.

Me molesta tener que hacer tareas el fin de semana.

48 No solo son negocios

Complete las oraciones sobre cómo hacer negocios en México con el pronombre de complemento indirecto que corresponda según el contexto.

A la persona que quiere hacer negocios en México __(1)__ conviene seguir algunos consejos. Por ejemplo, por lo general, a los mexicanos __(2)__ importan mucho los lazos personales y por eso __(3)__ gusta conocer bien a la gente primero, y hacer negocios después. A nosotros, los estadounidenses, no __(4)__ interesan tanto esas consideraciones. Pasar tiempo conociendo a la gente nos parece una pérdida de tiempo. A nosotros __(5)__ gusta ser breves y eficientes.

A los mexicanos __(6)__ gusta saber qué nos parece su país. Si contestamos: "A mí __(7)__ encanta el clima, la cocina, y la gente", se sienten satisfechos y abren el paso para hacer negocios con toda confianza.

¡Comunicación!

49 ¿Ha cambiado de forma de pensar? Interpersonal Communication

Cuando era niño/a quizás Ud. tenía una idea de lo que quería ser. ¿Han cambiado sus ideas? Con un(a) compañero/a, túrnense para hacerse las siguientes preguntas y responderlas, como se ve en el modelo.

MODELO
A: ¿Qué querías ser cuando tenías 13 años y qué quieres ser ahora?
B: Yo quería ser artista. Ahora quiero tener mi propia empresa.
A: ¿Por qué?
B: Porque me interesa ganar dinero. Y tú, ¿qué querías ser?
A: ...

A los trece años...

• ¿Qué quería ser y por qué?

• ¿Qué cosas o actividades le interesaban?

• Después de las clases y los fines de semana, ¿qué le gustaba hacer y con quién(es)?

• ¿Qué le importaba más a esa edad? ¿Y qué les importaba mucho a sus padres?

Ahora...

• ¿Qué quiere ser y por qué?

• ¿Qué cosas o actividades le interesan?

• Después de las clases y los fines de semana, ¿qué le gusta hacer y con quién(es)?

• ¿Qué le importa más en la vida? ¿Y qué les importa a sus padres? ¿Le importa mucho a Ud. la opinión de sus padres y la de sus amigos? Explique.

• ¿Qué es lo que más le molesta a Ud.?

• ¿Hay algo que le encanta hacer después de las clases o del trabajo? ¿Qué es?

Forme diez oraciones con una frase o palabra de cada columna, como se ve en el modelo.

MODELO   **A mí me duele el estómago.**

I	II	III
A mí...	...(no) convenir...	...los ojos.
A vosotras...	...(no) gustar...	...los exámenes finales.
Al jefe...	...(no) doler...	...la lluvia.
A las personas de negocios...	...(no) encantar...	...la vendedora.
A ti...	...(no) faltar...	...las vacaciones largas.
A la profesora...	...(no) importar...	...dos horas para salir.
A Ud. ...	...(no) molestar...	...este trabajo.
A los estudiantes...	...(no) quedar...	...tiempo para divertirse.
A mi hermana...	...(no) caer bien...	...el estómago.
A mi jefe...		...sobregirarse.
Al banquero...		...renunciar al empleo.
		...atender a los clientes.
		...invertir mucho dinero.
		...los socios.
		...pagar al contado.

¡Comunicación!

51 Gustos e intereses 👥 Interpersonal Communication

Intercambie información con un(a) compañero/a sobre los siguientes temas. Usen verbos como **gustar** para hablar de lo que les gusta, les interesa o les disgusta. Túrnense para hacerse preguntas y responderlas, como se ve en el modelo.

A mí me encanta el campo de la tecnología.

MODELO   A: **¿Cuánto tiempo te falta para terminar tus estudios?**
B: **Me falta un año solamente.**
A: **¡Qué bueno! ¿Qué te interesa hacer después de graduarte?**
B: **...**

• Su vida de colegio: clases, horarios, compañeros y profesores.

• Su vida en casa: padres, amigos, vecinos y familiares.

• Sus actividades fuera del colegio: trabajo, deporte, arte, comunidad.

• Sus planes de trabajo futuro: profesiones, ocupaciones, campos de trabajo.

• Sus finanzas personales ahora o en el futuro: sueldo, cuentas bancarias, ahorros, inversiones.

Gramática

Usos del pronombre *se*

El pronombre **se** tiene diferentes significados según el contexto de las oraciones en que se usa, ya sea que funcione como pronombre de complemento indirecto o como pronombre de carácter reflexivo, recíproco o impersonal.

Como pronombre de complemento:	**Se** lo dije pero no quiso oír.
Como pronombre reflexivo:	**Se** esfuerzan por salir adelante.
Como pronombre recíproco:	**Se** apoyan mutuamente.
Como pronombre impersonal:	**Se** habla español.

El *se* impersonal

El *se* impersonal se usa en expresiones que hacen énfasis en la acción, no en el sujeto, el cual es indefinido. Es el equivalente del inglés *one*, *people* o *they* y siempre se usa con el verbo en tercera persona singular.

Se puede ganar mucho dinero si **se invierte** bien.
Se cree que ese campo de trabajo es muy lucrativo.

Se en acciones inesperadas o involuntarias

También se usa **se** para hablar de acciones inesperadas o involuntarias que son el resultado de un acto no deliberado y fuera del control del sujeto que las realiza. En estas construcciones, **se** va acompañado del pronombre de complemento indirecto (que indica el sujeto) y el verbo en tercera persona singular o plural. En estos casos, el verbo concuerda en número con el sustantivo al que modifica.

Se me perdió la tarjeta de crédito.	*My credit card was lost.*
Se nos acabaron los ahorros.	*Our savings ran out.*

- Compare las dos oraciones:

Yo perdí las llaves.	(Yo acepto la responsabilidad.)
I lost my keys.	
Se me perdieron las llaves.	(Yo no acepto la responsabilidad.)
My keys got lost.	

- Estos son algunos de los verbos que se usan con esta construcción.

acabarse	pararse
agotarse (terminarse)	perderse (ie)
caerse	quedarse
olvidarse	romperse

Qué pena. Se me olvidó avisarte que voy a llegar tarde.

52 | Otros consejos para hacer negocios en México

Cambie la estructura de las frases entre paréntesis (Ud. + verbo o la gente + verbo) a la estructura con **se** impersonal (se + tercera persona singular del verbo).

Para poder quedar bien con los colegas mexicanos (**1.** *Ud. debe saber*) algunas "reglas sociales". Por ejemplo, en México y muchas partes de América Latina, en reuniones formales e informales (**2.** *la gente tiende*) a estrecharse la mano (*shake hands*) con más frecuencia que en Estados Unidos. (**3.** *la gente hace*) esto al saludarse y al despedirse. (**4.** *la gente también suele*) acercarse más a la persona con quien se habla. (**5.** *la gente mantiene*) contacto visual al conversar. También (**6.** *la gente habla*) más con las manos (aunque no tanto como algunos europeos). Pero, (**7.** *Ud. debe*) evitar hacer los gestos si (**8.** *Ud. no sabe*) bien qué significan. Por ejemplo, cuando (**9.** *Ud. hace*) un gesto con la mano que para un mexicano significa "Muchas gracias," el mismo gesto para un argentino significa "¿Qué diablos quieres?" Por eso, (**10.** *Ud. tiene que*) tener cuidado.

¡Comunicación!

53 | Situaciones inesperadas 👥 Interpersonal Communication

Hable con su compañero/a sobre las siguientes situaciones inesperadas. Usen la estructura con **se** y túrnense para hacerse preguntas y responderlas, como se ve en el modelo.

MODELO   Olvidarse de pagar la cuenta de una tarjeta de crédito

     A: **¿Qué pasa si se te olvida pagar la cuenta de una tarjeta de crédito?**

     B: **Si se me olvida pagar una cuenta, me cobran intereses altos y me enfado.**

- Acabarse el dinero antes del fin de mes
- Pararse el coche en la carretera
- Perderse las llaves de la casa
- Romperse un espejo
- Caerse los libros al subir a un autobús
- Olvidarse de hacer la tarea y estudiar para el examen

¿Quién sabe?

¡Comunicación!

54 ¿Cómo se juega? 👥 Interpersonal Communication

La lotería es un juego sumamente conocido y popular en México. Es similar al "Bingo" que se juega en EE. UU., pero emplea ilustraciones como las siguientes en vez de números y letras. En parejas, usen el **se** indefinido y el vocabulario de *Para decir más* para explicar cómo se juega.

Para decir más

la baraja	*deck of cards*
cantar o pregonar las figuras	*to call out or announce the figures*
el montón de frijoles o piedras	*pile of beans or stones*
llenar una hilera o tablero entero	*to complete a line or the whole board*
recibir un premio	*to receive a prize*
ganar el derecho de cantar	*to win the right to call out*
la siguiente tanda	*the next round*

LA VÍBORA   EL PAYASO   EL DIABLO

EL CIRQUERO   EL NOPAL   CUPIDO

EL SOL   EL CABALLITO   LA CORONA

Gramática

Las preposiciones *a* y *con*

Usos de la preposición *a*

- La preposición **a**, también llamada **a personal**, se usa cuando el complemento directo de la oración es una persona, una mascota (*pet*) o una cosa o idea personificada.

    El empleado no oyó **a** su jefe cuando le dijo que no llevara **a** su perro a la oficina.
    Los abuelos no temen **a** la muerte.

- También se usa con los pronombres indefinidos **alguien**, **nadie**, **alguno** y con **ninguno** y **cualquiera** cuando se refieren a un ser animado, pero se omite después del verbo tener y cuando las personas a quienes se refiere son indefinidas.

    —¿Conoces **a alguien** que haya tenido ese trabajo? —No, no conozco **a nadie**.
    —¿Tienes muchos parientes? —No, solo tengo un hermano.
    Busco un hombre viejo que recuerde cómo era la fábrica hace cincuenta años.

- La preposición **a** se usa para introducir el complemento indirecto (*to*, *for*).

    José nos debe dinero **a** nosotros, pero le dijimos **a** su madre que no tiene que devolvérnoslo.

- Se usa después de un verbo de movimiento (**ir**, **venir**, **bajar**, **subir**, **dirigirse**, **acercarse**) para indicar dirección hacia una persona, cosa o lugar (*to*).

    Se va **a** Chile para hacer las investigaciones.
    Nos acercamos con gran respeto **al** presidente.

- Se usa para designar la hora a la que ocurre una acción (*at*).

    Terminamos **a** las siete esta noche, y **a** las ocho iré a tu casa.

- Se usa para señalar lo que ocurrió después de un período de tiempo (*at*, *on*, *within*).

    A los dos meses de conocerse, se casaron y **al** día siguiente se mudaron a Taxco.

- Se usa seguida de un sustantivo para indicar manera o método (*by*).

    Antes la gente prefería pagar **al** contado.

- Se usa para indicar dos acciones que ocurren al mismo tiempo: **al** + infinitivo (*upon*).

    Se me ocurrió esa idea **al** entrar al banco. **Al** salir, me olvidé de despedirme.

Usos de la preposición *con*

- Para expresar acompañamiento (*with*).

    Voy **contigo** al banco si vas **conmigo** al cine.

- Seguido de un sustantivo como sustituto del adverbio (*with*).

    Llenó la solicitud **con** cuidado (cuidadosamente).
    Llamó por teléfono **con** frecuencia (frecuentemente) para saber si había conseguido el puesto.

- Para caracterizar a una persona por algo que la acompaña (*with*).

    El hombre **con** barba es el jefe de la empresa.

55 En la oficina

Complete las conversaciones con **a**, **al** o **con** según se necesite de acuerdo al contexto.

A. —¿Qué busca Ud.?

— Busco __(1)__ los documentos que me dieron __(2)__ entrar __(3)__ la empresa esta mañana.

—¿No los encuentra?

—No. Se me perdieron __(4)__ los dos minutos de entrar en mi despacho.

—Y la jefa, ¿qué dice?

—¡Qué va a decir! Me los está pidiendo __(5)__ impaciencia.

B. — Esta noche viajo __(6)__ el gerente de ventas __(7)__ Nueva York. Esperamos encontrar __(8)__ un jefe de empresa que desee invertir dinero en México.

—¿Conocen __(9)__ alguien?

—¡Qué va! No conocemos __(10)__ nadie.

—¿Tienen algunas referencias?

—Le pregunté __(11)__ gerente y dijo que no tiene ninguna.

—Hermano, __(12)__ todo mi respeto te digo que así no se hacen los negocios.

¿Conoce a alguien que haya estudiado para ser artista?

No, no conozco a nadie. Conozco a alguien que es científico.

Lectura literaria

Autorretrato
de *Rosario Castellanos*

Rosario Castellanos

Sobre la autora

Rosario Castellanos nació en México en 1925. Pasó su infancia en Chiapas, zona rural mayoritariamente indígena, lo que marcaría para siempre su obra literaria. Siempre tuvo presente una conciencia de las injusticias sociales. Se dedicó a la enseñanza de la literatura. Cultivó todos los géneros, pero es más que todo conocida por su obra poética, recogida en 1972 en el volumen *Poesía no eres tú*. Murió en 1971 en Tel Aviv, Israel, adonde se había trasladado como embajadora de México.

Antes de leer 🎧

En "Autorretrato" (*Self-portrait*), la autora hace una descripción poética de sí misma. ¿Cómo se describiría Ud. a sí mismo? ¿Cómo es físicamente? ¿A qué se dedica? ¿Qué le gusta hacer y qué no? ¿Qué lo hace feliz y qué lo hace llorar?

Estrategia

La inferencia

La inferencia es una deducción que el lector hace de información que no está explícita en un texto. Hacer inferencias requiere de ánalisis y conexiones entre lo que está explícito en el texto y el conocimiento previo del lector. Es un proceso mental que contribuye a una mayor compresión de lo que se está leyendo.

56 Practique la estrategia

En "Autorretrato", Rosario Castellanos describe aspectos de su forma de pensar y de su vida cotidiana. Pero, a través de sus vivencias personales, se pueden percibir los prejuicios de la gente de su época. Analice las siguientes estrofas del poema, interprete su significado y diga qué información sobre la gente de la época podría inferirse del texto, como se muestra en la primera estrofa.

Texto explícito	→	Análisis e inferencias
1. "Yo soy una señora: tratamiento arduo de conseguir, en mi caso, y más útil para alternar (socializar) con los demás que un título extendido a mi nombre en cualquier academia".	→	Estar casado es un símbolo de "status de sociedad" más importante y más útil que haber adquirido una eduación. Se puede deducir que las mujeres en esa época no valían por sus propios méritos sino por los méritos de sus maridos.
2. "Soy madre de Gabriel: ya usted sabe, ese niño que un día se erigirá (*will rise*) en juez inapelable y que acaso, además, ejerza de verdugo. Mientras tanto lo amo".	→	
3. "Sé que es obligatorio escuchar música pero la eludo (*avoid*) con frecuencia. Sé que es bueno ver pintura pero no voy jamás a las exposiciones ni al estreno teatral ni al cine-club".	→	
4. "Sería feliz si yo supiera cómo. Es decir, si me hubieran enseñado los gestos, los parlamentos (*speeches*), las decoraciones".	→	

Autorretrato
de *Rosario Castellanos*

Yo soy una señora: tratamiento
arduo de conseguir, en mi caso, y más útil
para alternar con los demás que un título
extendido a mi nombre en cualquier academia.

5   Así, pues, <u>luzco mi trofeo</u>[1] y repito:
yo soy una señora. Gorda o flaca
según las posiciones de los astros[2],
los ciclos glandulares
y otros fenómenos que no comprendo.

10   Rubia, si elijo una peluca[3] rubia.
O morena, según la alternativa.
(En realidad, mi pelo encanece[4], encanece.)

Soy más o menos fea. Eso depende mucho
de la mano que aplica el maquillaje.

15   Mi apariencia ha cambiado a lo largo del tiempo
—aunque no tanto como dice Weininger[5]
que cambia la apariencia del genio—. Soy mediocre.
Lo cual, por una parte, me exime[6] de enemigos
y, por la otra, me da la devoción
20   de algún admirador y la amistad
de esos hombres que hablan por teléfono
y envían largas cartas de felicitación.
Que beben lentamente whisky sobre las rocas
y charlan de política y de literatura.

25   Amigas... hmmm... a veces, raras veces
y en muy pequeñas dosis.
En general, rehúyo[7] los espejos.
Me dirían lo de siempre: que me visto muy mal
y que hago el ridículo
30   cuando pretendo coquetear[8] con alguien.

Rubia, si elijo una peluca rubia.
O morena, según la alternativa.

57 Comprensión

1. ¿A qué se refiere la autora cuando habla del "trofeo" y por qué lo luce?

2. ¿Qué tipo de admiradores le garantiza el ser mediocre?

3. ¿Qué tienen en común sus amigas y los espejos?

58 Analice

¿Por qué cree Ud. que ser mediocre libra a alguien de tener enemigos? Explique.

[1] I display my trophy   [2] stars   [3] wig   [4] turns white   [5] Austrian philosopher (XIX c.)
[6] exempts   [7] avoid   [8] to flirt

Soy madre de Gabriel: ya usted sabe, ese niño
que un día se erigirá en juez inapelable
y que acaso, además, ejerza de verdugo.
Mientras tanto lo amo.

35 Escribo. Este poema. Y otros. Y otros.
Hablo desde una cátedra[9].
Colaboro[10] en revistas de mi especialidad
y un día a la semana publico en un periódico.

Vivo enfrente del Bosque. Pero casi
40 nunca vuelvo los ojos[11] para mirarlo. Y nunca
atravieso[12] la calle que me separa de él
y paseo y respiro y acaricio
la corteza rugosa de los árboles.

Sé que es obligatorio escuchar música
45 pero la eludo con frecuencia. Sé
que es bueno ver pintura
pero no voy jamás a las exposiciones
ni al estreno teatral ni al cine-club.

Prefiero estar aquí, como ahora, leyendo
50 y, si apago la luz, pensando un rato
en musarañas[13] y otros menesteres[14].

Sufro más bien por hábito, por herencia, por no
diferenciarme más de mis congéneres[15]
que por causas concretas.

55 Sería feliz si yo supiera cómo.
Es decir, si me hubieran enseñado los gestos,
los parlamentos, las decoraciones.

En cambio me enseñaron a llorar. Pero el llanto
es en mí un mecanismo descompuesto
60 y no lloro en la cámara mortuoria[16]
ni en la ocasión sublime ni frente a la catástrofe.

Lloro cuando se quema el arroz o cuando pierdo
el último recibo del impuesto predial[17].

[9] professor's position   [10] contribute   [11] turn my gaze   [12] cross   [13] daydreaming
[14] (thinking about) business, errands, duties   [15] peers   [16] mortuary   [17] property tax

59 Comprensión

1. ¿En qué versos hace la autora referencia a su oficio? ¿A qué se dedica?

2. ¿Qué le gusta hacer y qué prefiere no hacer?

3. ¿Por qué dice la autora que el llanto en ella es un mecanismo descompuesto? Dé ejemplos del texto.

60 Analice

¿Por qué cree Ud. que no poder diferenciarse más de sus congéneres es causa de sufrimiento para la autora? ¿Qué dice eso de su persona y de su vida? Explique.

Para concluir

? Pregunta clave

¿Qué factores afectan la situación económica de un país y de su gente?

Proyectos

A ¡Manos a la obra! 👥

Trabaje con un(a) compañero/a. Preparen juntos un cuestionario de cinco preguntas para hacer una encuesta entre sus compañeros sobre sus expectativas en el mundo laboral. Hagan preguntas que ofrezcan opciones múltiples de respuesta para que los encuestados elijan una y Uds. puedan analizar los porcentajes.

Los jóvenes opinan sobre su futuro laboral.

Pueden tener en cuenta los siguientes temas o pensar otros por su cuenta:

- Cualidades importantes para conseguir trabajo

- Importancia de la formación y los estudios

- Campo del mercado laboral que les parece más fácil/difícil para conseguir trabajo

- Tiempo que puede demorar una persona en conseguir trabajo

- Si es más fácil para los jóvenes que para las personas de más edad

Luego, resuman los resultados de la encuesta y preparen gráficas de barras o de torta para ilustrarlos. Presenten la información a la clase.

B En resumen

Ud. acaba de regresar de México y debe escribir un breve artículo para el periódico escolar sobre algunos de los problemas económicos de ese país. Puede escribir sobre la crisis económico-financiera de 1994, sobre la falta de una cultura del ahorro, sobre lo que opinan los empresarios mexicanos del teletrabajo, etc. En su artículo, comente las semejanzas y diferencias que encuentra con lo que ocurre en su país. Puede buscar más información en la internet si lo necesita.

Un artículo sobre la economía en México

C ¡A escribir!

Imagine que Ud. es empresario y necesita contratar a un nuevo empleado para su empresa. Muchos aspirantes se presentarán a la entrevista. Piense en el perfil de empleado que le gustaría contratar: edad, estudios, experiencia, rasgos de personalidad. Luego, prepare un cuestionario de diez preguntas para los candidatos. Piense en opciones originales que los sorprendan y que los inviten a hablar con sinceridad.

Una aspirante al empleo contestando las preguntas del cuestionario

D El mundo del trabajo Conéctese: las estadísticas

Vuelva a leer el texto de la *Lectura informativa*. Busque información estadística en la internet sobre el nivel de empleo entre los universitarios estadounidenses. Complete el cuadro comparativo con esa información, aunque también puede agregar otros datos. Analice las diferencias que le parezcan más llamativas. Luego, presente sus conclusiones a la clase.

Los universitarios	en México	en Estados Unidos
No tiene empleo.	59 %	
No está contento con su situación actual.	88 %	
Estudian y trabajan.	2 %	
Prefieren un empleo en el sector privado.	54 %	
Quiere tener su propia empresa en el futuro.	20 %	

E Sistemas de intercambio Conéctese: la historia

En la cultura maya, las rutas de intercambio comercial favorecieron la integración de diversos grupos que entraron en contacto para proveerse de productos que no estaban disponibles en su entorno inmediato. El comercio abarcaba artículos de consumo básico que se negociaban en mercados regionales, pero también objetos de lujo que se transportaban largas distancias por tierra o por mar y estaban reservados a un grupo social restringido. El acceso a estos bienes escasos o foráneos fue un factor importante en la constitución de las clases sociales superiores.

Converse con un(a) compañero/a y reflexionen sobre los puntos de contacto que hay entre el sistema de intercambio comercial en la cultura maya y la sociedad actual:

- ¿Creen que los bienes básicos de consumo siguen proviniendo en su mayoría de economías regionales o locales?

- ¿Creen que las rutas comerciales terrestres y marítimas siguen siendo las más importantes?

- ¿Qué factores económicos creen que mantienen hoy en día a las clases sociales más altas?

Vocabulario de la Unidad 5

a diario daily
el/la **agente de bienes raíces** real estate agent
abrir una cuenta corriente/de ahorros to open a checking/savings account
acariciar to caress
las **acciones** shares, stock
ahorrar to save
el **almacén** warehouse
la **amistad** friendship
el **ascenso** promotion
atender a los clientes to take care of (wait on) the customers
averiguar to find out
los **beneficios** benefits
buscar to look for
la **búsqueda** search
el **cajero automático** ATM
el/la **cajero/a** teller, cashier
el **cambio de moneda** currency exchange
el/la **campesino/a** peasant
capacitado/a trained
la **chamba** job (slang)
charlar to chat
el/la **cliente/a** client
cobrar un cheque to cash a check
colaborar to contribute
el/la **comprador(a)** buyer
comprar a plazos to buy in installments
con frecuencia frequently
contratar to hire
contratiempos setbacks
la **correspondencia** mail
la **corteza** bark
costoso/a expensive
la **cuota mensual** monthly payment
dárselo to let you have it for
deber al banco to owe the bank
dejar to leave
descompuesto/a broken
el **descuento** discount
desempeñar to work as
despedir de un trabajo to fire from a job
la **docena** dozen
el/la **ejecutivo/a** executive
el/la **empleado/a** employee, clerk
la **empresa** company
encanecer to turn white (hair)

el/la **encargado/a** person in charge
endosar to endorse
la **entrevista** interview
entrevistar to interview
enviar to send
el **espejo** mirror
estar cansado/a to be tired
el **estreno teatral** theatrical debut
la **experiencia** experience
la **fábrica** factory
la **fecha de vencimiento** due date
la **felicitación** congratulations
las **finanzas** finances
las **gafas** glasses
las **ganancias** profits
ganar un sueldo to earn a salary
gastar to spend (money, time)
el/la **gerente** manager
girar/firmar un cheque to draw/sign a check
el/la **hombre/mujer de negocios** businessman/woman
las **horas flexibles** flexible hours
inapelable unappealable
ingresar/depositar un cheque to deposit a check
invertir dinero to invest money
invitar to invite
ir to go
irritarse to get irritated
el/la **jefe/a** boss
joven young
jubilarse to retire
el/la **juez** judge
el **llanto** crying
llenar una solicitud de empleo to fill out a job application
llevarse bien (con) to get along (with)
mediocre mediocre
la **mercancía** merchandise
el **mostrador** counter
las **necesidades de empleo** employment needs
obligatorio/a compulsory
olvidar to forget
el/la **óptico/a** optician
pagar al contado (en efectivo) to pay cash
pasear to go for a walk
pedir un préstamo to apply (ask) for a loan
las **pérdidas** losses

el **personal** personnel, staff
el **porcentaje/por ciento** percentage, per cent
el/la **postulante/candidato/a** job seeker, candidate
preocuparse to worry about
prestigioso/a prestigious
el **puesto de jornada completa/tiempo completo** full-time position
el **puesto de media jornada/tiempo parcial** part-time position
rebajar el precio to lower the price
los **recursos humanos** human resources
regatear to bargain
rehuir to avoid
renunciar a un trabajo to resign from the job
resolver problemas to solve problems
revisar el saldo to check the balance
rugoso/a rough
se busca wanted
se requiere required
sobregirarse to overdraw
el/la **socio/a** partner, member
solicitar un empleo to apply for a position
la **solución** solution
la **sucursal** branch
sufrir to suffer
supervisar to supervise
la **tarjeta de crédito/de débito** credit/debit card
la **tasa de interés** interest rate
tienden a producir tend to yield
el **trabajador** worker
tratar con to deal with
tratar en vano to try in vain
unirse to join
usar to use
el/la **vendedor/a** salesperson
el **verdugo** executioner
voluntariamente voluntarily
whisky sobre las rocas whiskey on the rocks

¿Sabía que...?

La medicina ancestral mapuche todavía se practica y convive con la medicina moderna. Para hacer un diagnóstico, el machi o chamán canta acompañado por el *kultrún* (tambor ritual) en una ceremonia llamada *machitún*. Todos los productos curativos de la medicina mapuche provienen de la tierra.

Unidad

6

Salud y bienestar

Escanee el código QR para mirar el video "Visitas inesperadas".

En esta historia de visitas y situaciones inesperadas, la madre de Alex se da cuenta de que él está enfermo y llama al médico para que vaya a hacerle una consulta en casa. ¿Qué síntomas tiene Alex, qué dice el médico y qué le recomienda?

Pregunta clave

?

¿Cómo cambia el cuidado de la salud según la época?

Mis metas

En esta unidad:

▶ Usaré expresiones relacionadas con la salud y el bienestar, enfermedades, diagnósticos y tratamientos.

▶ Repasaré las formas y usos del presente del subjuntivo.

▶ Leeré sobre la medicina mapuche en Chile, la medicina rural y la salud en el mundo virtual.

▶ Distinguiré el significado de palabras y frases según el contexto.

▶ Usaré correctamente los mandatos de **Ud.** y **Uds.**

▶ Leeré un artículo sobre los momentos que marcaron la evolución de la medicina y la salud en Chile.

▶ Crearé una historia clínica con base en una entrevista entre un médico y un paciente.

▶ Escribiré un ensayo argumentativo con base en un segmento sobre la medicina complementaria y la medicina convencional.

▶ Desarrollaré nuevas destrezas de vocabulario.

▶ Usaré correctamente los mandatos de **tú**, **vosotros/as** y **nosotros/as**.

▶ Leeré el poema *"Walking Around"* del chileno Pablo Neruda.

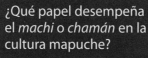
¿Qué papel desempeña el *machi* o *chamán* en la cultura mapuche?

Chile

Vocabulario 1

¡Más vale prevenir que curar!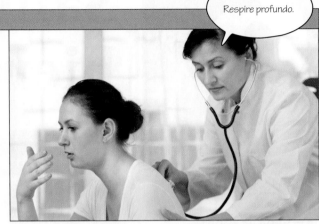

Cuándo ir al consultorio del médico

Respire profundo.

Es importante que te hagas un examen médico cada año aunque te sientas bien. La enfermera revisará tu peso y tu presión arterial, te tomará la temperatura y te hará un análisis de sangre y de orina. Luego, el médico te examinará.

Ve al médico si tienes fiebre y dificultad para respirar y si te duele la garganta y no dejas de toser. Puede ser solo gripe, pero también es posible que tengas otra enfermedad o una infección que requiera antibióticos o algún otro tratamiento.

Cuándo ir a la sala de emergencias

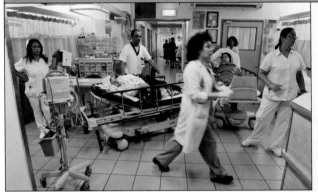

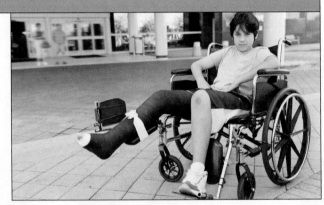

Ve a la sala de emergencias si te enfermas de gravedad o si tienes un dolor agudo constante en cualquier parte del cuerpo. Puede ser algo grave que necesite atención inmediata. Si ese es el caso, es posible que te lleven ahí mismo al quirófano para hacerte una operación.

También debes ir a la sala de emergencias si te caes y te rompes algún hueso. Allá te tomarán rayos equis para hacer un diagnóstico. Si te fracturas la pierna o el pie, es posible que tengas que estar enyesado por un tiempo y que tengas que caminar con muletas o usar una silla de ruedas.

Cuándo pedir auxilio

Pide auxilio y llama una ambulancia si presencias un accidente, si alguien se estrella o es atropellado y debe ser llevado al hospital. Y recuerda: conduce siempre con cuidado. ¡No quieres ser el muerto o el herido de gravedad en esa camilla!

El cuerpo humano: partes externas 🎧

la cabeza

la espalda

la rodilla

la pantorrilla

el pie

la mano

la muñeca

las uñas

la boca

el pelo

el pecho

el cuello

el brazo

el codo

el hombro

los dedos

la cintura

la pierna

el tobillo

La cara

el ojo

la nariz

los labios

la ceja

las pestañas

la mejilla

la oreja

El cuerpo humano: órganos internos 🎧

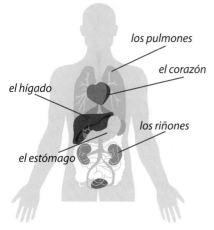

los pulmones

el corazón

el hígado

los riñones

el estómago

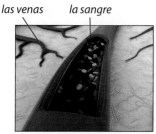

las venas

la sangre

Para conversar 🎧

Para intercambiar información en el consultorio del médico:

—Tengo los ojos superirritados y no dejo de estornudar. Creo que tengo una infección, pero soy alérgico a los antibióticos y no sé qué hacer.

—No se preocupe. Lo que tiene es alergia. Le recetaré otros medicamentos para aliviar los síntomas. Mientras tanto, póngase boca abajo que ya mismo le voy a aplicar una inyección. Verá que pronto se sentirá mucho mejor.

—Generalmente duermo bien, pero ya llevo varios días sin poder hacerlo y, luego, paso el día entero bostezando. Estoy preocupado.

—No se preocupe. Ud. sufre de insomnio. Le voy a recetar unas pastillas para dormir, pero sería buena idea ver a un psicólogo si el problema continúa.

Para conversar

Para dar recomendaciones y consejos:

- Si te sientes débil y mareado/a a toda hora, como si te fueras a desmayar, es mejor que vayas al médico. Puede que sea una simple dolencia, pero es mejor prevenir que curar.

- Si estás embarazada y tienes náuseas y ganas de vomitar, es mejor que tomes remedios caseros para aliviar el malestar. Haz ejercicio para estar en forma y aliméntate bien para que tu bebé esté fuerte y goce de buena salud. Cuando sea la hora de dar a luz, ve de inmediato al hospital y dirígete a la sala de maternidad.

- Si tienes un resfriado o un simple catarro, no es necesario que vayas al médico. Toma jarabe para la tos. El farmacéutico te puede ayudar si no sabes cuál comprar.

- Cuando tengas una cita médica, chequea con la persona que está en el mostrador de información y, luego, espera en la sala de espera junto con los otros pacientes. Después de la cita, no te olvides de pagar la consulta o pedir que te pasen la cuenta.

1 Una consulta médica

Ud. tuvo una consulta médica porque se sentía enfermo/a y ahora le cuenta a su compañero/a cómo le fue en el consultorio. Escuche e indique la terminación correcta.

El médico me recetó unas pastillas.

1. me tomó la temperatura / me recetó píldoras
2. tos / fiebre
3. el estómago / la lengua
4. la garganta / la nariz
5. me puso una inyección / me tomó la presión arterial
6. dar a luz / hacer el análisis de sangre
7. recetarme píldoras / recomendarme una buena dieta
8. pedí auxilio / pagué la consulta

2 Una emergencia en la sala de urgencias

Imagine que Ud. es enfermero/a y tiene que preparar un informe para el médico sobre una señora que acaban de traer a la sala de urgencias después de un accidente. Combine las frases de la primera columna con las que correspondan de la segunda para hacer su informe.

MODELO **Dr. Lara, la Sra. Ruiz tuvo un accidente. Tiene ocho meses de embarazo.**

1. Ella goza...
2. Aunque está...
3. Se queja de un fuerte dolor...
4. Su hermana dice que es alérgica...
5. Afortunadamente, no sufre...
6. Ya hemos pedido el análisis...
7. Parece estar a punto...

A. de cabeza.
B. de dar a luz.
C. de un buen estado de salud.
D. en forma, el embarazo es de riesgo por su edad.
E. de sangre.
F. a la penicilina.
G. de presión arterial alta.

 **¡Comunicación!**

3 ¿Qué haces para mantenerte saludable? — Presentational Communication

Complete las siguientes oraciones de manera lógica, como se ve en el modelo. Luego, comparta sus ideas con el resto de la clase.

> **MODELO** ....porque es bueno para la salud.
> **Me alimento con comida sana porque es bueno para la salud.**

1. ...porque es bueno para la salud.
2. ...es mejor que tomar jarabe para la tos.
3. ...para evitar los dolores de estómago.
4. ...para dormir bien y evitar el insomnio.
5. ...y por eso creo que las mujeres embarazadas deben evitarlo.
6. ...es un síntoma de la gripe.
7. ...para estar en forma y tener una mejor calidad de vida.
8. ...para aliviar calambres o dolores por el deporte.

4 ¡Qué larga espera! — Interpersonal Communication

Imagine que Ud. tiene una cita con su médico, pero ha tenido que esperar por mucho rato pues hay muchos pacientes esperando turno. Con un(a) compañero/a, hagan el papel de los siguientes pacientes, imaginen su situación y representen su conversación. Túrnense para hacerse preguntas y responderlas, como se ve en el modelo.

> **MODELO** Una madre que trata de calmar a su hijo pequeño que no deja de llorar.
> **Madre:** Cálmate, por favor, cálmate. Tan pronto te vea el doctor te sentirás mejor.
> **Hijo:** No quiero ver al doctor. ¡No quiero! Sé que me va a poner una inyección.

- Una madre que trata de calmar a su hijo pequeño que no deja de llorar.
- Una señora que entra empujando a un muchacho en una silla de ruedas.
- Una señora que discute con su esposo quien no deja de bostezar.
- Una joven embarazada que le hace confidencias a una señora de edad.
- Dos ancianos que se conocen desde hace tiempo y se encuentran por casualidad (*by chance*) en la sala de espera.
- Un niño que habla con la recepcionista mientras su mamá llena el historial médico.
- Una joven que no deja de toser y estornudar y el muchacho que la acompaña.
- Un(a) paciente que se queja con la enfermera por que tiene una cita y está cansado/a de esperar.

¿Sabes si me van a poner una inyección?

Gramática

El modo subjuntivo

El **modo indicativo** se usa para referirse a hechos objetivos que tuvieron, tienen o tendrán lugar, como se ha visto en las unidades anteriores.

Pasado:	**Tuvo** que ir a la sala de emergencia esta mañana por que **se sentía** muy mal.
Presente:	**Está** en la sala de espera esperando los resultados de los rayos equis.
Futuro:	El médico **analizará** los resultados y le **dará** un diagnóstico.

El **modo subjuntivo**, en cambio, se usa para referirse a estados o hechos hipotéticos, o a dudas, emociones o deseos.

En el modo subjuntivo, la acción del verbo generalmente depende de una acción en la cláusula principal que está en el modo indicativo. Las dos cláusulas van unidas por medio de la conjunción **que**.

cláusula principal   cláusula subordinada
El doctor me **recomienda**   **que descanse**.
Ind.   Subj.

Conjugación de verbos regulares en el presente del subjuntivo

tom**ar**	tom**e**	tom**es**	tom**e**	tom**emos**	tom**éis**	tom**en**
tos**er**	tos**a**	tos**as**	tos**a**	tos**amos**	tos**áis**	tos**an**
sufr**ir**	sufr**a**	sufr**as**	sufr**a**	sufr**amos**	sufr**áis**	sufr**an**

- Los siguientes verbos tienen cambios en la terminación antes de **-o** (en la primera persona del presente del indicativo) y antes de **-a** (en todas las personas del presente del subjuntivo).

g → j	c → zc	i → y	gu → g
recoger	**conocer**	**construir**	**distinguir**
reco**j**a	cono**zc**a	constru**y**a	distin**g**a
reco**j**as	cono**zc**as	constru**y**as	distin**g**as
reco**j**a	cono**zc**a	constru**y**a	distin**g**a
reco**j**amos	cono**zc**amos	constru**y**amos	distin**g**amos
reco**j**áis	cono**zc**áis	constru**y**áis	distin**g**áis
reco**j**an	cono**zc**an	constru**y**an	distin**g**an

Un poco más

La conjugación del presente del subjuntivo se obtiene fácilmente si se cambia la vocal **-o** de la primera persona singular del presente de indicativo por la vocal **-e** en los verbos terminados en **-ar** y por la vocal **-a** en los verbos terminados en **-er** e **-ir**.

- recet**ar** → recet**o** → recet**e**
- tos**er** → tos**o** → tos**a**
- sufr**ir** → sufr**o** → sufr**a**

Esta regla también se aplica a los verbos de cambio radical y ortográfico, y a los irregulares que terminan en **-go** en la primera persona del presente del indicativo.

- sent**ir** → s**ie**nto → s**ie**nta
- eleg**ir** → eli**j**o → eli**j**a
- ten**er** → ten**go** → ten**ga**

- Los verbos terminados en **-car, -gar** y **-zar** cambian de ortografía en todas las personas del subjuntivo.

g → gu	c → qu	z → c
pagar	**sacar**	**gozar**
pa**gu**e	sa**qu**e	go**c**e
pa**gu**es	sa**qu**es	go**c**es
pa**gu**e	sa**qu**e	go**c**e
pa**gu**emos	sa**qu**emos	go**c**emos
pa**gu**éis	sa**qu**éis	go**c**éis
pa**gu**en	sa**qu**en	go**c**en

Es una lástima que la abuelita no goce de buena salud.

- Los verbos que tienen cambios de raíz en el presente del indicativo también los tienen en el presente del subjuntivo. Los verbos terminados en **-ir** tienen un cambio adicional en la primera y segunda persona del plural.[1]

e → ie	o → ue	o → ue, u	e → ie, i	e → i, i
pensar	**volver**	**dormir**	**sentir**	**pedir**
p**ie**nse	v**ue**lva	d**ue**rma	s**ie**nta	p**i**da
p**ie**nses	v**ue**lvas	d**ue**rmas	s**ie**ntas	p**i**das
p**ie**nse	v**ue**lva	d**ue**rma	s**ie**nta	p**i**da
pensemos	volvamos	d**u**rmamos	s**i**ntamos	p**i**damos
penséis	volváis	d**u**rmáis	s**i**ntáis	p**i**dáis
p**ie**nsen	v**ue**lvan	d**ue**rman	s**ie**ntan	p**i**dan

- Los verbos irregulares que terminan en **-go** en la primera persona cambian de la misma forma en el presente del subjuntivo.

hacer	poner	decir	salir	venir
hago → haga	**pongo → ponga**	**digo → diga**	**salgo → salga**	**vengo → venga**
hagas	pongas	digas	salgas	vengas
haga	ponga	diga	salga	venga
hagamos	pongamos	digamos	salgamos	vengamos
hagáis	pongáis	digáis	salgáis	vengáis
hagan	pongan	digan	salgan	vengan

- En el presente del subjuntivo, hay seis verbos que son completamente irregulares.

haber	ir	saber	ser	dar	estar
haya	vaya	sepa	sea	dé	esté
hayas	vayas	sepas	seas	des	estés
haya	vaya	sepa	sea	dé	esté
hayamos	vayamos	sepamos	seamos	demos	estemos
hayáis	vayáis	sepáis	seáis	deis	estéis
hayan	vayan	sepan	sean	den	estén

[1] En el Apéndice C, consulte una lista de verbos en los que el radical cambia en el presente del indicativo.

El subjuntivo vs. el indicativo en cláusulas nominales

El verbo de la cláusula principal de la oración determina si se usa el indicativo o el subjuntivo en la cláusula subordinada.

Verbo principal + que + $\left\{\begin{array}{c} \text{indicativo} \\ \text{o} \\ \text{subjuntivo} \end{array}\right.$

La enfermera le pide a la paciente que conteste algunas preguntas.

- Cuando el verbo de la cláusula principal se refiere a hechos objetivos que han tenido, tienen o tendrán lugar, se usa el indicativo en la cláusula subordinada.

  Él **sabe** que la anestesióloga **va** a ponerle anestesia local en la operación de mañana.

- Cuando el verbo de la cláusula principal se refiere a estados o hechos hipotéticos, o a dudas, emociones o deseos, se usa el subjuntivo en la cláusula subordinada.

  Ella **duda** que la anestesióloga **vaya** a ponerle anestesia local en la operación de mañana.

El indicativo

El indicativo se usa cuando el verbo de la cláusula principal denota...

- percepción física o mental (**escuchar**, **notar**, **observar**, **oír**, **ver**, **saber**)

  Supe que **hay** especialidades nuevas en esta clínica.

  ¿**Notaron** que el paciente **tiene** una infección?

- comunicación verbal (**comentar**, **decir**, **explicar**, **opinar**)

  Los noticieros **dicen** que las enfermeras **irán** a la huelga.

  El paciente **opina** que no **existe** nada para aliviar el dolor tan fuerte que siente.

- procesos mentales (**creer**, **imaginar**, **pensar**, **recordar**, **suponer**)

  Mis abuelos **creen** que la tía Teresa **está** embarazada.

  Los tíos **suponen** que **dará** a luz en diciembre.

El subjuntivo

El subjuntivo se usa cuando el verbo de la cláusula principal expresa...

- petición o mandato (**decir**, **exigir**, **mandar**, **pedir**, **ordenar**, **insistir en**, **requerir**, **hacer**)

  Los doctores **exigen** (**mandan**) que los enfermeros **se desinfecten** bien antes de ir al quirófano.

  El paciente **pide** que lo **atiendan** cuanto antes.

- deseo (**desear**, **esperar**, **preferir**, **proponer**, **querer**)

  Espero que te **haya ido** bien en el parto.

  ¿**Prefieres** que te **traiga** las medicinas al cuarto?

- consejo o ruego (**aconsejar**, **recomendar**, **rogar**, **sugerir**, **suplicar**)

    Los nutricionistas **recomiendan** que **consumamos** mucha fibra.
    ¡Camila **ruega** que **pidan** una ambulancia!

- permiso o prohibición (**aprobar**, **impedir**, **oponerse a**, **permitir**, **dejar**, **prohibir**)

    El traumatólogo no **permite** que **camine** sin muletas.
    La clínica **prohíbe** que **suban** visitas después de las nueve de la noche.

- emociones (**alegrarse de**, **tener miedo de**, **temer**, **gustar[le]**, **esperar**, **importar[le]**, **lamentar**, **molestar[le]**, **sentir**, **sorprenderse de**)

    Me **molesta** que no **atiendan** rápido a mi abuela.
    Nos alegramos de que **haya** buena atención médica en ese hospital.

Otros usos del indicativo y del subjuntivo

Indicativo	Subjuntivo
El indicativo se usa cuando la cláusula principal expresa seguridad (**saber**, **estar seguro de**, **no ignorar**, **no dudar**, **no negar**)	El subjuntivo se usa cuando la cláusula principal expresa duda o negación (**no estar seguro de**, **ignorar**, **dudar**, **negar**)
La doctora **está segura** de que el bebé **tiene** fiebre. Los especialistas **no dudan** que **hay** una solución.	La mamá **no está segura** de que el bebé **tenga** fiebre. Los pacientes **dudan** que **haya** una solución.
Se usa con los verbos **creer** y **pensar** cuando la cláusula principal es afirmativa y en oraciones interrogativas cuando el que habla expresa seguridad.	Se usa con los verbos **creer** y **pensar** cuando la cláusula principal es negativa y en oraciones interrogativas cuando el que habla expresa duda o falta de seguridad.
Él **cree** que **está** curado. ¿No **piensas** que **debes** ir al médico? ¿**Crees** que el doctor **está** mañana?	Juan **no cree** que **se cure** pronto. ¿Acaso **no piensas** que **debas** ir al médico? ¿**Crees** que el doctor **esté** mañana?
El indicativo también se usa en oraciones impersonales que expresan certidumbre o niegan la duda (**es evidente**, **verdad**, **obvio**, **indudable**, **cierto**, **seguro**; **está claro**, **no es dudoso**)	El subjuntivo se usa en oraciones impersonales que expresan duda o niegan la certidumbre (**dudo**, **es dudoso**, **no es verdad**, **no es cierto**, **no es evidente**, **no es obvio**, etc.)
Es seguro que hoy **estará** el resultado. **No dudo** que esta terapia **funciona**.	**Dudo** que hoy **esté** el resultado. **No es verdad** que yo **sea** alérgico.
	También se usa en expresiones impersonales que expresan una opinión subjetiva o personal (**es bueno**, **mejor**, **malo**, **necesario**, **conveniente**, **preciso**, **importante**, **urgente**, **lástima**, **probable**, **posible**; **está bien**, **mal**)
	Es probable que la niña **tenga** miedo.

5 La facultad de concentrarse 👥

Imagine que Ud. estudia en la Facultad de Medicina y necesita ayuda en su curso de traumatología porque es muy difícil. Con un(a) compañero/a, túrnense para convertir los siguientes comentarios en consejos, como se ve en el modelo.

> **MODELO** Es necesario estudiar mucho.
> **Es necesario que estudies mucho.**

1. Es vital aprobar este curso con buena nota.
2. Es mejor empezar con un repaso de anatomía funcional.
3. También es conveniente repasar los conocimientos de fisiología.
4. Más vale practicar con los modelos anatómicos, maniquíes y simuladores.

Es importante que entienda los resultados de su radiografía.

5. Es preciso aprenderse de memoria los síntomas de los traumas para poder hacer un diagnóstico diferencial.
6. Conviene ser cuidadoso a la hora de recetar medicamentos.

6 ¡Jennifer Lopera está embarazada!

El doctor Burgos sospecha que Jennifer Lopera está embarazada por los síntomas que presenta: náuseas, fatiga y edema. Mientras esperan el resultado de los análisis, el doctor habla con la Sra. Lopera. Forme oraciones con frases de ambas columnas, usando el indicativo o el subjuntivo, según la situación.

I	II
1. Señora Lopera, es evidente que....	**A.** hacer ejercicio moderado.
2. Lamento que....	**B.** seguir una dieta saludable.
3. Es indudable que...	**C.** tomar vitaminas y suplementos.
4. Opino que...	**D.** tener náuseas y mareos.
5. Le prohíbo que...	**E.** no tener fiebre ni la presión alta.
6. Le recomiendo que...	**F.** sentirse mal y tener cambios de humor.
7. Es mejor que...	**G.** fumar y tomar bebidas alcohólicas.
8. Supongo que...	**H.** acostarse temprano o dormir ocho horas.
9. Es conveniente que...	**I.** necesitar un análisis de orina y sangre.
10. Le sugiero que...	**J.** poder estar embarazada.
	K. caminar mucho y tomar mucha agua.

7　La tensión y el estrés, enemigos de la salud　　Interpersonal Communication

Un(a) colega y Ud. son expertos en el tema del estrés y su efecto negativo sobre la salud. Juntos darán una conferencia sobre el tema. En parejas, terminen las siguientes oraciones. Luego, comparen sus comentarios con el resto de la clase.

1. Es evidente que la tensión emocional y el exceso de preocupaciones...

2. Sabemos que las personas nerviosas o las que viven bajo un estado continuo de tensión...

3. Está comprobado que muchas enfermedades, desde un resfriado hasta el cáncer...

4. Los resultados de las investigaciones no evidencian que...

5. Para evitar que el estrés tenga efectos negativos en la salud, recomendamos...

6. Es una lástima que un ritmo de vida acelerado cause que...

7. Los pacientes dudan que su salud se vea afectada, pero el estrés excesivo...

8　¡Auxilio, no puedo dormir!　　Interpersonal Communication

Imagine que un(a) amigo/a le cuenta que sufre de insomnio y no sabe qué hacer. Túrnense con un(a) compañero/a para hablar sobre el tema y darle consejos. Use las siguientes expresiones y el indicativo y el subjuntivo según corresponda, como se ve en el modelo.

MODELO
> A: He notado que pasas todo el día bostezando. ¿Qué pasa?
>
> B: No sé qué hacer. Me lo paso bostezando todo el día porque llevo varias noches sin poder dormir.
>
> A: Es probable que sufras de insomnio. Creo que debes ir al médico.

1. Te sugiero que...

2. No es conveniente que...

3. Supongo que...

4. Noto que...

5. Es mejor que...

6. Los médicos recomiendan que...

7. Creo que...

8. Es obvio que...

9. No dudo que...

10. Es probable que...

9　¿Qué debo hacer?　　Interpersonal Communication

Imagine que Ud. es estudiante de medicina y todo el mundo le pide consejos sobre cómo prevenir ciertas condiciones y enfermedades. Represente la situación con un(a) compañero/a. Intercambien información con base en los siguientes temas y usen el indicativo o el subjuntivo según corresponda.

MODELO
> A: ¿Qué me recomiendas para aliviarme de esta gripe?
>
> B: Sugiero que descanses y tomes jarabe para la tos.

1. Los dolores de cabeza

2. Los catarros y la gripe

3. La diabetes

4. Las enfermedades cardíacas

5. Las caries (cavities) y los dolores de muela

6. Los dolores de estómago

Medicina mapuche en el siglo XXI

10 Comprensión

1. ¿Por qué se pueden encontrar chamanes mapuches en la gran ciudad?

2. ¿Cómo se combinan la medicina mapuche y la convencional?

3. ¿Qué ventajas tiene la colaboración entre medicina mapuche y medicina convencional?

11 Analice

1. ¿Qué opina Ud. de los tratamientos alternativos, naturales o tradicionales?

2. ¿Cree Ud. que en su país las personas recurren a la medicina alternativa tanto como en Chile?

Puede parecer de ciencia ficción, pero no lo es: en Chile es posible encontrar un chamán o médico mapuche en una gran ciudad moderna como Santiago. Históricamente, la medicina tradicional de los mapuches (los indígenas del sur chileno) se limitaba al ámbito rural. Sin embargo, con la migración masiva a las grandes ciudades, muchos sanadores[1] mapuches han abierto en ellas consultorios privados donde ofrecen una alternativa terapéutica.

Los chamanes mapuches siguen teniendo vigencia en la actualidad.

La medicina mapuche se basa en la herbolaria, que es el uso de plantas y hierbas con fines curativos, y es ejercida por el machi o chamán. Pero lo más interesante de esta alternativa es que no excluye las prácticas médicas convencionales. Por el contrario, ambas se combinan y complementan. Los machis ofrecen a los pacientes tratamientos muy distintos a los de la medicina occidental, pero los pacientes aseguran que no hay conflicto: a veces son los mismos médicos quienes los derivan[2] a un machi (por ejemplo, cuando se trata de problemas asociados con el estrés) o viceversa: el machi manda los pacientes al médico (por ejemplo, cuando sus dolencias[3] requieren una cirugía).

Esta colaboración intercultural recibe el apoyo del Ministerio de Salud de Chile, que desde hace años reconoce la medicina mapuche y permite el ejercicio libre[4] de los machis. De hecho, hay más de 150 plantas medicinales estudiadas y reconocidas por ese organismo. Para la comunidad mapuche, es una oportunidad imperdible[5] de mantener su cultura viva dentro de una gran ciudad. Para el resto de los chilenos, es una posibilidad de complementar y mejorar el cuidado de su salud.

[1] healers   [2] refer   [3] ailments   [4] free practice   [5] unique

Búsqueda: medicina mapuche, machi mapuche, chamán mapuche, programa salud y pueblos indígenas chile

Prácticas

En Chile, según una encuesta del Ministerio de Salud, más de la mitad de las personas han recurrido en algún momento a la medicina alternativa para tratar problemas de salud. Esta práctica se ha difundido tanto entre los chilenos porque los mismos profesionales de la medicina convencional tienen una mirada positiva al respecto y muchos de ellos se especializan también en disciplinas de la medicina complementaria, como la homeopatía y la acupuntura.

Muchos médicos chilenos recurren también a la medicina alternativa.

Un médico rural, un médico integral

Es posible que, al pensar en la medicina rural en América Latina, imaginemos un médico que, en solitario y maletín en mano, visita muy esporádicamente[1] a sus pacientes en lugares remotos. Pero las cosas cambian. Si bien es cierto que en el ámbito rural hay factores que dificultan el acceso a la salud, como las largas distancias o la falta de equipamiento especializado en las pequeñas clínicas, también hay muchos programas en los que los médicos trabajan en equipo para mejorar el sistema rural de salud.

En la Universidad de Chile, los estudiantes de medicina del último año de la carrera deben cursar un Internado Rural. Se trata de una experiencia integradora, en la que los internos se incorporan durante cuatro semanas a la vida rural: viven allí, se relacionan estrechamente con la comunidad y aprenden a apreciar sus condiciones de vida.

Los médicos rurales tienen una relación muy cercana con sus pacientes.

Durante esta experiencia, ponen en práctica sus conocimientos mediante actividades de promoción, prevención y atención primaria. Uno de los aspectos más enriquecedores es que los internos visitan a pacientes que no pueden asistir a la clínica. Así, entran en su hogar, conocen a su familia y forma de vida, conversan con ellos, les entregan medicamentos y resuelven situaciones clínicas agudas[2]. Este tipo de atención personalizada no es habitual ni posible en un consultorio moderno del sistema urbano de salud. En el internado rural, los futuros médicos adquieren una visión abarcadora[3] y alternativa de los problemas del paciente, sin dejar de lado ningún detalle. Así se preparan para ser médicos integrales.

[1] seldom   [2] acute   [3] wide-ranging

 Búsqueda: medicina rural en chile, internado rural universidad de chile

12 Comprensión

1. ¿Qué dificultades presenta el ámbito rural para el acceso a la salud?

2. ¿Qué se hace en Chile para mejorar el sistema de salud rural?

3. ¿Qué tiene de particular el ejercicio de la medicina rural?

13 Analice

1. ¿Qué opina Ud. de la mirada más abarcadora de la medicina rural u otras medicinas alternativas?

2. ¿Hay alguna práctica de la medicina de los pueblos originarios de su país que esté reconocida por la medicina convencional? ¿Cuáles?

Productos

El Museo Nacional de Medicina de Chile contiene equipos e instrumental médico, libros, documentos y fotografías de la historia de la salud chilena. Los visitantes pueden acceder allí al patrimonio histórico no solo de la medicina convencional sino también de la medicina mapuche. En el museo hay un rehue (tronco de árbol que simboliza el poder), dos cultrum, o tambores, y una pipa usada por los machis. Hay también una pequeña muestra de las plantas medicinales de varias culturas precolombinas, que luego se incorporaron a la farmacopea española durante la conquista y, junto con los baños termales, sirvieron para aliviar las enfermedades de los conquistadores.

Los cultrum usados por los machis en la medicina mapuche

La salud en el mundo virtual 🎧

14 Comprensión

1. ¿Qué aplicación tienen las nuevas tecnologías de la información en la medicina?

2. ¿Cuáles son los usos de la salud conectada?

3. ¿Cuáles son las ventajas de la salud conectada?

15 Analice

1. ¿Qué aplicaciones tiene la tecnología de la información en la medicina en su país?

2. ¿Cuáles cree Ud. que serían las desventajas de un sistema como la salud conectada?

Cada vez más personas tratan su salud a distancia.

Desde hace mucho tiempo, la medicina usa la tecnología para mejorar su calidad de atención. Ya en el siglo XIX se transmitían datos clínicos por telégrafo; con la aparición del teléfono, se empezaron a intercambiar interpretaciones de exámenes y la televisión aumentó enormemente el volumen y el alcance de la información sobre la salud.

Hoy en día, gracias a las nuevas tecnologías de la información y las comunicaciones, se brindan servicios de medicina a distancia[1] llamados "salud conectada". Esto permite que los pacientes puedan supervisar su estado sin necesidad de acudir[2] a consultas u hospitales.

En Chile, hay varias empresas que brindan este servicio de vinculación[3] directa entre médico y paciente para el monitoreo a distancia de enfermedades crónicas como la diabetes o la hipertensión arterial. Pero hay otros usos para la salud conectada, por ejemplo, es una fuente de información para educar al paciente y también es un foro de capacitación[4] e interconsulta entre profesionales de la salud. Una ventaja importante es que en un único lugar se concentran todos los datos médicos del paciente, por lo que cada especialista que consulte su historia puede tener una visión global de su estado e indicar el tratamiento que resulte más apropiado.

Por supuesto que la salud conectada no reemplazará a las tradicionales consultas cara a cara. La idea es aprovechar[5] las posibilidades tecnológicas para integrar e intercambiar la información y avanzar hacia una medicina de mejor calidad.

[1] remote   [2] show up   [3] relationship   [4] training   [5] take advantage of

🔍 **Búsqueda:** salud conectada, portales de salud chile

Perspectivas

Con el acceso a la internet, muchas personas pueden participar de la salud conectada, pero el servicio debe tener un sustento científico y profesional responsable. Xavier Urtubey, médico y presidente para América Latina y El Caribe de la Asociación Americana de Telemedicina (ATALACC), sostiene: "Se trata de la vida humana y no es cuestión de pasarle un *smartphone* con aplicaciones a un paciente y pretender que con eso vaya a tener una buena salud o se mejore. El hecho de que el teléfono tenga acceso a la internet no se traduce en la solución al problema del paciente".

¿Por qué las nuevas tecnologías en sí mismas no son suficientes para resolver los problemas de salud?

Los servicios de salud siempre deben brindarse de manera responsable.

Comparación y contraste: ¡Ojo con estas palabras!

Hay muchas palabras que tienen la misma raíz etimológica en español y en inglés. Estas palabras se llaman **cognados** y, a veces, tienen el mismo significado; por ejemplo: computadora = *computer*; universidad = *university*; composición = *composition*. Otras veces no tienen el mismo significado y, en esos casos, se conocen como falsos amigos o falsos cognados. Preste atención al uso de estas palabras pues su significado depende del contexto.

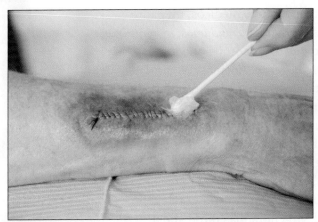

Póngase una aplicación de esta crema tres veces al día.

asistir (a) *to attend*
   ¿Piensas **asistir** a la reunión del viernes?

to assist **ayudar**
   La instrumentista **ayudó** durante la cirugía.

aplicación *application (of a cream, ointment)*
   Tengo que ponerme una **aplicación** de esta crema tres veces al día.

application **solicitud**
   Él presentó una **solicitud** para trabajar como enfermero en la clínica.

mover *to change the position of an object*
   Mueve esa silla, por favor.

to move **mudarse (cambiar de residencia)**
   ¿Cuándo **se mudaron** a este edificio?

realizar *to fulfill, to achieve*
   Carolina se propuso **realizar** sus sueños.

to realize **darse cuenta de**
   ¿No **te diste cuenta de** que tenías fiebre?

registrar *to examine, to inspect*
   Le **registraron** todas las maletas en la aduana.

to register **matricularse, inscribirse**
   Mi prima **se matriculó** en la Facultad de Medicina.

retirar(se) *to take away ; to withdraw, to retreat*
   Voy a **retirar** el dinero de mi cuenta de ahorros.
   Estaba muy cansada y **se retiró** a su habitación.

to retire **jubilarse**
   La Sra. Pérez **se jubiló** de su puesto de enfermera hace un año.

soportar *to put up with, to bear*
   No **soporto** esta picazón en los ojos.

to support **mantener, sostener**
   Gano suficiente para **mantener** a mis hijos.

embarazada *pregnant*
   Ana está **embarazada**, pero no le ha dicho nada a su familia.

embarrassed **apenado(a), avergonzado(a)**
   Está **avergonzada** de decirles la verdad.

16 ¡Me encanta mi profesión!

Complete el siguiente párrafo con la palabra entre paréntesis que corresponda según el contexto.

Mi nombre es Eugenia. Soy enfermera en un Hospital en Santiago, Chile. Trabajé por dos años aproximadamente en un hospital en Viña del Mar, cuando el año pasado, después de más de treinta años con una compañía de seguros médicos, mi padre (**1.** *retiró, se jubiló*). Nosotros (**2.** *nos mudamos, movimos*) a la capital. Me gusta lo que hago porque puedo (**3.** *asistir, ayudar*) a mucha gente. Además, (**4.** *me doy cuenta de, realizo*) que tengo muchas responsabilidades y de que es un trabajo maravilloso. Esta mañana, por ejemplo, una mujer (**5.** *apenada, embarazada*) llegó en ambulancia. Estaba sufriendo mucho, casi no podía (**6.** *sostener, soportar*) el dolor. Le dije: "Señora, no (**7.** *se mueva, se mude*). Tengo que tomarle la presión arterial". También le tomé la temperatura y la llevé a la sala de maternidad. Una hora más tarde, dio a luz a gemelos y me dio las gracias delante de todos. Dijo que yo la (**8.** *ayudé, asistí*) mucho y que soy la mejor enfermera del mundo. Yo estaba un poco (**9.** *embarazada, avergonzada*), pero me sentí feliz.

Soy enfermera y me encanta mi profesión.

Es obvio que me fascina la medicina. De hecho, me gusta tanto que he decidido (**10.** *matricularme, registrarme*) en la Facultad de Medicina de la universidad. Hace dos meses que presenté los exámenes de entrada y llené la (**11.** *aplicación, solicitud*). ¡Ya fui aceptada! Seré doctora dentro de siete años.

¡Comunicación!

17 Consejos y recomendaciones 👥   Interpersonal Communication

Día a día se presentan situaciones en que los médicos, dentistas, familiares y maestros se ven en la obligación de dar consejos y recomendaciones. Con un(a) compañero/a, túrnense para dar las recomendaciones del caso en cada una de las situaciones que se dan a continuación, como se ve en el modelo.

MODELO   de un siquiatra a una paciente que sufre de depresión
Le recomiendo que tome sus pastillas diariamente y se mantenga ocupada.

1. De un maestro de español a sus estudiantes

2. De un doctor a una niña que se fracturó el brazo

3. De un profesor de música a sus alumnos de piano

4. De una madre a su hijo que ve mucha televisión y no le gusta hacer sus tareas

5. De la instructora de un gimnasio a un grupo de personas que quiere perder peso

¡Comunicación!

18 ¿Es Ud. hipocondríaco/a?   Interpersonal/Presentational Communication

Con un(a) compañero/a, túrnense para hacerse las siguientes preguntas y contestarlas. Luego, piensen en otras cinco características de los hipocondríacos y preséntenlas al resto de la clase.

1. ¿Cree que sufre de alguna enfermedad grave cuando le duele la cabeza o el estómago o tiene alguna irritación en la piel?

2. Cuando su amigo/a se enferma y le cuenta sus síntomas, ¿empieza a sentir los mismos dolores?

3. ¿Guarda un termómetro en su mesilla de noche?

4. ¿Está hipervitaminado/a? O sea, ¿consume la cantidad doble o más de vitaminas de la que debiera?

5. Cada vez que le duele algo o se siente mal, ¿consulta los síntomas en la internet para hacerse su propio diagnóstico?

6. ¿Va al consultorio de su médico/a o a la sala de urgencias cada vez que tiene cualquier dolencia o malestar?

19 ¡Defiendan su punto de vista!   Interpersonal/Presentational Communication

Reúnanse en grupos de tres o cuatro estudiantes para discutir los siguientes temas. Túrnense para hacer preguntas y responderlas y justifiquen sus razones, ya sea que estén de acuerdo o en desacuerdo. Al final, presenten sus conclusiones al resto de la clase.

El derecho a la vida

En los últimos años, ha habido varios casos en que los familiares de un(a) enfermo/a terminal han dejado de prolongarle la vida para evitarle sufrimiento.

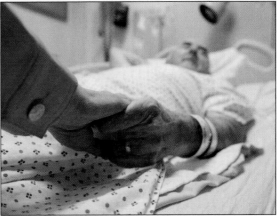

Siento mucho que estés sufriendo.

• ¿Piensan que es justo que los familiares de un(a) enfermo/a terminal decidan si debe o no debe vivir?

• ¿Creen que es justo que la medicina prolongue la vida artificialmente?

El derecho a la salud

La Organización Mundial de la Salud decreta que la salud es un derecho del ser humano sin distinción de razas, religiones, partidos políticos ni condiciones sociales o económicas.

• ¿Consideran Uds. que los gobiernos deben cuidar de la salud pública o esta debe ser una obligación individual? ¿Qué ventajas y desventajas tiene que el gobierno sea responsable del mantenimiento de la salud pública?

• La desnutrición es una de las enfermedades características de la pobreza. ¿Creen Uds. que al socializar la medicina se daría fin a esta enfermedad cada vez mayor en el mundo?

Gramática

El modo imperativo

El imperativo de Ud. y Uds (los mandatos formales) se forma de la misma manera que la tercera persona singular y plural del presente de subjuntivo.

Formas de los mandatos formales				
	Afirmativo		**Negativo**	
	Singular	**Plural**	**Singular**	**Plural**
preguntar	pregunte Ud.	pregunten Uds.	no pregunte Ud.	no pregunten Uds.
vender	venda Ud.	vendan Uds.	no venda Ud.	no vendan Uds.
dormir	duerma Ud.	duerman Uds.	no duerma Ud.	no duerman Uds.

El uso del imperativo

- El imperativo se usa para dar órdenes directas. Los pronombres **Ud.** y **Uds.**, si se necesitan para dar énfasis, se colocan después del verbo.

  Espere Ud. un momento, por favor.

  Si quiere mantenerse saludable, **haga** ejercicio y **siga** una dieta saludable.

  Practique ejercicios aeróbicos, **camine**, **corra** o **ande** en bicicleta.

  Antes de trotar, **haga** estiramiento lento por cinco minutos.

  Duerma por lo menos ocho horas diarias.

Estírese antes de hacer cualquier clase de ejercicio.

- Los pronombres reflexivos y de complemento directo e indirecto se colocan después del verbo en la forma afirmativa y antes del verbo en la forma negativa.

  Explíquele al doctor o a la doctora todos sus síntomas y **no se olvide** de darle su historial médico si no lo ha hecho antes.

  Tómese Ud. todos los antibióticos y **llámenos** si no se siente mejor después de terminarlos.

  Relájense y **no se preocupen** por cosas sin importancia.

  Aliméntense bien y **beban** suficientes líquidos.

20 Consejos prácticos

Complete las siguientes oraciones con el mandato formal del verbo entre paréntesis, prestando atención al uso de los pronombres reflexivos, de complemento directo e indirecto, según sea el caso.

1. (*estirarse-Uds.*) antes de hacer ejercicio y no (*olvidarse*) de beber mucho líquido.

2. (*hacerle-Ud.*) una radiografía al paciente y (*enyesarle*) el brazo si es necesario.

3. (*tener-Uds.*) cuidado al cruzar la calle. No (*cruzarla*) sin antes mirar a lado y lado.

4. (*tomar-Ud.*) estas pastillas para el dolor, pero no (*tomar*) más de dos al día.

5. (*prevenir-Uds.*) el contagio de infecciones. (*lavarse*) las manos antes y después de atender a cada paciente.

6. (*llamar-Ud.*) a su médico si se siente enfermo/a. No (*ir*) a la sala de urgencias si no es algo grave.

21 ¡Sí, se puede!

Para mucha gente que trabaja o estudia y hace dieta, el peor momento es el tiempo entre la llegada a la casa y la hora de comer. Pero hay algunos trucos (*tricks*) que le ayudarán para no caer en la tentación de comer. Complete las siguientes oraciones con el mandato de **Ud.** del verbo entre paréntesis y una recomendación adicional de acuerdo a su experiencia.

1. (*lavarse*) los dientes. Sentir la frescura en la boca, le ayudará a mantenerla así.
   También...

2. (*empezar*) a hacer la comida y (*ponerse*) de inmediato a hacer algún ejercicio. (*correr*), (*estirarse*), (*saltar la cuerda*) o (*pedalear*) una bicicleta estacionaria. El ejercicio, contrariamente a lo que se cree, hace perder el apetito.
   También...

3. (*cambiar*) su rutina de "al fin en casa." (*hacer*) algo que le ayude a mantener ocupada la mente durante aquel tiempo que antes pasaba en un sillón comiendo papitas y viendo televisión. Por ejemplo, (*revisar*) su correo elctrónico, (*hacer*) sus tareas, (*darse*) un baño o (*llamar*) por teléfono a sus amigos/as
   También...

4. (*sustituir*) su "comida chuchería" (*junk food*) por "lectura chuchería," esas novelas tan fáciles de leer que uno no puede abandonar.
   También...

22 Examen físico

El doctor Camacho examinó a su paciente, el Sr. Torres, y descubrió que tenía la presión arterial muy baja. Cambie las instrucciones del doctor por mandatos formales, como se ve en el modelo.

MODELO   Debe respirar profundo.
         Respire profundo.

1. Ud. puede desvestirse y ponerse la bata en esa sala.

2. No debe acostarse boca abajo, debe acostarse boca arriba.

3. Debe respirar profundamente.

4. Ahora puede vestirse y sentarse en mi oficina.

5. Al llegar a casa, debe tomar la medicina cada tres horas.

6. Debe descansar mucho y no salir por las noches.

7. No debe consumir bebidas alcohólicas.

8. Es conveniente que sustituya la carne por el pescado.

9. Debe venir a la clínica dos veces por mes para hacerle un control.

10. Es importante traer los resultados de los análisis de sangre y de orina.

23 Segunda opinión

El paciente de la actividad anterior no quedó satisfecho con las recomendaciones del doctor Camacho y optó por buscar una segunda opinión. Aquí tiene las instrucciones del segundo doctor. Forme el imperativo formal de los verbos y complete las instrucciones de manera lógica.

1. Mantener...

2. Aprender a...

3. Decirles a otras personas...

4. Dejar de...

5. Informarse sobre...

6. Cambiar...

7. Pensar en...

8. No preocuparse...

9. Asegurarse de...

24 ¡Ya puede pasar! Interpersonal/Presentational Communication

Imagine que Ud. va por primera vez al consultorio de su nuevo/a doctor(a) porque últimamente no se siente muy bien. En grupos de cuatro, escriban el diálogo que tiene lugar entre las diferentes personas: el/la paciente, la recepcionista, el/la enfermero/a y el/la médico/a y representen la situación enfrente de la clase. Usen los mandatos formales y las pautas y temas que se dan a continuación en su conversación.

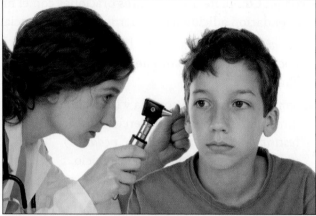

¿Te duele el oído?

Escena 1

Conversación recepcionista-paciente:

- Historial médico
- Seguro médico
- Costo de la consulta
- Formas de pago

Escena 2

Conversación enfermero/a-paciente:

- Preguntas generales sobre su salud y su historia médica
- Razones para su visita y chequeo general de su peso, temperatura y presión arterial

Escena 3

Conversación médico/a-paciente:

- Explicación de los síntomas y dolencias del paciente
- Comentarios y preguntas del doctor o la doctora
- Comentarios y aclaraciones del paciente o la paciente
- Recetas, recomendaciones y tratamientos por parte del doctor o la doctora

¡Comunicación!

25 Una dieta sana y saludable   Interpersonal Communication

Lea el anuncio. Luego, con un(a) compañero/a, representen la conversación entre un paciente y un especialista en nutrición en cada uno de los casos que se dan. Túrnense para hacerse preguntas y responderlas con base en la lectura y su propia experiencia. Usen los mandatos formales en su conversación, como se ve en el modelo.

- Una joven que sufre de sobrepeso y aun así solo se alimenta de comida chuchería.

- Una señora que lleva una vida muy ocupada y no le queda tiempo de cocinar o de comer.

- Un señor de edad que come mucho y con gran gusto, pero tuvo un ataque al corazón y tiene que modificar su dieta.

- Una pareja que acaba de tener un bebé y quiere consejos sobre cómo alimentarlo bien desde el principio.

MODELO

A: Doctora, la verdad es que a mí me encanta comer de todo, salado, dulce, y en cantidades, y no quiero dejar de hacerlo.

B: Bueno, nadie dice que tiene que dejar de comer lo que le gusta. Es solo cuestión de balancear lo que come y las porciones que come.

EL PLATO PARA COMER SALUDABLE

Use aceites saludables (como aceite de oliva o canola) para cocinar, en ensaladas, y en la mesa. Limite la margarina (mantequilla). Evite las grasas trans.

Mientras más vegetales y mayor variedad, mejor. Las patatas (papas) y las patatas fritas (papas fritas/papitas) no cuentan.

Coma muchas frutas, de todos los colores.

ACEITES SALUDABLES

AGUA

VEGETALES

GRANOS INTEGRALES

PROTEINA SALUDABLE

FRUTAS

Tome agua, té, o café (con poco o nada de azúcar). Limite la leche y lácteos (1-2 porciones al día) y el jugo (1 vaso pequeño al día). Evite las bebidas azucaradas.

Coma una variedad de granos (cereales) integrales (como pan de trigo integral, pasta de granos integrales, y arroz integral). Limite los granos refinados (como arroz blanco y pan blanco).

Escoja pescados, aves, legumbres (habichuelas/leguminosas/frijoles), y nueces; limite las carnes rojas y el queso; evite la tocineta ("bacon"), carnes frías (fiambres), y otras carnes procesadas.

¡MANTÉNGASE ACTIVO!

© Harvard University

Harvard T.H. Chan School of Public Health
The Nutrition Source
www.hsph.harvard.edu/nutritionsource

Harvard Medical School
Harvard Health Publications
www.health.harvard.edu

Lectura informativa

Antes de leer

¿Por qué cree Ud. que la medicina está en permanente desarrollo? ¿Qué avances de la medicina le parecen los más impactantes?

Estrategia

Secuencia

Mientras lee, preste atención a la secuencia para entender mejor en qué orden temporal ocurrieron los sucesos.

26 Comprensión

1. ¿Cuál era la base de la medicina en el siglo xv en Chile?

2. ¿Cómo aumentó Chile sus posiblidades de ganar la Guerra del Pacífico?

3. ¿Cuál era la explicación religiosa para las enfermedades mentales?

27 Analice

En Chile, los primeros pasos de la medicina están vinculados con lo religioso. ¿Qué papel desempeña la religión en la salud de su país?

○ ○ ○   Los momentos que...

LA TERCERA | Política | Nacional | Mundo | Negocios | Opinión | Santiago | Tendencias | Educación | Cultura | Entretención | Deportes | LaTercera TV

LA TERCERA   MARTES 14 DE SEPTIEMBRE DE 2010

Los momentos que marcaron la evolución de la medicina y la salud en Chile

Las pestes, la guerra y la economía industrial hicieron que la medicina y la ciencia fueran una necesidad de desarrollo.

por Teresita Quezada

La Botica[1] de los Jesuitas

Aceite de alacranes para el dolor de oídos, agüita de llantén[2] para la fiebre y tirar las orejas en dirección opuesta para la amigdalitis[3]. La Botica de Los Jesuitas ya existía en el siglo xv en Chile y perduró[4] hasta inicios del siglo XIX. Sus ungüentos[5] y remedios eran la base de la medicina por esos días. Tenía más de 916 productos, unos que no curaban y otros que sí, como el hollín[6], utilizado como desinfectante. "Era similar a la pastilla de carbón. Fue el producto principal de Roche, la productora de fármacos suiza", cuenta César Leyton, historiador del Museo Nacional de Medicina.

De París a la guerra

Uno de los mayores problemas en tiempos de guerra fue que no había técnicas de desinfección del material y de las salas donde se curaba a los heridos. De hecho, casi todos morían de gangrena. Buscando una solución, la Universidad de Chile envió un grupo de médicos a París, en 1878, a aprender las técnicas de antisepsia de Joseph Lister. Los procedimientos consistían en un rociador[7] que limpiaba y desinfectaba el ambiente, además de hervir[8] el instrumental quirúrgico con ácido fénico. Los becados llegaron a la Guerra del Pacífico y lo incorporan, logrando que el Ejército chileno desarrollara una sanidad militar que no tenían ni Perú ni Bolivia. "Eso hizo que hubiera más jóvenes dispuestos a ser soldados, porque aumentaron enormemente las posibilidades de ganar", agrega el también profesor de la U. de Chile.

La Endemoniada de Santiago

"En Chile, si te volvías loco y eras pobre te ibas al Hospital San Juan de Dios; si eras rico, al San Andrés, en Lima, o también podías terminar en un monasterio por endemoniamiento", cuenta Leyton. En 1857 se produjo la primera gran discusión pública al respecto. Carmen Marín yacía amarrada[9] en una cama hablando en latín, insultando en francés y alemán. Se calmaba sólo con el Evangelio de San Juan. Entonces, se concluyó que estaba poseída por el demonio.

---

[1] pharmacy   [2] fleawort infusion   [3] tonsilitis   [4] endured   [5] ointments   [6] soot
[7] spray   [8] boil   [9] tied down

LA TERCERA | Política | Nacional | Mundo | Negocios | Opinión | Santiago | Tendencias | Educación | Cultura | Entretención | Deportes | LaTercera TV

LA TERCERA MARTES 14 DE SEPTIEMBRE DE 2010

La mujer se había convertido en un fenómeno: la gente iba a verla como a un show de rarezas[10], a rezar[11] por ella, los sacerdotes[12] pedían hacerle un exorcismo y los médicos estaban divididos entre simulación e histeria. Andrés de Carmona, médico chileno de la época, planteó que Carmen Marín era histérica, que aprendió latín porque vivió con las monjas[13] en orfanatos, que huyó[14] a Valparaíso con marinos franceses y alemanes, y que tuvo una desilusión amorosa con un hombre llamado Juan, dándole una explicación sicosocial de la enfermedad. "Fue el triunfo de la medicina y la siquiatría sobre la Iglesia y también en la opinión pública", dice Leyton.

Orden saludable

Con la industrialización se formaron cordones marginales[15] en la periferia. Ahí nacieron los conventillos[16], donde vivían muchas familias en condiciones de higiene mínimas y altísimas posibilidades de contagiarse de enfermedades. Como la industrialización necesitaba gente sana, la salud se convirtió en una cuestión económica. En el gobierno de José Manuel Balmaceda se ordena el incipiente sistema de salud público con hospitales y educación. El Estado comienza a encargarse totalmente de la salud y la ciencia.

El pulverizador

La desinfección de las salas de operación a través de rociar químicos en el aire permitió, a finales del siglo XIX, disminuir las infecciones de gangrena, una de las principales razones de muerte entre los heridos de la Guerra del Pacífico.

El opio y la herbolaria

A principios del siglo XIX, las enfermedades se curaban con plantas medicinales indígenas, como el curare (anestesia) y el llantén (bajar la fiebre). El jarabe de opio era para la tos y los resfríos de adultos y niños, con buenos resultados.

La anestesia eléctrica y el cloroformo

Aunque a principios del siglo XX se trajo a Chile un método de anestesia eléctrica, no funcionó. El cloroformo, en cambio, se siguió usando y sigue vigente[17] desde que se descubrió como anestesia, en 1848.

[10]freak show   [11]pray   [12]priests   [13]nuns   [14]ran away   [15]slums   [16]tenements
[17]in use

🔍 **Búsqueda:** la botica de los jesuitas, técnicas de antisepsia, carmen marín

---

28 Comprensión

1. ¿Qué posición tuvo el médico chileno Andrés de Carmona con relación a la enfermedad de Carmen Marín?

2. ¿Qué efecto tuvo la industrialización sobre el cuidado de la salud?

3. ¿Qué remedios o técnicas se han usado a lo largo de los años para anestesiar pacientes?

29 Analice

¿Qué ventajas y desventajas cree Ud. que tiene el hecho de que la salud sea una política de Estado?

Una historia clínica

La historia clínica es un documento confidencial en el que el médico anota los datos necesarios para atender a un paciente. Durante la entrevista clínica, el médico hace preguntas que le permiten reunir la información que necesita para poder ayudar al paciente con el motivo de su consulta.

¡Comunicación!

30 En el consultorio   Interpersonal/Presentational Communication

Imagine que Ud. es medico/a y está atendiendo a un(a) paciente que viene a su consultorio por primera vez. Represente la situación con un(a) compañero/a asegurándose de hacer las preguntas necesarias para completar la siguiente historia clínica.

HISTORIA CLÍNICA   N.º _____

Nombre y apellido: _____   Edad: _____

Teléfono: _____   Sexo: _____

Dirección: _____   Estado civil: _____

_____

_____

Nivel de estudios: _____   Ocupación: _____

Motivo de la consulta: _____

_____

Diagnóstico: _____

_____

Evolución: _____

_____

Tratamiento: _____

_____

Antecedentes personales (enfermedades previas, alergias, cirugías, etc.): _____

_____

_____

Antecedentes familiares (enfermedades del padre o la madre): _____

_____

_____

_____

Informe sobre el examen físico: _____

_____

_____

Un texto argumentativo

En un texto argumentativo, el autor presenta claramente su punto de vista sobre un tema. Para ello, plantea su posición y luego enumera las razones que la justifican. Al final, presenta una conclusión que puede extraerse de todo lo que ha dicho antes.

A la hora de escribir un texto argumentativo, se pueden usar los siguientes recursos:

- Citas: Se incluyen palabras de otra persona, que puede ser una autoridad en el tema o alguien que da un testimonio personal.

- Ejemplos: Se dan casos concretos y específicos que ilustran el punto de vista del autor.

- Estadísticas: Se dan datos objetivos con números, porcentajes, etc.

- Preguntas retóricas: Se invitan al lector a reflexionar.

¡Comunicación!

31 Ventajas y desventajas 🎧 Interpretive Communication

Escuche el siguiente segmento de *A tu salud*, un programa de Radio de la Universidad de Chile dirigido por la periodista Cecilia Espinosa, quien, en esta oportunidad, aborda el tema de la medicina complementaria y la medicina convencional con el doctor Juan Carlos Salinas. Luego, complete el organizador de ideas con las ventajas y desventajas de la medicina complementaria con base en lo que escuchó y su propio conocimiento del tema.

	Ventajas	Desventajas
Medicina complementaria		
Medicina convencional		

32 ¿Está Ud. a favor o en contra?

Presentational Communication

Use la información del organizador de ideas para escribir un texto argumentativo en el que presente su opinión sobre la medicina complementaria. Incluya razones de apoyo y una conclusión.

Para escribir más

Desde mi punto de vista,…

En mi opinión,…

Creo firmemente que…

Prueba de ello es…

Los especialistas afirman que…

Según las estadísticas,…

En resumen, es obvio que…

Por todo lo dicho, repito que…

Vocabulario 3

Mejore su comprensión 🎧

Familiarizarse con este vocabulario le ayudará a leer "*Walking Around*" más adelante, y a mejorar su comprensión auditiva.

aterido/a *adj.* Paralizado por el frío.

bodega *s.f.* Local donde se deposita mercancía.

cárcel *s.f.* Lugar en el que se encierra a una persona para castigarla por un delito.

Los lirios están marchitos.

desgracia *s.f.* Mala suerte.

espantoso/a *adj.* Terrible, que da miedo.

establecimiento *s.m.* Lugar donde se ejerce una industria o profesión.

fiel *adj.* Honrado/a, que cumple sus compromisos.

furia *s.f.* Enfado muy grande.

golpe *s.m.* Encuentro violento de un cuerpo contra otro.

hacerse viejo/a *v.* Envejecer.

intestino *s.m.* Órgano del cuerpo en el que se completa la digestión.

lágrimas *s.f.* Gotas de agua que salen de los ojos cuando lloramos.

lento/a *adj.* Que se mueve muy despacio.

lirio *s.m.* Planta de tallos largos y flores grandes de colores fuertes.

llorar a gritos *exp.* Derramar lágrimas dando voces.

marchito/a *adj.* Seco, envejecido.

mercaderías *s.f.* Lo que se compra o se vende.

microbio *s.m.* Nombre genérico de microorganismos unicelulares.

morir de frío *exp.* Sentir un frío muy intenso.

notario *s.m.* Persona cuyo trabajo consiste en asegurar que algo es verdad.

ombligo *s.m.* Pequeño agujero que tenemos en el centro del vientre.

paraguas *s.m.* Instrumento que sirve para protegerse de la lluvia.

peluquería *s.f.* Lugar en el que se corta el pelo.

raíz *s.f.* Parte de una planta que crece bajo tierra.

recompensar *v.* Remunerar un servicio o un trabajo.

sastrería *s.f.* Lugar en el que se hacen o se arreglan trajes.

suceder *v.* Producirse un hecho.

tiniebla *s.f.* Oscuridad.

veneno *s.m.* Sustancia que al ingerirse produce la muerte o daños graves.

vergüenza *s.f.* Sensación producida por algo humillante o ridículo.

33 ¿Cómo se relacionan?

Escriba una oración con cada uno de los siguientes pares de palabras.

1. raíz / lirio
2. furia / golpe
3. recompensar / fiel
4. desgracia / espantoso

5. microbios / intestino
6. aterido / morir de frío
7. llorar a gritos / lágrimas
8. peluquería / establecimiento

Complete las oraciones con la palabra del recuadro que corresponda según el contexto.

| mercadería | bodegas | sastrería | vieja | furia | marchitos | a gritos |
| establecimiento | lágrimas | paraguas | aterida | cárcel | peluquería | desgracia |

Aunque se estaba haciendo __(1)__ , quería verse bien para el funeral de su esposo. Por eso, se mandó a hacer un traje negro, elegante y a la medida en una __(2)__ muy reconocida. Empezó a caminar por la avenida principal en busca de una __(3)__ . Quería hacerse cortar y arreglar el pelo, pero no halló ninguna. Solo había lugares donde compraban y vendían __(4)__ . Pensó que sería mejor regresar. Llovía a cántaros y ella sin un abrigo o un __(5)__ para protegerse de la lluvia. Estaba cansada y __(6)__ de frío, así es que decidió refugiarse bajo la entrada de un __(7)__ que halló abierto.

Sus lágrimas expresaban profunda tristeza y desconsuelo.

Se sentía triste y desconsolada. Quería llorar __(8)__ pero no podía. Tampoco podía contener las __(9)__ que le rodaban por el rostro cada vez que recordaba con incredulidad la espantosa __(10)__ . El barco se había hundido por el peso mal distribuido de la carga en sus __(11)__ . Se había hundido y más de doscientos pasajeros, su esposo entre ellos, habían muerto. Ella sentía una inmensa __(12)__ al pensar que no se había culpado a nadie de la tragedia. Nadie había ido a la __(13)__ a pagar por el descuido del cual solo habían quedado de recuerdo lirios __(14)__ flotando en el mar.

Escuche el relato "El triste futuro de Jacinta". Luego, Ud. oirá una pregunta sobre el relato y tres respuestas posibles. Seleccione la letra de la respuesta con la terminación más lógica. La oración y las terminaciones se leerán dos veces.

1. **A.** Era un mal médico.
   B. Era muy buen médico.
   C. Cobraba poco dinero.

2. **A.** Porque no tenía tiempo.
   B. Porque le gustaba ser soltero.
   C. Porque no le gustaba gastar dinero.

3. **A.** Porque iba a darle mucho dinero.
   B. Porque quería recompensarla por sus servicios.
   C. Porque iba a casarse con ella.

4. **A.** Recibir mucho dinero.
   B. Casarse con el médico.
   C. Librarse del viejo.

5. **A.** Dar su dinero a los pobres.
   B. Dar el nombre de Jacinta a un microbio.
   C. Dar su dinero a Jacinta.

Gramática

Mandatos de *tú* y de *vosotros*

El mandato positivo de **tú** tiene las mismas formas que la tercera persona singular del presente del indicativo. Sin embargo, para el mandato negativo se usa la forma de la segunda persona singular del presente del subjuntivo.

Mandatos de *tú*		
	Afirmativo	**Negativo**
mirar	mira (tú)	no mires
volver	vuelve (tú)	no vuelvas
pedir	pide (tú)	no pidas

- Algunos verbos son irregulares en la forma afirmativa del imperativo, pero siguen la regla anterior en la forma negativa.

Mandatos irregulares en la forma de *tú*		
	Afirmativo	**Negativo**
decir	di	no digas
hacer	haz	no hagas
ir	ve	no vayas
poner	pon	no pongas
salir	sal	no salgas
ser	sé	no seas
tener	ten	no tengas
venir	ven	no vengas

- El mandato positivo de **vosotros** se forma cambiando la **-r** del infinitivo por **-d**. Para el mandato negativo se usa la forma de la segunda persona plural del presente del subjuntivo.

Mandatos de *vosotros*		
	Afirmativo	**Negativo**
descansar	descansad	no descanséis
comer	comed	no comáis
vivir	vivid	no viváis

Si se usa la forma afirmativa del imperativo de **vosotros** con el pronombre reflexivo **os**, se suprime la **-d** final. (*Excepción:* **irse: id + os = idos**)

Mandatos de *vosotros* con pronombres reflexivos		
	Afirmativo	**Negativo**
sentarse	(sentad + os) = **sentaos**	no os sentéis
ponerse	(poned + os) = **poneos**	no os pongáis
vestirse	(vestid + os) = **vestíos**	no os vistáis

36 Para mantener una buena condición física

El siguiente artículo fue publicado en una revista sobre la salud. Complete el siguiente párrafo sobre la salud con el mandato de **tú** del verbo entre paréntesis.

(**1.** *masticar*) despacio. (**2.** *eludir*) las tentaciones. (**3.** *eliminar*) los alimentos de alto contenido calórico de tu lista de mercado. (**4.** *comprar*) solo lo que te propones comer en tu dieta. (**5.** *endulzar*) con azúcar natural de arroz y con frutas. No (**6.** *consumir*) muchos productos lácteos ni aderezos (*dressing*) para ensaladas. (**7.** *asar*) las carnes al horno o a la parrilla, no (**8.** *freírlas*). (**9.** *hacer*) ejercicio diariamente. (**10.** *realizar*) actividades divertidas y al aire libre. (**11.** *recurrir*) a la terapia si no puedes de ninguna manera mantener tu peso. No (**12.** *lucharlo*) solo.

37 Medicina alternativa

Complete las oraciones sobre medicina alternativa con el mandato de **tú** de los verbos del recuadro que mejor corresponda según el contexto.

Relájate y te sentirás mejor.

aprender	mantenerse	ponerse	comprar
incluir	mejorar	acordarse	combatir

1. ____ al día con estas nuevas opciones para la salud.

2. ____ el estrés con esta hierba mágica.

3. ____ nuestra guía de plantas medicinales.

4. ____ el aumento de peso con el ejercicio.

5. ____ estas hierbas en tu dieta.

6. ____ de leer este artículo sobre las vitaminas.

7. ____ cinco técnicas para acabar con el insomnio.

8. ____ saludable con una dieta de frutas y verduras.

38 ¡Mantente saludable… por la internet!

Lea las siguientes recomendaciones para llevar una dieta saludable y complételas con el mandato de **tú** del verbo entre paréntesis.

1. (*incrementar*) el consumo de vegetales de colores vivos (*bright*) como brócoli, espinaca y tomate.

2. (*disminuir*) drásticamente los alimentos con un alto contenido en azúcar, grasas y calorías.

3. (*ingerir*) de 1.000 a 1.500 miligramos de calcio por día, pero (*reemplazar*) la leche entera por leche descremada.

4. (*elegir*) otros alimentos ricos en calcio como col, nabo, pescado enlatado, jugo de naranja, granos y frijoles.

5. No (*consumir*) quesos que sean altos en grasa, no (*beber*) alcohol y no (*fumar*).

6. (*hacer*) ejercicios diariamente, (*fortalecer*) los huesos caminando y trabajando en el jardín, y (*acordarse*) de tomar vitaminas.

¡Comunicación!

39 ¡Por favor, doctor!

Interpersonal Communication

En parejas, lean esta caricatura y, luego, representen el papel del médico y el paciente en esta situación. El médico le recomienda una dieta saludable al paciente, pero él no quiere seguir su consejo. Usen las expresiones que se dan como guía en su conversación, prestando atención al uso del imperativo y el subjuntivo, como se ve en el modelo.

Para decir más	
El médico dice:	**El paciente resiste:**
Le recomiendo que…	Le ruego que…
Le prohíbo que…	Insisto en que…
No apruebo que…	Le pido que…
No permito que…	Le suplico que…
No coma…	Déjeme…

MODELO

Médico: Deje de comer alimentos altos en grasa y consuma más vegetales.

Paciente: No me diga qué debo comer y no comer. Yo estoy bien y no necesito estar a dieta.

Médico: Le suplico que sea más razonable.

NO QUIERO ABURRIRLE CON LA LISTA DE ALIMENTOS QUE VOY A PROHIBIRLE. SIMPLEMENTE TENDRÁ QUE DEJAR DE COMER TODO LO QUE SEPA A ALGO

Gramática

Mandatos de *nosotros*

Los mandatos de **nosotros** (inglés: *let's* + verbo[1]), afirmativos y negativos, siguen la conjugación de la primera persona plural del presente del subjuntivo.

Mandatos de *nosotros*		
	Afirmativo	**Negativo**
entregar	**entreguemos**	**no entreguemos**
correr	**corramos**	**no corramos**
salir	**salgamos**	**no salgamos**

- Los verbos reflexivos pierden la **-s** final en el mandato afirmativo antes de que se agregue el pronombre reflexivo. En el negativo siguen la forma del subjuntivo.

Mandatos de *nosotros* con verbos reflexivos		
	Afirmativo	**Negativo**
quedarse	(quedemos + nos) = **quedémonos**[2]	**no nos quedemos**
levantarse	(levantemos + nos) = **levantémonos**	**no nos levantemos**
ponerse	(pongamos + nos) = **pongámonos**	**no nos pongamos**

- El verbo **ir** es irregular en el mandato afirmativo. En el negativo sigue la forma del subjuntivo.

Mandatos de *ir*		
	Afirmativo	**Negativo**
ir	**vamos**	**no vayamos**
irse	**vámonos**	**no nos vayamos**
salir	**salgamos**	**no salgamos**

[1] *Let's* se puede expresar también usando el modo indicativo **vamos a** + infinitivo en el afirmativo: **Vamos a estudiar ahora.** En el negativo solo se usa la forma del subjuntivo.

[2] **Atención:** Cuando se agrega el pronombre hay que escribir un acento sobre la antepenúltima sílaba.

40 Vivamos una vida sana

Constantemente vemos en revistas y periódicos anuncios que nos recuerdan la necesidad de evitar las tensiones y vivir una vida sana. Cambie cada oración para formar el imperativo de nosotros, según el modelo.

MODELO   Hay que vivir una vida sana.
¡Vivamos una vida sana!

¡Divirtámonos!

1. Hay que transformar la tensión en actividad.

2. Hay que correr y montar en bicicleta porque ambos ejercicios nos ponen en contacto con la naturaleza.

3. Hay que practicar ejercicios respiratorios.

4. Hay que relajar los músculos de los brazos, la cara, los hombros, el abdomen y las piernas.

5. Hay que levantarse y acostarse temprano para gozar de las mejores horas del día.

6. Hay que tratar de mantener siempre un cuerpo sano.

Lectura literaria

Walking Around
de *Pablo Neruda*

Pablo Neruda

Sobre el autor

Neftalí Ricardo Reyes Basoalto, conocido mundialmente como Pablo Neruda, nació en Chile en 1904. Poeta consagrado, su vida estuvo siempre marcada por la literatura y por su activismo político. En 1927 empezó su larga carrera diplomática, gracias a la que realizó múltiples viajes. Comprometido con el movimiento republicano primero, tras ser testigo de la guerra civil española, y con el comunismo después, Neruda se exilió en 1949. Recibió prestigiosos premios que culminaron con el Premio Nobel de Literatura en 1971. Neruda murió en septiembre de 1973 en Chile, días después del golpe de estado del general Pinochet contra el gobierno de Salvador Allende, durante el cual la casa de Neruda fue saqueada y sus libros, quemados.

Antes de leer

En "*Walking Around*" el poeta camina solo por la ciudad. Se siente desamparado en un mundo impersonal que da la espalda a los valores naturales en favor de la hipocresía, el materialismo y la rutina. ¿Qué sensaciones le causa a Ud. la ciudad?

Estrategia

El símbolo es un recurso literario mediante el cual se relacionan dos elementos, uno concreto y otro abstracto que va más allá de la interpretación literal, y que puede no estar explícito en el texto. Entender la naturaleza de los símbolos y su significado lo ayudará a comprender el poema con mayor profundidad.

41 Practique la estrategia

En "*Walking Around*" Neruda usa el simbolismo para describir la desesperación y el rechazo que le produce vivir rodeado de una civilización inhóspita y antinatural. A medida que lea el poema, empareje los versos de la primera columna con el significado simbólico que mejor corresponda de la segunda.

Versos del poema

1. ...entro en las sastrerías y en los cines marchito,...

2. ...como un cisne de fieltro (*swan (made) of felt*)...

3. Sólo quiero un descanso de piedras o de lana (*wool*)

4. sólo quiero no ver establecimientos ni jardines, ni mercaderías, ni anteojos, ni ascensores

5. asustar (*frighten*) a un notario con un lirio cortado o dar muerte a una monja (*nun*) con un golpe de oreja

6. No quiero seguir siendo raíz (*root*) en las tinieblas,

7. extendido, tiritando de sueño, hacia abajo, en las tripas (*guts*) mojadas de la tierra, absorbiendo y pensando, comiendo cada día.

Simbolismo

A. la muerte del espíritu natural del hombre, que vive en una sociedad que lo anula

B. la poesía como arma para rebelarse contra las convenciones sociales y las instituciones

C. el deseo de una existencia más natural, la búsqueda de refugio en la naturaleza

D. el rechazo hacia lo artificial, lo moderno y la tecnología

E. el deseo de iluminación y repugnancia por lo oscuro y escondido

F. la ciudad desnaturalizada, donde es más importante vestir a la moda y embotar la mente con entretenimiento artificial

G. la pureza de lo natural transformada en algo artificial

Walking Around 🎧
de *Pablo Neruda*

Sucede[1] que me canso de ser hombre.
Sucede que entro en las sastrerías y en los cines
marchito, impenetrable[2], como un cisne de fieltro[3]
navegando en un agua de origen y ceniza[4].

5 El olor de las peluquerías me hace llorar a gritos
Sólo quiero un descanso de piedras[5] o de lana[6]
sólo quiero no ver establecimientos ni jardines,
ni mercaderías, ni anteojos, ni ascensores.

Sucede que me canso de mis pies y mis uñas
10 y mi pelo y mi sombra.
Sucede que me canso de ser hombre.

Sin embargo sería delicioso
asustar a un notario con un lirio cortado
o dar muerte a una monja[7] con un golpe de oreja.
15 Sería bello
ir por las calles con un cuchillo verde
y dando gritos[8] hasta morir de frío.

No quiero seguir siendo raíz en las tinieblas,
vacilante[9], extendido, tiritando[10] de sueño,
20 hacia abajo, en las tripas mojadas de la tierra,
absorbiendo y pensando, comiendo cada día.

No quiero para mí tantas desgracias.
No quiero continuar de raíz y de tumba,
de subterráneo solo, de bodega con muertos,
25 aterido[11], muriéndome de pena.

...sólo quiero no ver establecimientos ni jardines, ni mercaderías, ni anteojos, ni ascensores.

[1] it so happens   [2] impervious   [3] swan (made) of felt   [4] ash   [5] stones   [6] wool
[7] nun   [8] yelling   [9] wavering   [10] shivering   [11] frozen stiff

42 Comprensión

1. ¿De qué se cansa el poeta?

2. ¿Qué le gustaría hacer?

3. ¿Qué no quiere para él, el poeta?

43 Analice

¿Qué cree Ud. que simboliza la imagen "asustar a un notario con un lirio cortado"?

Por eso el día lunes arde[12] como el petróleo
cuando me ve llegar con mi cara de cárcel,
y aúlla[13] en su transcurso[14] como una rueda herida,
y da pasos de sangre caliente hacia la noche.

30 Y me empuja[15] a ciertos rincones[16], a ciertas casas húmedas,
a hospitales donde los huesos salen por la ventana,
a ciertas zapaterías con olor a vinagre,
a calles espantosas como grietas[17].

Hay pájaros de color de azufre[18] y horribles intestinos
35 colgando de las puertas de las casas que odio,
hay dentaduras olvidadas en una cafetera[19], hay espejos
que debieran haber llorado de vergüenza y espanto[20],
hay paraguas en todas partes, y venenos[21], y ombligos[22].

Yo paseo con calma, con ojos, con zapatos, con furia, con olvido
40 paso, cruzo oficinas y tiendas de ortopedia,
y patios donde hay ropas colgadas de un alambre[23]:
calzoncillos[24], toallas y camisas que lloran
lentas lágrimas sucias.

[12] burns   [13] howls   [14] path   [15] leads   [16] corners   [17] cracks   [18] sulfur
[19] coffee pot   [20] shock   [21] poison   [22] navels   [23] wire   [24] underpants

44 Comprensión

1. ¿Qué lugares de la ciudad describe el poeta?

2. ¿Cómo describe el poeta la fealdad de esos lugares?

45 Analice

¿Qué cree que quiso decir el poeta en este verso: "...hay espejos que debieran haber llorado de vergüenza y espanto"? ¿Qué debería haber avergonzado y espantado a los espejos?

Después de leer

En *"Walking Around"*, Neruda describe una ciudad árida, que vive de espaldas a la naturaleza y a los sentimientos. Con un(a) compañero/a, contesten las siguientes preguntas y, luego, comparen sus respuestas con las del resto de la clase.

- ¿Qué piensa Ud. de la vida en la ciudad?
- ¿Cómo se compara su opinión con la de Neruda?
- ¿Le gusta vivir en la ciudad o prefiere el campo? ¿Por qué?
- ¿Cómo compararía ambos estilos de vida en la actualidad?

Para concluir

Proyectos

A   ¡Manos a la obra!

Trabaje con un(a) compañero/a. Imaginen que son estudiantes del último año de la carrera de medicina en la Universidad de Chile. Acaban de regresar de su experiencia en el Internado Rural y deben escribir un informe sobre lo que vivieron allí.

Pueden incluir en su informe:

- Detalles específicos del internado: dónde estuvieron, cuánto tiempo, con quién, etc.

- Un programa de prevención del que hayan participado

- Una anécdota emotiva o graciosa con alguno de sus pacientes

- El relato de una visita en la vivienda de algún paciente

- Qué cosas deberían mejorar en el cuidado de la salud en el ámbito rural

- Las cosas que aprendieron de esta experiencia

Luego, presenten el informe al resto de sus compañeros.

Los estudiantes escriben un informe sobre su experiencia.

B   En resumen

Repase lo que aprendió sobre la salud en Chile. ¿Qué cosas pasaban antes? ¿Qué cosas pasan ahora? Complete el cuadro comparativo y luego converse con un(a) compañero/a sobre los cambios que les hayan parecido más interesantes.

	Antes	Ahora
Usos de la medicina complementaria		
La medicina rural		
Usos de la tecnología aplicada a la salud		
Prevención de infecciones		

Extensión

Busque información acerca de la historia de la salud en otro país de habla hispana y compárela con la información de Chile. ¿En qué se parecen? ¿En qué se diferencian? ¿Son más o menos importantes las influencias de los pueblos indígenas y de la iglesia?

C ¡A escribir!

Imagine que Ud. es médico/a en Chile y quiere escribir un artículo para una revista especializada. Su artículo será una crítica al sistema de salud conectada. Ud. defenderá la atención tradicional cara a cara con el paciente.

Primero, complete el organizador de ideas. Piense en todas las desventajas que se le ocurran sobre la salud conectada: ¿Qué problemas representa para los médicos? ¿Qué problemas representa para el paciente? Enumere también las ventajas de atender a un paciente en una consulta personal.

DESVENTAJAS de la salud conectada	VENTAJAS de la atención personal

Por último, escriba su artículo respaldando su opinión con todas las razones que incluyó en el organizador de ideas.

D El arte de curar con plantas   Conéctese: la botánica

Busque información en la internet sobre la herbolaria mapuche. Elija cinco plantas o hierbas utilizadas por los chamanes con fines curativos. Tome notas acerca de los beneficios de cada una. Incluya información sobre cómo debe prepararse, qué efectos produce, etc. Busque imágenes de algunas de las plantas o hierbas y prepare un cartel para presentarlo al resto de la clase.

E El árbol del canelo   Conéctese: la literatura

Lea el siguiente fragmento de un poema del chileno Elicura Chihuailaf. Habla del canelo, un árbol considerado sagrado entre los mapuches, no solo por sus poderes curativos sino por razones simbólicas.

Para sanarte vine, me habló el canelo
de *Elicura Chihuailaf*

Para sanarte vine, me habló el Árbol Sagrado

Ve y recoge mis hojas, mis semillas

me está diciendo

De todas partes vinieron tus buenas Machi

mis buenos Machi

desde las cuatro Tierras, desde las cuatro Aguas

mediaremos, me están diciendo sus poderes

en tus nervios, en tus huesos, en tus venas

[...]

Comente el fragmento con un(a) compañero/a. Observen el lugar que ocupa la naturaleza en general y el canelo en particular como interlocutor en el poema. Juntos elijan alguna de las hierbas tradicionales de la medicina mapuche que investigaron en la actividad anterior y escriban un poema sobre la misma.

Vocabulario de la Unidad 6

el **accidente** accident
aguantar to put up with, to stand
las **alergias** allergies
alimentar(se) to feed (oneself)
aliviar to relieve
la **ambulancia** ambulance
el **análisis de sangre/de orina** blood test/urine test
los **antibióticos** antibiotics
la **aplicación** application (of an ointment)
asistir to attend
ateridos/as terrified
atropellar to run over
avergonzado/a embarrased
la **bodega** warehouse
bostezar to yawn
caerse to fall
la **camilla** stretcher
caminar to walk
la **cárcel** jail
el **catarro/resfriado** cold
con cuidado carefully
conducir to drive
constante continous
continuar to continue
el **corazón** heart
el **cuerpo** body*
curar(se) to cure; to be cured
dar a luz to give birth
la **desgracia** misfortune
desmayarse to faint
el **diagnóstico** diagnosis
la **dificultad en respirar** difficulty breathing
la **dolencia** complaint, ailment
doler to hurt
el **dolor agudo** sharp pain
el **dolor de garganta** sore throat
dormir to sleep
enfermarse to become ill
la **enfermedad** sickness
el/la **enfermero/a** nurse
espantoso/a frightening
el **establecimiento** establishment
estar embarazada to be pregnant
estar en forma to be in good shape
estar enfermo/a to be sick
estar enyesado/a to be in a cast
estar mareado/a to feel dizzy
estornudar to sneeze

el **examen médico** medical exam
examinar to examine
el/la **farmacéutico/a** pharmacist
fiel faithful
fracturarse/romperse una pierna to fracture/break a leg
fuerte strong
la **furia** fury
los **gastos** bills, debts
el **golpe** blow
gozar de buena salud to be healthy
grave serious
la **gripe** flu
hacer ejercicio to exercise
hacerse viejo/a to become old
herido/a de gravedad seriously injured
el **hígado** liver
el **hueso** bone
la **infección** infection
los **intestinos** intestines
irritado/a irritated
el **jarabe para la tos** cough syrup
las **lágrimas** tears
lento/a slow
el **lirio** lily
llevar días sin… to go days without…
llorar a gritos to cry your heart out
el **malestar** discomfort
marchito/a wilted
los **medicamentos** medicines, medications
las **mercaderías** wares
el **microbio** virus, microbe
morir de frío to freeze to death
el **mostrador de información** information desk
mover to move
el/la **muerto/a** dead person
las **muletas** crutches
el/la **notario/a** notary
el **ombligo** navel
la **operación** surgery
el/la **paciente** patient
pagar la consulta to pay for the visit
el **paraguas** umbrella
pasar la cuenta to submit the bill
las **pastillas** pills
pedir auxilio to ask for help

la **peluquería** hair salon
poner una inyección to give a shot
ponerse boca abajo (arriba) to lie face down (up)
presenciar to witness
la **presión arterial** blood pressure
prevenir to prevent
los **pulmones** lungs
el **quirófano** operating room
la **raíz** root
los **rayos equis** X-rays
realizar to fulfill, to achieve
recetar to prescribe
recompensar to compensate
registrar to examine, to inspect
los **remedios caseros** home remedies
respirar profundamente to breathe deeply
retirarse to retreat
los **riñones** kidneys
la **sala de emergencias/urgencias** emergency room
la **sala de maternidad** maternity room
la **salud** health
la **sangre** blood
la **sastrería** tailor shop
sentirse bien/mejor to feel well/better
sentirse débil to feel weak
ser alérgico/a to be allergic
la **silla de ruedas** wheelchair
soportar to put up with, to bear
suceder to happen
sufrir de insomnio to suffer from insomnia
tener fiebre to run a fever
tener ganas de vomitar to feel like throwing up
tener náuseas to feel nauseated
tener una cita to have an appointment
las **tinieblas** darkness
tomarte la temperatura to take your temperature
toser to cough
el **tratamiento** treatment
las **venas** veins
el **veneno** poison
la **vergüenza** shame
ya mismo right away

*Ver partes del cuerpo en la página 229.

¿Sabía que...?

Puerto Madero, el barrio más moderno de Buenos Aires, fue durante décadas una de las zonas más abandonadas de la ciudad. Los grandes galpones de ladrillo a la vista del viejo puerto no albergaban más que basura y soledad. En la actualidad, son un paseo obligado del turista que quiera disfrutar de un bello paisaje urbano.

Unidad 7

La vida urbana

Escanee el código QR para mirar el video "Direcciones".

Álavaro habla por teléfono con su amiga Sarah para saber dónde está, pues habían quedado de encontrarse en la parada del tranvía y ella no ha llegado. Explique qué sucedió y qué deciden hacer al respecto.

Pregunta clave

?

¿Qué problemas conlleva la vida urbana y cómo se resuelven?

¿En qué consiste el programa de ferias itinerantes de Buenos Aires?

Argentina

Mis metas

En esta unidad:

▶ Usaré expresiones relacionadas con las ventajas y desventajas de la vida en la ciudad.

▶ Usaré el presente del subjuntivo en cláusulas adjetivales y adverbiales.

▶ Leeré sobre el transporte en Buenos Aires, el mercado de Abasto y la tragedia ocurrida en la ciudad de La Plata.

▶ Distinguiré el significado de palabras y frases según el contexto.

▶ Usaré correctamente el imperfecto del subjuntivo.

▶ Leeré un artículo sobre los daños causados por una inundación en Buenos Aires.

▶ Escribiré un ensayo comparativo sobre la vida en el campo y la ciudad.

▶ Escucharé un segmento sobre la construcción de bicisendas en Buenos Aires y escribiré una carta de lectores al respecto.

▶ Desarrollaré nuevas destrezas de vocabulario.

▶ Usaré el subjuntivo en oraciones independientes y repasaré el uso de los adverbios.

▶ Leeré el cuento "Los dos reyes y los dos laberintos" del argentino Jorge Luis Borges.

Vocabulario 1

Así se vive en la ciudad

Diario TIERRA VERDE

NOTICIAS	NEGOCIOS	CULTURA	DEPORTES	ENTRETENIMIENTO

TRANSPORTE

SEGURIDAD

CIUDADELA TIERRA VERDE

La alcaldesa de la ciudad anunció la inauguración de Ciudadela Tierra Verde, un inmenso conjunto residencial que proporcionará vivienda a miles de personas.

Ciudadela Tierra Verde se compone de más de veinte edificios de apartamentos, además de establecimientos comerciales diseñados para suplir las necesidades de toda la comunidad.

Cuenta con amplios medios de transporte público, líneas del metro y redes de autobuses que movilizarán a cientos de pasajeros desde las afueras, a cualquier lugar de la ciudad y a cualquier hora.

Contribuya a la seguridad en Tierra Verde. Preste atención a los semáforos y a las señales de tránsito antes de cruzar las calles o doblar las esquinas. Hay muchos casos de peatones que son atropellados por falta de cuidado de ellos mismos o de los conductores.

Para conversar

Para hablar de problemas relacionados con la vida en la ciudad:

Se necesitan soluciones a los problemas de transporte. ¡Colabore! Camine o monte en bicicleta en cuanto sea posible. Con menos coches y motocicletas en las vías habrá menos embotellamientos de tránsito.

Se aumentarán las tarifas del transporte urbano para satisfacer las demandas de sus empleados que reclaman aumentos de sueldo y amenazan con hacer huelga, según comunicado de la alcaldía municipal.

Se aumentará el patrullaje de la policía para combatir la injusticia social, el crimen y la delincuencia. Si Ud. sufre un atraco o presencia algo sospechoso repórtelo a la estación de policía.

Tenga cuidado con los mendigos en las paradas de autobuses y en los kioskos. Aunque muchos son desamparados, otros son solo delincuentes que se quieren aprovechar del buen corazón de los ciudadanos.

Diario TIERRA VERDE

| MODA | NOTICIAS | CULTURA | DEPORTES | ENTRETENIMIENTO |

TIENDAS

CIUDADELA TIERRA VERDE >> EL BOSQUE >> CENTRO COMERCIAL DE VENTAS DE FÁBRICAS

En Tierra Verde se halla el mayor centro comercial de ventas de fábrica y liquidación donde encontrará las mejores gangas en ropa y accesorios de vestir.

Hallará lo mejor en ropa para damas: vestidos, suéteres, blusas, faldas, vaqueros y pantalones en todos los colores y estilos.

Encontrará todo lo que necesite en ropa para caballeros: trajes, camisas, impermeables, etc., y todo de la mejor calidad.

Cuenta con tiendas de calzado y artículos de cuero para todas las ocasiones: botas, zapatos, sandalias, cinturones y carteras.

Para conversar

Para hablar de artículos de vestir:

—¿Cuáles zapatos le gustan más, los planos o los de tacón?

—Los de tacón. Están de moda y hacen juego perfecto con el vestido que llevo puesto.

—Aquí tiene una falda de lana a cuadros y una a rayas. ¿Se las quiere medir?

—No. Las dos se ven pasadas de moda. Prefiero llevarme la falda lisa, de un solo color, y la de algodón.

—Bueno. Y también se va a llevar el abrigo de piel, la blusa de seda de manga corta y la camisa de manga larga, ¿verdad?

—Por supuesto, pero solo si todo está en rebaja.

¡Acuérdese!

Otras prendas y accesorios de vestir

los calcetines

los calzoncillos

las corbatas

los guantes

los pañuelos

los sombreros

CIUDADELA TIERRA VERDE >> MERCADO DEL PROGRESO

Otro beneficio de Tierra Verde es su cercanía al Mercado del Progreso, famoso por sus carnicerías y ventas de verduras y vegetales.

Hallará puestos de toda clase de frutas: uvas, fresas, peras, naranjas, sandías y manzanas, y ventas de los mejores jugos de fruta fresca.

Para conversar

Para hacer compras en el mercado:

—Véndame una libra de carne de res, dos libras de costilla de cordero y dos libras de mariscos, por favor.

—Con mucho gusto. ¿No quiere llevarse unos chorizos? Dice el carnicero que acaban de prepararlos.

—¿Llevamos estos plátanos para los frijoles?

—No sé. Se ven muy maduros. Busquemos unos que estén más verdes.

¡Acuérdese!

Otras carnes, frutas y verduras

la cebolla	el pavo
los champiñones	el pepino
las habichuelas	el pescado
los hongos	el pollo
el jamón	el repollo
la lechuga	la ternera

1   Problemas urbanos y soluciones

Elija la solución de la segunda columna que mejor corresponda a cada problema de la primera.

Problemas

1. Embotellamientos causados por exceso de automóviles.
2. Exceso de crimen y delincuencia
3. Casos de peatones atropellados
4. Consumo excesivo de comida basura
5. Poco presupuesto familiar para gastos
6. Pocos medios de transporte público

Soluciones

A. Comprar en almacenes de descuento
B. Crear más rutas de autobuses y líneas del metro
C. Consumir más frutas, verduras y vegetales
D. Caminar o ir en bicicleta
E. Prestar atención a las señales de tránsito
F. Reportar situaciones sospechosas a la policía

2 Una zona agrícola 🎧

Además de sus centros de esquí, Mendoza, Argentina se conoce por su producción agrícola. Escuche la descripción de algunos aspectos de la agricultura de esta zona y escoja la opción correcta para cada oración.

1. A nivel nacional, Mendoza es la primera productora de (*frutas / verduras*).

2. Dos frutas principales son las manzanas y (*los plátanos / las peras*).

3. Una parte de la producción de (*la lechuga / la cebolla*) está destinada al consumo fresco.

4. Casi toda la producción de (*la pera / la uva*) se usa para fabricar vino.

5. (*la carne / la verdura*) ecológica es una industria reciente en la provincia de Mendoza.

¡Comunicación!

3 De excursión por Mendoza 👥 Interpersonal Communication

La ciudad de Mendoza, Argentina, ubicada junto a los Andes, es un lugar ideal para practicar *rafting*, *trekking*, montañismo y esquí. Imagine que Ud. va a Mendoza por unos días con unos amigos y que está haciendo su maleta. Sus amigos insisten en que no necesita llevar algunos artículos de ropa y accesorios, pero Ud. no está de acuerdo con ellos. Justifique por qué considera que no puede eliminar ninguno de los siguientes artículos.

1. pantalones térmicos
2. chaqueta alpina
3. vaqueros
4. abrigo de piel
5. guantes "polar"
6. sandalias
7. vestido / corbata de seda
8. calcetines de lana

4 El *look* de Cristina Presentational Communication

La ex presidenta de Argentina, Cristina Fernández de Kirchner, es conocida por su *look* y su pasión por la ropa, la cual es siempre centro de discusión en todas sus presentaciones dentro y fuera del país. Busque fotos de varias de estas presentaciones y describa en forma breve la ropa que la ex presidenta llevaba puesta para la ocasión, como se ve en el modelo. Luego, describa el *look* de Cristina en un párrafo, en sus propias palabras y preséntelo enfrente de la clase.

MODELO

> Para su presentación en la Asamblea General de Las Naciones Unidas, la ex presidenta Cristina Fernández de Kirchner llevaba puesta una chaqueta de seda de color lila y una falda blanca plisada de organza (*organdi*).

Cristina Fernández de Kirchner en la Asamblea General

Ocasión	Descripción de su vestuario

¡Comunicación!

5 Proyecto *Davivienda* 👥 Interpretive/Interpersonal Communication

Imagine que Ud. quiere participar en el proyecto de vivienda que acaba de anunciar la Alcaldía Municipal. Con un(a) compañero/a, represente la conversación que Ud. tiene con el/la representante de la alcaldía cuando llama para pedir más información. Turnénse para hacer preguntas y responderlas. Usen la información del anuncio y los siguientes puntos, como se ve en el modelo.

- Objetivo principal de *Davivienda*
- Condiciones para participar en el proyecto y obtener un préstamo de vivienda
- Información sobre los tipos y precios de las viviendas
- Fases de construcción y fechas de finalización

MODELO		
Ciudadano:	**Dígame, ¿qué condiciones debo cumplir para poder conseguir el préstamo de *Davivienda*?**	
Representante:	**Bueno, para empezar, debe ser cabeza de familia.**	
Ciudadano:	**¿Y tengo que cumplir algún requisito de salario?**	
Representante:	**...**	

Davivienda:
Una solución a los problemas de vivienda

La Alcaldía Municipal de la ciudad acaba de anunciar la creación de *Davivienda*, un programa de vivienda para que las familias de bajos ingresos tengan la oportunidad de comprar casa. Gracias a este programa, todas las personas que trabajen y puedan documentar sus ingresos podrán obtener un préstamo para conseguir una casa cómoda, con tal de que sean cabeza de familia y que piensen ocupar permanentemente la vivienda.

A fin de que los beneficios lleguen a las masas, *Davivienda* cuenta con varios tipos de casas económicas. Los precios exactos de estas viviendas aún no se han dado a conocer, pero en cuanto la Alcaldía Municipal tenga esta información, se notificará a los interesados.

La construcción de estas viviendas se hará en diferentes fases, que se iniciarán en el año en curso y se completarán en el transcurso de los siguientes dos años.

Las personas que deseen más información sobre *Davivienda* pueden dirigirse a las oficinas de la Alcaldía Municipal para que les envíen más detalles.

El programa de vivienda es un proyecto de la Alcaldía Municipal.

¡Comunicación!

6 ¡Ventajas de vivir en la ciudad! 👥 Interpersonal Communication

Una ventaja de vivir en la ciudad es estar cerca de las tiendas, los negocios y los centros municipales y comerciales. Imagine que Ud. se siente enfermo hoy y le pide a su mejor amigo/a que le ayude con algunas diligencias (*errands*). Él/Ella lo hace y luego le da un informe de cómo le fue. Con un(a) compañero/a, represente la conversación relacionada con cada diligencia, turnándose para hacer el papel de quien pide el favor y quien lo hace. Usen términos del vocabulario y un mínimo de dos mandatos, como se ve en el modelo.

Edificios en el centro de Buenos Aires

MODELO   Solicitar una copia de su acta de nacimiento

Estudiante 1: **Necesito con urgencia una copia de mi acta de nacimiento, por favor. Si tomas el autobús número 23 o el metro, llegas directamente al centro. En el ayuntamiento vas al registro (*hall of records*). Entrégales mi carnet de identidad y diles que nací en el Hospital del Carmen.**

Estudiante 2: **Fui al ayuntamiento pero me dijeron que tú tenías que ir personalmente para solicitar el documento. Lo siento, amigo.**

- Hacer una denuncia del delincuente que le quitó a la fuerza su computadora
- Averiguar las ofertas y los productos que están en rebaja en los almacenes
- Hacer una lista de los ingredientes necesarios para una comida frugal y nutritiva
- Conseguir los horarios y la disponibilidad del transporte urbano

7 Artículo periodístico 👥 Presentational Communication

Formen grupos pequeños y usen palabras y expresiones del vocabulario para escribir la primera parte de un artículo del periódico sobre alguna situación complicada que haya ocurrido en la ciudad. Luego, entréguenla a otro grupo para que termine el artículo. Sigan el modelo.

MODELO   **Primer grupo: Un pasajero golpeó (*struck*) a una señora en un autobús cuando esta le exigió que le devolviera la billetera que acababa de robarle. El conductor sorprendido le ordenó al ladrón que devolviera lo robado y que se bajara del autobús inmediatamente. Cuando este se negó a obedecer, el conductor apagó el motor del autobús, llamó a la policía y dijo que no iba a seguir su marcha hasta que lo entregara a la policía.**

Segundo grupo: Cuando los otros pasajeros se enteraron del problema...

Gramática

El subjuntivo en cláusulas adjetivales

Una cláusula adjetival es una cláusula que funciona como un adjetivo y modifica al sustantivo en la cláusula principal.

| Vivo en | una ciudad | pequeña. |
| | *sustantivo* | *adjetivo* |

| Quiero vivir en | una ciudad | que sea grande. |
| | *sustantivo antecedente* | *cláusula adjetival* |

La Boca es un barrio de Buenos Aires que es muy famoso.

Subjuntivo vs. indicativo en cláusulas adjetivales

$$\text{sustantivo + que + } \begin{cases} \text{indicativo (existe o se conoce)} \\ \text{subjuntivo (no existe o no se conoce)} \end{cases}$$

- Se usa el indicativo en la cláusula adjetival cuando el antecedente (el sustantivo en la cláusula principal) es algo o alguien definido, que existe y se conoce.

- Se usa el subjuntivo en la cláusula adjetival cuando el antecedente es algo o alguien indefinido, desconocido o que no existe.

Indicativo	Subjuntivo
Conozco un mercado donde **tienen** productos orgánicos.	¿Conoce Ud. un mercado donde **tengan** productos orgánicos?
Vamos a ir al almacén donde **venden** zapatos a precios de fábrica.	Buscamos un almacén donde **vendan** zapatos a precios de fábrica.
En las afueras hay un centro comercial que **ofrece** productos de calidad.	Cerca de aquí, no hay ningún lugar que **ofrezca** productos de calidad.
Conozco a varios empleados que **quieren** hacer huelga.	No conozco a nadie que **quiera** hacer huelga.

Un poco más

Las palabras **algo**, **alguien**, **alguno/a** y **nada**, **nadie**, **ninguno/a** se usan con frecuencia en oraciones con cláusulas adjetivales.

Yo conozco a **alguien** que trabaja en la alcaldía, ¿y tú?

No, yo no conozco a **nadie** que trabaje en la alcaldía.

8 Participe en las elecciones

Complete las siguientes oraciones sobre la elección de un(a) nuevo/a alcalde o alcaldesa. Use el presente del indicativo o del subjuntivo del verbo entre paréntesis según el contexto.

1. Debemos elegir a alguien que (*pertenecer*) a nuestra comunidad.

2. La ciudad en que nosotros (*vivir*) es algo peligrosa.

3. Ahora tenemos un alcalde que no (*preocuparse*) por los grupos étnicos.

4. La ciudad necesita a alguien que (*luchar*) contra las injusticias sociales.

5. Necesitamos un político que (*saber*) decir "no" a la delincuencia.

6. Buscamos un alcalde que (*tener*) experiencia en los asuntos de la ciudad.

7. Hay muchos candidatos que (*querer*) el puesto, pero no tienen suficiente experiencia.

8. Debe ser alguien que (*comprender*) el grave problema de la delincuencia juvenil.

9 Tener y querer

Todos tenemos cosas que nos gustan, y sin embargo quisiéramos tener cosas mejores. Consulte la lista de vocabulario, elija cinco prendas de vestir y describa las que Ud. ya tiene y las que quiere comprar.

MODELO **Tengo un abrigo de lana pero quiero comprarme uno de piel que esté más de moda y abrigue más en el invierno.**

¡Comunicación!

10 En busca de... Presentational Communication

El periódico *La Nación*, de Buenos Aires, saca los domingos una sección titulada "Búsqueda de la semana". Allí se encuentran los anuncios más diversos, escritos por personas que están deseosas por encontrar lo que necesitan. Para cada una de las siguientes categorías, escriba un anuncio de periódico con la ayuda de un(a) compañero/a.

MODELO **Necesito un(a) vendedor(a) con experiencia laboral mínima de un año, que hable inglés y que esté dispuesto/a a desplazarse por el interior del país. Llame al 33-42-21. Pregunte por Mónica.**

1. Un(a) director(a) de proyectos
2. Un(a) compañero/a de apartamento
3. Un taxi usado
4. Un(a) profesor(a) de inglés
5. Un(a) compañero/a para bailar tango

¡Comunicación!

11 El Caminito 👥 Interpersonal Communication

Lea el folleto sobre la calle Caminito en La Boca, una de las zonas más pintorescas y antiguas de la ciudad de Buenos Aires. Luego, con un(a) compañero/a, representen la conversación entre una turista que quiere conocer todos los sitios de atracción y un(a) guía de turismo que le hace recomendaciones. Usen los verbos del recuadro con el subjuntivo o el indicativo según corresponda, como se ve en el modelo.

buscar	querer	esperar	necesitar	conocer	haber (hay)
recomendar	sugerir	aconsejar	es importante	es recomendable	es buena idea

MODELO
Turista: Quiero conocer un lugar que tenga algo de historia.

Guía: Le sugiero que vaya a conocer el barrio de La Boca. Es uno de los lugares más históricos de Buenos Aires.

⚪⚫⚪ Calle Caminito, La Boca

BuenosAires123   Paseos y turismo   La guía más completa de la ciudad

Calle Caminito, La Boca

Caminito es la calle más famosa y colorida de la ciudad de **Buenos Aires**. También es la más visitada por los turistas extranjeros. La **calle Caminito** está ubicada en el corazón del **barrio de La Boca**, en la zona conocida como Vuelta de Rocha, frente a la orilla del Riachuelo. **Caminito** se encuentra a 400 metros de "**La Bombonera**", el estadio del **Club Atlético Boca Juniors**.

Cómo llegar a Caminito en La Boca

Colectivos: 29, 33, 64, 53, 152

Nota: La **calle Caminito** recibe miles de turistas cada día, la zona es segura. Sin embargo, el barrio de **La Boca** puede ser peligroso a causa de los robos. Por tal motivo, no se recomienda llevar objetos de valor ni caminar por las calles solitarias del interior del barrio.

Historia de la calle Caminito

Por la zona donde en la actualidad se encuentra **Caminito**, en 1898 pasaba el tren. En 1928, esa vía del ferrocarril cerró y el terreno quedó abandonado. En 1950 un grupo de vecinos, entre ellos el reconocido pintor Quinquela Martín, decidieron limpiar y recuperar el espacio para hacer un paseo público. Así comienza la apertura de la calle, a la cual bautizaron **Caminito**, en homenaje al tango de Gabino Coria Peñaloza y Juan de Dios Filiberto.

El paseo fue decorado con esculturas y murales de diferentes artistas. En 1959 **Caminito** fue transformado en un museo a cielo abierto, donde muchos pintores del barrio exponían sus obras.

Calle Caminito, La Boca, Buenos Aires

Los conventillos (casas típicas)

En la zona de **Caminito** se encuentran unas viviendas muy singulares, conocidas como "**conventillos**". Estas casas fueron las viviendas típicas de los inmigrantes italiano que se instalaron en el barrio. Las casas son viviendas colectivas, donde viven muchas familias que comparten patios, cocinas, etc. Las condiciones de vida no son muy buenas en el interior de los **conventillos**. El material utilizado para la construcción de las viviendas fueron las chapas de zinc, que se pintaban con las sobras de las pinturas de los talleres cercanos.

Hoy la tradición de pintar las casas con diferentes colores permanece. Muchos **conventillos** hoy se utilizan como tiendas de ventas de suvenires.

Gramática

El subjuntivo en cláusulas adverbiales

- Una cláusula adverbial es una cláusula que funciona como un adverbio y modifica el verbo de la cláusula principal.

    Te llamo   después.
    verbo   adverbio

    Te llamo   después de que llegues a casa.
    verbo   cláusula adverbial

> ### Un poco más
>
> **Estos adverbios introducen cláusulas adverbiales de tiempo**
>
> | | |
> |---|---|
> | **cuando** | *when* |
> | **después (de) que** | *after* |
> | **en cuanto** | *as soon as* |
> | **hasta que** | *until* |
> | **mientras[1] (que)** | *while* |
> | **tan pronto (como)** | *as soon as* |

Subjuntivo vs. indicativo en cláusulas adverbiales de tiempo

> **Cláusula principal + expresión de tiempo +** $\Big\{$ indicativo (acción pasada o habitual)
> subjuntivo (acción futura)

- Se usa el indicativo en la cláusula adverbial cuando se trata de una acción que ya ocurrió o que ocurre habitualmente. En estos casos generalmente el verbo de la cláusula principal está en el pasado o en el presente.

    Nombraron a otro alcalde después de que su periodo de gobierno **terminó**.

- Se usa el subjuntivo en la cláusula adverbial de tiempo cuando se trata de una acción pendiente (que no ha pasado todavía). En este caso, generalmente el verbo de la cláusula principal está en el tiempo futuro o en el modo imperativo.

    Nombrarán a otro alcade después de que su periodo de gobierno **termine**.

[1] Mientras + indicativo = *while*. Mientras (que) + subjuntivo = *We don't know how long.*

Se inaugurarán las nuevas líneas del metro tan pronto como termine la construcción.

Las cláusulas adverbiales de propósito, condición y anticipación

- Se usa el subjuntivo en clásulas adverbiales de propósito, condición y anticipación cuando se refieren a acciones que aún no se han realizado.

Cláusula principal + expresión de $\left\{\begin{array}{l}\text{propósito}\\\text{condición o}\\\text{anticipación}\end{array}\right.$ + subjuntivo

Vamos al mercado antes de que **llueva**.

Conjunciones que introducen cláusulas adverbiales en subjuntivo		
Propósito	**Condición**	**Anticipación**
a fin de que *in order that, so that*	a menos que *unless*	antes (de) que *before*
para que *in order that, so that*	a no ser que *unless*	
en caso (de) que *in case*	con tal (de) que *provided that*	
	salvo que *except*	
	sin que *without*	

- **A pesar (de) que** (*although*), **aun cuando** (*even though*) y **aunque** (*even if*) introducen cláusulas en indicativo si se implica seguridad. Introducen cláusulas en subjuntivo si se implica inseguridad.

    Fuimos al mercado aunque **llovía**.

    Iremos al mercado aunque **llueva**.

- **Mientras (que)** introduce cláusulas en subjuntivo cuando tiene el significado de *as long as* (condición). Introduce cláusulas en indicativo o subjuntivo cuando tiene el significado de *while* (tiempo), según sea el caso.

    Te esperé mientras **tuve** tiempo.

    Te esperaré mientras **tenga** tiempo.

Voy a tomarme un mate, aunque no sé si me guste.

12 Preparativos para la fiesta

Complete los siguientes preparativos para una fiesta con el subjuntivo del verbo entre paréntesis, y explique por qué es necesario usarlo.

1. Los muchachos se alegrarán cuando tú les (*decir*) ____ que haremos una fiesta.

2. Ellos van a alegrarse mucho cuando (*saber*) ____ que la fiesta es este fin de semana.

3. Yo iré al supermercado, con tal de que mis hermanos (*ir*) ____ a la pescadería.

4. Carlos preparará el flan sin que nosotras lo (*ayudar*) ____ .

5. Compraré las carnes hoy, para que mañana nosotras no (*tener*) ____ que salir.

6. Tendremos que preparar ensaladas y verduras en caso de que algunos de los invitados (*ser*) ____ vegetarianos.

7. Andrés puede traer los refrescos, a menos que Enrique (*querer*) ____ hacerlo.

8. Disfrutaremos hasta que (*salir*) ____ el sol.

13 De compras

Combine la información de las dos columnas con las conjunciones del recuadro para formar oraciones lógicas, como se ve en el modelo.

tan pronto como   a menos que   en caso de que   con tal de que   para que   cuando   hasta que

MODELO   **Voy a llevar dinero en caso de que tú quieras comprar algo de ropa.**

1. Voy a llevar dinero...
2. Te regalaré esos guantes...
3. Esperaré en casa...
4. Me probaré estas sandalias...
5. Cenaremos juntos...
6. No compraré esos vaqueros...
7. Compraré las botas...

...no (*costar*) demasiado.
...tú (*venir*) a recogerme.
...tú (*querer*) comprar algo de ropa.
...(*estar*) en rebaja.
...(*llegar*) a la tienda.
...nosotros (*poder*) ir a esquiar.
...nosotros (*acabar*) de comprar.

14 Use su imaginación

Imagínese que un(a) amigo/a que visita su ciudad por primera vez le hace varias preguntas. Use su imaginación para completar la conversación.

1. **A:** ¿Cómo voy al centro histórico?
   B: Primero, caminas tres cuadras y después doblas a la izquierda **cuando** (tú)...

2. **A:** ¿Hay mucho tráfico?
   B: Sí. No cruces la calle **hasta que** el semáforo...

3. **A:** ¿Crees que habrá boletos para el cine?
   B: Seguro, pero **tan pronto como** el cine...

4. **A:** ¿Puedo regresar del centro en autobús **después de que**... ?
   B: Sí, **a menos que**...

5. **A:** En caso de que me pierda, ¿qué hago?
   B: Me llamas por teléfono **para que**...

15 Condiciones y precauciones 👥

Siempre queremos hacer cosas, pero hay condiciones para todo. En parejas, terminen las oraciones de una forma lógica.

1. Un padre le dice a su hijo/a:
   A. No corras en la calle en caso de que...
   B. No salgas del coche sin que...
   C. No hables con nadie a menos que...
   D. No toques las cosas en el almacén a no ser que...
   E. No te muevas de aquí hasta que...

2. El policía le dice al conductor o a la conductora:
   A. Podrá aparcar su coche allí mientras que...
   B. No debe manejar a menos que...
   C. Quédese aquí hasta que el semáforo...
   D. Muéstreme su licencia de conducir para que...
   E. Tome un taxi en caso de que...

3. El alcalde le dice a los ciudadanos:
   A. Yo trabajaré para todos Uds. después de que...
   B. Bajaré los impuestos (taxes) tan pronto como...
   C. Encontraré viviendas para los desamparados cuando...
   D. Todos tendrán trabajo con tal de que...
   E. No habrá delincuencia mientras que...

¡Comunicación!

16 Ventas por comisión 👥 Interpersonal Communication

Imagine que Ud. trabaja como vendedor(a) en un almacén de ropa donde le pagan comisión por las ventas. Con un(a) compañero/a, representen una conversación entre el vendedor o la vendedora y un(a) cliente que está buscando un regalo para su novio/a, pero no sabe qué comprarle. Ofrézcale cuanto pueda para poder ganarse su comisión. Use las expresiones del recuadro y el subjuntivo o indicativo en cláusulas adverbiales, como se ve en el modelo.

aunque	mientras que	sin que	a no ser que	después de que
para que	con tal de que	salvo que	antes de que	a pesar de que

MODELO

Vendedor: Cómprele una de estas corbatas antes de que se vendan. Aproveche la oferta.

Cliente: No, quisiera comprarle algo mejor, aunque sea más costoso.

emcpassport.com

LA 3

? Pregunta clave
¿Qué problemas conlleva la vida urbana y cómo se resuelven?

Buenos Aires y el tránsito 🎧

El caos de tránsito en Buenos Aires

La capital de la República Argentina es una metrópolis enorme, cosmopolita y maravillosa, pero no por eso exenta[1] de problemas. Y uno de los principales dolores de cabeza para sus habitantes es trasladarse de un lugar a otro: la ciudad es un enjambre[2] enloquecido de tránsito.

El parque automotor[3] de Buenos Aires, con casi dos millones de automóviles, ha crecido exponencialmente en los últimos años, a lo que debe sumarse la gran cantidad de taxis, colectivos[4], motos y bicicletas que recorren a diario la ciudad. Así, Buenos Aires presenta altas tasas de accidentes de tránsito, escasez de estacionamientos, y se puede tardar horas en hacer trayectos cortos.

Con los años, distintas estrategias se pusieron en marcha[5] para mejorar esta situación. Por ejemplo, en el marco de un plan de restricción vehicular, más de 40 cuadras del microcentro se transformaron en calles peatonales, lo que favorece la circulación de las personas y valoriza los comercios de la zona, y a la vez disminuye el ruido y el esmog. Asimismo, desde 2009 se está construyendo una red de ciclovías de unos 150 km que une distintos puntos estratégicos de interconexión con otros medios de transporte. Además, el gobierno local otorga préstamos[6] muy económicos para impulsar la compra de bicicletas y se instaló el sistema público Ecobici de préstamo de bicicletas.

Todas estas alternativas forman parte del plan de movilidad sustentable de Buenos Aires, cuyo eje es que el ciudadano se movilice en transporte público o en bicicleta, en lugar de usar el automóvil.

[1] free [2] swarm [3] total number of vehicles [4] buses [5] were set in motion [6] loans

🔍 **Búsqueda:** problemas de tránsito en buenos aires, restricción vehicular en buenos aires, sistema ecobici buenos aires

17 Comprensión

1. ¿Cuáles son las consecuencias del gran tránsito vehicular en Buenos Aires?

2. ¿Mediante qué estrategias se intenta resolver el problema del tránsito?

3. ¿En qué sentido contribuyen estas estrategias al medio ambiente?

18 Analice

1. ¿Cree Ud. que los problemas de tránsito son similares en todas las grandes ciudades del mundo?

2. Compare las soluciones que propone Buenos Aires para el tránsito con los sistemas implementados en alguna gran ciudad de su país.

Productos 🎧

El colectivo es un medio de transporte tradicional con mucha historia en la ciudad de Buenos Aires. Sus coloridas decoraciones pintadas a mano nunca dejan de sorprender a los visitantes. Sin embargo, recién en 2011, la ciudad decidió dedicarles un sistema de carriles exclusivos: el Metrobús. Gracias a este sistema, se redujo el tiempo del recorrido, y los choferes se sienten más cómodos y seguros.

Carriles exclusivos para los colectivos

Cuando lo abandonado vuelve a cobrar vida

19 Comprensión

1. ¿Qué era, en sus orígenes, el Mercado de Abasto? ¿Cuál era su importancia?

2. ¿Cuándo y por qué cerró sus puertas el Mercado de Abasto?

3. ¿En qué sentido la apertura del centro comercial reactivó toda la zona?

El hermoso edificio del Mercado de Abasto

20 Analice

1. ¿Qué barrios o zonas de su ciudad han atravesado mutaciones como las del barrio del Abasto?

2. ¿Qué lugares de compras alternativos (que no sean supermercados) para productos frescos hay en su ciudad?

En toda gran ciudad, los espacios van mutando. Según la época, y en función de los cambios poblacionales o incluso a causa de modas pasajeras[1], algunos barrios prosperan y otros "caen en desgracia". Así ocurrió con la zona del Mercado de Abasto de Buenos Aires.

El mercado se creó a fines del siglo XIX y era uno de los centros de comercialización de frutas, verduras y carnes más importantes de la ciudad. Funcionaba en un edificio imponente, con techos abovedados[2], y estaba ubicado en el corazón de la ciudad, en un barrio de tradición tanguera, hogar de Carlos Gardel. Durante años, el mercado llenó de vida la zona con su bullicio de camiones, vendedores y clientes.

Sin embargo, en 1984 tuvo que cerrar sus puertas porque el gobierno decidió trasladar todas las actividades a un nuevo mercado central en las afueras de Buenos Aires. El edificio quedó abandonado, todo ese movimiento de proveedores y compradores desapareció, y el barrio todo perdió su encanto. Los periódicos de la época decían que era el "Bronx porteño", una zona de "marginalidad y delincuencia"[3].

Finalmente, a mediados de la década de 1990, este espacio público pasó a manos privadas: el magnate George Soros compró el edificio y lo transformó en un gran centro comercial. La apertura del Abasto Shopping dio un nuevo impulso a la zona. A su alrededor se abrieron muchísimos comercios, se construyeron nuevos hoteles y edificios, y surgieron numerosos teatros independientes y otros espacios destinados a actividades culturales.

[1] temporary   [2] vaulted   [3] deprivation and crime

Búsqueda: mercado de abasto de buenos aires, barrio del abasto, abasto shopping

Prácticas

A pesar de que ya no quedan en la ciudad grandes mercados de abastecimiento, los porteños todavía pueden seguir con la costumbre de ir a comprar los productos frescos al "mercado barrial". El programa de Ferias Itinerantes consiste en puestos móviles que cada día de la semana se ubican en distintos puntos de la ciudad para ofrecer sus productos a los vecinos. Allí pueden comprar, entre otras cosas, frutas, verduras, carnes, productos de granja, pescados y mariscos.

Puestos de productos frescos en las ferias itinerantes

De ciudad ideal a ciudad sumergida 🎧

La ciudad de La Plata, fundada en 1882, fue planificada y construida específicamente para funcionar como capital de la provincia de Buenos Aires. Es reconocida por su trazado[1] —un cuadrado perfecto—, por las diagonales que la cruzan formando rombos dentro de su contorno, por sus bosques y por sus plazas, colocadas con exactitud cada seis cuadras. La Plata fue concebida como una ciudad ideal y representó para el mundo entero un modelo de planificación urbana.

La ciudad de La Plata es reconocida como un modelo de planificación urbana.

Lamentablemente, con el correr de los años, el espíritu que dio a luz a la ciudad se fue perdiendo. La urbanización irresponsable y la falta de previsión[2] de los distintos gobiernos de turno hicieron que la construcción creciera sin control y que nuevos pobladores se asentaran[3] en zonas inadecuadas.

Fue una tragedia sin precedentes la que puso sobre el tapete[4] esa falta de previsión. El 2 de abril de 2013, fuertes precipitaciones que marcaron un récord histórico tuvieron como consecuencia casi un centenar de muertos, miles de evacuados, decenas de miles de viviendas inundadas y pérdidas materiales incalculables. La ciudad quedó devastada y sus habitantes, que recibieron ayuda desde todos los rincones del país, terriblemente golpeados.

Después de la inundación, se puso en marcha un plan de obras para reconstruir la ciudad y prepararla para soportar fenómenos climáticos extremos. El plan incluye, por ejemplo, obras hidráulicas estructurales, obras viales[5], la adecuación y limpieza de arroyos[6], la relocalización de asentamientos[7] y la creación de reservorios. Los platenses se merecen vivir en la ciudad ideal que pensaron para ellos sus fundadores.

[1] layout   [2] foresight   [3] settle   [4] brought to light   [5] road works
[6] stream   [7] settlements

🔍 **Búsqueda:** inundación de la plata 2 de abril de 2013

Perspectivas

Refiriéndose a la inundación de abril de 2013, el titular de la cátedra de Hidrología de la Universidad Nacional de La Plata, Pablo Romanazzi, declaró: "Hay diagnóstico, sabemos lo que pasa cuando llueve así y que las obras hidráulicas no tienen un nivel de servicio para atender este tipo de tormentas. Pero hay medidas que se pueden tomar, como no seguir asentando población en los márgenes de los arroyos. Es una locura y lo venimos denunciando hace tiempo". Señaló también: "Paremos la presión inmobiliaria (*real state*) de querer urbanizar todo. Hay que hacerlo responsablemente".

Según Romanazzi, ¿qué medidas son esenciales para disminuir los riesgos de las tormentas fuertes?

Imagen de la inundación de la ciudad de La Plata en 2013

21 Comprensión

1. ¿Qué tiene de especial la ciudad de La Plata?

2. ¿Qué ocurrió en la ciudad con el correr de los años?

3. ¿Qué ocurrió el 2 de abril de 2013?

22 Analice

1. ¿Por qué es importante que exista la planificación urbana a largo plazo?

2. ¿Cree que la ciudad en la que vive está preparada para afrontar fuertes precipitaciones? ¿Por qué?

Comparación y contraste: ¡Ojo con estas palabras!

En español, al igual que en inglés, estas palabras tienen distintas connotaciones y significados. Preste atención, pues su uso depende del contexto.

salir   *to go out (with someone)*
Hace un año que Enrique **sale** con Ana.

salir (de)   *to leave (a place), to go out (from a place), to depart*
Recuerda que **salgo** de clase a las diez.
El crucero **sale** de la ciudad de Cartagena.

irse (de) / marcharse (de)   *to leave, to go away*
Se paró y **se fue** sin decir nada.
Me marcho de vacaciones por un mes.

dejar   *to leave behind; to drop off*
Dejemos las chamarras en el carro; hace calor.
¿Me **dejan** en el estadio de fútbol, por favor?

poner   *to put, to place, to set (the table)*
Pon los platos y los vasos en el fregadero.
Niños, **pongan** la mesa para desayunar.

ponerse   *to put on (clothing); to become*
Sarita, **ponte** el abrigo que hace frío.
No **te pongas** nervioso.

meter   *to put (in)*
Por favor, **mete** el postre en la nevera, para que no se dañe.

colocar   *to put (in place); to place*
Coloquen los platos sucios en el lavaplatos.
Colocaron el anuncio en primera página para que todos lo vieran.

23 Olvidé mi dinero en casa

Elija el verbo adecuado y complete el párrafo con el pretérito o el pluscuamperfecto del indicativo, según el caso.

colocar	ir	meter	ponerse
dejar	marcharse	poner	salir

Ayer yo **(1)** temprano de la casa y **(2)** de compras sin darme cuenta de que **(3)** mi billetera en la casa. Cuando quise pagar el regalo que había comprado, **(4)** la mano en la bolsa. De pronto recordé que antes de salir de la casa, **(5)** la billetera sobre la mesa de la cocina. Con mucha discreción **(6)** el regalo sobre el mostrador, **(7)** los guantes y **(8)** del almacén.

24 Un atraco en la ciudad

Complete el diálogo con la palabra entre paréntesis que corresponda según el contexto.

María: ¿De dónde (**1.** *vienes / vas*) tan alterada?

Patricia: (**2.** *me marcho / vengo*) del centro comercial. Acabo de ver (**3.** *una huelga / un atraco*) que me dejó muy asustada.

María: ¿Qué sucedió?

Patricia: Un hombre atracó a una joven cuando ella (**4.** *dejaba / salía*) del centro comercial.

María: ¿Cuándo pasó todo eso?

Patricia: Hace más o menos media hora. Ella (**5.** *puso / metió*) su bolso en el suelo un segundo mientras (**6.** *se ponía / ponía*) sus paquetes en el baúl del coche. El ladrón (**7.** *tomó / colocó*) el bolso con fuerza y, aunque ella trató de evitarlo, él se lo quitó y (**8.** *se marchó / se salió*) corriendo.

María: ¿Alguien dio aviso a la policía?

Patricia: ¡Desde luego! Yo llamé ahí mismo al 9-1-1.

María: ¿Y qué pasó con la joven?

Patricia: La pobre chica (**9.** *puso / se puso*) muy pálida y empezó a gritar pidiendo ayuda.

Trataba de acordarme dónde había dejado mi coche.

El ladrón aprovechó para agarrar el bolso y salir corriendo.

Me puse muy nerviosa y empecé a gritar pidiendo ayuda.

25 ¿Qué reloj quieres comprar? 🗪 Interpersonal Communication

En parejas, completen el siguiente diálogo.

Vendedor: ¿En qué puedo... ?

Ud.: Me gustaría comprar un reloj que...

Vendedor: Aquí tiene Ud. este reloj de oro blanco que...

Ud.: Es demasiado caro...

Vendedor: ¿Qué le parece uno que... ?

Ud.: Me gusta y no es tan caro. ¿Podría Ud. ponerlo en una caja de regalos que... ?

Vendedor: Claro que sí. Escoja el papel de regalo que...

Ud.: Este papel me gusta porque...

Vendedor: Aquí lo tiene.

Ud.: Gracias.

26 En gustos no hay disgustos 🗪

Interpersonal Communication

Formen parejas y túrnense para responder las siguientes preguntas e intercambiar opiniones sobre el tema.

1. ¿Dónde prefieres comprar ropa, en una pequeña tienda exclusiva o en un almacén de cadena? ¿Por qué te parece ventajoso comprar en los almacenes de cadena? ¿Y en las pequeñas tiendas exclusivas?

2. ¿Qué prefieres: vestir a la última moda o tener tu propio estilo? ¿Piensas que para ser elegante hay que estar a la moda? Si te gusta estar a la moda, ¿qué haces con la ropa que ya pasó de moda? ¿La regalas? ¿La vendes? ¿La dejas en tu armario pensando que más adelante la usarás de nuevo?

3. ¿Cómo te gusta vestirte para ir al colegio? ¿A una fiesta? ¿Al cine? ¿Qué significa para ti la elegancia?

¿Qué prefieres: vestir a la moda o tener tu propio estilo?

4. Describe a alguien que, a tu modo de ver, se vista bien. ¿Qué quiere decir "vestirse bien"? ¿Es primordial? ¿Se puede identificar el nivel socioeconómico de una persona por su manera de vestir? Explica.

5. ¿Eres un(a) comprador(a) compulsivo/a que va a las tiendas a comprar, pero no sabe precisamente qué quiere y termina comprando lo que menos necesita? ¿Has revisado cuánta ropa hay en tu armario que te has puesto solo una o dos veces?

¡Comunicación!

27 Problemas de vivir en la ciudad · Interpersonal Communication

Conteste las siguientes preguntas. Luego, compare sus respuestas con las de un(a) compañero/a y comenten sus diferencias de opinión, si las tienen.

1. ¿Cuál consideras que es el origen de la delincuencia juvenil? ¿Piensas que se deba a las injusticias sociales? ¿Al exceso de libertad que tienen los niños? ¿A una influencia negativa de la televisión? ¿A la falta de atención y presencia de los padres?

2. ¿Estás de acuerdo en que el gobierno debe aumentar los impuestos para construir más cárceles y entrenar un mayor número de policías? ¿Por qué?

3. ¿Piensas que algunas zonas de la ciudad donde vives son peligrosas y por eso las evitas? ¿Cuáles? Si has estado de día o de noche en alguna de esas zonas, ¿podrías describirla?

4. ¿Qué es para ti una ciudad ideal? ¿Una que tenga un millón de habitantes? ¿O una que esté a orillas del mar? Descríbela, por favor.

28 No sé qué comprar · Interpersonal Communication

Imagine que Ud. va a un almacén a comprar los regalos de Navidad para sus suegros y necesita ayuda. Con un(a) compañero/a, hagan el papel del cliente o la clienta que no sabe qué comprar y el/la dependiente que le da sugerencias y consejos. Use cláusulas adjetivales y adverbiales en su conversación y las expresiones de *Para decir más* y el vocabulario de la unidad, como se ve en el modelo.

Para decir más

¿En qué puedo ayudarlo/a?
¿Qué le parece…?
¿Qué talla usa?
¿Desea probarse…?
Me queda… /No me queda…
¿Qué precio tiene…?

MODELO

Cliente: **Tengo que comprar un regalo para mi suegro, algo que no sea muy personal. ¿Qué me recomienda?**

Dependiente: **¿Qué le parece este pañuelo para que lo ponga en el bolsillo de su traje? Es de pura seda. Muy fino.**

Cliente: **…**

29 Para dejar y para regalar · Interpersonal Communication

Imagine que su mejor amiga se va a ir a vivir a otra ciudad y no quiere llevarse toda la ropa que tiene. Ella le pide a Ud. que le ayude a decidir qué dejar y qué regalar o donar a gente más necesitada. Represente la situación con un(a) compañero/a. Usen el vocabulario de la unidad en su conversación, como se ve en el modelo.

MODELO

A: **¿Qué piensas de esta falda a cuadros? ¿Cómo me queda?**

B: **No sé. Te queda bien y es fina, pero se ve bien pasada de moda.**

A: **Tienes razón. Colócala en el montón de ropa para regalar.**

30 **La moda no incomoda**  Interpersonal/Presentational Communication

Lea el artículo sobre la moda y conteste las preguntas que siguen. Luego, intercambie opiniones con dos compañeros de clase para ver qué opinan y presenten sus conclusiones al resto de la clase.

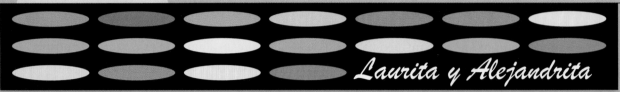

○ ○ ○   Moda: influencia en...

Moda: influencia en adolescentes

Uno de los temas más polémicos con los adolescentes es la ropa.

La ropa comunica

La ropa es un medio de comunicación: con ella se dicen muchas cosas y los adolescentes se han dado cuenta de que una imagen vale 3 mil palabras y quieren utilizarla para expresarse.

Con la ropa, los peinados y los adornos buscan reafirmar su propia identidad, reflejar una personalidad única y original, aunque en realidad todos los adolescentes se visten de forma parecida y lo que logran es mostrar y comunicar lo que caracteriza a su generación.

Están orgullosos de su vestimenta […] y […] se sienten apreciados por parecerse a su grupo; […] cada elemento del vestuario es un signo de pertenencia.

Los afanes adolescentes por la ropa de marca

Lujos y razones suelen ser un punto de contradicción que rebasa a muchos adolescentes. […] Para muchos de ellos se vuelve un problema vital el hecho de comprar los artículos que la publicidad les sugiere.

[…] Cuando los tenis sirven para algo más que caminar, son una señal de identidad y una forma simbólica de juventud, estatus, originalidad y estilo personal.

[…] Un(a) adolescente puede ser discriminado/a por no llevar ropa de marca […] y a veces ese pensamiento hace que muchos jóvenes […] no tengan su propio estilo por […] miedo a ser desplazados del grupo o criticados.

1. ¿Qué quieren expresar los adolescentes a través de la ropa que se ponen?

2. ¿Qué simboliza la ropa de marca?

3. ¿Qué muestra en realidad el estilo de vestir de los adolescentes?

4. ¿Cuál es la contradicción que hay entre vestir a la moda y ser auténtico? Explique su respuesta.

5. ¿Cómo se viste Ud. y cuáles son las influencias que tiene?

Gramática

El imperfecto del subjuntivo

Para formar el imperfecto del subjuntivo se toma la tercera persona del plural del pretérito del indicativo y se cambia la terminación **-on** por **-a**.[1]

Pretérito	Radical	Terminación	Imperfecto del subjuntivo
dijeron	dijer-	**-a**	dijera
durmieron	durmier-	**-as**	durmieras
escribieron	escribier-	**-a**	escribiera
hablaron	hablar-	**-amos**	habláramos[2]
oyeron[3]	oyer-	**-ais**	oyerais
supieron	supier-	**-an**	supieran

[1] Esta es la forma del imperfecto del subjuntivo que se usa en la mayoría de los países de Hispanoamérica. En muchos lugares de España las terminaciones del imperfecto del subjuntivo son **-se, -ses, -se, -semos, -seis, -sen**. Por ejemplo: **decir**: **dijese, dijeses, dijese, dijésemos, dijeseis, dijesen**.

[2] La primera persona del plural se convierte en una palabra esdrújula, por lo tanto lleva acento ortográfico en la tercera sílaba contando de la derecha: ha-**blá**-ra-mos. Recuerde que todas las palabras esdrújulas llevan acento ortográfico.

[3] Si el radical del verbo tuvo el cambio ortográfico **i ➝ y** (**oír ➝ oyeron**) en la tercera persona del plural del pretérito, tendrá el mismo cambio ortográfico en todas las personas del imperfecto del subjuntivo.

31 ¿Cómo te fue de compras?

Juanita quiere saber cómo le fue a Susana cuando fue de compras con su amiga Marcela. Complete su conversación con el imperfecto del subjuntivo del verbo entre paréntesis.

Juanita: Finalmente… ¿pudieron ir de compras?

Susana: Sí. Salimos tarde de casa y temíamos que algunos almacenes ya no (**1.** *estar*) abiertos.

Juanita: ¿Tuvieron que darse mucha prisa?

Susana: ¡Seguro! Era indispensable que (**2.** *llegar*) lo antes posible.

Juanita: ¿Y adónde fueron?

Susana: Yo fui a la tienda de accesorios. Le sugerí a Marcela que (**3.** *subir*) a la sección de ropa femenina para que (**4.** *comprar*) el regalo de su madre.

Juanita: ¿Qué le compró?

Susana: Su madre le había pedido que le (**5.** *dar*) una blusa elegante.

Juanita: ¿La encontró?

Susana: Sí, y la compró, aunque no estaba segura de que la blusa le (**6.** *quedar*) bien a su madre.

Juanita: ¿Regresaron a casa para la comida?

Susana: ¡Sí! Carlos nos había dicho que (**7.** *regresar*) temprano para poder ir al concierto de Navidad en la plaza.

32 Unicenter

Lea el anuncio de Unicenter, uno de los centros comerciales más populares de Buenos Aires. Luego, complete los comentarios que un turista puso al respecto en su red social con el imperfecto del subjuntivo del verbo entre paréntesis.

○○○ Panamericana & Paraná...

facester

Unicenter

Ubicado en la localidad de Martínez, a solo 15 minutos del centro de la ciudad, Unicenter cuenta con 300 locales de las mejores marcas nacionales e internacionales, patio de comidas para 1.800 personas, 14 salas de cine, parque de diversiones y estacionamiento para 6.500 autos. Es el único shopping que ofrece a los turistas un tour de compras con traslados[1] gratuitos desde puntos estratégicos de la capital, Welcome Drink, y descuentos en más de 40 locales. Además, muchos de sus locales cuentan con el sistema TAX FREE que permite —presentando las facturas[2] de estos locales en los aeropuertos internacionales y en las terminales de Buquebús del Puerto de Buenos Aires— recuperar el valor del IVA (hasta el 16 %) incluido en sus compras. Para realizar el tour contáctese con el conserje de su hotel, con la agencia de viajes o llamando a Unicenter al 4733-1166. Traslados gratuitos.

Unicenter

[1] rides   [2] receipts

El portero del hotel donde nos hospedamos nos recomendó que (**1.** *ir*) a Unicenter porque quedaba a solo 15 cuadras del centro de la ciudad. Dijo que era bueno que (**2.** *hacer*) nuestras compras allá porque era el único centro comercial que ofrecía un tour de compras con transporte gratis desde cualquier lugar de la ciudad. También dijo que era el único centro que contaba con el sistema de TAX FREE, el cual permitía que los turistas (**3.** *recuperar*) hasta el 16 % del valor del IVA (impuesto a turistas extranjeros) a la salida del país. Obviamente, era muy importante que (**4.** *guardar*) todas las facturas de las compras y que las (**5.** *presentar*) en el aeropuerto para poder obtener el descuento. Sabía que vendían ropa de calidad, pero yo no estaba seguro que (**6.** *tener*) ropa de las mejores marcas en mi talla (mido 6 pies de estatura). Aún así, decidí que valdría la pena ir. Como dijo el portero, a lo mejor no encontraba ropa para mí, pero con más de 300 locales, era imposible que no (**7.** *encontrar*) regalos para mi familia y mis amigos. Quería ir al cine, pero no creía que (**8.** *dar*) películas con subtítulos en inglés. Más tarde supe que, al contrario de lo que pensaba, en todas las 14 salas de cine daban películas en inglés con subtítulos en español. En fin, el portero mencionó que si me interesaba ir, era importante que me (**9.** *poner*) en contacto con la agencia de viajes para hacer una reservación y que era necesario que (**10.** *llamar*) enseguida porque los tours se llenaban rápidamente. Así lo hice y me alegro de haberlo hecho, pues fue una de las mejores experiencias de mi viaje.

Gramática

Los usos del imperfecto del subjuntivo

En la **Unidad 6** vimos los verbos que exigen el uso del subjuntivo y, en esta unidad, los usos del subjuntivo en cláusulas adjetivales y adverbiales en tiempo presente. En general, se aplica el mismo criterio para usar el imperfecto del subjuntivo en el tiempo pasado.

- El indicativo se usa para expresar hechos o certeza, mientras que el subjuntivo se usa para expresar subjetividad (deseos, emociones, recomendaciones, expresiones impersonales, dudas o negación y *Ojalá*).

Querían una casa que quedara en La Boca.

Presente del subjuntivo	Imperfecto del subjuntivo
Quiero que **vayas** de compras al mercado de agricultores.	**Quería** que **fueras** de compras al mercado de agricultores.
Es importante que **sepamos** sobre nuestra herencia cultural.	**Era** importante que **supiéramos** sobre nuestra herencia cultural.
Me encanta probar restaurantes que **tengan** chefs famosos.	**Me encantaría** probar restaurantes que **tuvieran** chefs famosos.
Vamos temprano para que **tengamos** suficiente tiempo.	**Fuimos** temprano para que **tuviéramos** suficiente tiempo.

- Se usa el imperfecto del subjuntivo cuando el verbo de la oración principal está en pasado o condicional simple y la acción de la cláusula subordinada ocurre de forma simultánea o posterior a la acción de la oración principal.

  Necesitábamos/Necesitaríamos un voluntario que nos **ayudara/ayudase** en el centro comunitario.

  Buscaba una persona que **conociera** la ciudad.

- También se usa después de la locución **como si...** (*as if...*) cuando la cláusula principal está en presente o en pasado del indicativo.

  Se **ven** incómodos, como si no **cupieran** en el carro.

  Se **veían** incómodos, como si no **cupieran** en el carro.

- Se usa cuando la acción de la oración principal está en presente y la acción de la cláusula subordinada ocurrió en el pasado y no está vinculada al presente.

  El dueño **se alegra** (hoy) de que tú **colaboraras** (ayer).

  Dudamos que Federico **supiera** hablar francés.

Un poco más

El imperfecto del subjuntivo también se usa para hacer una solicitud formal o una sugerencia cortés (solamente con los verbos *deber, poder* y *querer*).

Quisiera pedirte un favor.
I would like to ask you a favor.

¿Pudiera Ud. prestarme ese libro?
Could you lend me that book?

33 ¡Qué fastidio que nos asaltaran!

Estando de viaje, Ud. acaba de regresar de una caminata por un parque y le cuenta a su compañero/a de habitación en el hotel que su amiga Cristina y Ud. fueron asaltados/as en la calle por dos delincuentes. Use el imperfecto del subjuntivo de los verbos entre paréntesis.

1. Cuando subíamos al metro, le aconsejé a Cristina que (*estar*) ____ pendiente de la mochila.

2. Era inevitable que nosotros/as (*tener*) ____ que caminar entre la multitud al bajarnos del metro.

3. Después de cruzar la calle, un par de jóvenes nos pidieron que les (*dar*) ____ indicaciones para llegar a una farmacia que supuestamente estaba en esa parte de la ciudad.

4. Antes de que Cristina (*poder*) ____ abrir la mochila para sacar papel y bolígrafo, uno de los jóvenes se la arrebató (*snatched it from her*) y los dos se fueron corriendo.

5. Menos mal que en ese momento llegó un policía y nos recomendó que (*quedarse*) ____ en el hotel hasta que él (*encontrar*) ____ a los delincuentes.

6. Yo prefería que el policía nos (*acompañar*) ____ al hotel porque estaba muy asustado/a.

7. El policía pidió a la Jefatura de Policía más cercana que (*enviar*) ____ un taxi para que nos (*llevar*) ____ al hotel.

34 ¡Quiero ir de compras!

Martha y Cecilia son dos adolescentes que se interesan más por divertirse que por estudiar. Martha estaba hoy con la "depre" (*depression*) porque no tenía planes. Complete los párrafos con el imperfecto del subjuntivo o indicativo del verbo entre paréntesis. Use el infinitivo cuando no haya cambio de sujeto.

Martha estuvo esperando a que Eduardo la (*1. llamar*) y la (*2. invitar*) a salir, pero el teléfono jamás sonó. A fin de que Martha (*3. animarse*) un poco, Cecilia le pidió que (*4. ir*) con ella al centro comercial para que la (*5. ayudar*) a (*6. comprarse*) unas botas que había visto hacía unos días.

Mientras Cecilia (*7. probarse*) las botas, Martha vio que (*8. haber*) unas ofertas súper y pensó que (*9. deber*) aprovecharlas.

Las compras son una buena terapia para mí.

Martha: Sería estupendo que yo (*10. escoger*) estos dos pares de zapatos, esta blusa de seda y una chaqueta de cuero para combinar con este pantalón. ¡No tengo nada que ponerme para salir de fiesta! No me gustaría que Eduardo me (*11. ver*) con estos jeans viejos que me quedan mal.

Cecilia quería (*12. marcharse*) enseguida de la tienda porque sabía que su amiga no (*13. tener*) suficiente dinero en la billetera para (*14. pagar*) tantas cosas. Le sugirió a Martha que (*15. elegir*) uno o dos prendas y que (*16. esperar*) unas semanas para buscar las demás.

Martha: ¡Qué bobada! No sé para qué me pediste que (*17. venir*) contigo si no querías que (*18. elegir*) nada. ¡Y... por favor! Deja de mirarme como si (*19. estar*) loca. Tengo la depre y las compras son una buena terapia para mí.

35 Como si...

Complete las oraciones.

1. Cuando invito a mi pareja a un restaurante exclusivo, me comporto como si...
2. Cuando veo que el menú está en italiano, hago como si...
3. Cuando veo lo que vale cada plato, me siento como si...
4. Cuando el camarero me trae la cuenta, la pago como si...
5. Cuando llegamos a su casa, me despido como si...

¡Comunicación!

36 Nuestro primer encuentro   Presentational Communication

Aunque llevan diez años de casados y tienen hijos, Liliana y Edgar mantienen vivo su amor, como en el día que se conocieron. Complete el mensaje que Liliana le escribió a Edgar con motivo de su aniversario, con el imperfecto del subjuntivo de los verbos entre paréntesis para saber cómo fue ese primer encuentro.

Cuando nos encontramos por primera vez en ese café, deseé que (**1.** *habernos*) conocido antes. No podía creer que (**2.** *ser*) tan querido y espontáneo. Me hablabas como si (**3.** *conocernos*) de toda la vida y eso me encantaba. Teníamos tantos intereses en común que parecía que (**4.** *estar*) hechos el uno para el otro. Me enamoré de ti de golpe y rogaba en el fondo de mi alma que tú también (**5.** *enamorarse*) de mí. "Pura ilusión de juventud", pensaba. Seguramente preferirías a una persona que (**6.** *ser*) más sofisticada, que (**7.** *pertencer*) a tu misma esfera social. Aun así seguía soñando. Quería de todo corazón que (**8.** *verme*) por lo que soy y lo que valgo y no por lo que tengo. Fue entonces cuando dijiste que querías conocerme mejor e insististe que (**9.** *volver*) a vernos. El destino quiso que nosotros (**10.** *cruzar*) caminos ese día. Cuando se llegó el momento de despedirnos ansiaba que (**11.** *besarme*) y no me desilusionaste. Me diste un beso inolvidable y así empezó la historia de un gram amor, que lleva diez años y sigue creciendo con el tiempo.

37 Problemas y soluciones 👥   Interpersonal/Presentational Communication

En grupos pequeños, comenten los siguientes problemas y propongan soluciones a los mismos. Luego, elijan a una persona del grupo para que dé un informe al resto de la clase. Usen el presente del subjuntivo y las expresiones de *Para decir más* para comentar los problemas y hacer las propuestas, y el imperfecto del subjuntivo para hacer el informe, como se ve en el modelo.

Para decir más

Es importante que…

Es preferible que…

Hay que pedir a las autoridades que…

Es una lástima que…

Sugiero que…

Es necesario que…

Propongo que…

Recomiendo que…

- La contaminación
- Los desamparados
- La vivienda
- El tráfico de drogas
- La delincuencia juvenil
- El transporte urbano

MODELO   Roberto: **Es una lástima que haya tantas personas sin un lugar donde vivir.**
Propongo que creemos un programa de apoyo a los desamparados.

Informe: **Roberto propuso que se creara un programa de apoyo a los desamparados.**

Lectura informativa

Antes de leer

1. ¿Qué clase de problemas cree Ud. que puede provocar la falta de previsión y planificación en las ciudades?

2. ¿Qué clase de medidas cree Ud. que se pueden tomar para minimizar las consecuencias de los fenómenos naturales?

Estrategia

Identificar las opiniones

Los textos argumentativos suelen incluir datos objetivos además de opiniones subjetivas. Identificar los datos y las opiniones mientras lee un texto argumentativo lo ayudará a comprender la postura del autor.

38 Comprensión

1. ¿Por qué fue la inundación una "catástrofe en varios sentidos"?

2. ¿Por qué es problemático el enorme crecimiento de la ciudad de Buenos Aires?

3. ¿Qué ocurrió en los barrios de clase media y alta?

39 Analice

¿Qué medidas cree Ud. que se deberían tomar para ordenar el crecimiento de las ciudades?

○ ○ ○ Una tragedia que no...

lanacion·com **Archivo Edición impresa**

Últimas noticias | Secciones | Edición impresa | Blogs | LN Data | Servicios | Guía LA NACION

Una tragedia que no admite más disputas ni dilaciones[1]

publicado en La Nación, Argentina, 4 de abril de 2013, Editoriales

La falta de previsión y de políticas de Estado debe ser rápidamente superada en busca de soluciones que prioricen la seguridad y el bienestar de la población

Decenas de muertos, cuantiosas[2] pérdidas materiales en centenares de hogares y una enorme angustia por un presente perdido y un futuro impredecible representan apenas una pequeña enumeración de los daños que causó la última inundación registrada en la ciudad y en numerosos partidos bonaerenses[3]. Fue una catástrofe en varios sentidos, no solo climáticos.

No pocas tragedias humanas, individuales o colectivas en nuestro país vienen casi siempre precedidas por una tragedia social y política, una suma de oportunismos, de desaprensiones[4] y actitudes egoístas de quienes solo parecen pensar y actuar para el corto plazo.

La ciudad de Buenos Aires ha crecido enormemente a lo largo de los años. La gran masa de gente que se ha ido asentando en ella y en sus alrededores no ha contado con la necesaria planificación de las autoridades de turno para que, con el tiempo, su llegada no resultara un problema habitacional y sanitario. Los loteos[5] y las usurpaciones[6] en zonas bajas, inundables, son una práctica habitual y no solo en la Capital. Las posibilidades de trabajo que ofrecían y ofrecen las grandes urbes han derivado en que mucha gente se asentara en lugares donde se sabe que la vida es muy riesgosa, cuando no imposible. Las márgenes de ríos como la contaminada cuenca[7] del Riachuelo son un ejemplo de ello. La política habitacional corrió siempre detrás de los hechos consumados.

Pero no se trata solamente de zonas que hoy podrían considerarse marginales. El desapego[8] por el comportamiento de la naturaleza y el desconocimiento o el uso impropio de la tierra determinaron que barrios enteros de clases media y alta se erigieran hacia el cielo clausurando drenajes naturales y provocando una superpoblación que colapsa los más elementales servicios. El exceso de pavimento ha hecho menos permeables los suelos.

---

[1] delays [2] substantial [3] from the province of Buenos Aires [4] unscrupulousness
[5] division of land into lots [6] misappropriation of property [7] basin [8] indifference

Una tragedia que no...

Cuando los problemas comenzaron a hacerse evidentes, las soluciones siempre fueron parciales. A las contadas oportunidades en que se intentó planificar a largo plazo, se opuso una serie interminable de mezquindades[9] políticas. El bloqueo de eventuales réditos[10] del adversario dejó en el camino obras que hubieran significado un alivio de fondo, duradero. [...]

¿No hubo dinero en todos estos años? Probablemente sí, pero no fue priorizado para esas obras. Se mire por donde se mire, la solución no ha llegado y las responsabilidades no son privativas de un solo sector. Lamentablemente, es una situación que se reproduce en casi todos los distritos del país.

A eso hay que sumar los nefastos[11] efectos del cambio climático. Habrá más inundaciones, más copiosas y más seguidas. Los expertos ya dieron sus alertas. Los gobiernos, en cambio, no atinan a[12] ponerse de acuerdo para afrontarlos, menos aún, para intentar prevenirlos. [...]

De esta última tormenta se sabía un par de días antes, aunque su dimensión resultó mayor de la esperada, con disímiles precipitaciones aun en lugares muy próximos. No solo las autoridades demostraron falta de reacción para paliar sus efectos mediante una profunda limpieza de calles y desagües[13]. Tampoco estuvieron a la altura de los hechos los vecinos que siguieron depositando bolsones de residuos en las calles, incluso cuando la lluvia ya había comenzado.

Un nuevo entubado[14] no resuelve por sí solo el problema. Como se dijo, la catástrofe climática no es ajena[15] a la situación social que la precede. Hay muchas cosas que cambiar, no solo los drenajes subterráneos. Las zancadillas[16] políticas de las últimas horas, tendientes a eludir responsabilidades, traen a la memoria otros tristes recuerdos de hechos trágicos en los que nuestra dirigencia ha sucumbido ante su propia ineficiencia.

En contradicción con este tipo de actitudes, numerosas instituciones y particulares, entre los que también se incluyen dirigentes partidarios y gremiales[17], han salido prestamente en auxilio de los damnificados[18]. [...]

Como se dijo, es tiempo de ayudar en la contingencia, pero también de pensar todos juntos en salidas viables a las crisis que se nos puedan presentar y de ponerlas en práctica asumiendo la necesidad de considerar el tema como una verdadera política de Estado entre la Nación, las provincias y los municipios. Por mucho tiempo más tendremos que convivir con las inundaciones. De todos nosotros depende que esa convivencia no se traduzca en nuevas muertes.

[9] stinginess   [10] possible returns   [11] disastrous   [12] succeed in   [13] drains   [14] tubing
[15] disconnected   [16] impediments   [17] party and union leaders   [18] victims

Búsqueda: inundaciones buenos aires abril 2013

40 Comprensión

1. ¿Qué ocurrió cuando los problemas comenzaron a hacerse evidentes?

2. Si se sabía desde antes que habría una fuerte tormenta, ¿por qué fueron tan desastrosas las consecuencias?

3. ¿Por qué es importante considerar al cambio climático seriamente y poner en práctica políticas de Estado?

41 Analice

¿Qué fenómenos naturales extremos han tenido lugar en su país con consecuencias graves para la población?

Un ensayo comparativo

En un ensayo comparativo, el autor señala las similitudes (lo que tienen en común) y diferencias (lo que los distingue) entre dos objetos, ideas, lugares, personas, etc. Previamente, el autor realiza un trabajo de investigación y análisis de esos dos objetos de comparación para poder presentar razones y ejemplos que fundamenten sus afirmaciones.

Consejos para un ensayo comparativo

- Estructure el texto con claridad, dividiendo en párrafos los distintos puntos de contraste y comparación.

- Utilice palabras de enlace que organicen su discurso.

- Si utiliza citas, no olvide incluir las fuentes.

¡Comunicación!

42 El campo y la ciudad Presentational Communication

Piense en los textos que ha leído en esta unidad sobre los problemas de vivir en una gran ciudad. Luego, escriba un ensayo comparativo en el que indique cuáles son las diferencias que Ud. considera más significativas entre la vida urbana y la vida rural.

Considere los siguientes puntos:

- El trabajo
- El transporte
- El estrés
- El tiempo libre
- La seguridad

Complete el diagrama de Venn con sus ideas. Busque más información en la internet para poder incluir en su ensayo ejemplos y evidencias que fundamenten su comparación.

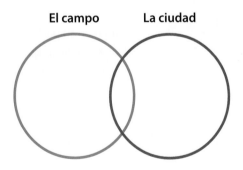

El campo   La ciudad

La vida en la ciudad puede ser muy activa e interesante, pero a la vez puede causar estrés.

¡Comunicación!

43 ¡Al trabajo en bicicleta! 🎧 Interpretive Communication

Escuche el audio en el que el Jefe de Gobierno de la Ciudad de Buenos Aires anunciaba el inicio de las obras de construcción de bicisendas o ciclovías para fomentar el uso de la bicicleta en la ciudad. Según lo que se dice en el audio, indique si las siguientes afirmaciones son verdaderas o falsas.

1. La bicisenda fue uno de los temas más importantes de la Cumbre sobre cambio climático en Copenhague.

2. La bicisenda es importante por motivos de medio ambiente, pero también por motivos económicos.

3. La idea es que en Buenos Aires haya 200 km de bicisendas.

4. El uso de la bicicleta empeora los índices de accidentes de tránsito y de inseguridad.

5. La bicicleta es un medio de transporte que no contamina y mejora la salud de la gente.

6. El viaje promedio en Buenos Aires es de 5 km, una distancia ideal para hacer ejercicio.

44 No te imaginas cómo ha mejorado mi vida

Presentational Communication

Imagine que Ud. vive en Buenos Aires. Escriba un correo electrónico informal a un(a) amigo/a en el que le cuente cómo mejoró su vida desde que empezó a usar la bicicleta para ir al trabajo. Incluya al menos dos datos o detalles de lo que escuchó en el audio.

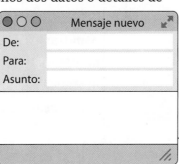

Ir al trabajo en bicicleta es una manera de hacer ejercicio físico, ahorrar dinero y cuidar el medio ambiente.

45 Carta de lectores Presentational Communication

En una carta de lectores, el autor se dirige al director de un periódico para comentar, criticar o hacer elogios con relación a algún tema cotidiano o de interés de la comunidad.

Escriba una carta de lectores sobre las ventajas de fomentar el uso de la bicicleta en Buenos Aires, basada en el correo electrónico que escribió en la actividad anterior. Su carta de lectores expresará las mismas ideas que el correo electrónico, pero con un registro formal. Tenga en cuenta que la carta aparecerá en el periódico y será leída por muchas personas.

Mensaje nuevo
De:
Para:
Asunto:

Mejore su comprensión 🎧

Familiarizarse con este vocabulario le ayudará a leer "Dos reyes y dos laberintos" más adelante, y a mejorar su comprensión auditiva.

asesinado/a *adj.* Matado con premeditación.

afrentado/a *adj.* Ofendido, insultado.

amarrar *v.* Atar con cuerdas.

aventurar *v.* Arriesgar, poner en peligro.

bronce *s.m.* Material muy resistente y de un color parecido al rojo.

cabalgar *v.* Ir a caballo.

cautivo/a *adj. y sus.* Prisionero o retenido en un lugar a la fuerza.

confundido/a *adj.* Perturbado, desconcertado.

congregar *v.* Reunir a un gran número de personas.

derribar *v.* Destruir una construcción echándola abajo.

desatar *v.* Soltar o quitar las ataduras.

digno/a *adj.* Merecedor de algo.

estragar *v.* Estropear o deteriorar.

estrangulado/a *adj.* Muerto por asfixia causada por presión en el cuello.

fatigoso/a *adj.* Que causa cansancio.

galería *s.f.* Camino largo y estrecho que está bajo tierra.

hacer burla *v.* Decir o hacer algo con intención de ridiculizar a alguien.

huésped *s.com.* Persona que se aloja en una casa que no es propia.

implorar *v.* Pedir con ruegos o con lágrimas.

laberinto *s.m.* Lugar formado por muchos caminos que se cruzan de modo que es difícil encontrar la salida.

ligadura *s.f.* Cuerda, correa u otro material que sirve para atar.

mago *s.m.* Persona que usa poderes mágicos para conseguir algo.

muro *s.m.* Pared o tapia.

penetrar *v.* Introducirse en el interior.

perplejo/a *adj.* Confuso.

proferir *v.* Pronunciar palabras con voz muy alta.

venturoso/a *adj.* Que tiene buena suerte.

La explosión derribó muchos muros de la ciudad.

46 Identifique al intruso

Diga qué palabra no pertenece al grupo y explique por qué.

MODELO asesinado / estrangulado / afrentado
Afrentado no se refiere a formas en que se ha matado a alguien.

1. huésped / confundido / perplejo
2. amarrar / congregar / desatar
3. derribar / estragar / cabalgar
4. venturoso / aventurar / fatigoso
5. cautivo / implorar / mago
6. hacer burla / afrentado / perplejo

47 Sin compasión

Complete el párrafo con las palabras del recuadro que mejor correspondan según el contexto.

amarrado	asesinado	digno	cautivo
perplejos	implorado	bronce	ligaduras

Sabían que lo habían __(1)__ , pero no sabían quién lo había hecho ni el motivo que habían tenido para hacerlo. Estaban confundidos y __(2)__ en la escena del crimen. Se veía que el hombre había estado __(3)__ por muchos días, __(4)__ a dos columnas de __(5)__ que sostenían el techo de una de las galerías. Tenía __(6)__ en sus manos y pies y marcas profundas en el cuello, como si hubieran tratado de estrangularlo varias veces, pero esa no había sido la causa de su muerte. Su rostro reflejaba terror. Seguramente había __(7)__ a gritos por su vida, pues era obvio que lo habían torturado sin compasión y que había sufrido una muerte que, para ningún ser humano, era __(8)__ de sufrir.

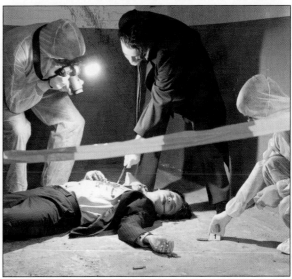

Los detectives de la policía están investigando el crimen.

48 La mano 🎧

Escuche el relato de "La mano". Luego, Ud. oirá la primera parte de una oración y tres terminaciones posibles. Seleccione la letra de la respuesta con la terminación más lógica. La oración y las terminaciones se leerán dos veces.

1. **A.** ... el doctor no murió.
   B. ... nadie había entrado en su apartamento.
   C. ... dormía con el balcón cerrado.
2. **A.** ... una mano solitaria y viva las había mirado.
   B. ... la policía quería abandonar el caso.
   C. ... una araña había saltado del armario.
3. **A.** ... porque habían abandonado el caso.
   B. ... para ver la mano de un hombre fuerte.
   C. ... para cazar la mano y sentenciarla.

4. **A.** ... la mano escribió con la pluma que le dio el juez.
   B. ... la mano se paró después de una larga pausa.
   C. ... el juez vio que era su propia mano.
5. **A.** ... que era la mano del doctor Alejo.
   B. ... que había destrozado la sala de disección.
   C. ... que era la mano de Ramiro Ruiz, asesinado por el doctor.

Gramática

El subjuntivo en oraciones independientes

Se usa el subjuntivo en oraciones independientes cuando se expresa duda o probabilidad y deseo o exhortación, como se ve a continuación.

Para expresar duda o probabilidad

Acaso, **quizá(s)**, **tal vez** (*maybe, perhaps*), **posiblemente**, **probablemente**

Se usan con el indicativo o el subjuntivo. El indicativo expresa más certidumbre; el subjuntivo hace énfasis en la duda.	Tal vez **sabrá** preparar la receta. (Creo que lo sabe.) Probablemente **sepa** preparar la receta. (Es posible que lo sepa, pero lo dudo.)
Nota: recuerde que después de "a lo mejor" se usa el indicativo.	A lo mejor **salimos** hoy por la noche. A lo mejor ya **está** listo para salir.
Ojo: cuando el adverbio va después del verbo, el verbo va en indicativo.	**Vienen**, tal vez, mañana. **Pensó**, quizá, que le hacía un favor a su papá.

Para expresar deseo o exhortación

Que*

Se usa en oraciones en las que se ha eliminado la cláusula principal.	(Deseo…) ¡Que **se diviertan**! ¡Que les **vaya** bien!

Quién

Se usa para expresar un deseo en forma exclamativa. Se refiere al hablante y es imposible de realizar o no se ha realizado. Va en imperfecto o pluscuamperfecto del subjuntivo.	¡Quién fuera millonario! ¡Quién supiera hablar cinco idiomas! ¡Quién hubiera sabido lo que iba a pasar!

Querer, poder y **deber**

Se usan en el imperfecto del subjuntivo para expresar cortesía. Equivalen al condicional (*would, could, should*).	**Quisiera** (Querría) hablar con Ud. **Debieras** salir ahora para evitar el embotellamiento.

¡Ojalá (que)… !

Siempre se usa con el subjuntivo.

• Cuando se usa el presente del subjuntivo expresa el deseo de que algo ocurra en el presente o futuro.	¡Ojalá **deje** de llover pronto! (*I hope it stops raining soon!*) ¡Ojalá te **sirva** esta información!
• Cuando se usa el imperfecto del subjuntivo expresa un deseo hipotético, improbable o irrealizable.	¡Ojalá **dejara** de llover! (*I wish it would stop raining!*)

Imperativo

Siempre van en subjuntivo la tercera persona singular/plural y la forma negativa de todas las personas.	¡Jueguen afuera! ¡No llegues tarde!

*No hay que confundir la exclamación **qué** —como en ¡**Qué** extraordinario!— y la conjunción **que** usada para unir una cláusula principal con una cláusula subordinada —como en (Espero) **Que** seas feliz—.

Gramática

49 Rumbo a la Argentina

La familia y amigos de Enrique han ido a despedirlo al puerto de La Guaira en Venezuela. Saldrá de viaje con su novia, Amanda, en un crucero rumbo a la Argentina. Todo el mundo les expresa buenos deseos.

Complete cada oración con el presente o el imperfecto del subjuntivo según el contexto.

¡Que les vaya bien!

1. ¡Que (*tener*) ____ buen tiempo en la travesía!
2. ¡Ojalá que su viaje (*ser*) ____ maravilloso!
3. Lástima que el barco no (*hacer*) ____ escala en Río de Janeiro. ¡Ojalá lo (*hacer*) ____ !
4. ¡Quién (*poder*) ____ viajar con Uds.!
5. ¡Que (*volver*) ____ bronceados!
6. ¡Que todo (*salir*) ____ muy bien!
7. ¡Les pido que nos (*traer*) ____ cositas de allá!

¡Comunicación!

50 A cada guía le toca su visitante 👥 Interpersonal Communication

Un primo visita su ciudad para decidir si vendrá a la universidad aquí. Como buen guía, Ud. contesta sus preguntas. Túrnese con un(a) compañero/a para hacer el papel de visitante y guía. Usen fórmulas de cortesía con los verbos **poder**, **querer** y **deber** para preguntar y el imperativo para responder, como se ve en el modelo.

MODELO
A: **¿Pudieras decirme cómo llegar a la universidad?**
B: **Ve hacia el norte y toma el metro. Luego, bájate en la estación…**

Los adverbios

- Un adverbio es una palabra que modifica a un verbo, a un adjetivo o a otro adverbio.

> Ve **rápidamente**, por favor.
> Estos libros son **bastante** económicos.
> Para que te dure más el celular, trátalo **muy** cuidadosamente.

- Muchos adverbios terminan en **-mente**. Para formarlos se usa la forma femenina del adjetivo + **-mente**:

Forma masculina	Forma femenina	Adverbio
tranquilo	tranquila	tranquilamente
principal	principal	principalmente
elegante	elegante	elegantemente

Un poco más

Cuando hay dos o más adverbios que terminan en **-mente** en la misma oración, la terminación se añade solo al último.

Ella bailaba **graciosa** y **elegantemente**.

A menudo, la forma terminada en **-mente** se puede sustituir por una **preposición** + **un sustantivo**.

> generalmente = por lo general, en general
> frecuentemente = con frecuencia, a menudo
> repentinamente = de repente, de golpe

A menudo, un adjetivo puede funcionar como adverbio. En este caso toma la forma masculina, excepto cuando también modifica al sujeto.

> Los diseñadores trabajan **lento**.
> Pero: Las niñas iban muy **contentas**.

51 Así me gusta vivir

Descríbale a su compañero/a de qué manera hace Ud. tres actividades. Para hacerlo, forme adverbios que terminen en **-mente** con los adjetivos en las dos columnas de la derecha u otros.

> **MODELO**   Usualmente, me despierto a las seis de la mañana.
> Desayuno ligeramente con jugo de naranja y cereal.
> Voy a clases puntualmente a las ocho.

1. levantarse, despertarse	amable	frecuente
2. desayunar, almorzar, cenar	claro	general
3. vestirse	cómodo	inteligente
4. salir, volver	normal	lento
5. conducir el coche	cuidadoso	nervioso
6. ir a clases	diligente	profundo
7. estudiar	rápido	inmediato
8. ir al centro	elegante	tranquilo
9. hacer las compras	excesivo	triste
10. divertirse	fácil	verdadero
11. hacer deportes	usual	juicioso
12. dormir(se)	disciplinado	alegre

52 Lo que Enrique vio en el subte

Los porteños le dicen "subte" —que viene de la palabra subterráneo— al metro. Para saber lo que observó Enrique en el "subte" cuando visitó Buenos Aires, reemplace la preposición y el sustantivo por un adverbio que termine en **-mente**.

> **MODELO**   **En general**, mucha gente toma el metro.
> **Generalmente**, mucha gente toma el metro.

Una pareja en el subte se miraba cariñosamente.

1. Una pareja se miraba **con amor**.

2. Un joven pasó caminando **con pesadez** y lo pisó (*stepped on*) con una botas claveteadas (*hobnailed*).

3. **Con sarcasmo**, el joven dijo, "¡Tenga cuidado, por favor!"

4. Enrique miró a la señora **con tranquilidad**, pero **de verdad**, estaba molesto.

5. Una niña se había perdido y llamaba **con desesperación** a su madre.

6. **De repente**, el conductor anunció que había encontrado a una niña.

7. A pesar de todo, Enrique llegó a su destino con **puntualidad** y se bajó.

Lectura literaria

Los dos reyes y los dos laberintos
de *Jorge Luis Borges*

Jorge Luis Borges, uno de los grandes exponentes de la literatura argentina

Sobre el autor

Jorge Luis Borges (Buenos Aires, Argentina, 1899– Ginebra, Suiza, 1986) tuvo una temprana vocación literaria, promovida por su padre y la amplia biblioteca familiar. Vivió con su familia en varios países de Europa (Suiza, Italia, España) y fue a su regreso a Buenos Aires (1921) cuando redescubrió los suburbios porteños que aparecen en sus primeras obras. Escribió en revistas y periódicos antes de publicar sus primeros poemas y ensayos. Trabajó en una biblioteca municipal, donde empezó a escribir los cuentos de sus libros *Ficciones* (1944) y *El Aleph* (1949). A partir del año 1955, Borges se convirtió en una figura literaria internacional y recibió múltiples premios y reconocimientos. Su amor por la lectura se refleja en este célebre par de versos: «Que otros se jacten de las páginas que han escrito; a mí me enorgullecen las que he leído.»

Antes de leer

Borges soñaba con frecuencia que estaba atrapado en un cuarto y que, al tratar de salir, se encontraba en otro cuarto. ¿Era el mismo cuarto o era un cuarto exterior? Ese sueño le dio el tema del laberinto. ¿Alguna vez ha estado en un laberinto? ¿Ha tenido algún sueño parecido al de Borges? ¿Qué sensación le produce no encontrar la salida o perderse en un lugar?

Estrategia

La causalidad

Filosóficamente, la causalidad es la ley según la cual un determinado efecto o consecuencia tiene una causa. Según Borges, cada causa y efecto están condicionados por infinitas series de causas y consecuencias anteriores, que no siempre están explícitas en el texto. Identificar las causas de las consecuencias que se insinúan en la narración mejorará su comprensión de la lectura.

53 Practique la estrategia

A medida que lea "Los dos reyes y los dos laberintos", identifique las palabras o expresiones que indican una causa y escríbalas en la primera columna del cuadro. En la segunda columna, escriba las consecuencias correspondientes.

Causa	Consecuencia
1. "…un laberinto perplejo y sutil…"	"…los que entraban se perdían."
2.	
3.	
4.	
5.	

Los dos reyes y los dos laberintos

de *Jorge Luis Borges*

54 Comprensión

1. ¿Por qué hace entrar el rey babilonio al rey árabe en el laberinto?

2. ¿Qué simboliza un laberinto sin "escaleras que subir, […] ni muros que veden el paso"?

3. ¿Quién hace el laberinto babilonio y quién el árabe?

Cuentan los hombres dignos de fe[1] (pero Alá sabe más) que en los primeros días hubo un rey de las islas de Babilonia que congregó a sus arquitectos y magos y les mandó a construir un laberinto tan perplejo y sutil que los varones más prudentes no se aventuraban a entrar, y los que entraban se perdían. Esa obra era un escándalo, porque la confusión y la maravilla son operaciones propias de Dios y no de los hombres. Con el andar del tiempo[2] vino a su corte un rey de los árabes, y el rey de Babilonia (para hacer burla de la simplicidad de su huésped) lo hizo penetrar en el laberinto, donde vagó afrentado[3] y confundido hasta la declinación de la tarde[4]. Entonces imploró socorro divino y dio con la puerta.

"Mandó a construir un laberinto tan perplejo y sutil que los que entraban se perdían".

55 Analice

1. ¿Cuál es el pecado del rey babilonio?

2. Analice las dualidades y contrastes del cuento, así como el equilibrio o la falta de él entre los extremos.

Sus labios no profirieron queja ninguna, pero le dijo al rey de Babilonia que él en Arabia tenía otro laberinto y que, si Dios era servido[5], se lo daría a conocer algún día. Luego regresó a Arabia, juntó sus capitanes y sus alcaides[6] y estragó[7] los reinos de Babilonia con tan venturosa fortuna que derribó sus castillos, rompió sus gentes[8] e hizo cautivo al mismo rey. Lo amarró encima de un camello veloz y lo llevó al desierto. Cabalgaron[9] tres días, y le dijo: "¡Oh, rey del tiempo y substancia y cifra del siglo![10], en Babilonia me quisiste perder en un laberinto de bronce con muchas escaleras, puertas y muros; ahora el Poderoso ha tenido a bien que te muestre el mío, donde no hay escaleras que subir, ni puertas que forzar, ni fatigosas galerías que recorrer, ni muros que veden[11] el paso." Luego le desató las ligaduras[12] y lo abandonó en la mitad del desierto, donde murió de hambre y de sed. La gloria sea con aquel que no muere[13].

[1] trustworthy, credible, believable   [2] with the passage of time
[3] wandered feeling offended   [4] sunset   [5] God willing; (literally) if God be served
[6] governor of a fortress or castle   [7] wreak havoc   [8] scatter; cause an army to break ranks
[9] rode   [10] crown of the century (king of the age)   [11] stop, impede   [12] bonds
[13] Glory be to the living who dieth not.

Para concluir

Proyectos

A ¡Manos a la obra!

Trabaje con un(a) compañero/a. Imaginen que son empleados de la oficina de planeamiento de su ciudad y les han encargado la tarea de diseñar una red de bicisendas o ciclovías.

Primero, impriman un mapa de la ciudad y piensen cuáles serían las calles en las que debería haber ciclovías. Piensen en la importancia de conectar lugares donde se concentra mucha gente, como terminales de transporte público, zonas de oficinas, áreas comerciales, centros de salud, universidades, etc.

Las bicisendas conectan puntos clave de una ciudad.

Luego, piensen en distintas estrategias para promover el uso de esas ciclovías: carteles para colgar en la vía pública, anuncios en la radio o la televisión, publicidad en los periódicos. ¿Qué imágenes usarían? ¿Qué frases serían atractivas para que las personas viajaran más en bicicleta? Preparen juntos un primer borrador para esa estrategia publicitaria.

Por último, muestren a la clase el mapa con el recorrido de la ciclovía y el modelo para publicitarlo.

B En resumen

Repase lo que aprendió sobre las ciudades de Argentina. Piense en los distintos problemas que presentan esas ciudades y en las soluciones que se ofrecen. Complete el cuadro de problema-solución de abajo, proponiendo una solución distinta que se le ocurra.

Problema	Solución implementada	Nueva propuesta
Tránsito intenso		
Espacios abandonados		
Inundaciones		
Gran crecimiento de la población		

C ¡A escribir!

Lea el siguiente resumen de la historia de Puerto Madero. Luego, escriba un informe en el que compare en qué se parece la evolución de este barrio de Buenos Aires a lo que ocurrió en el barrio del Abasto. Puede buscar más información en la internet si lo desea.

A fines del siglo XIX, se contruyeron en Buenos Aires las instalaciones portuarias de Puerto Madero, que consistían en una serie de diques cerrados, interconectados por puentes. Sin embargo, apenas una década después quedó claro que esas instalaciones eran insuficientes para el volumen creciente del intercambio comercial y el espacio quedó obsoleto y abandonado. En 1989, se decidió comenzar a urbanizar la zona, que se transformó finalmente en el barrio más moderno de la ciudad, lleno de restaurantes, edificios corporativos, oficinas comerciales, hoteles cinco estrellas y departamentos de lujo.

Puerto Madero, el barrio más moderno de Buenos Aires

D Ciudades planificadas   Conéctese: los estudios sociales

A diferencia de las ciudades que se desarrollan a partir del movimiento espontáneo de la población, una ciudad planificada, como la ciudad de La Plata, es una ciudad creada con un propósito determinado y de acuerdo con un plan urbanístico global. Busque en la internet algún otro ejemplo de ciudad planificada del mundo y haga una lista de sus características más llamativas. Luego, compare esas características con las que ya conoce de la ciudad de La Plata.

E Antes y después 👥 Conéctese: la música

Lea el siguiente fragmento de una canción de Luca Prodan, músico de origen italiano radicado en Argentina y fundador del famoso grupo de rock Sumo. La canción habla del barrio del Abasto.

Mañana en el Abasto
por *Luca Prodan*

[...]

Tomates podridos por las calles del Abasto,
podridos por el sol que quiebra las calles del Abasto.
Hombre sentado ahí, con su botella de Resero*,
los bares tristes y vacíos ya, por la clausura del Abasto.

[...]

*marca popular de vino argentino

Con un(a) compañero/a, comenten a qué época del barrio creen que hace referencia la canción. Luego, escriban otra estrofa en la que hagan referencia a una época distinta del barrio, que puede ser anterior o posterior a la que ilustra la canción.

Vocabulario de la Unidad 7

a cuadros plaid
a rayas striped
el **abrigo de piel** fur coat*
los **accesorios de vestir** accessories
afrentado/a offended
las **afueras** suburbs
el/la **alcalde/alcaldesa** mayor
la **alcaldía municipal** city hall
el **algodón** cotton
amarrar to tie up
amenazar to threaten
anunciar to announce
aprovecharse (de) to take advantage (of)
los **artículos de cuero** leather items
asesinado/a murdered
aumentar to increase
aventurar to venture
las **botas** boots
el **bronce** bronze
la **calidad** quality
la **camisa** shirt
la **carne de res** beef
la **carnicería** butcher shop
el/la **carnicero/a** butcher
la **cartera** woman's purse
el/la **cautivo/a** captive
la **cebolla** onion
la **cercanía** proximity
la **chaqueta** jacket
el **chorizo** sausage
el **cinturón** belt
el/la **ciudadano/a** citizen
colocar to put (in place)
combatir to fight, to battle
comercial commercial
la **comunidad** community
el/la **conductor(a)** driver
confundido/a confused
congregar to bring together
el **conjunto residencial** residential complex
contar con to rely on
el **cordero** lamb
cruzar la calle to cross the street
de manga corta/larga short/ long-sleeved
la **delincuencia** delinquency
el/la **delincuente** delinquent
derribar to tear down
desamparado/a homeless
desatar to untie
digno/a worthy

diseñado/a designed
doblar la esquina to turn the corner
el **edificio de apartamentos** apartment building
el **embotellamiento de tránsito** traffic jam
encerrado/a locked up
la **estación de policía** police station
estar de moda/pasado de moda to be in style/out of style
estar en rebaja to be on sale
estragar to ravage
estrangulado/a strangled
la **falda** skirt
la **falta de cuidado** lack of attention
famoso/a famous
fatigoso/a exhausting
la **fresa** strawberry
los **frijoles** beans (black, kidney)
la **galería** gallery
las **gangas** bargains
hacer burla to make fun
hacer juego con to match
la **huelga** strike
el **impermeable** raincoat
implorar to implore
la **inauguración** opening
la **injusticia social** social injustice
irse (de)/marcharse (de) to leave, to go away
el **kiosko** newspaper stand
el **laberinto** maze
la **lana** wool
la **ligadura** tie, cord
las **líneas del metro** metro lines
la **liquidación** final sale
liso/de un solo color plain
llevar puesto to be wearing
el/la **mago/a** magician
la **manzana** apple
los **mariscos** seafood, shellfish
el **mayor centro comercial** largest shopping center
los **medios de transporte** means of transportation
el/la **mendigo/a** beggar
montar en bicicleta to ride a bike
la **moto(cicleta)** motorcycle
el **muro** wall

la **naranja** orange
los **pantalones** pants
el **pañuelo** handkerchief
las **papas/patatas** potatoes
la **parada de autobuses** bus stop
el **patrullaje** patrol
el **pavo** turkey
el/la **peatón/peatona** pedestrian
penetrar to penetrate
el **pepino** cucumber
la **pera** pear
perplejo/a bewildered
el **pescado** fish
el **plátano maduro/verde** ripe/ green plantain
el **pollo** chicken
poner(se) to put (on)
proferir to utter
proporcionar to provide
el **repollo** cabbage
reportar to report
la **ropa para mujeres/caballeros** clothes for women/men
las **rutas de autobuses** bus routes
las **sandalias** sandals
la **sandía** watermelon
satisfacer las demandas/ necesidades to meet the demands/needs
la **seda** silk
el **semáforo** traffic light
las **señales de tránsito** traffic signs
sospechoso/a suspicious
el **suéter** sweater
sufrir un atraco to be mugged
la **tarifa** transportation fare
tener cuidado to be careful
la **ternera** veal
la **tienda de calzado** footwear store
el **traje** suit
transportar to transport
el **transporte público/urbano** public/urban transportation
las **uvas** grapes
los **vaqueros** jeans
los **vegetales** vegetables
las **ventas de fábrica** factory sales
venturoso/a fortunate
las **verduras** greens
el **vestido** dress
la **vivienda** housing
los **zapatos planos/de tacón** flat shoes/heels

*Ver otras prendas y accesorios de vestir en la página 267 y otras carnes, frutas y verduras en la página 268

¿Sabía que...?

El segundo domingo de junio es una fiesta para los puertorriqueños que viven en Nueva York. Al Desfile del Día Nacional de Puerto Rico asisten casi dos millones de espectadores y muchas personalidades puertorriqueñas relacionadas con la cultura, la política y el espectáculo.

A nuestro alrededor

Escanee el código QR para mirar el video "El clima".

Si piensa viajar, es recomendable estar informado sobre el tiempo que hará en su lugar de destino. ¿Cuál es el pronóstico del tiempo para este fin de semana, según María Laura Pérez, y qué recomendaciones tiene ella para los viajeros?

Pregunta clave

?

¿Cómo afectan las decisiones políticas la identidad cultural de un país?

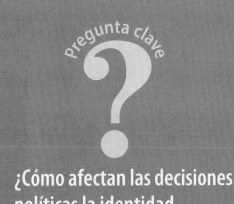

Mis metas

En esta unidad:

▶ Usaré expresiones relacionadas con nuestro entorno natural y sociocultural.

▶ Usaré el condicional y las cláusulas condicionales con **si**.

▶ Leeré sobre la identidad de los puertorriqueños, su historia, su idioma y su cultura.

▶ Distinguiré el significado de palabras y frases según el contexto.

▶ Usaré el presente perfecto del subjuntivo.

▶ Repasaré el uso de expresiones afirmativas y negativas.

▶ Leeré un artículo sobre los universitarios puertorriqueños que emigran a Estados Unidos.

▶ Escribiré una biografía sobre la vida de un emigrante.

▶ Escucharé un segmento informativo sobre una puertorriqueña que ha realizado una gran labor comunitaria en Nueva York y le dirigiré una carta en nombre de alguien que agradece su ayuda.

▶ Desarrollaré nuevas destrezas de vocabulario.

▶ Distinguiré los usos de la voz activa y la voz pasiva.

▶ Leeré un fragmento del libro *Cuando era puertorriqueña*, de Esmeralda Santiago.

¿Por qué emigran tantos puertorriqueños a los Estados Unidos?

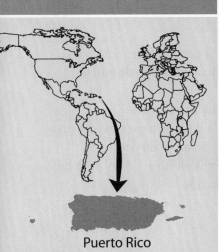

Puerto Rico

Vocabulario 1

Nuestro entorno natural y sociocultural

https://PuertoRico.org

PUERTO RICO | **CULTURA** | **NOTICIAS** | **POLÍTICA** | **RECURSOS NATURALES**

PUERTO RICO

Puerto Rico es una isla de clima tropical entre el mar Caribe y el océano Atlántico. Es un lugar de grandes contrastes geográficos, de cordilleras de montañas, valles, llanos, costas y playas de arenas blancas.

Al este de la isla está el Bosque Nacional del Caribe conocido como el Yunque, una selva tropical donde viven numerosas especies de plantas y de árboles y donde nacen muchos de los ríos de la isla.

En el sur, donde el clima es como de desierto, hay épocas de sequía prolongada que perjudican la vida de muchos campesinos que viven de la agricultura y la ganadería, dos industrias importantes de la isla.

En la isla, debido a su ubicación, se tienen que afrontar con frecuencia desastres naturales como tormentas y huracanes que, en épocas de lluvia, dejan a su paso inundaciones, destrucción y escombros.

Para conversar

Para hablar de nuestro entorno natural y social:

En Puerto Rico nunca cae nieve y nunca se han registrado temperaturas por debajo de cero.

Las olas producidas por el huracán Isabel tenían hasta 4,3 metros de altura.

Los rayos, relámpagos y truenos son fenómenos eléctricos que acompañan a las tormentas.

En Puerto Rico no hay lagos naturales, solo lagos artificiales.

Puerto Rico no cuenta con volcanes activos pero sí se encuentra en riesgo de sufrir terremotos.

En Puerto Rico hay un alto nivel de contaminación de la atmósfera causado en parte por el alto consumo de gasolina.

A pesar de los esfuerzos, el nivel de pobreza del país no ha disminuido.

https://PuertoRico.org

PUERTO RICO   **CULTURA**   **NOTICIAS**   **POLÍTICA**   **RECURSOS NATURALES**

Puerto Rico fue una colonia española durante cuatro siglos. Su población, que es hispana, es una mezcla de blancos (descendientes de los españoles), mestizos (de sangre europea e indígena) y mulatos (descendientes de europeos y negros africanos).

Puerto Rico pasó a ser parte de Estados Unidos durante la guerra hispano-estadounidense en 1898 y se constituyó como Estado Libre Asociado de Puerto Rico, con su propio gobierno, el 25 de julio de 1952.

En 1947, el Congreso de Estados Unidos aprobó una ley que permitía que los puertorriqueños eligieran a su propio gobernante. Luis Muñoz Marín fue el primer gobernador elegido por voto popular en la historia de Puerto Rico.

Los puertorriqueños, aunque son ciudadanos de EE. UU., solo pueden votar en las elecciones presidenciales si son residentes permanentes de alguno de los cincuenta estados del país.

Para conversar

Para hablar de política y asuntos de gobierno:

El gobierno fue derrocado por un régimen militar mediante un golpe de estado.

En muchas dictaduras se imponen doctrinas y censuras, y se cometen violaciones de los derechos humanos, encarcelamientos y muertes a manos del ejército.

El comunismo y el socialismo son regímenes de izquierda en favor de la igualdad de las clases sociales y en contra de los prejuicios raciales.

En una democracia, la libertad de expresión, el proceso electoral y la existencia de partidos políticos son parte de la constitución.

El representante del partido liberal obtuvo la victoria en las elecciones para presidente.

Los miembros del partido conservador ganaron las elecciones del Senado y la Cámara de diputados.

Solo los obreros apoyaron al candidato del partido socialista. Su derrota fue total.

La huelga declarada por los gremios de agricultores, ganaderos e industriales causó una crisis económica que no se ha podido resolver.

Se hicieron acuerdos con los líderes sindicales y se aprobaron leyes en favor de esos sindicatos.

Se pidieron reformas salariales para los políticos y miembros del gabinete presidencial.

1 Categorías

Clasifique las siguientes expresiones de acuerdo con las siguientes categorías.

A. entorno natural   **B.** entorno social   **C.** entorno político   **D.** entorno económico

1. Dar un golpe de estado

2. Sufrir huracanes y terremotos

3. Imponer doctrinas y censuras

4. Aumentar el nivel de pobreza

5. Disminuir el nivel de contaminación

6. Ser blanco, mestizo o mulato

7. Tener libertad de expresión

8. Pertenecer a un sindicato

9. Ser descendiente de españoles

10. Declararse una huelga de obreros

2 Definiciones

Empareje las palabras de la columna I con las definiciones que correspondan de la columna II.

I

1. el golpe de estado

2. la democracia

3. el sindicato

4. el gabinete

5. el ciudadano

6. el comunismo

7. la dictadura

8. el prejuicio

9. el ejército

10. el Senado

II

A. Un grupo que se organiza para defender sus intereses económicos

B. El totalitarismo; el despotismo

C. El conjunto de soldados bajo el mando de un general

D. La opinión sobre algo antes de tener conocimiento de ello

E. El individuo que puede participar en el gobierno de un país

F. Una de las asambleas legislativas de un país

G. El conjunto de colaboradores de un gobierno

H. La apropiación ilegal del poder político de un país

I. La colectivización de los medios de producción y la supresión de las clases sociales

J. El ejercicio de la autoridad por los ciudadanos de un país

3 Promesas del candidato 🎧

Para ganar el apoyo popular, este candidato hace muchas promesas. ¡Ojalá las cumpla! Escuche e indique la terminación correcta.

1. aumentar la pobreza / disminuir la pobreza

2. los paros generales / los prejuicios raciales

3. los derechos humanos / la dictadura

4. el proceso electoral / la crisis económica

5. la contaminación ambiental / la cámara de diputados

6. la victoria / la huelga

En una democracia hay libertad de expresión.

4 | Noticias de última hora 👥 Interpretive/Interpersonal Communication

Complete el artículo sobre una catástrofe ocurrida en Puerto Rico y el comentario de un turista de vacaciones en la isla con la palabra del recuadro que corresponda según el contexto. Luego, con un(a) compañero/a, hagan el papel del reportero de televisión y el turista y túrnense para hacer preguntas y dar más detalles de la catástrofe, según su imaginación, como se ve en el modelo.

costa	desierto	huracanes	inundaciones	isla	lluvias
playa	rayo	ríos	tormenta	trueno	

MODELO

Reportero: ¿Dónde estaban sus compañeros de viaje cuando empezó la tormenta?

Turista: Estaban visitando a unos familiares y quedaron atrapados por la inundación.

Reportero: ¡Increíble! Cuéntenos...

○ ○ ○ | ¡Puerto Rico devastado!

Hace 1 hora   Hace 3 horas   Hace 5 horas   Hace 20 minutos   Ahora

¡Puerto Rico devastado!

Martes, 2 de junio, 2015 — 12 m

SAN JUAN, Puerto Rico—"En las zonas de la __(1)__ y del centro de la __(2)__ caribeña, más de 300 personas tuvieron que evacuar su casa debido a fuertes __(3)__ repentinas que provocaron __(4)__ y desbordaron (*overflowed*) __(5)__ ," dijo el director de la Agencia de Control de Emergencias.

1 comentario   >> Enviar nuevo comentario

Usuario: **Euroturista**   Hace 10 minutos

"Estoy de vacaciones aquí en San Juan, mi lugar favorito del Caribe latinoamericano. Descansaba en la __(6)__ contemplando cómo crecían las olas, cuando de repente aparecieron enormes nubes negras en el cielo. Entonces vi zigzaguear en el cielo un __(7)__ y el tremendo ruido del __(8)__ me asustó. Como es agosto, la época de __(9)__ , empecé a preocuparme. No sabía qué pensar porque soy de Andalucía, y en el __(10)__ casi nunca llueve. El hotelero me dijo que me tranquilizara y me aseguró que solo era una __(11)__ tropical y que pronto pasaría…"

5 Fenómenos naturales 👥 Interpersonal/Presentational Communication

En grupos de tres o cuatro, intercambien información sobre los siguientes fenómenos naturales, los peligros que presentan, las precauciones que deben tomarse y los efectos que tienen en la economía de un lugar. Tomen apuntes y luego compartan sus conclusiones con el resto de la clase.

- Tornados
- Huracanes
- Terremotos
- Inundaciones
- Volcanes activos
- Tormentas eléctricas

Uno de los 12 volcanes activos entra en erupción cada tres o cuatro años en las islas Galápagos.

6 ¿Qué es? Presentational Communication

Describa los términos que se dan a continuación en un breve párrafo y, luego, comparta sus descripciones con el resto de la clase. Use el vocabulario que se da como guía, como se ve en el modelo.

MODELO
la censura: la dictadura, el gobierno, la libertad de expresión, aprobar

Cuando un gobierno nacional impone la censura, no existe la libertad de expresión.

Por ejemplo, en una dictadura el gobierno tiene que aprobar toda la información contenida en los periódicos, los libros, las películas y las obras de teatro.

el golpe de estado: la injusticia, los derechos humanos, derrocar al gobierno, el ejército

el comunismo: la censura, el partido político, la igualdad de las clases sociales, la libertad de expresión

la democracia: votar por, el presidente, aprobar una ley, el senado

Gramática

El condicional

- El condicional simple tiene la misma raíz que el futuro simple. En los verbos regulares, se forma tomando el infinitivo y añadiendo las siguientes terminaciones:

Formación del condicional		
Infinitivo +	Terminación =	Condicional
votar	-ía	votaría
llover	-ía	llovería
elegir	-ían	elegirían

- Los verbos con futuro irregular también son irregulares en el condicional, pero mantienen las mismas terminaciones que los verbos regulares.

Infinitivo	Raíz	Condicional
caber (*to fit*)	**cabr-**	cabría
decir	**dir-**	diría
hacer	**har-**	haría
haber	**habr-**	habría
poder	**podr-**	podría
poner	**pondr-**	pondría
querer	**querr-**	querría
saber	**sabr-**	sabría
salir	**saldr-**	saldría
tener	**tendr-**	tendría
valer	**valdr-**	valdría
venir	**vendr-**	vendría

Un poco más

Cuando *would* significa *used to*, se traduce al español con el imperfecto.

Antes **salíamos** los viernes.

Cuando *would* expresa voluntad o deseo, se traduce al español con **querer**.

Le pedí que fuera, pero no **quería**.

Usos del condicional

El condicional expresa probabilidad, posibilidad, conjetura o especulación, así como invitación, petición, deseo o sugerencia corteses. Se usa principalmente para hablar sobre situaciones hipotéticas que pueden ocurrir o no; también se le dice el "futuro hipotético". Básicamente, corresponde a *would, could, must have* y *probably* en inglés. Se usa...

- para hacer una conjetura o especular sobre el futuro desde el pasado.

  Pensé que **habría** (*there would be*) alerta de huracán hoy.

- para hacer una conjetura o especular sobre el pasado.

  Creímos que **sería** una tormenta terrible.

- para expresar una solicitud, deseo, invitación o sugerencia con suavidad o cortesía.

  Nos **gustaría** que vinieran temprano.

  Les **encantaría** que fuéramos con ellos.

- para expresar una acción hipotética o una acción que depende de una condición implícita que no se enuncia.

  Yo **votaría** por ella (si tuviera la edad para votar).

- para expresar una acción posible o deseable que depende de una condición hipotética que empieza con **si**.

  Yo **votaría** por ella, si supiera que tiene experiencia.

*Repase el uso del futuro para expresar probabilidad en el presente en la Unidad 2, página 71.

7 ¿Qué haría un candidato independiente?

En los países latinoamericanos, se suele hablar mucho de política y en Puerto Rico es igual. Una familia puertorriqueña habla sobre un candidato independiente que hace campaña para gobernador de la isla. Complete el diálogo, usando el condicional.

Padre: Yo no (**1.** *apoyar*) a un candidato independiente, ¿y Uds.?

Madre: Me (**2.** *gustar*) saber más sobre su programa.

Padre: Pero, ¿crees que la gente (**3.** *votar*) por él?

Madre: No lo sé. Creo que un candidato independiente (**4.** *tener*) que conseguir apoyo para ganar las elecciones.

Hijo: Un gobernador independiente (**5.** *poder*) introducir muchos cambios. El candidato prometió que a los pobres no les (**6.** *faltar*) ni comida, ni vivienda, ni atención médica.

Padre: ¿Tú crees en lo que dicen los políticos? ¿Piensas que un gobernador independiente (**7.** *disminuir*) la pobreza en Puerto Rico?

Hijo: Creo que es posible, papá, pero me imagino que (**8.** *llevar*) algún tiempo.

¡Comunicación!

8 Promesas de campaña 👥 Interpersonal Communication

Muchos ciudadanos desconfían de las promesas que hacen los candidatos en sus campañas políticas. Lea el siguiente segmento de un discurso político y haga las actividades con un(a) compañero/a.

> Conciudadanos (*fellow citizens*):
>
> Jamás permitiremos ni el hambre ni la pobreza en nuestra isla. Reinará la justicia en todas partes. Ahora habrá elecciones y el pueblo podrá votar por el cambio. Mejoraré las condiciones sociales. ¡Prometo que habrá trabajo para todos y que los pobres no sufrirán más!

Los discursos de campaña presentan las propuestas de los candidatos.

- Ud. escuchó las promesas hechas por un candidato en su discurso político y le parecieron tan interesantes que ahora quiere reportárselas a un(a) compañero/a de clase. Empiece con la frase, "El candidato dijo que..." y el condicional de los verbos subrayados. Recuerde que el condicional representa el futuro en relación con el pasado.

- Aunque Ud. sí confía en las promesas de este candidato, su compañero/a no tiene mucha confianza en él. Sostengan un diálogo acalorado (*heated*) donde presentan y justifican sus ideas y opiniones. Intercambien ideas sobre las promesas de los políticos. ¿Qué tienen todos ellos en común? ¿Cumplen los políticos todas sus promesas? Explique.

- Ud. decide lanzar su propia campaña política ¡y su compañero/a será su asistente! Preparen juntos un discurso político para presentárselo a la clase. Usen el condicional para formular sus promesas de campaña.

9　Quizá, quizá, quizá...

Ud. había planificado un asado con sus amigos del colegio, pero hubo un grupo de tres muchachos que nunca llegaron. Practique el siguiente diálogo con un(a) compañero/a, haciendo conjeturas en el tiempo pasado para expresar probabilidad. Sigan el modelo.

MODELO   ¿Por qué no vendrían al asado los muchachos?
(Quizá se les olvidó la fecha.)
Se les olvidaría la fecha.

1. ¿A dónde habrán ido? (Quizá fueron a ver el partido de béisbol de los Cangrejeros de Santurce.)
2. Pues, que yo sepa, no tenían entradas. (Posiblemente consiguieron entradas en la taquilla.)
3. ¿En qué irían, si queda lejos? (Tal vez tomaron la guagua[1].)
4. ¿A qué hora hablaste con ellos? (Aproximadamente eran las once y media.)
5. ¿Por qué no nos avisaron? (A lo mejor no tenían señal.)

[1] *Guagua* significa autobús en Puerto Rico.

¡Comunicación!

10　¿Qué medidas deberían tomar?　Interpersonal Communication

Hoy en día, el narcotráfico es uno de las calamidades más graves de todos los tiempos. ¿Qué medidas y precauciones se deberían tomar en Estados Unidos y en los países latinoamericanos? Intercambie opiniones con un(a) compañero/a y usen el condicional para hablar de las medidas que debería tomar cada una de las siguientes personas e instituciones.

- El (la) presidente/a
- El (la) gobernador(a) del estado
- La policía de la ciudad
- Los ciudadanos

11　Según las circunstancias　Interpersonal Communication

A veces, se nos presentan situaciones difíciles en la vida. ¿Qué haríamos en esas circunstancias? Con un(a) compañero/a, túrnense para hablar sobre lo que harían o dirían en cada una de las siguientes situaciones, usando el condicional.

MODELO   Sus amigos quieren nadar, pero se oyen truenos a lo lejos.
Les diría que es peligroso nadar con una tormenta eléctrica.

¡Podría haber una tormenta eléctrica!

- A un amigo/a suyo/a le gusta la investigación médica, pero está deprimido/a porque le parece muy difícil hacer carrera en esa área.
- Sus abuelos se acaban de jubilar y están decidiendo qué harán de ahora en adelante.
- Sus primos habían planificado una excursión este fin de semana, pero hay lluvias torrenciales y alerta de tornado en esa zona.

Gramática

Las cláusulas condicionales con *si*

Las oraciones condicionales son aquellas donde hay una condición que se debe cumplir para que otra sea verdadera. Las cláusulas condicionales con **si** expresan situaciones posibles, probables o hipotéticas, en el presente y el futuro.

- **Cláusula con *si* en presente del indicativo**

  Cuando la condición es real o posible, se usa el presente del indicativo —nunca el presente del subjuntivo—, en la cláusula condicional y otro verbo en indicativo —presente o futuro— o en imperativo en la oración principal.

Cláusula con *si*	Oración principal
Si + presente del indicativo + **(condición posible)**	presente del indicativo futuro del indicativo imperativo

Si **tienes** un momento libre, **pasa** a visitarnos.

Si ella **tiene** un momento libre mañana, **vendrá** a visitarnos.

Llámame si **tienes** un momento libre.

- **Cláusulas con *si* en imperfecto del subjuntivo**

  Se usa el imperfecto del subjuntivo y el condicional si la situación es improbable, hipotética o contraria a la realidad.

Cláusula con *si*	Oración principal
Si + imperfecto del subjuntivo + **(condición hipótetica o improbable)**	condicional

Si **tuvieran** una democracia (pero no la tienen), **tendrían** libertad de expresión.

Si **usáramos** menos gasolina, **habría** menos contaminación.

Si tú no me hablas, yo tampoco te hablaré.

Si estuvieras acá, podrías salir con nosotros.

¡Comunicación!

12 La participación social Interpretive Communication

Ud. puede contribuir con su comunidad apoyando distintos programas para mejorar la sociedad en la que vive. Por ejemplo, puede hacer voluntariado, puede contribuir con dinero o hacer donaciones para distintas causas. Lea la información sobre la Fundación de Niños San Jorge y, luego, túrnese con un(a) compañero/a para contestar las preguntas con base en la información y dar su opinión al respecto.

○ ○ ○ San Jorge Children's...

San Jorge Children's Foundation es una organización sin fines de lucro dedicada a la salud y el bienestar de los niños de Puerto Rico. Ayudamos a las familias de escasos recursos económicos a sufragar los costos para que los pacientitos puedan recibir los tratamientos médicos necesarios.

Cómo puede ayudarnos

Nuestra Fundación depende en gran medida de las aportaciones realizadas por personas y entidades comprometidas con el bienestar de nuestros niños. Entre otras modalidades, puede contribuir con dinero, donando su tiempo o con donativos de juguetes y material escolar. A continuación, verá el contenido de nuestros programas:

Subvenciones	Programa escolar
Ofrecemos ayudas económicas para sufragar costos de:	Coordinación de servicios educativos y sociales
• evaluaciones	• Educación hospitalaria
• laboratorios	• Educación domiciliaria
• estudios médicos	• Talleres de arte
• medicamentos	• Orientación de programas y servicios que ofrece el Departamento de Educación
• tratamientos médicos	• Seguimiento académico (durante y después de la hospitalización)
• anestesias	• Repasos para las Pruebas Puertorriqueñas / College Board
• sala de operaciones	• Refuerzo académico durante el verano
• honorarios de cirugías	• Acceso a materiales y equipo
• hospitalizaciones	• Orientación / Consejería
• seguimiento médico	
• apoyo sicológico y siquiátrico	

¡Cualquier aporte es valioso! ¡Contamos con usted!

1. ¿Cómo podría ayudar Ud. a niños sin recursos económicos que necesitan tratamiento?
2. Si Ud. decidiera contribuir con la Fundación San Jorge, ¿de qué forma lo haría?
3. ¿Cómo cree que podría cambiar la vida de un niño beneficiado?
4. ¿Cómo cree que se sentiría el niño y cómo se sentiría Ud.? ¿Qué haría para ayudar?
5. ¿Qué tipo de relación le gustaría tener con el/la niño/a? ¿Le gustaría seguir en contacto con él o ella?
6. ¿Cómo podría ayudar a otras personas en su propia comunidad o ciudad? ¿Hay algún centro comunitario cerca de su casa?
7. ¿Cómo podría colaborar en un orfanato, un hogar para ancianos, un hospital u otros sitios donde se necesite ayuda?

¡Comunicación!

13 | Me gustaría saber más Presentational Communication

Antes de hacer un donativo —ya sea en tiempo, dinero o en especie (*in kind*)—, quizá le gustaría obtener información más específica sobre la agencia con la cual desea colaborar. Investigue alguna organización que brinde ayuda a los niños, ya sea una internacional como UNICEF u otro programa semejante como *Save the Children*. Después, comparta la información con la clase.

Si hiciera un donativo...

1. ¿qué necesidades básicas de los niños cubriría la contribución?

2. ¿qué tipo de alimentación recibirían los niños?

3. ¿sería posible enviarles regalos y otras cosas además del dinero?

4. ¿conocería personalmente a niños beneficiados?

5. ¿podría hacer algo especial en épocas festivas, como Navidad, Año Nuevo u otro día de fiesta?

14 | Si yo ganara la lotería... Interpersonal Communication

Todo el mundo sueña con ganarse la lotería. Con un(a) compañero/a, túrnense para hablar de lo que harían en esa situación. Sigan el modelo como guía.

MODELO
A: **Si yo ganara la lotería, viajaría alrededor del mundo. ¿Y tú?**

B: **Yo compraría un carro deportivo de último modelo y una casa en la playa.**

15 | ¡Si se lograran esos cambios! Interpersonal Communication

¿Qué pasaría si se modificaran ciertas medidas adoptadas por la ciudad, el ayuntamiento, el gobierno federal u otras instituciones? Con un(a) compañero/a, pónganse en las siguientes situaciones y túrnense para dar su opinión al respecto.

MODELO
Las autoridades de tránsito declaran un día a la semana libre de dióxido de carbono y se prohíbe el tránsito de vehículos ese día.

A: **Si las autoridades declararan un día semanal libre de dióxido de carbono, las emisiones de gases tóxicos disminuirían significativamente.**

B: **Sí, y más personas caminarían y usarían bicicletas.**

• Las autoridades reducen a quince años la edad legal para conducir un automóvil.

• Se decreta el servicio militar obligatorio para las mujeres.

• Los gobiernos del mundo deciden limitar el derecho a la privacidad por razones de seguridad internacional.

• El concepto de matrimonio se amplía legalmente para incluir todo tipo de parejas.

• Se abren las fronteras de toda América para transitar sin visa de un país a otro.

16 ¿Qué podríamos hacer? 👥 Interpersonal Communication

Un desastre o una calamidad puede ocurrir repentinamente en cualquier lugar del mundo. Con un(a) compañero/a, piensen en las siguientes situaciones y túrnense para decir qué harían en cada una.

• Si hubiera una inundación súbita...

• Si ocurriera un terremoto en su ciudad...

• Si su banco tuviera una grave crisis de liquidez (*liquidity*)...

• Si se restringiera la libertad de expresión...

17 ¡Si mis deseos se cumplieran! 👥 Interpersonal/Presentational Communication

La literatura infantil tiene muchos cuentos y relatos en los que se le otorgan tres deseos a alguien. Formen grupos de cuatro o cinco estudiantes. Primero, piensen en lo que harían si en este momento alguien les ofreciera concederles tres grandes deseos. Luego, compartan sus respuestas con sus compañeros de grupo y compárenlas con las de los otros grupos.

18 El caso del contrabandista 👥 Interpersonal/Presentational Communication

Trabajen en grupos de tres o cuatro estudiantes para resolver el siguiente caso de contrabando. Representen la situación, turnándose para resolver los interrogantes del caso. Luego, hagan un informe y preséntenlo al resto de la clase.

Los agentes de aduana vigilan el tránsito de los pasajeros en los aeropuertos y toman medidas para evitar el contrabando. Todos los meses, hay una señora que viaja con una maleta. Un mes, lleva la maleta llena de libros, al mes siguiente lleva ropa usada, al otro la lleva repleta de juguetes (*toys*), y así sucesivamente. Los agentes de la aduana sospechan que la señora contrabandea algo, pero no saben qué podrá ser.

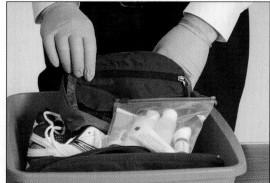

Si fuera el agente de aduana, revisaría el equipaje.

• Si fueran los agentes, ¿qué harían cuando pasara la señora todos los meses?

• ¿Qué estrategia usarían para averiguar si es una contrabandista o no?

• ¿Qué preguntas le harían? Si la señora resultara ser contrabandista, ¿qué podría estar contrabandeando? (¿Ropa, juguetes, libros u otra cosa?)

La construcción de la puertorriqueñidad 🎧

19 Comprensión

1. ¿Qué cambios hubo en la identidad puertorriqueña durante la primera mitad del siglo xx?

2. ¿Por qué puede decirse que la identidad puertorriqueña es "ambigua"?

3. ¿Por qué tanto los emigrantes como los que se quedan en la isla sufren transformaciones en su identidad cultural?

Los puertorriqueños comparten la ciudadanía con los estadounidenses.

Para los puertorriqueños, la identidad nacional y cultural es una cuestión compleja que está históricamente relacionada con su estatus político: la isla fue colonizada por dos culturas muy distintas y luego, sus habitantes se convirtieron en un pueblo emigrante.

Puerto Rico fue colonia española hasta 1898. En los primeros cincuenta años de dominio estadounidense, se llevó a cabo una política[1] de americanización que impuso, por ejemplo, un nuevo estilo alimenticio: se recomendaba una tabla diaria de alimentos en la que no aparecían frutas ni verduras que se cultivaran en la isla. Hacia mediados de siglo, muchas costumbres tradicionales habían quedado estigmatizadas como retrógradas y anticuadas[2]. Ante esta amenaza de asimilación, surgió un sentimiento de resistencia que defendía la autodeterminación política y la soberanía[3] cultural.

En 1952, la isla pasó a ser un Estado Libre Asociado (ELA) de Estados Unidos. Este proyecto político se planteaba como una oportunidad de modernización y progreso para Puerto Rico. Pero la situación de identidad cultural seguía siendo ambigua: ahora los puertorriqueños compartían la ciudadanía y las fronteras[4] políticas con un Estado del que llevaban años intentado diferenciarse.

20 Analice

1. Además de los factores políticos, ¿qué otros factores cree Ud. que pueden afectar la identidad de los puertorriqueños?

2. Compare su propia identidad cultural con la que se describe para los puertorriqueños. ¿Hay diferencias? ¿Hay similitudes?

La adquisición de la ciudadanía estadounidense, junto con las políticas económicas del ELA, incentivaron la emigración masiva a Estados Unidos. Allí surgió una gran comunidad que, a pesar de vivir fuera de la isla, se identifica culturalmente con Puerto Rico. Para ellos, "ser puertorriqueño" adquiere otra dimensión, ya que desarrollan una personalidad bicultural y bilingüe.

Los que se quedan en la isla mantienen una ilusión de identidad pura, pero la transformación cultural no es un fenómeno exclusivo del emigrante. Hace más de cien años que los puertorriqueños construyen su identidad en el contexto de una relación estrecha[5], pero tensionada por el deseo de diferenciación, con Estados Unidos.

[1] policy   [2] old-fashioned and obsolete   [3] sovereignty   [4] borders   [5] close

🔍 **Búsqueda:** estatus político de puerto rico, asimilación cultural en puerto rico, estado libre asociado de estados unidos

---

Prácticas 🎧

A partir de la década de los setenta y hasta el día de hoy, muchos poetas puertorriqueños de Nueva York se reúnen en el Nuyorican Poets Cafe a leer sus poemas. En esas sesiones poéticas, surgió el término "nuyorriqueño" para referirse a los emigrantes de la isla que vivían en la ciudad. Algunos de los más conocidos escritores que han relatado su experiencia como "nuyorriqueños" son Miguel Piñero, Giannina Braschi y Nancy Mercado.

Nuyorican Poets Cafe

El idioma y la cultura 🎧

Es un hecho: en Puerto Rico se habla español. Esta realidad lingüística surge de un proceso histórico de idas y vueltas[1] frente a los intentos de Estados Unidos de introducir el inglés en esta isla caribeña desde 1898.

Cuando la antigua colonia española pasó a manos estadounidenses, entró en vigencia[2] una ley de uso indistinto de los dos idiomas en las esferas[3] importantes del país. Como eran esferas dirigidas por funcionarios norteamericanos que no hablaban español, había un predominio implícito del inglés. Sin embargo, en los ámbitos más masivos siempre predominó[4] el español. Por ejemplo, aunque se intentó que el inglés fuera el único idioma de enseñanza en las escuelas, esta imposición fracasó porque ni los maestros ni los niños sabían hablarlo.

En 1991, en un gesto de reafirmación de sus raíces culturales, Puerto Rico declaró el español como única lengua oficial. Pero ese logro no duró mucho tiempo: dos años más tarde, esa ley fue derogada[5] y se aprobó otra que establece el español y el inglés como idiomas oficiales.

El español es el idioma que predomina en la isla.

En 2009, se inició un programa de escuelas bilingües, en las que se enseña inglés como segunda lengua y aunque muchos entienden que su enseñanza no necesariamente erosiona la cultura puertorriqueña, los defensores del idioma español redactaron un manifiesto en contra. Por otra parte, muchos isleños opinan que no es una buena idea solicitar que el español sea el único idioma oficial del país porque, desde el punto de vista político, esa actitud podría verse como un intento de alejarse de Estados Unidos.

Está claro que el debate por el idioma en Puerto Rico no es solo una cuestión lingüística, sino también política. Para muchos puertorriqueños, el español ha sido el escudo de resistencia y reafirmación de la identidad nacional.

[1] back and forth   [2] was enacted   [3] areas   [4] prevailed   [5] repealed

21 Comprensión

1. ¿Cómo intentó Estados Unidos imponer el uso del inglés en la isla?

2. ¿Qué postura defienden los que se oponen a las escuelas bilingües?

3. ¿En qué sentido es político el debate por el idioma?

22 Analice

1. ¿Qué lugar cree Ud. que ocupa el idioma en la conformación de la identidad de un pueblo?

2. Compare la realidad del uso del inglés y el español en Puerto Rico con lo que sucede actualmente con esas dos lenguas en Estados Unidos.

Perspectivas

El director de la Academia Puertorriqueña de la Lengua Española, José Luis Vega, explica que el español en Puerto Rico es "una lengua del pueblo. Quien verdaderamente lo ha mantenido vivo y vibrante son los hablantes", lo que le da al idioma una "fortaleza muy difícil de minar por una ley, un reglamento o una imposición".

Según Vega, ¿qué papel tienen las decisiones políticas en el uso del español en Puerto Rico?

Nueva ola migratoria de la isla al continente

23 Comprensión

1. ¿Qué consecuencias tiene para Puerto Rico la emigración masiva hacia Estados Unidos?

2. ¿Por qué los puertorriqueños que deciden emigrar eligen Estados Unidos?

3. ¿Cuál fue la causa de la crisis económica que comenzó en el año 2006 en Puerto Rico?

24 Analice

1. ¿Qué crisis ocurridas en otros países impulsaron oleadas migratorias hacia Estados Unidos?

2. ¿Qué ventajas y desventajas cree Ud. que implica ser un Estado Libre Asociado?

3. ¿En qué ámbitos de la cultura se refleja la mezcla de culturas estadounidense y puertorriqueña?

Emigración masiva de puertorriqueños rumbo a Estados Unidos

Desde hace varios años, hay más puertorriqueños viviendo en Estados Unidos que en Puerto Rico. En la isla, la población envejece y disminuye notablemente en medio de una crisis económica que comenzó en el año 2006 y que ha impulsado la más reciente ola migratoria hacia el continente.

La inmensa mayoría de los emigrantes puertorriqueños elige trasladarse a Estados Unidos porque al ser Puerto Rico un Estado Libre Asociado, sus habitantes tienen la ciudadanía estadounidense y no requieren permisos especiales. Entre 1940 y 1970, una gran ola migratoria generó una comunidad importantísima de puertorriqueños que se concentraban en la ciudad de Nueva York y alrededores, por lo que recibieron el nombre de *nuyoricans*. En los últimos años, la tendencia ha cambiado: en lugar de emigrar al norte del país, un gran porcentaje de puertorriqueños se afianzó[1] en el sur, principalmente en el estado de la Florida, y se los conoce como *disneyricans*.

En 2006 se eliminó el programa federal de exenciones contributivas[2] que había impulsado a la industria manufacturera en Puerto Rico y lo había convertido en el primer destino de las inversiones estadounidenses. La eliminación de este programa provocó un colapso económico que ha sido una de las causas principales de la huida[3] hacia el continente desde entonces.

La población que se va de la isla no tiene reemplazo en el futuro, ya que las actuales tasas de fecundidad[4] del país están entre las más bajas de su historia. A menos que se revierta esta tendencia, Puerto Rico se irá convirtiendo, poco a poco, en una isla vacía.

[1] established itself   [2] tax exemptions   [3] flight   [4] fertility rates

Búsqueda: nueva ola migratoria de puertorriqueños a estados unidos, nuyorriqueño, disneyricans

Productos

La experiencia de los puertorriqueños residentes en Nueva York derivó en el surgimiento de una nueva lengua, el *Nuyorican* o nuyorriqueño. Se trata de una mezcla de inglés y español que busca recrear literariamente la realidad de los puertorriqueños que viven en Estados Unidos. Los poetas nuyorriqueños, atentos a los cambios que observaban en la lengua de la calle, se abocaron a representar esa fusión entre dos lenguas y la realidad que la motivaba. Así como el encuentro de las culturas dio origen a nuevos estilos musicales como la salsa y el jazz latino, la mezcla cultural también es el motor que impulsa cambios lingüísticos y movimientos literarios.

Tato Laviera es un reconocido poeta nuyorriqueño.

Vocabulario 2

Comparación y contraste: ¡Ojo con estas palabras!

En español, el verbo **quedar** tiene distintos significados y connotaciones. Preste atención, pues su uso depende del contexto.

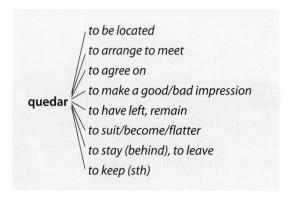

quedar
- to be located
- to arrange to meet
- to agree on
- to make a good/bad impression
- to have left, remain
- to suit/become/flatter
- to stay (behind), to leave
- to keep (sth)

quedar   *to be (located)*
¿Dónde **queda** la Universidad de Puerto Rico?
La sede de Río Piedras **queda** cerca de aquí.

quedar   *to arrange to meet*
¿**Quedamos** a las 10?
Habíamos **quedado**, pero no voy a poder.

quedar (en)   *to agree on*
Ellos **quedaron en** llamarnos por celular.
¿**Quedaron en** que harían eso?

quedar bien (mal) con   *to make a good/bad impression, to do the right thing*
Voy a hacer voluntariado; quiero **quedar bien** con la fundación.
Ella no fue y **quedó muy mal**.

quedarle a uno   *to have left, to remain*
Nos quedan unos diez mil pesos de la quincena.
Les queda mucho por hacer.

quedarle bien (mal)/grande (pequeño)   *to suit, become, flatter; to fit; (clothes) to be too big (small)*
Te **queda mal** esa chaqueta; ese color no te favorece.
A Juanita le **quedaron pequeños** los zapatos.

quedarse   *to stay (behind), to remain, to leave, to be left*
¿Por qué **te quedaste** en la casa?
Ese estudiante **se quedó** atrás en matemáticas.

quedarse (con/sin)   *to keep, to be left without*
Puedes **quedarte con** el libro.
Me quedé sin almuerzo.

25 ¿Qué queda?

Complete las oraciones con el uso de **quedar** que corresponda según el contexto.

1. ¿A qué hora ____ tú y yo para ir al cine?

2. Mariana y Miguel ____ ayudar a preparar la comida.

3. Me gusta el cibercafé que ____ por Santa Rita.

4. A Juan no ____ esos colores tan llamativos.

5. Los niños ____ esta mañana en el ensayo del coro.

6. Si no llevamos nada a la fiesta ____ con los anfitriones.

7. Dile a tu hermano que puede ____ con la camisa.

8. El plan es que nosotros ____ una semana en Puerto Rico.

9. A mi mamá ____ perfecta la blusa que le regalé.

10. ¡Levántense rápido!, porque si no, ____ sin desayuno.

26 Situaciones 👥

¿Qué hace Ud. si se encuentra en las siguientes situaciones? Preste atención a los usos de **quedar** y complete las respuestas de manera lógica.

1. Si me regalan un vestido que me queda grande...

2. Si mi vecino/a se queda con la calculadora que le presté hace un mes...

3. Si tengo que ir a un laboratorio para hacerme unos exámenes pero no sé dónde queda...

4. Si quedé de encontrarme con mi amigo/a a las diez, pero voy a llegar tarde...

5. Si tengo que pagar la cuenta de mi celular pero ya no me queda ni un peso del sueldo de esta semana...

¡Comunicación!

27 Espere lo mejor, pero prepárese para lo peor 👥 Interpersonal Communication

Imagine que Ud. va a hacer un largo viaje por carretera y su madre, que está muy preocupada, quiere saber qué haría Ud. si se encontrara en las siguientes situaciones. Con un(a) compañero/a, túrnense para hacerse las preguntas y responderlas según sea el caso. Usen cláusulas con si y el imperfecto del subjuntivo en su conversación, como se ve en el modelo.

> MODELO   Te quedas varado en medio de la carretera.
>
> **A: ¿Qué harías si te quedaras varado en medio de la carretera?**
>
> **B: Si me quedara varado en medio de la carretera, llamaría a la policía de transporte para pedir ayuda.**

- Tienes que quedarte en un hotel, pero no sabes dónde hay uno bueno.

- Al registrarte en el hotel te das cuenta de que se te quedó la tarjeta de crédito en casa.

- El mecánico, que había quedado de arreglarte el carro en un día, dice que se tardará dos días más.

28 Eco conciencia

Según las siguientes categorías, indique cómo Ud. solo/a puede ayudar a resolver el grave problema de la contaminación del medio ambiente.

	mejorar la huella ecológica	reducir, reusar, reciclar mejor	promover el uso de energía limpia
en el hogar			
en la escuela			
en el vecindario			
en la ciudad			

¡Comunicación!

29 El aporte individual   Presentational Communication

Formen grupos pequeños para hacer una lluvia de ideas sobre cómo cada individuo puede hacer aportes importantes para ayudar a solucionar los siguientes problemas.

- La pobreza y la falta de educación
- Los altos índices de depresión entre los jóvenes
- El maltrato físico y sexual

- El tráfico humano
- La discriminación por motivos de raza, creencias o preferencias sexuales

30 ¡Bienvenidos a Puerto Rico!   Interpersonal/Presentational Communication

Trabajen en grupos para seleccionar un sitio interesante de Puerto Rico y preparar un folleto de turismo sobre ese lugar. Pueden buscar la información en la internet o en una biblioteca. En el folleto, deben resaltar los atractivos con palabras e imágenes y presentarlos breve y concisamente. De los siguientes datos, incluyan aquellos que sean más relevantes.

El puente para viandantes en la selva tropical de El Yunque

- Destino turístico
  - atractivos naturales: las montañas, los volcanes, los valles, la selva
  - atractivos culturales: edificaciones antiguas, museos, bibliotecas, teatros, festivales
- Transporte
  - maneras de llegar: en avión, en barco
- Excursiones
  - lugares importantes que se deben visitar
  - compras que se pueden hacer

- Hoteles
  - categoría
  - ubicación
  - ambiente
  - servicios e instalaciones
- Restaurantes
  - comida internacional
  - comida típica
- Recomendaciones prácticas para los turistas
  - vestimenta adecuada
  - precauciones de seguridad

Gramática

El presente perfecto del subjuntivo

El presente perfecto del subjuntivo se forma con el presente del subjuntivo del verbo **haber** y el **participio pasado** del verbo conjugado[1].

Formación del presente perfecto del subjuntivo						
Presente del subjuntivo de *haber*	Participio pasado del verbo conjugado					
	dar	estar	hacer	ver	abrir	ir
haya						
hayas						
haya	dado	estado	hecho	visto	abierto	ido
hayamos						
hayáis						
hayan						

Usos del presente perfecto del subjuntivo

El presente perfecto del subjuntivo, al igual que el presente perfecto del indicativo, se usa en cláusulas nominales, adjetivales y adverbiales[1].

- **En cláusulas nominales**

    El presente perfecto del subjuntivo se usa para expresar una reacción, opinión o juicio en relación a una acción pasada que es relevante en el presente. El juicio u opinión en la cláusula principal requiere el uso del subjuntivo en la cláusula subordinada[2].

    Indicativo: El avión no ha llegado todavía. No sé que ha pasado.

    Subjuntivo: Es posible que el vuelo se haya retrasado debido a la tormenta.

- **En cláusulas adjetivales**

    Se usa el presente perfecto del subjuntivo en oraciones con cláusulas adjetivales cuando el antecedente es desconocido o no existe. Se usa el presente perfecto del indicativo cuando el antecedente es conocido.

    Indicativo: **Emplearon** a alguien que **ha tenido** experiencia previa en ese campo.

    Subjuntivo: **Emplearán** a alguien que **haya tenido** experiencia previa en ese campo.

- **En cláusulas adverbiales**

    En oraciones con cláusulas adverbiales se usa el presente perfecto del subjuntivo para referirse a acciones que no han sucedido. Se usan los tiempos perfectos del indicativo para referirse a acciones que han o habían sucedido en el momento del habla.

    Indicativo: El vuelo no **había aterrizado** cuando **llegamos** al aeropuerto.

    Subjuntivo: Te **llamaremos** en cuanto el vuelo **haya aterrizado**.

[1] Repase la explicación del presente perfecto del indicativo en la Unidad 5, página 188.

[2] Repase el uso del subjuntivo en cláusulas nominales (Unidad 6, página 234), y en cláusulas adjetivales y adverbiales (Unidad 7, páginas 287 y 289).

31 Un viaje solos

Sus padres le han enviado a Ud. con su hermano menor a Puerto Rico para visitar a sus parientes. Su hermano aprende mucho y se divierte más de lo que había imaginado. Complete las oraciones con el presente perfecto del subjuntivo del verbo entre paréntesis.

1. Nuestros padres están preocupados por el viaje. Les llamaremos tan pronto como (*llegar*).
2. Nuestras primas se alegran de que mi hermanito (*darse cuenta*) de que es mejor hablar español en Puerto Rico.
3. En Puerto Rico hay muchos paisajes bonitos. Es una lástima que mi hermanito (*perder*) la cámara, pero podemos usar mi celular para sacar fotos.
4. Me sorprende mucho que mi hermanito (*ponerse*) triste cuando fue la hora de regresar.

32 Requisitos y limitaciones

Complete las oraciones con el presente perfecto del subjuntivo de las expresiones del recuadro que correspondan según el contexto.

aprobar los planos	**pasar la tormenta**	**tener experiencia**
aumentar el sueldo	**terminar la votación**	**tomar posesión**

1. Esperamos que elijan a un gobernante que…
2. Se sabrá quien ha ganado las elecciones cuando…
3. El nuevo alcalde firmará las reformas después de que…
4. Los obreros terminarán la huelga tan pronto como…
5. Empezarán la construcción del complejo residencial en cuanto…
6. No podrán estimar los daños causados por la inundación hasta que…

33 Testigo de primera mano

Un huracán ha pasado por Puerto Rico y no dejó más que destrucción y escombros a su paso. Después de dos días, Alejandra logra comunicarse con su amigo Samuel para contarle esa experiencia traumática. Complete el diálogo con el presente perfecto del indicativo o del subjuntivo, según el caso.

Samuel: Alejandra, ¿cómo estás? Espero que ya (*1. reponerse, tú*) del susto.

Alejandra: Sí, lo (*2. lograr*) poco a poco. Confío en que (*3. recibir, tú*) el mensaje que te envié por celular.

Samuel: Sí, sí, (*4. llegar*) hace poco. Me alegra que tu casa no (*5. sufrir*) muchos desperfectos.

Alejandra: Afortunadamente, mi casa no (*6. quedar*) tan mal. Aunque es terrible que la de mi abuela (*7. destruirse*) con los vientos.

Samuel: ¿Qué ayuda (*8. ofrecer*) las autoridades?

Alejandra: (*9. decir*) que van a estudiar cada caso.

Samuel: ¡Es una lástima que tanta gente (*10. perder*) su casa!

Alejandra: Sí, desastroso. Cuando (*11. pasar*) lo peor, vamos a ayudar en lo que se pueda.

¡Es espantoso que el huracán haya arruinado tantas casas!

Gramática

Expresiones afirmativas y negativas

Expresiones afirmativas	Expresiones negativas
algo (*something, anything*)	nada (*nothing*)
alguien (*someone, anyone*)	nadie (*no one, nobody*)
todo el mundo (*everyone*)	
algún, alguno(a, os, as) (*some, someone*)	ningún, ninguno(a) (*none, no one, not any*)
unos(as) (*a few*)	
siempre (*always*)	
alguna vez (*ever*)	nunca, jamás (*never*)
algunas veces (*sometimes*)	
algún día (*someday*)	
o… o (*either…or*)	ni… ni (*neither…nor*)
también (*also, too*)	tampoco (*neither*)

Usos de las expresiones

- **algo ≠ nada** (pronombres)
  Son invariables y se refieren a cosas.

- **alguien ≠ nadie** (pronombres)
  Son invariables y se refieren
  a personas.

- **alguno/a/os/as ≠ ninguno/a**
  (pronombres y adjetivos)

  Alguno concuerda en género
  y número (o/a, os/as), pero
  ninguno concuerda solo en género.
  Generalmente se usa solo en singular.

  Como adjetivos, pierden la **o** final
  cuando van antes de un sustantivo
  masculino singular (**algún, ningún**).

- **siempre ≠ nunca, jamás** (adverbios)
  Son invariables. **Jamás** es
  más enfático.

- **también ≠ tampoco** (adverbios)
  Son invariables.

Ejemplos

Sé que tienes **algo**
que decirme.

No tengo **nada**
que decirte.

¿Hay **alguien** que sepa
preparar sushi?

No, no hay **nadie** que
sepa prepararlo.

Algunos libros son
difíciles de entender.
(adjetivo)

No hay **ninguno**
imposible de entender.
(pronombre)

¿Tienes **alguna** receta
para preparar tarta
de manzana?

No, no tengo **ninguna**
receta de esas.

¿Viste **algún** libro sobre
ese tema?

No vi **ningún** libro sobre
ese tema.

Siempre vamos al cine
los viernes.

Nunca me has invitado
a ir.
¡**Jamás** he ido con Uds.!

Les encantan las
montañas y la
nieve **también**.

No les gusta el calor;
tampoco les gusta el mar.

- **o… o ≠ ni… ni** (conjunciones)

  O… o se usa para ofrecer dos alternativas.

  Ni… ni niega dos alternativas. El verbo con dos sujetos unidos por **ni… ni** se usa en plural.

- **in-**, **im-** y **des-** (prefijos)

  Son prefijos de negación que se usan con varios adjetivos, sustantivos y verbos.

O se toman medidas ecológicas **o** el clima cambiará irremediablemente.

Ni la extrema derecha **ni** la extrema izquierda ofrecen algo nuevo.

Los terremotos son **im**predecibles.
No hay que **des**estimar todas las propuestas.
Sería un final **in**deseable.

---

34 ¿Hacer siempre o nunca hacer?

Debido a los conflictos bélicos, sean guerras civiles o guerras internacionales, los países del mundo deben abordar los temas de cómo mantener la paz. Conteste las preguntas, usando las siguientes palabras:

algún, alguno(s)	alguna(s)	algo	ni… ni
ningún, ninguno(s)	alguien	nada	tampoco
ninguna(s)	nadie	o… o	nunca

MODELO   ¿Hay algo de bueno en la guerra?
No, no hay nada de bueno en la guerra.
(La guerra no tiene nada de bueno).

1. ¿Debe alguien discriminar por razones de raza, nacionalidad, clase social, edad, religión o sexo?

2. Si sucediera alguna tragedia en un país de las Naciones Unidas, ¿irían algunos países en su auxilio?

3. ¿Debe algún país atacar a otro sin razón alguna?

4. ¿Algún día deberían permitirse las invasiones extranjeras?

5. ¿Deben los países capitalistas y los países comunistas tratar de imponer sus doctrinas políticas?

6. Quienes tienen creencias religiosas muy firmes ¿deben también tratar de imponer sus creencias?

7. ¿Cuándo es importante luchar por la paz?

8. O cruzarse de brazos o ignorar el problema, ¿qué es lo mejor? (Ni… ni)

¡La guerra no tiene nada de bueno!

Un poco más

- Si la negación va delante del verbo, se omite la doble negación.

  No bailan **nunca** solos. **Nunca** bailan solos.

  No se lo pidió **nadie**. **Nadie** se lo pidió.

- Para contestar una pregunta de forma negativa cuya respuesta es sí o no, se debe repetir la palabra **no**.

  ¿Hay tornados en tu área?
  No, **no** hay tornados en mi área.

- Cuando los indefinidos y negativos se refieren a personas y funcionan como complementos directos del verbo, se requiere la "a" personal.

  ¿Conoces **a algún** chef?
  No, no conozco **a ningún** chef.

- Para cambiar la expresión "algún día" al negativo se dice nunca o jamás.

  ¿Algún día piensas retirarte de tu profesión?
  No, **nunca** pienso retirarme de mi profesión.

¡Comunicación!

35 O lo uno o lo otro... Interpersonal Communication

Enriqueta y Aníbal son candidatos para el Senado en Puerto Rico. Como buenos políticos que son, les gusta hacer promesas, pero tienen ideas muy diferentes. Trabajen en parejas para terminar las promesas de cada candidato sobre algún tema, como la educación, la pobreza, la salud, el trabajo, el crimen, el ambiente, etc.

Enriqueta	**Aníbal**
Yo siempre...	Yo nunca...
Algún día...	Jamás...
Alguien...	Nadie...
Algunos/as...	Ningún, Ninguno/a...
También voy a...	Tampoco voy a...

36 Prometo que siempre... Interpersonal/Presentational Communication

Trabajen en parejas para escribir un discurso sobre algún tema polémico, como...

- La minimización del efecto invernadero
- El mejoramiento de los mecanismos regionales e internacionales para lograr y mantener la paz
- La desigualdad de género
- La libertad de expresión
- Otro tema

Elijan sus palabras con cuidado y usen las expresiones de la unidad. Después lean el discurso ante la clase.

Expresiones para comunicarse:

¡Los políticos siempre prometen mucho!

Nunca / Jamás permitiremos que...	Nada es más importante que...
Que nadie se atreva a...	Siempre trataremos de...
Si a alguien se le ocurriera...	Si algo le sucediera a...
Nadie debería...	O hacemos eso o...

Lectura informativa

Antes de leer

¿Qué clase de problemas influyen en las personas que deciden emigrar a otro país?

○ ○ ○ La crisis lleva a...

VÍVELO **HOY**

La crisis lleva a universitarios puertorriqueños a emigrar en masa a EE. UU.

Por Jorge J. Muñiz Ortiz — Agencia EFE en EEUU 07/22/14 10:24 a. m.

SAN JUAN — La crisis económica y la falta de empleos de su ámbito en Puerto Rico lleva a miles de universitarios puertorriqueños con experiencia profesional a emigrar a EE. UU., como es el caso de tres jóvenes ingenieros que en el último mes han emprendido una nueva vida en ese país.

Pedro Eloy Guzmán, Jesús Manuel de León y Jaime Rodríguez, de entre 27 y 33 años, comentan cómo se vieron forzados a emigrar ante la dificultad de conseguir trabajo en su isla natal relacionado con su especialidad, pese a que los tres tienen experiencia y méritos profesionales.

Según datos del Instituto de Estadísticas de Puerto Rico, durante 2012 emigraron a EE. UU. unas 75.000 personas, que tenían una edad media de 33 años. De todas ellas, el 52 % tenía algún tipo de formación universitaria [...] y el 35 % estaban casadas.

Guzmán encarna[1] por tanto a la perfección el perfil del emigrante puertorriqueño: tiene 33 años, está casado, es padre de un hijo y tiene una licenciatura[2] en Ingeniería Eléctrica con licencia de Ingeniero Profesional.

En su opinión, el ámbito de la ingeniería en Puerto Rico está "supersaturado" debido a la gran cantidad de jóvenes que se gradúan de Ingeniería en la isla, frente a las pocas oportunidades que hay porque las empresas no generan suficiente dinero para contratarlos.

"Eso, junto a que el mercado laboral es un ecosistema relativamente cerrado, hace que el ingeniero se vea como uno más del montón", relata Guzmán, quien quedó desempleado en noviembre, después de haber trabajado en Alternate Concepts, Microsoft, Boston Scientific y Doral Bank.

Tras esas experiencias, cinco empresas lo contactaron para ofrecerle trabajo, pero todas le decían lo mismo: "Te queremos hacer una oferta pero la economía no aguanta[3]. Te avisaremos".

Ante la incertidumbre[4] y tras cinco meses buscando una oportunidad de empleo, su esposa le sugirió que buscara trabajo en las oficinas de Microsoft en Seattle, donde está la sede del gigante estadounidense.

Finalmente, Amazon, con oficinas también en Seattle, contrató a Guzmán, quien lleva menos de un mes en esa ciudad y habla ya de "un cambio bastante grande, a nivel profesional y personal". [...]

[1] embodies   [2] degree   [3] restrain   [4] uncertainty

37 Comprensión

1. ¿Cuáles son las causas de la emigración masiva de universitarios puertorriqueños a Estados Unidos?

2. ¿Qué dos características presenta gran parte de los puertorriqueños que emigran a Estados Unidos?

3. ¿Qué problema enfrentan los ingenieros en Puerto Rico?

4. ¿Qué problema enfrentan las empresas que quieren contratar ingenieros?

38 Analice

¿Qué política cree Ud. que se podría implementar para mejorar la situación de los ingenieros en el futuro?

39 Comprensión

1. ¿Cuáles son los tres estados de Estados Unidos más elegidos por los emigrantes puertorriqueños?

2. ¿Cómo se sienten los puertorriqueños con respecto a la decisión de emigrar a Estados Unidos?

3. Según Rodríguez, ¿cómo logran conseguir trabajo los pocos que lo consiguen?

4. ¿Por qué para Rodríguez era mejor trabajar como camarero que como ingeniero?

40 Analice

Si Ud. estuviera en una situación similar a la de los ingenieros puertorriqueños, ¿qué cree que haría? ¿Intentaría trabajar en otro ámbito o pensaría en emigrar para ejercer su profesión? ¿Por qué?

 La crisis lleva a...

VÍVELO HOY

Similar historia describe De León, de 33 años, también, casado y con estudios en Ingeniería Eléctrica y una maestría[5] en Administración de Empresas.

Luego de trabajar desde 2006 como ingeniero en varias compañías de telecomunicaciones, la última de ellas no renovó su contrato y quedó desempleado en una isla que acumula ya casi ocho años en recesión.

"El campo está saturado: Hay mucha más oferta que demanda", indica De León, quien desde hace tan solo unas semanas vive y trabaja en Nueva York, un estado donde reside una amplísima comunidad puertorriqueña y que en la actualidad es el tercer destino más frecuente entre los emigrantes de la isla, antecedido por Florida y Pennsylvania.

Hasta ahora, De León nunca había pensado en emigrar, porque siempre había querido quedarse en su isla natal, pero cuando se vio sin empleo se dio cuenta de que "me iba a ser difícil encontrar trabajo en Puerto Rico".

Según las estadísticas oficiales más recientes, durante 2012 Puerto Rico perdió 1,5 % de su población a causa de la emigración [...]. Por su parte, Rodríguez, el más joven de este trío de ingenieros (27 años), coincide con sus colegas en que la ingeniería en Puerto Rico está "sumamente saturada" de profesionales.

"Hay muchísimos estudiantes que terminan la universidad con notas perfectas, revalidan estudios y obtienen certificaciones, pero aún así no consiguen trabajo y muchos de los que sí lo logran es por amiguismo[6]", asegura.

Rodríguez cuenta con estudios graduados en Ingeniería Civil y una maestría en Administración de Proyectos de Construcción, pero en su isla natal únicamente ha podido encontrar trabajo como camarero.

Admite que como mozo lograba más dinero que cuando alguna empresa lo contrataba por horas trabajando bajo contratos de servicios profesionales, una modalidad que no le garantiza ningún tipo de protección o cobertura social[7].

Ahora, el joven ingeniero se encuentra en la ciudad de Saint Joseph, Missouri, desde donde dice sentirse "asustado, solo, nervioso" porque no conoce a nadie, pero a la vez "contento de haber iniciado una aventura o un capítulo nuevo" en el libro de su vida.

Al igual que sus colegas de estudios, Rodríguez hubiera preferido seguir viviendo en Puerto Rico, pero, ante la falta de perspectivas profesionales que se ajusten a sus estudios, "no me quedaba otra opción".

---

[5] master's degree   [6] thanks to personal contacts   [7] social security

Búsqueda: migración de universitarios puertorriqueños a estados unidos

Una biografía

Una biografía es un relato escrito que narra la vida de una persona desde su nacimiento hasta su muerte. Suele estar escrita en tercera persona y describe los sucesos más sobresalientes de la vida de esa persona, incluidos aspectos de su infancia, sus logros y fracasos personales o profesionales, y cualquier otro aspecto que resulte de interés.

¡Comunicación!

41 La vida del emigrante 👥 **Interpersonal/Presentational Communication**

Trabaje con un(a) compañero/a. Imagine que uno es periodista y el otro es un emigrante puertorriqueño que vive en Estados Unidos. Túrnense para hacer las preguntas del siguiente cuestionario. Tomen nota de las respuestas y usen esa información para escribir una biografía en la que relate la historia del emigrante.

Cuestionario para la biografía

- ¿En qué lugar de Puerto Rico nació?
- ¿Cómo era su vida y su familia allí?
- ¿A qué se dedicaban sus padres?
- ¿A qué edad emigró a Estados Unidos?
- ¿Emigró solo o con alguien más?
- ¿Cuáles fueron los motivos para emigrar?
- ¿A qué lugar de Estados Unidos emigró?
- ¿Conocía a alguien allí?
- ¿Cómo fue su vida en Estados Unidos en los primeros tiempos?
- ¿Cómo es su vida ahora?
- ¿Regresa a menudo a Puerto Rico? ¿Por qué?
- ¿Qué aspectos de la vida puertorriqueña le provocan cierta nostalgia?
- ¿Cómo cree que sería su vida si se hubiera quedado en la isla?

Tenga en cuenta que el entrevistado dará sus respuestas en primera persona, pero Ud. deberá cambiar el punto de vista y redactar la biografía en tercera persona.

Puerto Rico, Estado Libre Asociado de Estados Unidos

Extensión   Conéctese: los estudios sociales

La Voz del Centro es un programa radial en el que se tratan temas interesantes sobre la historia, la cultura y la sociedad de Puerto Rico y el Caribe. El eje central del programa son las entrevistas que realiza el conductor del programa, Ángel Collado Schwarz.

A continuación, escuchará dos segmentos de la emisión N.º 50, una entrevista con el profesor Amilcar Tirado sobre el tema de la emigración puertorriqueña a los Estados Unidos.

¡Comunicación!

42 Antonia Pantoja, una puertorriqueña visionaria 🎧

Interpretive/Presentational Communication

Escuche el segmento inicial de la entrevista sobre Antonia Pantoja, una puertorriqueña que emigró a Estados Unidos, y responda las siguientes preguntas.

1. ¿Dónde realizó su labor comunitaria Antonia Pantoja?
2. ¿En qué década realizó ese trabajo?
3. ¿A qué nivel de estudios quería Pantoja que accedieran los puertorriqueños?
4. ¿Qué medalla recibió por su labor?

Busque más información en la internet sobre la vida y la obra de Antonia Pantoja. Luego, imagine que Ud. es un emigrante puertorriqueño que pudo prosperar en Nueva York en la década de 1950 gracias al trabajo comunitario realizado por Antonia Pantoja. Escriba una nota de agradecimiento para ella con los detalles de la ayuda que recibió.

43 Puertorriqueños en Orlando 🎧   Interpretive/Presentational Communication

Escuche el segmento final de la entrevista sobre la gran emigración de puertorriqueños a la Florida, principalmente a Orlando. Diga si las siguientes afirmaciones son verdaderas o falsas.

1. Como parte de la ola migratoria, se han instalado en Orlando bancos, medios de comunicación y centros de educación puertorriqueños.
2. Este movimiento migratorio tiene exactamente las mismas características que la emigración puertorriqueña de mediados del siglo pasado.
3. Los puertorriqueños que emigran a Orlando son en su mayoría profesionales.
4. Estos inmigrantes rompen todos los lazos que los unían a Puerto Rico.
5. Hay un cuento de Magali García Ramis que habla de esos emigrantes.

Piense en lo que leyó en la Lectura informativa sobre la emigración actual de puertorriqueños a Estados Unidos. Sume a esa información lo que se aporta en el archivo de audio. Escriba un párrafo donde detalle las principales características de esta emigración. Puede buscar más datos en la internet si lo necesita.

Mejore su comprensión 🎧

Familiarizarse con este vocabulario le ayudará a leer el fragmento de *Cuando era puertorriqueña* más adelante, y a mejorar su comprensión auditiva.

aptitud *s.f.* Capacidad para realizar una actividad, profesión o empleo.

artes domésticas *exp.* Conocimientos o reglas relacionadas con las tareas de la casa o el hogar.

artes dramáticas *exp.* La rama de las artes escénicas relacionadas con la actuación.

calificar *v.* Ilustrar, servir como ejemplo.

cartógrafa *s.f.* Persona que traza mapas geográficos.

consejero *s.m.* Persona que da consejos.

decepcionar *v.* No responder a las expectativas.

desempeñar *v.* Realizar las funciones propias de un trabajo.

entrenamiento *s.m.* Preparación que se lleva a cabo para realizar una actividad.

entrenar *v.* Preparar a una persona para practicar una actividad.

escena *s.f.* Parte de una obra de teatro.

modelo *s.m.f.* Persona que trabaja poniéndose prendas de vestir para mostrarlas.

papel dramático *s.m.* Personaje que representa un actor.

Se dice que Javier Bardem hará el papel de villano en Piratas del Caribe.

rebuscar *v.* Buscar con cuidado en un montón de cosas.

recitar *v.* Decir un poema en voz alta.

topógrafa *s.f.* Persona que se dedica profesionalmente al estudio de la superficie de un terreno.

vocacional *adj.* Relacionado con una vocación o profesión.

---

44 Según su experiencia

Piense en los siguientes temas e ilústrelos con ejemplos de acuerdo con su propia experiencia.

1. Su modelo favorito/a
2. Su actor o actriz favorita y su papel más famoso
3. Película, libro o actuación que lo ha decepcionado
4. Sus propias aptitudes vocacionales
5. Entrenamiento necesario para ser topógrafo/a
6. Papel que desempeña el consejero en un colegio
7. Materias sobre artes domésticas que se enseñan en el colegio
8. Requisitos o aptitudes necesarias para estudiar artes dramáticas

45 Isapí: La leyenda del sauce llorón 🎧

Escuche el relato de "Isapí: La leyenda del sauce llorón". Luego, Ud. oirá la primera parte de una oración y tres terminaciones posibles. Seleccione la letra de la respuesta con la terminación más lógica. La oración y las terminaciones se leerán dos veces.

1. **A.** … su padre era el jefe de la tribu.

   B. … era muy fría de corazón.

   C. … no venían a verla los mejores guerreros.

2. **A.** … que Isapí tenía que llorar.

   B. … que los hombres morían en las guerras.

   C. … que Isapí mostraba compasión por todos.

3. **A.** … que cuidara un momento a su niño.

   B. … que viera si su niño estaba muerto.

   C. … que buscara hierbas buenas para curar a su niño.

4. **A.** Señor de las sombras, haz que esta mujer no tenga corazón.

   B. Señor de las sombras, haz que esta mujer sea madre.

   C. Señor de las tinieblas, haz que esta mujer viva eternamente llorando.

5. **A.** … Isapí fue convirtiéndose en un árbol fresco.

   B. … Isapí se puso a llorar.

   C. … Isapí vio crecer un árbol lleno de hojas.

Un sauce llorón

Gramática

La voz pasiva

La voz pasiva con *ser*

El uso de la voz pasiva en español es mucho menos frecuente que en inglés. El orden natural de la oración en la voz activa se invierte en la voz pasiva y el sujeto recibe la acción del verbo. Se usa la preposición **por**, seguida de un agente.

La oración se escribe con el participio pasado[1] del verbo conjugado en la voz activa, el cual concuerda en género y en número con el sujeto pasivo.

Voz activa: La tormenta **causó** las inundaciones.

Voz pasiva: Las inundaciones **fueron causadas por** la tormenta.

- En la construcción pasiva, el verbo **ser** siempre está en el mismo tiempo que el verbo correspondiente de la oración activa.

Se espera mucha lluvia.

Formación de la voz pasiva con *ser*					
Sujeto pasivo	+ *ser* +	participio pasado como adjetivo	+ *por* +		agente
Las lluvias torrenciales	son	pronosticadas	por		los medios.
Algunos árboles y casas	fueron	arrasados	por		el tornado.
La ayuda humanitaria	será	dada	por		los cooperantes.

La voz pasiva con *se*

La voz pasiva con **se** es mucho más común que la pasiva con **ser** y se usa cuando no se menciona al agente de la acción. La construcción es la siguiente:

Formación de la voz pasiva con *se*		
Se +	tercera persona singular o plural del verbo +	sujeto pasivo
Se	pronostican	lluvias torrenciales.
Se	arrasaron	algunos árboles y casas.
Se	dará	ayuda humanitaria.

Cuando el **a** personal precede al sujeto de la voz pasiva con **se**, el verbo siempre está en singular:
Se auxilió a los damnificados.

[1] El participio pasado funciona como adjetivo en la voz pasiva; por lo tanto, concuerda en género y número con el sujeto pasivo.

46 Amazonía, pulmón del mundo

Brasil tiene muchos problemas ambientales, al igual que Puerto Rico. Por ejemplo, la tala (*felling*) de árboles en la selva amazónica para despejar pastizales para el ganado causa deforestación. Esta práctica tiene un impacto grave sobre el ambiente, por ejemplo, pérdida de biodiversidad, degradación del hábitat, pérdida del ciclo del agua y modificación del clima global. Cambie las siguientes oraciones a la forma pasiva.

> **MODELO** La deforestación destruye la selva amazónica.
> **La selva amazónica es destruida por la deforestación.**

1. Los ganaderos talan los árboles para hacer pastizales.
2. La desaparición del hábitat de las especies daña la biodiversidad.
3. Los bosques pierden la capacidad de absorber CO_2.
4. Los ecologistas estudian el ciclo del agua.
5. La falta de recursos naturales aumenta la pobreza.

En la selva del Amazonas se talan árboles para despejar campos destinados a pastizales del ganado.

¡Comunicación!

47 Puerto Rico, Isla del Encanto Interpersonal/Presentational Communication

Puerto Rico es la Isla del Encanto. Para aprender más sobre ella, formen equipos de tres o cuatro personas y preparen una presentación sobre uno de los siguientes temas u otro similar que Uds. elijan.

El mestizaje de personas y culturas en Puerto Rico:

- Los diversos orígenes étnicos: taínos, africanos y españoles
- Las migraciones más recientes de Europa y de Asia

La historia de Puerto Rico:

- Desde la prehistoria hasta la llegada de Cristóbal Colón
- El período colonial español entre 1492 y 1898
- Los piratas del mar Caribe; Puerto Rico en el siglo XX
- La doctrina Monroe y las relaciones con EE. UU.

La geografía de Puerto Rico:

- La isla principal y las islas pequeñas

- Las ciudades más grandes: San Juan y Ponce
- El contraste entre las playas de la costa y las montañas
- La naturaleza: flora y fauna

A Puerto Rico se lo conoce como la Isla del Encanto.

La economía de Puerto Rico:

- La importancia del turismo
- El estancamiento de las industrias tradicionales, como la producción de caña de azúcar
- El desarrollo de nuevas industrias: ganadería, industria y construcción
- La alta tasa de desempleo y su relación con los movimientos migratorios

48 Puerto Rico a lo largo de la historia

Aprenda más sobre la historia de Puerto Rico, poniendo las siguientes oraciones en la forma pasiva.

MODELO Los españoles conquistaron a los indígenas taínos en poco tiempo.
En poco tiempo, los indígenas taínos fueron conquistados por los españoles.

1. En 1493, Colón descubrió Puerto Rico.
2. En 1509, nombraron gobernador de Puerto Rico a Juan Ponce de León.
3. Los indígenas taínos cultivaban la tierra.
4. En 1522, los españoles llevaron esclavos africanos a la isla.
5. En 1898, expulsaron a España de Puerto Rico.
6. En 1952, los puertorriqueños eligieron por primera vez a un gobernador.

49 ¡Quedan cosas por resolver!

Forme oraciones pasivas con **se**, eliminando el agente en negrita.

MODELO El acuerdo de paz será logrado por **las partes**.
Se logrará el acuerdo de paz.

1. En poco tiempo, la zona de desastre fue atendida por **agencias humanitarias**.
2. Fue aprobada una nueva constitución por **los asambleístas**.
3. Los ciudadanos son representados por **los diputados** de cada circuito.
4. Los actos racistas serán castigados por **la ley**.
5. La ayuda humanitaria para los afectados es solicitada por la **Cruz Roja**.
6. Lo que queda por resolver será abordado por **las nuevas generaciones**.

Se solicitó ayuda humanitaria para los afectados.

¡Comunicación!

50 La protección ambiental • Interpersonal/Presentational Communication

En grupos de tres o cuatro comenten el impacto ambiental que tiene la actividad humana.

Definición de términos: Primero, hagan una lluvia de ideas sobre las nociones básicas. Definan los siguientes conceptos en sus propias palabras:

La erosión	La contaminación	La deforestación	El efecto invernadero
El ciclo del agua	La huella ecológica	La biodiversidad	El reciclaje

Discusión: Ahora comenten las medidas que consideren son las mejores para proteger el planeta.
Presentación: Presenten sus conclusiones ante la clase.

Cuando era puertorriqueña
de *Esmeralda Santiago*

Esmeralda "Negi" Santiago

Sobre la autora

Esmeralda "Negi" Santiago nació en San Juan de Puerto Rico en 1948 y se crió en Macún y Santurce. En 1961, a los trece años, su mamá decidió mudar a la familia a Nueva York. Santiago aprendió inglés mientras se adaptaba a su nuevo entorno y, luego, fue aceptada en la escuela secundaria Performing Arts de Nueva York donde estudió teatro y danza. Se graduó magna cum laude de la Universidad de Harvard y tiene una maestría en escritura creativa del Sarah Lawrence College. Su esposo, el director Frank Cantor, y ella tienen una compañía de producción cinematográfica llamada Cantomedia. Empezó su carrera literaria como productora y escritora de documentales y películas educativas.

Su primer libro, *Cuando era puertorriqueña*, son sus memorias sobre su niñez en Puerto Rico y Estados Unidos, publicado originalmente en inglés como *When I was Puerto Rican* en 1993. Como tantos otros emigrantes, ya no se siente puertorriqueña, pero tampoco es completamente estadounidense: está a caballo entre dos culturas.

Antes de leer 🎧

Piense en una palabra o expresión que le resulte difícil decir en español o en inglés. ¿Cómo se siente cuando le cuesta expresar algo en otro idioma? ¿Cómo se ayuda con las manos, la expresión de la cara y el tono de voz para comunicar algo nuevo o difícil a otra persona?

Estrategia

El *espanglés* como forma de bilingüismo

Hablar **espanglés**, o Spanglish, es combinar fluidamente palabras del español y del inglés, cuando no se hablan bien ambos idiomas o cuando se vive inmerso en una cultura donde se entienden ambos idiomas. ¿Qué palabras diría Ud. en *espanglés* por prisa o porque el significado le parece más preciso? Las palabras en *espanglés* indican una cultura mezclada. No serán difíciles de entender si Ud. las pronuncia en voz alta.

51 Practique la estrategia

¿Qué significan las expresiones en cursiva en esta conversación entre Esmeralda y su amiga Yolanda? En una hoja aparte, escriba las expresiones correctamente en inglés y su traducción al español, como se ve en la tabla a continuación.

—¿Te preguntó el Míster Barone, *llu no*, lo que querías hacer *juen llu gro up*?

— Sí, pero *ay dint no*. ¿Y tú?

—Yo tampoco sé. *Ji sed* que *ay laik tu jelp pipel*. Pero, *llu no*, a mí no me gusta mucho la gente.

Diálogo en *Espanglés*	Diálogo en inglés	Traducción al español
¿Tienes *jobis*?	***Do you have a hobby?***	**¿Tienes un pasatiempo?**

Cuando era puertorriqueña
de *Esmeralda Santiago*

[...] Nos habíamos mudado a la Ellery Street.
[...] Tuve que cambiar de escuelas, así que Mami me llevó a la P.S., donde haría mi noveno grado. [...] Me dieron una serie de exámenes, los cuales indicaron que, aunque no podía hablar el inglés muy bien, lo podía escribir y leer al nivel del décimo grado. [...]

Un día, Míster Barone, el consejero vocacional de la escuela, me llamó a su oficina.

"Quería ser una jíbara, quería ser cartógrafa y, después, topógrafa".

[...]—Bueno —[...] hablándome despacio para que yo entendiera— ¿qué quieres ser cuando seas grande?

—Yo no sé.

Rebuscó[1] entre sus papeles.

[...] —¿Y no has pensado en lo que vas a ser cuando seas grande?

Cuando yo era nena, quería ser una jíbara[2]. Cuando me hice mayor, quería ser cartógrafa, después topógrafa. Pero desde que llegamos a Brooklyn, no había pensado mucho en el futuro.

—No, señor.

Bajó los lentes a sus ojos y rebuscó entre los papeles otra vez.

—¿Tienes *jobis*? —no entendí lo que me decía—. *Jobis. Jobis* [...] cosas que te gustan hacer en tu tiempo libre.

—¡Ah, sí! —traté de imaginar qué yo hacía en casa que pudiera calificar[3] como un *jobi*. —Me gusta leer.

[...] —Sí, eso ya lo sabemos —sacó un papel de su escritorio y lo estudió—. [...] También puede ser que te guste la comunicación. Como maestra, por ejemplo.

Recordé a Miss Brown parada al frente de un salón lleno de *tineyers* desordenados[4][...].

—No creo que me gustaría.

[...] —¿Por qué no lo piensas, y hablamos otro día? [...] —Eres una chica inteligente, Esmeralda. [...]

Camino a casa, me acompañaba otra niña del noveno grado, Yolanda. Llevaba tres años en Nueva York, pero hablaba tan poco inglés como yo. Hablábamos en *espanglés*, una combinación de inglés y español [...].

[...] Unos días más tarde, el Míster Barone me llamó a su oficina.

[...] —Quisiera ser una modelo —le dije al Míster Barone. [...] —Yo quiero aparecer en la televisión.

[1] search through   [2] peasant   [3] qualify   [4] unruly

52 Comprensión

1. ¿Para qué llama Míster Barone a Esmeralda?

2. ¿Qué es el *espanglés* y cómo se nota la dificultad para pronunciar un idioma muy distinto?

3. ¿Sabe Esmeralda realmente qué quiere ser? Cite ideas del texto que lo reflejen.

53 Analice

¿Cómo afecta el choque de culturas a Esmeralda? Analice los diálogos y explique cómo se refleja el efecto en Esmeralda.

—Ah, pues entonces quieres ser actriz. […] Yo solo sé de una escuela que entrena actores. […] Dice aquí que tienes que ir a una prueba. […] ¿Has desempeñado alguna vez un papel dramático en frente del público?

—Un año fui la maestra de ceremonias en el programa musical de mi escuela. En Puerto Rico. […]

[…] —Déjame llamarles y averiguar lo que necesitas hacer. […]

Salí de su oficina feliz, confiando[5] en que algo bueno había pasado. […]

"No tengo miedo…No tengo miedo…No tengo miedo…". Todos los días andaba de la escuela a casa repitiéndome esas palabras. […] Fue en estas caminatas angustiadas[6] que decidí que me tenía que salir de Brooklyn. […] Cuando el Mister Barone me habló de Performing Arts High School, supe lo que tenía que hacer.

—¡Las pruebas son en menos de un mes! Tienes que aprender una escena dramática […] en frente de un jurado[7]. […]

El Míster Barone se encargó de prepararme para la prueba. Seleccionó un soliloquio[8] de una obra de Sydney Howard titulada *The Silver Cord* […].

—Míster Garri, el maestro de gramática, te dirigirá… Y *Missis* Johnson te hablará acerca de lo que debes de poner y esas cosas.

Mi parte era la de Cristina, una joven casada confrontando[9] a su suegra. Aprendí el soliloquio fonéticamente, bajo la dirección de Míster Gatti. […]

—No tenemos tiempo de aprender lo que quiere decir cada palabra –dijo Míster Gatti—. Solo asegúrate de que las pronuncies todas.

Missis Jonson, quien era la maestra de artes domésticas[10], me llamó a su oficina.

[…]Me senté tiesa[11] mientras *Missis* Jonson y Míster Barone me hacían preguntas que se imaginaban el jurado en Performing Arts me iba a preguntar.

—¿De dónde eres?

—De Puerto Rico.

—¡No! —dijo *Missis* Johnson—, *Porto Rico*. Pronuncia la r suave. Otra vez.

—¿Tienes algún *jobi*? –me preguntó Míster Barone, y esta vez supe cómo contestar.

—Me gusta bailar y me gusta el cine.

—¿Por qué quieres estudiar en esta escuela?

Missis Johnson y Míster Barone me habían hecho memorizar lo que debía decir si me preguntaban eso.

—Quiero estudiar en la Performing Arts High School por su reputación académica y para recibir entrenamiento en las artes dramáticas.

—¡Muy bien! ¡Muy bien! —Míster Barone se frotó las manos[12] y le guiñó a *Missis* Johnson—. Creo que nos va a salir la cosa.

54 Comprensión

1. ¿Qué debía hacer Esmeralda para que la aceptaran en la escuela de actuación?

2. ¿Qué sabía Esmeralda del soliloquio que se aprendió?

3. ¿Por qué dice Míster Barone que "nos va a salir la cosa"?

55 Analice

Esmeralda quería irse de Brooklyn. ¿Por qué y qué hace para lograrlo? Analice los eventos del pasaje.

[5] trust   [6] anguished   [7] panel of judges   [8] soliloquy   [9] confront   [10] home economics
[11] stiff   [12] rub one's hands (together)

Para concluir

? Pregunta clave

¿Cómo afectan las decisiones políticas la identidad cultural de un país?

Proyectos

A ¡Manos a la obra!

Trabaje con un(a) compañero/a. Busquen en la internet algún poema de los poetas del Nuyorican Poets Cafe, por ejemplo, de sus fundadores Miguel Algarín, Miguel Piñero o Lucky Cienfuegos. Elijan un poema que esté escrito en inglés.

- Primero, analicen y comenten el poema en detalle. Tengan en cuenta su contenido, es decir, el tema del que habla el poema, pero también su forma (la métrica, la rima, el uso del lenguaje).

- Luego, hagan una traducción del poema al español. Puede ser una versión libre, o una traducción más literal, palabra por palabra.

- Por último, hagan una tercera versión en la que incluyan una mezcla de ambos idiomas, dejando algunas palabras en inglés e insertando algunos términos que fusionen ambos idiomas.

Presenten las tres versiones a la clase.

Nuyorican Poets Cafe

B En resumen

Repase lo que aprendió sobre los aspectos políticos de Puerto Rico que han ido marcando la identidad de su pueblo a lo largo de la historia. Complete el cuadro de abajo, con los efectos que tuvo cada suceso político y luego debata con un(a) compañero/a su opinión: ¿los efectos son positivos o negativos para los puertorriqueños?

Suceso político	Efectos sobre los puertorriqueños	¿Es positivo o negativo?
Colonización española		
Colonización estadounidense		
Incorporación como Estado Libre Asociado		
Establecimiento de dos idiomas oficiales		
Eliminación de exenciones contributivas		

C ¡A escribir!

Investigue en la internet la vida de algún puertorriqueño que haya emigrado a Estados Unidos y se haya hecho famoso, por ejemplo, Ricky Martin, Chayanne, Rita Moreno o Luis Guzmán. Escriba un resumen de su historia. ¿Cree Ud. que estos personajes enfrentaron dificultades adicionales en su camino a la fama por tratarse de emigrantes? Justifique su opinión con datos concretos sobre el personaje elegido.

Chayanne

D Una fusión de dos idiomas   Conéctese: el lenguaje

En la tabla de abajo se muestran algunos ejemplos de términos del *espanglés*, esa mezcla de español e inglés que es la herramienta cultural de integración e identidad para millones de hispanos que viven en Estados Unidos. Los poetas y dramaturgos nuyorriqueños fueron unos de los primeros en llevar el *espanglés* a la literatura. Investigue en la internet otros términos del *espanglés* para agregar a la tabla.

espanglés	español
remembrear	recordar
printear	imprimir
webear	navegar en la internet
hasta sun	hasta pronto
monchar	comer con apetito
janguear	salir con amigos

E Puerto Rico y su historia   Conéctese: la historia

Investigue los principales sucesos de la vida política de Puerto Rico y complete la línea de tiempo con los datos que faltan. Luego, compare y comente los sucesos con un(a) compañero/a.

_____ – _____ : Gran ola migratoria de puertorriqueños a Nueva York y alrededores

_____ : Fin de las exenciones contributivas y comienzo de la crisis económica

Desde 1492: Colonia española

1991: _____   1993: _____

_____ : Estados Unidos gana la guerra con España. Puerto Rico se convierte en una colonia estadounidense

Primera década del siglo XXI: Nueva gran ola migratoria de puertorriqueños al sur de Estados Unidos

Vocabulario de la Unidad 8

	al este/al sur to the east/south	
	acompañar to accompany	
el	**acuerdo** treaty	
	afrontar to face	
el/la	**agricultor/a** farmer	
la	**agricultura** agriculture	
el	**alto nivel** high level	
	apoyar to support	
	aprobar (ue) una ley to pass a law	
el	**árbol** tree	
la	**arena** sand	
las	**artes domésticas** Home Economics	
las	**artes dramáticas** Performing Arts	
la	**atmósfera** atmosphere	
	blanco/a white person	
	caer to fall	
	calificar to qualify	
la	**Cámara de Diputados** House of Representatives	
el/la	**campesino/a** peasant	
el/la	**candidato/a** candidate	
el/la	**cartógrafo/a** cartographer	
la	**censura** censorship	
el	**clima tropical** tropical weather	
	cometer violaciones to commit violations	
el	**comunismo** communism	
el/la	**consejero/a vocacional** vocational adviser	
	conservador/a (adj.) conservative	
	constituirse to become	
el	**consumo de gasolina** gas consumption	
la	**contaminación ambiental** environmental pollution	
la	**costa** coast	
la	**crisis económica** economic crisis	
	de sangre indígena of indigenous blood	
	decepcionar to disappoint	
	declarar huelga/paro to declare a strike	
	dejar a su paso to leave in its wake	
la	**democracia** democracy	
los	**derechos humanos** human rights	
	derrocar el gobierno to overthrow the government	

la	**derrota** defeat
	desempeñar to perform
el	**desierto** desert
la	**dictadura** dictatorship
	disminuir la pobreza to decrease the poverty level
el	**ejército** army
	elegir (i) to elect
	en favor/en contra in favor/against
el	**encarcelamiento** imprisonment
	encontrarse en riesgo to be at risk
el	**entorno** surroundings
el	**entrenamiento** training
	entrenar to train
la	**época de lluvias** rainy season
la	**escena** scene
los	**escombros** rubble
los	**esfuerzos** efforts
el	**gabinete presidencial** president's cabinet
la	**ganadería** cattle raising
el/la	**ganadero/a** cattle rancher
	ganar las elecciones to win elections
el	**gobernador** governor
el	**gobernante** ruler
el	**golpe de estado** *coup d'état* (government takeover)
los	**gremios** unions
la	**guerra** war
el/la	**hispano/a** Hispanic person
el	**huracán** hurricane
la	**igualdad de clases sociales** equality of social classes
	imponer una doctrina to impose a doctrine
la	**industria** industry
el	**industrial** industrialist
la	**inundación** flood
la	**isla** island
	liberal (adj.) liberal
la	**libertad de expresión** freedom of speech
el	**líder sindical** union leader
el	**llano** prairie
el/la	**mestizo/a** person of mixed blood (indigenous and European)
la	**mezcla** mix
las	**montañas** mountains
las	**muertes** deaths

el/la	**mulato/a** person of mixed blood (African and European)
	nacer to be born
los	**negros africanos** black people from Africa
la	**nieve** snow
el/la	**obrero/a** blue-collar worker
la	**ola** wave
el	**papel dramático** theater role
el	**partido político** political party
	perjudicar to harm
la	**playa** beach
la	**población** population
el	**poder militar** military power
el/la	**político/a** politician
	por debajo de cero below zero
los	**prejuicios raciales** racial prejudices
el/la	**presidente/a** president
el	**proceso electoral** electoral process
	prolongado/a extended
	quedar* to be located
el	**rayo** lightning bolt
	rebuscar to search carefully
	recitar to recite
las	**reformas** reforms
el	**régimen militar** military regime
	registrarse to register
el	**relámpago** lightning
el/la	**representante** representative
	resolver to solve
el	**río** river
la	**selva** jungle
el	**Senado** Senate
la	**sequía** drought
el	**siglo** century
el	**sindicato** worker's union
el	**socialismo** socialism
el/la	**socialista** socialist
el	**terremoto** earthquake
el/la	**topógrafo/a** topographer
la	**tormenta** storm
el	**trueno** thunder
la	**ubicación** location
el	**valle** valley
la	**victoria** victory
la	**vida** life
	vivir to live
el	**volcán activo** active volcano
	votar por to vote for
el	**voto popular** popular vote

*Ver otros significados de **quedar** en la página 323.

9

Festejos con tradición

Escanee el código QR para mirar el video "El Día de los Muertos".

El Día de los Muertos es una celebración que se hace en honor de los difuntos. ¿En qué fechas y en qué lugares tiene lugar esta celebración y qué actividades se realizan para celebrarla? Explique en detalle su respuesta.

Pregunta clave

?

¿Qué aspectos de la cultura de un país se reflejan en sus fiestas y tradiciones?

Colombia

¿Cuál es el origen del Carnaval de Barranquilla en Colombia y cómo se celebra hoy en día?

Mis metas

En esta unidad:

▶ Usaré expresiones relacionadas con las celebraciones del mundo hispano.

▶ Distinguiré los usos del infinitivo y las preposiciones **por** y **para**.

▶ Aprenderé sobre varias festividades tradicionales de Colombia y cómo se celebran.

▶ Distinguiré el significado de palabras y frases según el contexto.

▶ Repasaré los usos de las preposiciones y las frases preposicionales.

▶ Leeré un artículo sobre la fiesta de las 'brujitas' y la celebración tradicional de los 'angelitos'.

▶ Escucharé una entrevista con un colombiano sobre las celebraciones de su país.

▶ Escribiré una publicación en una red social sobre las fiestas colombianas desde el punto de vista de un extranjero cuya estadía coincide con una celebración.

▶ Desarrollaré nuevas destrezas de vocabulario.

▶ Repasaré el uso de los diminutivos y los aumentativos en español.

▶ Leeré el cuento "Un señor muy viejo con unas alas enormes" del colombiano Gabriel García Márquez.

¡De celebración en celebración!

"Hoy es domingo y mañana es fiesta, qué buena vida es esta."

Este proverbio o refrán sirve para ilustrar la cantidad de festividades que celebramos en el mundo hispano, la mayoría heredadas de nuestros antepasados.

Cada día, millones de personas celebran su cumpleaños. Es una tradición inmemorial, al igual que la costumbre de soplar las velas del pastel de cumpleaños y pedir un deseo antes de apagarlas.

Festividades de diciembre y enero

La Navidad es una de las celebraciones más queridas de todos. Los hogares se decoran con árboles de Navidad, y luces y adornos navideños. Las familias se reúnen para celebrar el 24 de diciembre por la noche y el 25 por la mañana los niños abren los regalos de Navidad que les trae el Niño Dios o Papá Noel.

El Año Nuevo se celebra el primero de enero. En la víspera, a la medianoche, en medio de la bulla y el ruido de los fuegos artificiales, la gente se besa y se abraza y hace un brindis por que el Año Nuevo traiga salud, dinero y amor, y mucha felicidad. Es una de las celebraciones más alegres del mundo entero.

El 6 de enero se celebra el Día de los Reyes Magos. Cuentan que ellos llegaron a Belén guiados por una estrella, para honrar al niño nacido en un pesebre.

Para conversar

Para hablar de celebraciones y tradiciones:
"Las mañanitas" es una canción que se canta cuando alguien cumple años. Es típica de México, al igual que los mariachis cuyas serenatas son populares en las bodas, aniversarios, graduaciones y cualquier otra ocasión de celebración.
En la víspera de Navidad, al repicar de las campanas a la medianoche, es costumbre asistir a la Misa de Gallo y cantar villancicos para conmemorar el nacimiento de Jesús.

Festividades de febrero a noviembre

El Carnaval es una fiesta folclórica que se realiza en muchos países hispanos entre febrero y marzo, según el año. El carnaval se da en una atmósfera de fiesta sin igual, con desfiles de carrozas y reinas que lucen disfraces y tocados de plumas y cintas de gran sofisticación.

La Semana Santa se celebra a finales de marzo o a principios de abril. Comienza con el Domingo de Ramos. El Viernes Santo se conmemora la muerte de Cristo y el Domingo de Pascua, su resurrección. Es costumbre dar a los niños huevos teñidos de colores que les trae el conejo de Pascua.

El Día de la Independencia es una fiesta nacional. En Colombia se celebra el 20 de julio. Ese día se hacen desfiles cívicos, se realizan ceremonias en que se saluda la bandera y se toca el himno nacional para honrar a los héroes de la independencia.

El Día de los Muertos y el Día de Todos los Santos son celebraciones para honrar el alma de los difuntos. La gente visita los cementerios y hace altares con flores y decoraciones de esqueletos y calaveras en honor del espíritu de sus seres queridos.

Para conversar

Para hablar de fiestas familiares:

En las fiestas de independencia también hay fuegos artificiales, festivales, bailes con trajes regionales, bandas y barbacoas familiares.

El Día de Acción de Gracias es una fiesta tradicional de Estados Unidos que se celebra a finales de noviembre. Ese día, las familias se reúnen y comparten una gran cena que típicamente incluye pavo relleno, papas, ensaladas, verduras y una variedad de tortas.

¡Acuérdese!

Frases de felicitación y buenos deseos

Muchas felicidades

Muchas felicitaciones

Feliz cumpleaños

Que los cumplas felices

Que lo pases bien

Que lo pases muy feliz

Para conversar

Para hablar de las ferias artesanales:

Las ferias artesanales son muy populares pues allí se venden artesanías para todas las ocasiones y se ofrecen actividades para toda la familia.

Para Navidad se consiguen lindos pesebres o nacimientos con figuras de cerámica o de madera tallada y adornos de vidrio soplado para el árbol de Navidad. También se consiguen decoraciones de Papá Noel de acero, hierro u hojalata para adornar el jardín.

En las ferias se encuentran toda clase de regalos, incluyendo dulces y chocolates típicos envueltos en lindo papel de regalo con motivos navideños.

Asistir a la feria de artesanías es un buen programa para pasar un domingo en familia. Para los niños, hay puestos de juegos y globos para reventar, y puestos de cuentacuentos donde les cuentan chistes, mitos, leyendas y las fábulas con las mejores moralejas.

---

1 Una fiesta sorpresa

Los amigos y familiares de Susana le hacen una fiesta sorpresa para su cumpleaños. Escuche la serie de oraciones incompletas e indique la terminación correcta.

1. bulla / banda
2. ¡Salud, dinero y amor! / ¡Felicitaciones!
3. cumplía / contaba
4. bailó / besó
5. pavo / pastel
6. los globos / los huevos
7. brindis / chiste

---

2 Sin cambiar el significado

Elija la palabra del recuadro que pueda reemplazar la palabra en negrilla en cada oración, sin cambiar su significado.

torta	refranes	nacimiento	bulla	adornos	villancicos	se conmemora

1. El Domingo de Pascua **se celebra** la resurrección Jesús.
2. Durante la Misa de Gallo se acostumbra cantar **canciones de Navidad**.
3. No pude oír tu brindis de Año Nuevo por la cantidad de **ruido** que había.
4. En nuestra casa ponemos un lindo **pesebre** de madera junto al árbol de Navidad.
5. Los **proverbios**, al igual que las fábulas, generalmente tienen una moraleja.
6. La ciudad se llena de luces y **decoraciones** en Navidad.
7. Pedí un deseo antes de apagar las velitas de mi **pastel** de cumpleaños. Espero que se cumpla.

3 Dos por una

En la columna I se dan dos oraciones por cada una de las celebraciones de la columna II. Empareje las celebraciones con sus actividades según corresponda.

I
Actividades

1. Se toca el himno nacional.
2. Se dan dulces en forma de conejo.
3. Se hacen desfiles de carrozas.
4. Se tocan "Las mañanitas".
5. Se hacen ceremonias y se saluda la bandera.
6. Se abren los regalos que trae el Niño Dios.
7. Se hacen decoraciones en forma de calaveras.
8. Se soplan velas mientras se piensa en un deseo.
9. Se abraza y se besa a los demás y se les desea felicidad.
10. Se tiñen huevos de colores.
11. Se hace un altar en honor de los seres queridos.
12. Se asiste a la Misa de Gallo y se cantan villancicos.
13. Se hace un brindis al repicar de las doce de la noche y se prenden fuegos artificiales.
14. Se presentan comparsas y personas en disfraces sofisticados.

II
Celebraciones

A. el Año Nuevo
B. el Carnaval
C. el cumpleaños
D. el Día de la Independencia
E. el Día de los Muertos
F. la Navidad
G. la Semana Santa

Hermosas mujeres desfilan en carrozas en el Carnaval de Barranquilla.

4 Locura de Carnaval

Aunque no es tan grande como Mardi Gras en Nueva Orleans ni tan lujoso como el Carnaval de Río de Janeiro, los colombianos creen que su Carnaval de Barranquilla es el mejor carnaval del mundo. Complete la lectura con la palabra del recuadro que corresponda según el contexto.

celebrar	fiesta	honrar	disfraces	regionales
carrozas	bandas	plumas	sin igual	festividades

Las __(1)__ son un elemento fundamental de la cultura colombiana. No hay semana sin una __(2)__ religiosa, ni mes sin un día cívico para __(3)__ a algún héroe de la independencia. Los colombianos viven para __(4)__ , y el mejor momento para hacerlo es la temporada de Carnaval, la máxima celebración del calendario colombiano. Esta fiesta folclórica __(5)__ atrae todos los años a más de un millón de personas, entre locales y visitantes, que se entregan de lleno a celebrar y a disfrutar de toda una serie de eventos y actividades: __(6)__ musicales, bailes __(7)__ y, sobretodo, desfiles de gente con absurdos __(8)__ y reinas luciendo tocados de __(9)__ y de luces en llamativas __(10)__ . El carnaval de Barranquilla es algo planeado y espontáneo a la vez. Es una celebración de las raíces y la identidad de un pueblo. Es el mejor carnaval del mundo.

5 **¿Uvas o maletas?** 👥 **Interpersonal /Presentational Communication**

El Año Nuevo es una fecha de festejo casi universal, tanto así que su celebración se pasa por televisión en países del mundo entero. Sin embargo, aunque el motivo de la celebración es el mismo, las actividades que se hacen para celebrar varían de acuerdo a la región, las tradiciones y las supersticiones de la gente. ¿Cuáles son las actividades más emocionantes, las más divertidas, y hasta las más ridículas, inesperadas o inexplicables que la gente realiza con la esperanza de tener buena suerte en el nuevo año? Con un(a) compañero/a intercambien la información u opiniones que tengan al respecto, como se ve en el modelo. Luego, hagan una lista de las actividades más sobresalientes y, para finalizar, compartan su lista con sus compañeros/as de clase.

MODELO **A:** Yo tengo una amiga de España que se come doce uvas al repicar de las doce de la noche. Me contó que era una costumbre que había heredado de sus abuelos y que, supuestamente, traía buena suerte en el año venidero. Y tú, ¿qué costumbres conoces?

B: Bueno... No sé del mundo hispano, pero mi abuela siempre espera el toque de las doce con una maleta en la mano. Según dice, eso asegura que el nuevo año le traiga posibilidades de viajar y conocer otros lugares y a otra gente.

6 **Diferencias y similitudes** 👥 **Interpersonal/Presentational Communication**

Trabajen en grupos de tres o cuatro estudiantes para hacer una presentación sobre las fiestas tradicionales del mundo hispano en comparación con las de su país o región. Primero, elijan una festividad del mundo hispano que también se celebre donde Uds. viven e intercambien ideas al respecto, teniendo en cuenta los temas que se dan y otros de su creación. Si es necesario, busquen información adicional en la internet. Indiquen diferencias y similitudes entre las dos celebraciones, como se ve en el modelo, y túrnense para hacer sus presentaciones enfrente del resto de la clase.

MODELO La Navidad es una celebración que tiene siglos de tradición popular y religiosa. Se celebra el 25 de diciembre, pero en los países hispanos la mayor parte de la celebración ocurre la noche del 24, llamada la Nochebuena.

- Nombre y razón de la celebración
- Fecha y lugar donde se celebra
- Historia y tradición
- Actividades típicas
- Entretenimiento
- Diferencias
- Similitudes
- ...

Mi ciudad se llena de luces y decoraciones en Navidad.

Gramática

Los usos del infinitivo

Las construcciones con el infinitivo se usan con algunas palabras, preposiciones y expresiones y pueden desempeñar diferentes funciones en la oración.

- El infinitivo puede funcionar como el sujeto de la oración, en cuyo caso, el uso del artículo definido es optativo.

  (El) **llevar** un regalo a los anfitriones se considera de buen gusto.

  En una fiesta, **poner** música alegre hace que el ambiente sea divertido.

- También puede funcionar como complemento de la oración o como predicado de la oración después del verbo **ser**.

  Nos piden **colaborar** con un plato cada uno para la fiesta.

  Lo que más queremos los seres humanos **es lograr** la felicidad.

- Cuando no hay cambio de sujeto, funciona como complemento de un verbo.

  Me **encantaría viajar** por todo el mundo y me **gustaría aprender** varios idiomas.

- En oraciones que no tienen cambio de sujeto, se puede usar el infinitivo después de una preposición o frase preposicional. Tenga en cuenta que en inglés se suele usar el gerundio en esos casos: *after eating, before shopping*.

  Antes de irse de parranda, durmieron una buena siesta.

  No descansarán **hasta**[1] **terminar** de **preparar** todos los canapés.

  Sin atender ni a ruegos ni a súplicas, decidió abandonar sus estudios.

- También se usa el infinitivo después de verbos de percepción (**escuchar**, **mirar**, **oír**, **sentir**, **ver**, etc.). En estos casos, suele haber otro agente para la acción indicada por el infinitivo y se requiere el pronombre del complemento directo.

  Una y otra vez, su público **los ha oído tocar** su famosa salsa brava.

  Fue después del tercer cuento que **la vimos sonreír** tímidamente.

[1] Cuando la cláusula adverbial se refiere a una acción pendiente — generalmente en futuro o en imperativo—, se usa la conjunción **hasta que** y el **subjuntivo**: No se detendrán **hasta que** lleguen a la cima de la montaña. (Vea la página 275 de la Unidad 7).

Antes de soplar las velas, abuelita pidió un deseo.

El infinitivo también se usa:

- Después de las expresiones impersonales (**es difícil**, **es necesario** y otras) y después de ciertos verbos de voluntad o influencia (**aconsejar**, **dejar**, **hacer**, **invitar**, **mandar**, **(im)pedir**, **obligar a**, **ordenar**, **permitir**, **prohibir**). Generalmente, esta construcción requiere el pronombre del complemento indirecto.

  > **Nos urge conseguir** donaciones para hacer la fiesta de Navidad en el ancianato.

  > Mi madre **no me permitía estar** fuera de casa después de las 12 de la noche.

- Para expresar obligación personal se usa **tener que** + **infinitivo** (*to have to*) o **haber de** + **infinitivo** (*should, to be supposed to*).

  > **Tenéis que recoger** a los abuelos y **habéis de comprar** el postre también.

  > Uds. **han de** hacer la ensalada y yo **tengo que** meter el pavo al horno.

- Para expresar obligación impersonal se usa **haber que** + **infinitivo** (*one must… /it is necessary*).

  > Explicaron que para meditar **había que relajarse** y despejar la mente.

  > Siempre **hay que tener cuidado** al manejar cuando hay nieve.

- En expresiones temporales como equivalente de **en el momento de** (*upon + -ing*) se usa **al** + **infinitivo**.

  > **Al terminar de envolver** los regalos, los pusimos debajo del arbolito de Navidad.

  > Cuando dieron las doce, se pusieron emotivos **al recordar** a los que no estaban.

- Como equivalente de las oraciones **si** + **indicativo** o **si** + **subjuntivo** se usa **de** + **infinitivo**.

  > Viajaremos a Colombia en Pascua, **de conseguir** pasajes. (…si conseguimos pasajes).

  > **De poder hacerlo**, llevaría regalos para todos en Navidad. (Si pudiera hacerlo…).

- Como equivalente del imperativo en anuncios impersonales.

  > Prohibido **pisar** el césped. (No pise…)

  > No **fumar** en el avión. (No fume…)

Al repicar de las campanas a la medianoche, mis amigos y yo celebramos el Año Nuevo.

7 La mañana de Navidad

Era la mañana de Navidad y los niños se levantaron a ver qué les había traído Papá Noel. Ellos pegaban brincos de emoción, ansiosos por abrir los regalos que había debajo del arbolito. Modifique las oraciones para incorporar infinitivos y cambie cualquier otra cosa que haga falta, según el modelo.

Veíamos a los niños reír de alegría.

MODELO Era la mañana de Navidad y yo oía que los niños se reían de alegría.

Era la mañana de Navidad y yo los oía reír de alegría.

1. En la víspera, fue indispensable que yo tranquilizara a los niños para que se fueran a dormir.
2. La mañana de Navidad, nosotros oímos que los niños se habían levantado.
3. De pronto, escuchamos que bajaban corriendo.
4. En el momento que entraron, vimos que los chicos saltaban de la emoción.
5. Papá les ordenó que desayunaran antes de abrir los regalos.
6. Cuando vimos sus caritas tristes, dejamos que abrieran uno antes del desayuno.
7. La comprensión con los chiquillos es necesaria.
8. Si nos sentimos como niños, recordaremos el gran gozo de la Navidad.

8 Los funerales de la mamá grande

Hace unos días, se murió la abuelita de Gabriel. Cambie el subjuntivo por el infinitivo para saber qué pasó en el funeral.

MODELO Fue indispensable que consiguieran pasajes enseguida.

(Les) fue indispensable conseguir pasajes enseguida.

1. La tía Juana permitió que el primo Roberto escribiera el homenaje para la abuelita.
2. Los tíos no permitieron que los niños vieran a la abuelita difunta.
3. La etiqueta demanda que se vistieran de colores oscuros.
4. Fue necesario que se pidieran muchas flores para el funeral.
5. Los tíos aconsejaron que todos comieran algo antes de que fueran al cementerio.
6. Era difícil que los familiares no lloraran de dolor ante el féretro.
7. La mamá de Gabriel le pidió al coro que cantara el himno favorito de la abuelita.
8. Cuando escucharon el homenaje, fue inevitable que manifestaran su tristeza.

9 *Yipaos* en la Fiesta del Café en Colombia

La Fiesta Nacional del Café en Colombia tiene como simpático protagonista al *yipao*. Lea sobre la historia del *yipao* y conteste las preguntas. Al leer, fíjese en el uso del infinitivo.

Desde 1960, **celebrar** la Fiesta del Café es un evento anual lleno de colorido y alegría. Entre sus protagonistas, hay que **destacar** al *yipao*. La palabra *yipao* surge de **adaptar** al español la pronunciación de la palabra *jeep*. Los *jeep* Willys llegaron en 1946 para **sustituir** a los animales de carga. Por eso, llegaron a **convertirse** en emblemas del eje cafetero al **ser** usados para **transportar** de todo, desde personas y enseres hasta el muy importante café. De allí, pasaron a **figurar** en la Fiesta del Café como un gran espectáculo, a partir de 1988. **Picar** y **girar** los *yipaos* con las ruedas en el aire es una de las proezas de sus orgullosos dueños. **Montarse** sobre la carrocería y **hacer** piruetas es otra de sus hazañas. ¡Realmente es algo digno de **verse**!

Hacer gala de una gran versatilidad es típico de los yipaos.

1. ¿Alguna vez ha visto a un *jeep* hacer piruetas? Si no lo ha visto, ¿le gustaría verlo? ¿Por qué?

2. ¿Qué opina sobre usar vehículos en lugar de mulas? Como medida para favorecer el ambiente, ¿cuál le parece mejor? Como medida para proteger a los animales, ¿qué otra alternativa puede sugerir?

¡Comunicación!

10 ¡La pasamos muy bien! 👥 Interpersonal Communication

Piense en la última fiesta familiar que celebraron Ud. y su familia y, luego, intercambie anécdotas con un(a) compañero/a. Túrnense para hacer preguntas y responderlas teniendo en cuenta la siguiente información.

- La ocasión que estaban celebrando
- La fecha y el lugar de la celebración
- El número de invitados y quiénes eran
- Los platos que se sirvieron
- Actividades que realizaron para celebrar

Al terminar la fiesta, mis tías regresaron a Medellín.

Gramática

Usos de *por* y *para*

Usos de *por*

La preposición **por** se usa...

- para expresar motivo o razón (*out of, because of*)

  Me gusta leer **por** amor al arte, no **por** obligación.
  En Colombia hay muchos días festivos **por** motivos religiosos.

- para expresar lugar o tiempo impreciso (*around*)

  Por estos tiempos, hay muchas festividades.
  ¿Dónde queda un restaurante **por** aquí cerca?

- para expresar **a través** o **a lo largo de** (*through, along, by*)

  Viajábamos **por** las carreteras menos conocidas.
  Llegamos a la casa de Manolo **por** la ruta de la selva.

- con el significado de **durante** para indicar períodos de tiempo (*in, during, for*)

  Me han gustado los idiomas **por** muchos años.
  Por toda la Navidad, hay alumbrados especiales en Medellín.

- para introducir el agente de la voz pasiva (*by*[1])

  El fútbol es celebrado como una fiesta **por** los fanáticos.
  Las leyendas fueron transmitidas **por** los antepasados.

- para indicar el medio o el modo de una acción (*by*)

  Mis tíos viajaron **por** barco en un crucero por el Caribe.
  Los chicos hablaron tres horas **por** video **por** la internet.

- con el significado de **a cambio de** (*for*)

  Arturo cambió sus videojuegos **por** una guitarra eléctrica.
  La fiesta de quinceañera salió **por** quinientos mil pesos.

- con el significado de **en busca de** con los verbos **ir**, **venir**, **volver**, **regresar**, **enviar**, **mandar** (*for*)

  Los primos fueron **por** los canapés para la fiesta.
  Cuando se acabó, enviaron a los chicos **por** hielo.
  Mandaron **por** flores para adornar el salón de fiesta.

- con el significado de **por amor a**, **en consideración de** (*on behalf of, for the sake of*)

  No fuimos a la fiesta **por** acompañar a nuestro padre enfermo.
  ¡**Por** amor de Dios! Te pido que me comprendas.

- con expresiones de cantidad (*per, by*)

  Los trenes de alta velocidad alcanzan más de 200 km **por** hora.
  La receta lleva cuatro huevos **por** libra de harina.

- con el infinitivo, para expresar una acción pendiente, no terminada

  Todavía hay mucho **por** hacer.
  Son las siete y aún quedan **por** preparar los tentempiés.

[1] Para el estudio de la voz pasiva, vea la Unidad 8, página 337.

Modismos con *por*

por fin (*finally*)

¡**Por fin** llegaron los invitados!, una hora tarde.

por lo general/común (*in general*)

Por lo general, ponemos música suave con la cena.

por esto/eso; **por lo tanto** (*therefore*)

Está lloviendo, **por lo tanto**, no iremos al festival.

por supuesto (*of course*)	**Por supuesto** que en el festival habrá música.
por más/mucho que (*however much*)	**Por mucho que** quiera, no podré ir al baile esta noche.
por poco (*almost*)	¡**Por poco** pasamos de largo! No vimos bien la dirección.
por otra parte (*on the other hand*)	¡Se nos hizo tarde! **Por otra parte**, no queda muy lejos.
tomar por (*to take for*)	Como es muy alta, la **toman por** alguien mayor de lo que es.
por lo menos (*at least*)	Aunque no vimos todo, **por lo menos** vimos lo mejor.

Usos de *para*

La preposición **para** se usa...

• con el infinitivo para expresar propósito (*in order to*)	Hicieron un agasajo **para** celebrar su nombramiento. Él le cantó una serenata **para** expresarle su amor.
• para indicar el destino de cosas o acciones (*for*)	Van **para** Cartagena **para** pasar las vacaciones. Prepararé una torta **para** la verbena.
• para indicar el uso o la conveniencia de algo (*for*)	Compramos una cafetera **para** preparar cappuccino. Harán una piñata **para** los niños.
• para marcar un límite de tiempo (*by, for*)	**Para** fines de mes, estará todo listo para el festival. Habrá que tener listos los canapés **para** las cinco de la tarde.
• para expresar una comparación o falta de correspondencia con algo o alguien (*for, considering*)	Mi abuelita es muy lúcida **para** alguien de su edad. **Para** los tiempos que corren, hay que ser muy sereno.
• en sustitución de **según**, **en la opinión de** (*for*)	La paz es un tema muy importante **para** todo el mundo. **Para** la ONU, las metas del milenio son prioritarias.

Modismos con *para*

para siempre (*forever*)	García Márquez se consagró como autor **para siempre**.
no ser para tanto (*not to be so important*)	¡Quédate tranquilo! El problema **no es para tanto**.
no estar para bromas (*not to be in the mood for joking*)	Mejor dejen a papá en paz; se ve que **no está para bromas**.

11 La piñata de Panchito

Panchito va a cumplir cinco años el próximo sábado y la familia Rodríguez Pérez está preparando alegremente una gran fiesta con piñata. Complete las siguientes oraciones con **por** o **para**.

1. Los primos Pérez llegarán el sábado ____ la tarde ____ celebrar el cumpleaños de Panchito.

2. Panchito es muy alto ____ su edad y, a veces, lo toman ____ un niño de ocho años, pero apenas es un chiquillo.

3. Los tíos Alejandro e Isabel viajarán ____ avión ____ asistir a la fiesta.

4. ____ lo tanto, Papá conversó con la tía Isabel ____ teléfono.

Hay una gran piñata para el cumpleaños de Panchito.

5. Le avisó que iríamos ____ ellos al aeropuerto, el sábado ____ la mañana.

6. ____ la fiesta de cumpleaños, mamá compró una divertida piñata del Chapulín Colorado.

7. Hemos rellenado la piñata con juguetes y golosinas ____ que los chicos se diviertan.

8. Queda pendiente ir ____ la torta del Chapulín que se encargó a la pastelería. Es un poco cara, a unos veinte mil pesos ____ kilo.

9. ____ mañana en la mañana, debemos tener todos los preparativos listos.

10. Queremos que la fiesta sea inolvidable y que Panchito la recuerde ____ siempre.

11. ____ amor a Panchito, vienen muchos familiares y sus amigos de la escuela ____ compartir con él.

12. ____ nosotros, las celebraciones familiares son muy importantes.

12 Navidad, Navidad, dulce Navidad...

Use un elemento de cada columna para formar oraciones lógicas con **por** o **para**.

MODELO   Todos viajamos a casa de la abuelita Teresa en Navidad **para** reunirnos en familia.

1. Algunos primos volaron desde Nueva York...
2. Se compró un bello pino...
3. Colgamos muérdago (*mistletoe*)...
4. Vinieron por tierra, mar y aire...
5. La comida fue preparada...
6. Pusimos los regalos debajo del pino...
7. Preparamos un ponche crema...
8. Los niños estaban emocionados...
9. Algunos se quedaron...
10. Nos encantan las reuniones familiares...

A. seguir la tradición familiar.
B. poder compartir con todos.
C. pasar más días juntos.
D. celebrar las fiestas juntos.
E. hacer otra cosa divertida.
F. llegar a tiempo para las fiestas.
G. petición de lo que les gusta.
H. todos los que quisieron ayudar.
I. esperar la llegada del Niño Dios.
J. divertirse colgando adornos.

13 Cómo llegaron los gitanos a Colombia

Lea el siguiente párrafo sobre la historia de los gitanos. Sustituya las palabras entre paréntesis por las preposiciones **por** o **para**, según el contexto.

Se cree que los gitanos salieron de la India y se dispersaron (**1.** *a lo largo de*) toda Europa. (**2.** *hacia*) fines del siglo XVI, muchos de ellos recorrían los pueblos europeos, especialmente de España y el sur de Francia. La gente les tenía miedo (**3.** *a causa de*) su manera exótica de vivir. (**4.** *durante*) las noches adivinaban la suerte (*would tell fortunes*), tocaban música y bailaban. (**5.** *en la opinión de*) mucha gente, su historia se resume en la vida nómada, la adivinación y el rebusque, aunque nadie puede negar que (**6.** *debido a*) sus aires enigmáticos se han tejido misteriosas leyendas.

Los gitanos conservan su lengua, su manera de vestir y sus celebraciones para preservar su cultura.

Los gitanos llevan menos de cien años viviendo en Colombia. Provienen de Rusia y Egipto, y parece que llegaron (**7.** *con el propósito de*) quedarse. Han echado raíces en tierra colombiana y (**8.** *a causa de*) eso han cambiado sus viviendas temporales (**9.** *a cambio de*) casas de madera y ladrillo. Conservan su lengua, su antigua manera de vestir y sus celebraciones. (**10.** *en consideración de*) sus tradiciones patriarcales, la mujer soltera debe estar en casa (**11.** *antes de*) las cinco de la tarde.

14 Una fiesta inolvidable

Jacobo dio tremenda fiesta. Complete las oraciones con expresiones que usen **por** o **para** de manera original para crear su propia versión de qué ocurrió en la fiesta.

1. Jacobo planeó la fiesta...
2. Varios llegaron...
3. Todos estaban muy alegres...
4. Había varios regalos...
5. Los canapés fueron preparados...
6. Como había piscina, los invitados cambiaron la ropa...
7. Hubo distintos juegos y actividades...
8. Al amanecer, todos se fueron...

¡Comunicación!

15 Recuerdos de una celebración   Presentational Communication

Recuerde una fiesta o celebración a la que Ud. haya asistido o que haya dado. Describa lo que sucedió en un breve párrafo, incluyendo las expresiones del recuadro y, luego, comparta su párrafo con el resto de la clase.

por fin	por eso	por lo general
por lo menos	por poco	por más/mucho que

? Pregunta clave

¿Qué aspectos de la cultura de un país se reflejan en sus fiestas y tradiciones?

El carnaval y la cumbia 🎧

En la ciudad portuaria de Barranquilla, ubicada al norte de Colombia, se celebra todos los años (a fines de febrero o principios de marzo) una de las fiestas folclóricas y culturales más importantes del país: el Carnaval de Barranquilla. Música, bailes, disfraces y carrozas[1] llenan de color y alegría las calles.

Su historia se remonta[2] al siglo XIX, pero su origen tiene raíces más profundas en la mezcla de tres culturas: la tradición española y portuguesa de celebrar los carnavales, los ritmos africanos traídos por los negros esclavizados y la herencia indígena.

Desfile de carrozas en el Carnaval de Barranquilla

Fruto de este sincretismo[3] cultural que se dio en la época de la conquista y la colonia, surgió en Colombia una de las danzas típicas del país en general y del Carnaval de Barranquilla en particular: la cumbia. En esta danza, se mezclan elementos de las tres tradiciones. Entre sus instrumentos están los tambores de origen africano, el guache (una especie de maraca) y los pitos (flautas y gaitas) de origen indígena. Los cantos y coplas[4] provienen de la poética española, aunque con el tiempo se han transformado bastante. El baile en sí mismo contiene movimientos sensuales, galantes y seductores característicos de las danzas africanas. Los trajes típicos tienen claros rasgos españoles: faldas largas, encajes[5], lentejuelas[6], candongas[7] y tocados[8] de flores y maquillaje intenso en las mujeres; camisa y pantalón blancos, pañolón rojo anudado al cuello y sombrero en los hombres.

Más de un millón de personas, entre visitantes y locales, participan de este popular carnaval en Barranquilla que, por su importancia y legado cultural, ha sido declarado Obra Maestra del Patrimonio Oral e Intangible de la Humanidad por la UNESCO en 2003. Desde entonces, ha crecido exponencialmente la cantidad de "hacedores" del carnaval (músicos, grupos de baile, confeccionistas de trajes) y la actividad comercial que lo rodea (venta de comidas, bebidas, artesanías, servicios de hotelería).

[1] floats   [2] dates back   [3] fusion   [4] popular songs   [5] lace   [6] sequin
[7] Colombian word for earrings   [8] headdress

🔍 **Búsqueda:** **carnaval de barranquilla, danzas colombianas, cumbia**

Productos 🎧

El Carnaval de Barranquilla se destaca por las artesanías que le dan colorido y elegancia a la fiesta. Para la ocasión, se crean vestidos, máscaras, disfraces, instrumentos musicales, adornos, sombreros, etc. Los artesanos provenientes de diferentes municipios se reúnen en ferias o puestos ambulantes y la venta de sus productos contribuye en gran medida a la dinámica comercial de la fiesta.

Las máscaras son una tradición del carnaval.

16 Comprensión

1. ¿Cuáles son las raíces del Carnaval de Barranquilla?

2. ¿Qué elementos de la cumbia muestran el sincretismo de tres culturas?

3. Además de su importancia cultural, ¿cuál es la importancia comercial de un evento tan popular como el Carnaval de Barranquilla?

17 Analice

1. ¿Cómo cree Ud. que influye en el Carnaval de Barranquilla haber sido declarado Patrimonio de la Humanidad por la UNESCO?

2. ¿Qué evento de su cultura se celebra con música, bailes o desfiles que reflejen una mezcla de tradiciones?

La Leyenda Vallenata 🎧

El Festival de la Leyenda Vallenata es un evento muy popular en el que el protagonista indiscutido es el "vallenato", género musical originario de Colombia. El festival se realiza en abril desde 1968 en Valledupar en el noreste del país y allí se difunden[1] y promocionan los ritmos o "aires" del vallenato: el paseo, el merengue, el son y la puya.

18 Comprensión

1. ¿Qué se promociona en el Festival de la Leyenda Vallenata?

2. ¿Qué son los "piloneros"?

3. ¿Por qué se puede decir que la Leyenda del Milagro se relaciona con la historia de Colombia?

19 Analice

1. ¿Qué importancia cree Ud. que tiene la televisación de eventos culturales como el Festival de la Leyenda Vallenata?

2. ¿Cree Ud. que este tipo de celebraciones y festivales son realmente útiles a la hora de expresar y preservar las tradiciones culturales de un país?

En el Festival de la Leyenda Vallenata, se difunden y promocionan los ritmos del vallenato.

Además de los conciertos y concursos musicales, donde se elige el Rey Vallenato, uno de los momentos más tradicionales del festival son los desfiles de los "piloneros". Se trata de bailarines que participan de una danza en la cual usan como parte de su coreografía un pilón o mortero[2] para pisar el maíz o el arroz. Esta danza está inspirada en las labores tradicionales del hogar.

Otra de las propuestas interesantes del festival son las obras de teatro callejero[3] en las que se representa la famosa Leyenda del Milagro. Esta leyenda data de 1576 y cuenta la conversión de los grupos indígenas chimilas, tupes y cariachiles a la religión católica en la época de la colonia. En el relato se describen los crueles enfrentamientos[4] entre los ejércitos españoles y los indígenas, que finalmente deciden convertirse después de ver el poder de Dios manifestado a través de la resurrección de los combatientes de ambos bandos.

El Festival de la Leyenda Vallenata de 1999 marcó sin lugar a duda un hito[5] en su historia ya que por primera vez fue transmitido por televisión a nivel nacional e internacional.

[1] become known   [2] kitchen mortar   [3] street theater   [4] confrontations   [5] milestone

🔍 **Búsqueda:** festival de la leyenda vallenata, rey vallenato, baile del pilón

Perspectivas

"[…] el folclor vallenato hoy en día es la bandera colombiana de la cultura en el exterior, así que para mí ganar este certamen es de gran satisfacción, que me compromete a trabajar de la mejor forma posible y haré todo lo que esté a mi alcance para seguir aportando un granito de arena en cuanto al fortalecimiento y la salvaguarda del vallenato tradicional", sostiene Mauricio de Santis, el Rey Vallenato de la edición 2015 del Festival de la Leyenda Vallenata. Según de Santis, ¿por qué hay que salvaguardar el vallenato?

Todos los años se elige un Rey Vallenato en el festival.

Noviembre es pura fiesta en Cartagena

Cartagena se llena de gente, colores y alegría durante las Fiestas de Independencia.

Cartagena de Indias, uno de los puertos más importantes de América durante la época colonial, se declaró independiente de España el 11 de noviembre de 1811. El aniversario de este importante acontecimiento histórico se festeja con gran pompa a lo largo de varias jornadas cada noviembre. Desde 1934, para esas fechas se realiza también el Concurso Nacional de Belleza de Colombia, que congrega[1] a locales y visitantes en torno a la belleza de la mujer colombiana.

Durante las fiestas novembrinas, la ciudad amurallada se colma[2] de colombianos y extranjeros atraídos por eventos para todos los gustos. Se realizan conciertos en todas las plazas, donde se puede disfrutar de los distintos ritmos colombianos. Hay también desfiles cívico-militares en homenaje a los héroes de la independencia. En el Desfile Folclórico participan decenas de grupos con carrozas[3] y disfraces junto a las candidatas al reinado y múltiples artistas. Uno de los eventos más esperados es el Cabildo de Getsemaní, una gran fiesta con desfiles y comparsas[4] en las calles del tradicional barrio de Getsemaní. Los vecinos se preparan durante meses para este espectáculo.

El broche de oro[5] del mes entero es la coronación de la reina. El concurso no solo premia la belleza y el carisma, ya que en la Señorita Colombia se reconocen los valores de toda la nación representados en su personalidad integral. Por tanto, las reinas deben reflejar un sentido de responsabilidad social que les permita involucrarse en causas y actividades sociales para colaborar con su país.

[1] brings together   [2] is inundated   [3] floats   [4] group of people that participates in a parade
[5] crowning glory

Búsqueda: fiestas de independencia de cartagena, cabildo de getsemaní, concurso nacional de belleza de colombia, desfile de balleneras

20 Comprensión

1. ¿Qué se conmemora durante las fiestas que se realizan en el mes de noviembre en la ciudad de Cartagena?

2. ¿Qué actividades se realizan en la ciudad durante las fiestas?

3. ¿En qué consiste el Desfile de Balleneras?

21 Analice

1. ¿Cómo cree Ud. que las festividades que convocan a tanto público pueden beneficiar a una ciudad?

2. ¿Qué opinión tiene Ud. de los concursos de belleza como Señorita Colombia?

Prácticas

Una de las actividades más concurridas del Concurso Nacional de Belleza es el Desfile de Balleneras, durante el cual las aspirantes al título de Señorita Colombia se pasean en bote por la Bahía de Cartagena. Los pobladores pueden ver de cerca a las candidatas sin tener que pagar por una entrada. Ellas se presentan en traje de baño y tienen la oportunidad de saludar al pueblo y enamorarlo con su belleza y su carisma. Por su parte, los cartageneros admiran a las mujeres más hermosas del país y demuestran sus preferencias. Juntos hacen de la tarde una verdadera fiesta costera.

Vocabulario 2

Comparación y contraste: ¡Ojo con estas palabras!

En español, estas palabras tienen distintos significados y connotaciones. Preste atención, pues su uso depende del contexto.

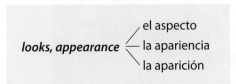

looks, appearance
- el aspecto
- la apariencia
- la aparición

el aspecto   *features, looks*
Ese plato tiene un **aspecto** delicioso.

la apariencia   *outward appearance, looks*
La **apariencia** personal da una primera impresión.

la aparición   *appearance, presence, apparition*
La **aparición** de los trapecistas en el escenario ocurrió como por arte de magia.

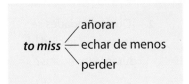

to miss
- añorar
- echar de menos
- perder

añorar   *to long for*
A veces, uno **añora** momentos del pasado.

echar de menos (extrañar)   *to miss (a person or thing), to feel a lack of*
Es normal **echar de menos** a las personas ausentes.

perder   *to miss (a bus or an event), to lose*
No me **pierdo** ni un solo libro de ese autor.

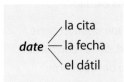

date
- la cita
- la fecha
- el dátil

la cita   *date, appointment*
Los abogados tienen una **cita** a las 11 con el cliente.

la fecha   *date (day, month, year)*
Hay **fechas** que marcan acontecimientos especiales.

el dátil   *date (fruit)*
En Oriente Medio se consiguen **dátiles** frescos.

*¡Qué buena **apariencia** tenemos juntos! ¿No te parece, mi amor?*

*Sí, mi vida. Además, todo tiene un **aspecto** hermoso hoy.*

*Esta **cita** fue una gran idea para nuestro aniversario.*

*Sí, ¿verdad? Mmm, y estos **dátiles** están deliciosos.*

22 A ver ¿cómo dijiste?

Complete las oraciones con la palabra entre paréntesis que corresponda según el contexto.

1. Martha tenía una (*cita / fecha*) con el fisioterapeuta, pero (*perdió / extrañó*) la agenda y se le olvidó.

2. Hijo mío, te (*perdemos / echamos de menos*). Esperamos que regreses pronto.

3. Con (*la aparición / el aspecto*) de los elefantes en la arena del circo, los niños se animaron mucho.

4. Debido a la mezcla genética, los colombianos tienen (*una aparición / un aspecto*) físico que varía mucho.

5. (*los dátiles / las fechas*) del jardín de mi tía son deliciosos.

¡Comunicación!

23 Proverbios   Interpersonal Communication

Los proverbios son una expresión de la sabiduría popular. Detrás de cada refrán suele haber una filosofía más o menos profunda. En la literatura Sancho Panza, el compañero de don Quijote de la Mancha, es famoso por sus proverbios, un reflejo de su actitud práctica hacia la vida. Los refranes son una parte esencial de nuestro idioma. Con un(a) compañero/a, túrnense para explicar el significado de los siguientes refranes e identificar su equivalente en inglés.

A caballo regalado no se le mira el diente.

- A caballo regalado no se le mira el diente.
- Cada loco con su tema.
- Más vale tarde que nunca.
- Camarón que se duerme se lo lleva la corriente.
- Cuando el río suena, piedras lleva.

- De tal palo, tal astilla.
- Dime con quién andas y te diré quién eres.
- No hay mal que por bien no venga.
- Más vale pájaro en mano que cien volando.
- Más sabe el diablo por viejo que por diablo.

24 El arte de hacer regalos   Interpersonal /Presentational Communication

Regalar puede ser divertido y bonito. Sin embargo, para muchas personas es un invento comercial que aligera (*lighten*) el bolsillo y quita tiempo. También puede significar un gasto de horas para buscar algo elusivo que no se logra encontrar. Complete el cuestionario. Luego, compare sus respuestas con las de un(a) compañero/a de clase y comenten sus conclusiones con el resto de la clase.

Cuestionario	Sí	No	Depende
1. **Mediante los regalos se usa un lenguaje mudo (*silent*) para expresar sentimientos de...**			
A. amor.			
B. amistad.			
C. aprecio.			
D. gratitud.			
E. respeto.			
2. **Los comerciantes se inventaron los regalos para que gastemos dinero.**			
3. **Obsequiar un bono de regalo de una tienda es más práctico.**			
4. **Dar lo que a uno le gustaría recibir es el mejor regalo.**			
5. **Si la persona es rica, hay que darle un regalo caro.**			
6. **No es acertado regalar ropa.**			
7. **Los ejecutivos mandan a su secretario/a a comprar los regalos.**			
8. **Si uno hace el regalo en lugar de comprarlo, tiene más significado.**			
9. **Hay que hacerle un regalo al jefe o a la jefa.**			
10. **Es aceptable regalar a otra persona algo que le hayan dado a Ud.**			

¡Comunicación!

25 La Semana Santa en Estados Unidos   Interpersonal Communication

Imagine que un estudiante extranjero desea saber cómo se celebra la Semana Santa en Estados Unidos. Represente la conversación con un(a) compañero/a, teniendo en cuenta la siguiente información.

- Tradiciones religiosas
- Tradiciones familiares
- Actividades para niños
- El conejo de Pascua
- El comercio de chocolates y caramelos
- ¿...?

¡Oh! ¡Los huevitos que dejó el conejito de Pascua!

26 El Domingo de Ramos   Interpretive/Interpersonal Communication

Lea esta información sobre la Semana Santa y diga si las oraciones que siguen son verdaderas o falsas. Luego, hable con un(a) compañero/a sobre las tradiciones del Domingo de Ramos en su ciudad o país y en sus respectivas familias. ¿Son muy diferentes las tradiciones en distintas regiones de Estados Unidos?

Celebración tradicional del Domingo de Ramos

El Domingo de Ramos da inicio a la Semana Santa en la tradición iberoamericana. Es una fiesta religiosa que conmemora la entrada triunfal de Jesús de Nazaret a Jerusalén, en medio de una multitud que lo aclamaba como el Hijo de Dios. Por eso, se celebra con una alegre procesión en la que los fieles (*believer, faithful*) llevan ramos en la mano como recuerdo de ese glorioso día.

Algunos montan borriquillas o mulas. En España, las tradicionales cofradías llevan algunas de las escenas pascuales en hombros. Las cofradías son hermandades piadosas de orígenes medievales que visten una capucha, capirote o capuz (*hood*), una túnica y una capa del color de su orden.

Antes de la procesión, se bendicen ramas de olivo, palmera o laurel. En Latinoamérica, hay un sincretismo con las tradiciones indígenas en las que se recolectan ramas de diversa índole, según el país. Por ejemplo, en Perú llevan "chamizo", una retama seca, y en otros países llevan palmas, u hojas de palmera, verde.

¡Las distintas procesiones del Domingo de Ramos dan un bello comienzo a la llamada Semana Mayor!

1. El Domingo de Ramos finaliza la Semana Mayor en la tradición iberoamericana.
2. La procesión celebra la entrada triunfal de Jesús a Jerusalén.
3. Todos los fieles llevan ramos y visten los colores de su cofradía.
4. Las cofradías son los hermanos de los fieles.
5. Entre los ramos que se llevan, hay hojas de palmera verde, olivo, laurel y chamizo.

Gramática

Usos de algunas preposiciones comunes

Usos

Bajo se usa...

- para indicar una posición inferior con respecto a algo (*under, below*)

- en sentido figurado, para indicar dependencia o subordinación (*under*)

Desde se usa...

- para indicar un punto de partida en el espacio (*from*)

- para indicar un punto de partida en el tiempo (*since*)

Entre se usa...

- para indicar una posición intermedia espacial, temporal o figurada (*between, among*)

Hasta se usa...

- para marcar el término de lugar y tiempo (*until, up to, as far as*)

- para expresar inclusión con el sentido de **aun**, **incluso** (*even*)

Sin se usa...

- para indicar algo que falta (*without*)

- con el infinitivo para indicar algo que no sucedió (inglés: *without + -ing*)

- con el infinitivo para expresar acciones no terminadas (inglés: *un- + past participle*)

Sobre se usa...

- para indicar que algo está **encima de** una superficie o en una posición más alta (*on, upon*)

- con el significado de **acerca de**, para indicar el tema de algo (*on, about*)

Ejemplos

Hay muchos huevos de Pascua **bajo** los árboles.
La temperatura de la nevera es de cinco grados **bajo** cero.

Habrá un cese al fuego **bajo** las siguientes condiciones.
Bajo nuevas reglas del juego, se busca firmar la paz.

Los gitanos salieron **desde** la India sin rumbo fijo.
El crucero sale **desde** Cartagena y va por el Caribe.

Trabajamos **desde** las 7:30 AM **hasta** las 5:30 PM
(**hasta** indica el final o término).

La romería empieza **entre** las 6:00 PM y las 6:30 PM.
Hay algo eléctrico **entre** tú y yo.

Los niños creen en los cuentos **hasta** la pubertad.
Caminaron **hasta** el centro de la ciudad.

Hasta los abuelitos han aprendido a usar la internet.
En esta era, **hasta** los más chicos usan la tecnología.

Se dieron cuenta de que se habían quedado **sin** hielo.

Ellos se miraron **sin** mediar palabra.
Entraron a la fiesta **sin** saludar.

El vino se quedó **sin destapar**.
Sin avergonzarse, empezó a cantar otra vez suavemente.

Mariposas amarillas volaban **sobre** Mauricio Babilonia.
Por favor, pon el libro **sobre** la mesa.

Estaba leyendo un artículo **sobre** García Márquez.
Hay una conferencia **sobre** las fiestas iberoamericanas.

Los pronombres usados como objeto de la preposición

Pronombres como objeto de preposición			
yo	mí	nosotros/as	nosotros/as
tú	ti	vosotros/as	vosotros/as
él, ella, Ud.	él, ella, Ud.	ellos/as, Uds.	ellos/as, Uds.

- Después de las preposiciones **entre**, **excepto**, **hasta**, **incluso**, **menos**, **salvo** y **según**, use los pronombres personales.

  Me gustaría que este secreto quedara **entre tú** y **yo**.

  Todos vinieron, **hasta ella** que tenía que estudiar.

- Con las demás preposiciones, use **mí** y **ti** para **yo** y **tú**, la primera y segunda persona del singular.

  La organización de la fiesta cayó **sobre ti**.

  Diles que no lo hagan **sin mí**.

- **Con** se combina con los pronombres **mí**, **ti** y **si** para formar **conmigo**, **contigo** y **consigo**.

  —¿Te gustaría ir **conmigo** al carnaval?

  —Me encantaría ir **contigo**. No querría perderme una fiesta que trae **consigo** tanta celebración.

Un poco más

Estas son otras preposiciones y frases preposicionales comunes.

acerca de	*about*
al lado de	*beside*
arriba de	*above*
cerca de	*near*
debajo de	*beneath*
delante de	*in front of*
dentro de	*within, inside of*
detrás de	*in back of, behind*
encima de	*on top of, above*
en lugar de	*in place of*
en vez de	*instead of*
excepto (menos, salvo)	*except*
frente a	*in front of, opposite, across from*
fuera de	*outside of*
hacia	*toward*
incluso	*including*
junto	*next to*
lejos de	*far from*
según	*according to*

El conejo de chocolate está colocado entre todos los dulces.

27 ¡Listos o no, allá voy!

Hoy es la fiesta de cumpleaños de Claudia. Sus amigos vinieron y ahora están jugando a las escondidas, o al escondite (*hide-and-seek*). Diga dónde está ubicado cada niño usando las preposiciones correspondientes, como se ve en el modelo.

MODELO   Claudia está parada **hacia** un lado de la planta.

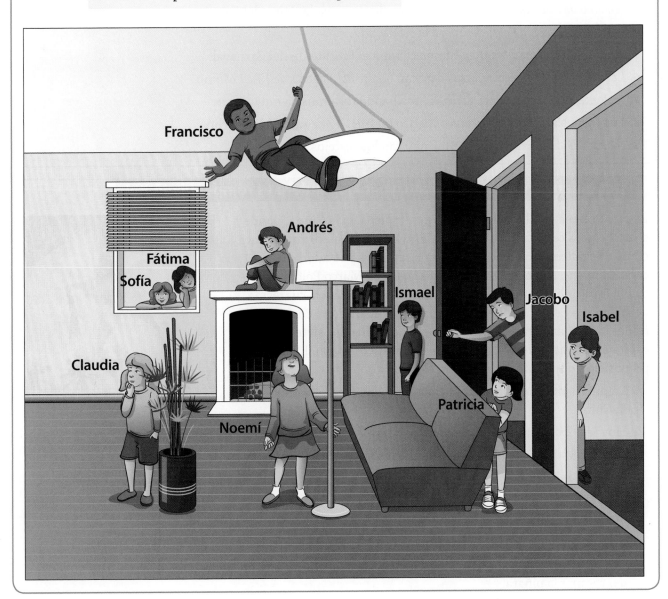

28 El desfile de Carnaval

Es Carnaval y la familia Sánchez está viendo el desfile de carrozas. Elija la preposición que corresponda según el contexto.

1. Las comparsas se organizan (*detrás de / antes de*) arrancar el desfile.

2. La familia ve pasar el desfile de carrozas (*desde arriba / desde encima*), en su balcón.

3. (*encima de / debajo de*) una carroza llena de flores va la Reina del Carnaval.

4. (*detrás de / debajo de*) la Reina va el Rey Momo.

5. (*encima del / al lado del*) Rey Momo camina el Presidente del Carnaval.

6. Las carrozas de las comparsas desfilan (*abajo del / detrás del*) Rey Momo.

7. (*delante de / frente a*) las carrozas, una banda toca música muy alegre.

8. Los fuegos artificiales darán comienzo (*detrás de / después de*) las ocho.

9. (*hasta / hacia*) la medianoche terminarán los festejos del día.

29 ¡No quiero oro, ni quiero plata, yo lo que quiero es romper la piñata!

La piñata tiene una larga tradición, que empieza en la China, donde se usaba para celebrar el Año Nuevo. Entonces, tenían forma de vaca o buey, se rellenaban con cinco tipos de semillas, y se adornaban con símbolos y colores para una buena cosecha. Marco Polo llevó la tradición a Italia, donde se adaptó a las festividades de la cuaresma, y de allí pasó a España. Los españoles la llevaron al Nuevo Mundo; los frailes las hacían con siete picos, que simbolizaban los siete pecados capitales. Eventualmente, perdieron el sentido religioso. Elija la preposición que corresponda según el contexto.

Una piñata estrella

1. La piñata tiene una larga tradición que viene (*desde / hasta*) la China.

2. Hoy (*en / por*) día, son un elemento central (*con / de*) la Navidad y los cumpleaños.

3. (*en / sobre*) los mercados lucen sus alegres formas y colores.

4. Antes se rellenaban (*de / en*) semillas y ahora se rellenan (*con / sin*) dulces, cacahuates, frutas y juguetes.

5. Jugar (*con / por*) la piñata es un divertido juego (*por / para*) toda la familia.

6. Primero, se elige (*a / por*) una persona (*entre / sobre*) los invitados a la fiesta.

7. Los primeros turnos se dan (*a / ante*) los más pequeños (*para / por*) que tengan la oportunidad (*en / de*) romper la piñata.

8. (*para / por*) que no puedan ver la piñata, les tapan los ojos (*con / sin*) un pañuelo (*de / desde*) tela opaca.

9. Entonces, se los toma (*de / en*) la mano y se les da vueltas (*por / para*) desorientarlos.

10. El participante trata (*a / de*) golpear la piñata (*hasta / desde*) que acaba su turno.

11. (*por / para*) fin, cuando alguien logra romper la piñata, el relleno cae (*debajo de / encima de*) todos, (*por / entre*) risas y gritos de alegría.

12. (*sin / con*) prisa, todos corren (*para / sobre*) agarrar los dulces y los juguetes.

¡Comunicación!

30 El ayer y el ahora... 👥 Interpersonal Communication

Con un(a) compañero/a, observen y describan los detalles de esta escena usando las preposiciones del recuadro. Luego, túrnense para responder las preguntas que se dan a continuación.

bajo	de	sin	para	con	hasta

- ¿Se ve esta escena en las típicas fiestas infantiles de hoy en día? ¿En qué se parece y en qué se diferencia?

- ¿Cuál puede ser el evento o acontecimiento que están celebrando?

- ¿Con qué se rellena una piñata de cumpleaños en la actualidad?

Lectura informativa

Antes de leer 🎧

1. ¿Cuáles son sus festividades favoritas?
2. ¿Qué tradiciones conoce que se hayan perdido con el tiempo?

Estrategia

Comparar y contrastar

Identificar las semejanzas y diferencias que presentan las prácticas, los sucesos o las personas que se describen en un texto lo ayudará a comprenderlo mejor.

31 Comprensión

1. ¿En qué se parecen *Halloween* y el Día de los Angelitos?
2. ¿En qué se diferencian las dos celebraciones?
3. ¿Cuál es el origen del Día de los Angelitos?
4. ¿En qué consistía la tradición del Día de los Angelitos en el Caribe?

32 Analice

¿Cómo cree Ud. que influye la globalización y el avance de los medios de comunicación en la llegada de celebraciones extranjeras a otras culturas?

○○○   ¿Triqui triqui enfrentado…

VIERNES 26 DE JUNIO   CONTÁCTENOS | OBITUARIOS | OFERTAS H | CLASIFICADOS | SUSCRIPCIONES

H | ELHERALDO.CO   `BUSCAR`

HOME   LOCAL   REGIÓN   DEPORTES   TENDENCIAS   ENTRETENIMIENTO   JUDICIAL   NOTICIAS   MULTIMEDIA   OPINIÓN   REVISTAS   USUARIOS

¿Triqui triqui enfrentado a los angelitos? 🎧
Por Melissa Zuleta Bandera

La fiesta de las 'brujitas', a pesar de no ser propia, tiene gran acogida en la ciudad. La celebración tradicional de 'angelitos' aún vive y lucha por imponerse.

El final de octubre y el principio de noviembre traen consigo dos celebraciones distintas en origen pero similares en ejecución: tanto en Halloween (o Día de las Brujitas) como en el Día de los Angelitos, los niños salen a pedir dulces de casa en casa mientras entonan cánticos[1].

Mientras el *Halloween* viene de la fiesta celta *All Hallows' Eve* (víspera de todos los santos), la otra surge de la fiesta española de Todos los Santos. La diferencia es que en la primera tanto niños como adultos se disfrazan[2]. En la segunda, arraigada en Barranquilla, el sentido es más religioso. Y en esta ciudad ambas dan su pelea por demostrar su prevalencia.

Desde Europa. El Día de los Angelitos, celebrado en algunas ciudades del Caribe colombiano, es una fiesta cristiana heredada de los españoles.

Nanet Mercado, miembro de la comisión de la Pastoral Infantil de la Arquidiócesis de Barranquilla, explica que en la comunidad española de Extremadura se celebraba una fiesta llamada Chaquetía el Día de Todos los Santos (primero de noviembre) como preámbulo al Día de Todos los Difuntos, que consistía en que los niños salían a pedir aguinaldos[3] como premio adelantado por tocar las campanas en memoria de los fallecidos el 2 de noviembre. "Es una fiesta netamente[4] católica", cuenta Mercado.

La tradición en la región Caribe constaba de niños saliendo en la mañana a pedir dulces, caña de azúcar y panela[5] entre familiares y vecinos. Algunas veces recogían ingredientes para hacer una merienda, un almuerzo o un sancocho[6] al aire libre ese mismo día. […]

Lo propio versus lo ajeno. Desde hace doce años, la Pastoral Infantil viene trabajando para recuperar la tradición del Día de los Angelitos. […]

[1] chant   [2] wear costumes   [3] gifts   [4] purely   [5] brown sugar loaf   [6] stew

Desde el punto de vista de la Iglesia Católica, la tradición se ha ido perdiendo ante el auge del Día de las Brujitas. "Es fácil que la gente se deje deslumbrar, sobre todo en los sectores populares, que era donde más se celebraba. *Halloween* llega por las clases sociales altas que tenían la posibilidad de viajar y traer costumbres de otros países. En los clubes para estas fechas se daban fiestas llenas de colorido, disfraces, máscaras y vestidos pomposos, y poco a poco se fue metiendo en los sectores populares", sopesa Mercado. Considera que disfrazarse y pedir dulces "no está del todo mal", pero que "es mejor" celebrar lo tradicional.

Jair Vega, sociólogo y docente[7] de la Universidad del Norte, considera que la proliferación de esta fiesta extranjera "hace parte de la comunicación global que va a la par de la expansión de los mercados, hace parte de ese proceso mediante el cual todas las celebraciones se van asociando al consumo".

"Recibimos mucha influencia de la forma como se vive en Estados Unidos, a través del cine, la televisión y muchos elementos, lo cual hace que ese tipo de referentes se vayan convirtiendo también en referentes locales".

Es ahí donde, para él, está el problema: "Esto debe verse más allá de un asunto meramente moral, de que *Halloween* sea 'diabólico' o que Día de los Angelitos sea 'religioso'. Es un asunto que tiene más que ver con la identidad de lo propio y lo foráneo[8], porque siempre habrá influencias, pero también hay que ver hasta qué punto las influencias las resumimos, las procesamos y las readecuamos a nuestro contexto o en qué medida esos referentes externos reemplazan nuestros propios referentes. Entre más referentes propios perdemos nosotros, más estamos al vaivén[9] de lo externo y perdemos autonomía", sostiene el docente.

Comercio y educación. Otras posturas no son tan radicales. Según un experto, los gastos de los colombianos relativos al día de las "brujitas" mueven la economía. [...]

Otros aprovechan la coyuntura[10]. Aurora de Guete, rectora[11] del Colegio Real – Royal School, explica que a cada festividad le sacan algo positivo para que los niños aprendan.

"Es un aprendizaje. Es volverte alguien más, caracterizar su voz, explicar a los otros por qué lo escogiste. Facilitar que los niños hagan caracterizaciones en este día es aprendizaje y diversión", detalla Guete, quien sostiene que desde la institución no están ni de acuerdo ni en desacuerdo con la celebración, sino que apoyan "todo lo que sea un aprendizaje a través de la diversión". Por eso mismo, abren un espacio similar para el Día de los Angelitos. [...]

---

[7] professor   [8] foreign   [9] we are exposed   [10] circumstances   [11] principal

Q Búsqueda: *halloween* en colombia, día de las brujitas, día de los angelitos

33 Comprensión

1. ¿Cómo llegó *Halloween* a Colombia?

2. ¿Qué explicación le encuentra Jair Vega a la difusión de *Halloween*?

3. ¿Por qué para Jair Vega el reemplazo de una tradición local por una extranjera es un problema?

4. Según Aurora de Guete, ¿qué aspecto positivo tienen las festividades?

34 Analice

¿Por qué cree Ud. que *Halloween* se convirtió en una celebración popular en otras culturas? ¿Qué aspectos de la celebración cree Ud. que resultan más atractivos para los extranjeros?

Una carta persuasiva

El propósito de una carta persuasiva es presentar a una persona, a una organización o al público en general (cuando se envía a un periódico o una revista) el propio punto de vista sobre algún tema controvertido.

Las cartas persuasivas, además de presentar las características de las cartas formales (que puede consultar en la Unidad 3), cuentan con características similares a las del ensayo persuasivo.

• El punto de vista o la postura de quien la escribe debe presentarse claramente al principio.

• Debe incluir argumentos para fundamentar el punto de vista, en forma de evidencia, explicaciones o ejemplos.

• Al final de la carta, se debe incluir una conclusión en la que se resuma el punto de vista.

¡Comunicación!

35 Decisiones antipáticas Presentational Communication

Imagínese que Ud. vive en Barranquilla, Valledupar o Cartagena y que el alcalde de la ciudad que elija ha decidido suspender las celebraciones populares por un año por razones económicas. Escriba una carta persuasiva al alcalde en la que explique la importancia de realizar la celebración de todas maneras. Antes de comenzar a escribir, organice sus ideas en el siguiente gráfico, colocando el punto de vista en el círculo superior y las razones que lo apoyen en los círculos inferiores.

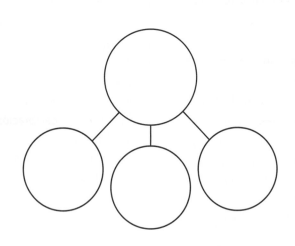

Los trajes tradicionales dan un toque de elegancia a las celebraciones colombianas.

¡Comunicación!

36 De fiesta en Colombia 🎧 Interpretive Communication

Escuche la entrevista a un joven colombiano que habla sobre las celebraciones de su país. Luego, diga a qué celebración corresponde cada una de las siguientes actividades.

Actividades	Carnavales de negros y blancos	Navidad
1. Todos cenan en casa de los padres o los abuelos.		
2. Se realiza en honor a los españoles.		
3. Se realiza en honor a los esclavos.		
4. Se celebra con mucho calor humano.		
5. Se utilizan cosméticos para pintarse la cara.		
6. Se celebra en familia.		
7. Se cantan villancicos.		
8. Hay un desfile de artesanos.		

37 ¡Ud. también participa! Presentational Communication

Imagine que un amigo colombiano lo ha invitado a pasar las vacaciones en su casa y que su estadía en Colombia coincide con una de las dos fiestas que se mencionan en el audio de la actividad anterior. Escriba una publicación en una red social en la que relate su experiencia.

38 Fiestas de aquí y de allá Presentational Communication

Piense en un festival, un desfile o una celebración que se realice en la región donde vive o de donde proviene y compárelo/a con una o más de las celebraciones colombianas sobre las que ha leído. ¿Tienen alguna característica en común? ¿Cuáles son las diferencias más notables? Escriba un párrafo en el que compare y contraste las celebraciones.

Mejore su comprensión 🎧

Familiarizarse con este vocabulario le ayudará a leer "Un señor muy viejo con unas alas enormes" más adelante, y a mejorar su comprensión auditiva.

alboroto *s.m.* Ruido, conmoción.

anegado/a *adj.* Inundado de agua u otro líquido.

caritativo/a *adj.* Generoso, compasivo.

codiciar *v.* Desear con fuerza algo.

criterio *s.m.* Capacidad para comprender algo y formar una opinión.

decrépito/a *adj.* Persona de edad avanzada cuyas facultades físicas y mentales han disminuido.

desbaratar *v.* Deshacer o arruinar algo.

despectivo/a *adj.* Que expresa desprecio y arrogancia.

despotricar *v.* Criticar algo sin consideración.

displicente *adj.* Que expresa indiferencia y falta de interés.

encallar *v.* Quedar inmovilizada una embarcación en piedras o en la arena.

escarmiento *s.m.* Enseñanza que se saca de una experiencia negativa para evitar repetirla.

exasperado/a *adj.* Irritado al punto de perder la paciencia.

fuera de quicio *exp.* Sin control de sí mismo.

incauto/a *adj.* Crédulo, inocente.

ingenuidad *s.f.* Sinceridad, inocencia o ausencia de malicia.

intemperie *s.f.* Al aire libre, sin ningún techo o protección.

juicio *s.m.* Facultad que permite discernir y valorar.

magnánimo/a *adj.* Noble, generoso.

náufrago *s.m.* Persona que viajaba en un barco que se ha hundido.

peregrino *s.m.* Que viaja a un lugar sagrado o va por tierras remotas.

podrido/a *adj.* Algo descompuesto o alterado.

prudencia *s.f.* Capacidad de reflexión y uso de precaución para evitar problemas.

quebrantar *v.* Dañar o destrozar algo.

senil *adj.* Característica de los ancianos y la vejez.

tumulto *s.m.* Bulla o desorden producido por una multitud.

veredicto *s.m.* Decisión de un jurado en un tribunal.

Muchos peregrinos hacen el recorrido del Camino de Santiago en España.

39 Sinónimos

Empareje cada palabra con su sinónimo.

Palabras	Sinónimos
1. decrépito	A. juicio
2. exasperado	B. ingenuo
3. alboroto	C. senil
4. veredicto	D. desbaratar
5. incauto	E. displicente
6. despectivo	F. tumulto
7. magnánimo	G. caritativo
8. quebrantar	H. fuera de quicio

40 Según el contexto

Complete las siguientes oraciones con la palabra entre paréntesis que corresponda según el contexto.

1. Las tierras quedaron (*anegadas / podridas*) después de la tormenta tropical.

2. Confío en la sentencia del juez. Sé que será (*decrépito / magnánimo*) en su decisión.

3. El anciano se pasaba el día (*desbaratando / despotricando*) sobre los inventos modernos.

4. Esperaban que el castigo del prisionero les sirviera de (*alboroto / escarmiento*) a los demás.

5. Tal era su (*ingenuidad / prudencia*) que no se daba cuenta que no le convenía lograr lo que codiciaba.

6. Los (*náufragos / peregrinos*) estuvieron muchos días a la intemperie después de que encalló su embarcación.

41 El secreto de la viña 🎧

Escuche el relato "El secreto de la viña". Luego, Ud. oirá la primera parte de una oración y tres terminaciones posibles. Seleccione la letra de la respuesta con la terminación más lógica. La oración y las terminaciones se leerán dos veces.

1. **A.** … llamó a sus hijos.
   B. … fue llamado por sus hijos.
   C. … no quería hablar con sus hijos.

2. **A.** … que él tenía muchas deudas.
   B. … que él iba a morir muy pronto.
   C. … que en la viña había un tesoro de gran valor.

3. **A.** … que era necesario cavar mucho para encontrar el tesoro.
   B. … que él no había podido encontrar el tesoro.
   C. … que los hijos tenían que enterrar un tesoro.

4. **A.** … encontraron mucho dinero enterrado.
   B. … cavaron durante mucho tiempo sin encontrar el tesoro.
   C. … comieron mucha fruta de la viña.

5. **A.** … que el tesoro de la viña era el trabajo.
   B. … que la viña ese año no daría frutos.
   C. … que no había un tesoro en la viña.

Gramática

Los diminutivos y los aumentativos

En español, se usan frecuentemente los diminutivos y los aumentativos, especialmente en el habla cotidiana. Para formarlos, se usan sufijos, terminaciones para dar a las palabras un significado específico.

Los diminutivos		
Sufijos	**Expresan...**	**Ejemplos**
-ito, -ita[1]	• pequeñez, menor intensidad, aprecio, cariño (son los más usados)	Mi sobrin**ito** tiene dos añ**itos**.
-cito, -cita[2]		A la Virgen**cita** de Chiquinquirá también le dicen la Chin**ita** por cariño.
-uelo, -uela	• juventud, pequeñez o pureza; también menosprecio	Las moz**uelas** usaban pañoleta y chal.
		La tachaban de mujerz**uela**.
-illo, -illa	• juventud, pequeñez o afecto; también menosprecio o conmiseración	Son unos chiqu**illos** muy simpáticos.
-cillo, -cilla		Era un jefe**cillo** de una tribu menor.
		Pobre**cilla** ella, ¡cómo sufría!

Los aumentativos		
Sufijos	**Expresan...**	**Ejemplos**
-ón, -ona	• tamaño grande o apariencia llamativa; también menosprecio o disgusto	Es un bebé precioso y cachet**ón**.
		Es muy guapa, ¡todo un mujer**ón**!
		¡Qué hombret**ón** tan desagradable!
-ote, -ota	• gran tamaño, intensidad o poder; también menosprecio o desestimación	Abría esa boc**ota** desmedidamente.
-azo, -aza		Me encanta trabajar con él. ¡Es todo un jef**azo**!
-aco, -aca		El pobre patito era un bicharr**aco** feo y torpe.
-uco, -uca	• menosprecio o desestimación (muy despectivo); aprecio o conmiseración	Se asomaba desde un ventan**uco** oscuro.
-ucho, -ucha		Era una muchachita larguir**ucha** y apocada.

[1] En Latinoamérica, muchos adjetivos o adverbios toman la forma diminutiva: **grande** → **grandecito**, **ahora** → **ahorita**.

[2] No hay reglas fijas para usar **-ito** o **-cito**. Sin embargo, se tiende a usar **-ito** con palabras terminadas en **a** y **o**: tostad**ita**, pajar**ito**; y se tiende a usar **-cito** con palabras terminadas en las vocales **e**, **i**, o las consonantes **n** o **r**: cafe**cito**, aji**cito**, vagon**cito**, calor**cito**.

42 Halloween, fiesta de espíritus

Halloween es una fiesta muy antigua. Se creía que los espíritus deambulaban (*wandered*) libremente al finalizar el otoño, en la víspera del invierno. Por eso, se hacían lámparas para alejar espíritus malignos, y se ofrendaba comida y bebida. También había juegos y adivinanzas. Las personas se disfrazaban para engañar a los espíritus, imitándolos; iban de casa en casa pidiendo comida y haciendo travesuras si no les daban nada. Use sufijos diminutivos para cambiar las palabras en negrita. *¡Trick or treat!*

1. Cuando era un **chico**, disfrutaba *Halloween* con mis **primos**.

2. Poníamos **calabazas** a la entrada de casa.

3. Nos poníamos disfraces y **máscaras**.

4. Algunos iban de piratas, algunas **niñas** de hadas.

5. Íbamos de puerta en puerta con nuestras **bolsas**.

6. Cantábamos una **canción** al abrirse cada puerta.

7. Queríamos que nos dieran **juguetes** o **golosinas**.

8. Si no nos daban nada, hacíamos un **truco**.

9. Corríamos entre **risas** y algarabía.

10. A medianoche, caíamos rendidos como **ángeles**.

43 Pajarraco o pajarito

Javier y Juan son gemelos, pero tienen temperamentos muy diferentes. Javier es pesimista y a veces sarcástico. Use el aumentativo que corresponda a las palabras en negrita.

Mis **vecinos** son **antipáticos**. No soporto las **palabras** que sueltan a cada rato esos **señores** de al lado. La **gran casa** donde habitan no se ve acogedora y nunca saludan. Encima, tienen un **perro grande** y una gata **fea** que es **flaca**.

En cambio, Juan es un optimista. Use el diminutivo que corresponda.

Estuvimos en un **pueblo** muy **cerca** de un lindo **lago**. Por las mañanas, los **pájaros** cantaban sus melodiosas **canciones**, mientras las dulces **viejas** ordeñaban las vacas y las **chicas** recogían **flores**.

44 Cancionero musical

Muchas canciones latinoamericanas están llenas de diminutivos. ¿Conoce Ud. alguna de las siguientes canciones? Escriba los diminutivos y diga de qué palabra proviene cada una. Recuerde que, en Latinoamérica, muchos adjetivos y adverbios toman la forma diminutiva, como **chico/a → chiquito/a**, **ahora → ahorita**.

Cielito lindo

¡Ay, ay, ay, ay!

Canta y no llores,

porque cantando

se alegran, cielito lindo,

los corazones.

Muñequita linda

Muñequita linda

de cabellos de oro,

de dientes de perla,

labios de rubí.

Dime si me quieres

como yo te quiero,

si de mí te acuerdas

como yo de ti.

La casita

¿Que de dónde, amigo, vengo?

De una casita que tengo

más abajo del trigal.

De una casita chiquita

para la mujer bonita

que me quiera acompañar.

Un señor muy viejo con unas alas enormes
de *Gabriel García Márquez*

Gabriel García Márquez

Sobre el autor

Gabriel García Márquez nació en Aracataca, Colombia, en 1927. Estudió en Bogotá y trabajó como periodista en varias publicaciones de su país, aunque vivió también en Europa, Venezuela, Nueva York y México. Publicó su novela más aclamada, *Cien años de soledad*, en 1967 y se convirtió en referente del realismo mágico, un estilo característico que seguirían otros autores hispanoamericanos y en el cual se tratan hechos o personajes sobrenaturales o fantásticos con naturalidad, como si fueran parte de la realidad. En 1982 se le concedió el Premio Nobel de Literatura. Una de las eminencias más internacionales de la literatura hispanoamericana, García Márquez publicó su autobiografía *Vivir para contarla* en 2002. Falleció el 17 de abril de 2014 en la Ciudad de México.

Antes de leer

El título de este cuento, "Un señor muy viejo con unas alas enormes", ya nos sitúa en el ambiente del realismo mágico, no por la referencia al "señor viejo", algo común, sino por la mención de las "alas enormes", un elemento de fantasía típico de los cuentos infantiles. ¿Qué tipo de personaje le sugiere este título y qué elementos mágicos o fantásticos cree que Ud. que lo caracterizan?

Estrategia

La hipérbole

La hipérbole es una figura literaria que consiste en presentar la realidad de forma exagerada para producir un efecto más conmovedor. La hipérbole describe situaciones que no se dan en la práctica pero que ayudan a enfatizar los sucesos o acontecimientos que el escritor quiere grabar en la mente del lector. Saber interpretar este recurso literario le ayudará a distinguir lo real de lo irreal y a comprender el mensaje del autor, que no siempre está explícito en el texto.

45 Practique la estrategia

A medida que lea, identifique tres ejemplos de hipérbole y escríbalos en una hoja aparte. Subraye lo irreal de la situación y dé su interpretación. Diga lo que quería comunicar o resaltar el autor con la exageración, como se ve a continuación.

Ejemplos de hipérboles	Interpretación
"...siendo casi una niña se había escapado de la casa de sus padres para ir a un baile, y cuando regresaba por el bosque después de haber bailado toda la noche sin permiso, un trueno pavoroso abrió el cielo en dos mitades, y por aquella grieta salió el relámpago de azufre que la convirtió en araña."	Que un rayo (elemento que acompaña al relámpago) le caiga a una persona es poco común, pero es posible. Que le caiga a una persona y la convierta en araña es imposible, pero la idea de que eso le pueda suceder a alguien como castigo por desobeder a sus padres es tan terrible que definitivamente serviría de escarmiento a los demás. Quizá este sea el mensaje que quería comunicar el autor: "No hay que desobedecer a los padres".

Un señor muy viejo con unas alas enormes
de *Gabriel García Márquez*

Al tercer día de lluvia habían matado tantos cangrejos dentro de la casa, que Pelayo tuvo que atravesar su patio anegado para tirarlos al mar, pues el niño recién nacido había pasado la noche con calenturas[1] y se pensaba que era causa de la pestilencia. El mundo estaba triste desde el martes. El cielo y el mar eran una misma cosa de ceniza, y las arenas de la playa, que en marzo fulguraban[2] como polvo de lumbre, se habían convertido en un caldo de lodo[3] y mariscos podridos. La luz era tan mansa[4] al mediodía, que cuando Pelayo regresaba a la casa después de haber tirado los cangrejos, le costó trabajo ver qué era lo que se movía y se quejaba en el fondo del patio. Tuvo que acercarse mucho para descubrir que era un hombre viejo, que estaba tumbado boca abajo en el lodazal[5], y a pesar de sus grandes esfuerzos no podía levantarse, porque se lo impedían sus enormes alas.

Asustado por aquella pesadilla[6], Pelayo corrió en busca de Elisenda, su mujer, [...] Ambos observaron el cuerpo caído con un callado estupor[7]. Estaba vestido como un trapero[8]. Le quedaban apenas unas hilachas descoloridas en el cráneo pelado y muy pocos dientes en la boca, y su lastimosa condición de bisabuelo ensopado[9] lo había desprovisto de toda grandeza. Sus alas de gallinazo grande, sucias y medio desplumadas, estaban encalladas para siempre en el lodazal. Tanto lo observaron, y con tanta atención, que Pelayo y Elisenda se sobrepusieron[10] muy pronto del asombro y acabaron por encontrarlo familiar. Entonces se atrevieron a hablarle, y él les contestó en un dialecto incomprensible pero con una buena voz de navegante. Fue así como pasaron por alto el inconveniente de las alas, y concluyeron con muy buen juicio que era un náufrago solitario de alguna nave extranjera abatida[11] por el temporal. Sin embargo, llamaron para que lo viera a una vecina que sabía todas las cosas de la vida y la muerte, y a ella le bastó con una mirada para sacarlos del error. —Es un ángel —les dijo—. Seguro que venía por el niño, pero el pobre está tan viejo que lo ha tumbado[12] la lluvia.

[...] Contra el criterio de la vecina sabia, para quien los ángeles de estos tiempos eran sobrevivientes[13] fugitivos de una conspiración celestial, no habían tenido corazón para matarlo a palos. Pelayo estuvo vigilándolo toda la tarde desde la cocina, armado con un garrote de alguacil[14], y antes de acostarse lo sacó a rastras[15] del lodazal y lo encerró con las gallinas en el gallinero alumbrado. [...] Poco después el niño despertó sin fiebre y con deseos de comer. Entonces se sintieron magnánimos y decidieron poner al ángel en una balsa con agua dulce y provisiones para tres días, y abandonarlo a su suerte en alta mar. Pero cuando salieron al patio con las primeras luces, encontraron a todo el vecindario[16] frente al gallinero, retozando con el ángel sin la menor devoción y echándole cosas de comer por los huecos de las alambradas, como si no fuera una criatura sobrenatural sino un animal de circo.

[1] feverish   [2] glowed   [3] mud   [4] mild   [5] marsh   [6] nightmare   [7] silent astonishment
[8] ragman   [9] drenched   [10] recovered   [11] run aground   [12] knocked him down
[13] survivors   [14] truncheon   [15] dragged him out   [16] neighborhood

46 Comprensión

1. ¿Qué significa que "el mundo estaba triste"?

2. ¿Por qué el ángel parecía una pesadilla?

3. ¿Por qué había recomendado la vecina sabia que mataran al ángel a palos?

47 Analice

¿Qué demuestran las distintas reacciones frente al ángel? Analice los efectos de los prejuicios sobre las actitudes de las personas frente a personas o experiencias nuevas.

48 Comprensión

1. ¿Por qué desconfía el padre Gonzaga del carácter angelical del señor con alas?

2. ¿Cómo aprovechó Elisenda la situación?

3. ¿Por qué se demoraban las cartas de Roma?

49 Analice

Describa el estereotipo de ángel que todo el mundo esperaba y en qué se diferencia el señor con alas.

El padre Gonzaga llegó antes de las siete alarmado por la desproporción de la noticia. [...] [P]idió que le abrieran la puerta para examinar de cerca a aquel varón de lástima que más parecía una enorme gallina decrépita entre las gallinas absortas. Ajeno[17] a las impertinencias[18] del mundo, apenas si levantó sus ojos de anticuario y murmuró algo en su dialecto cuando el padre Gonzaga entró en el gallinero y le dio los buenos días en latín. El párroco tuvo la primera sospecha de impostura[19] al comprobar que no entendía la lengua de Dios ni sabía saludar a sus ministros. Luego observó que visto de cerca resultaba demasiado humano: tenía un insoportable olor de intemperie, el revés de las alas sembrado de algas parasitarias y las plumas mayores maltratadas por vientos terrestres [...] Entonces abandonó el gallinero, y con un breve sermón previno[20] a los curiosos contra los riesgos de la ingenuidad. Les recordó que el demonio tenía la mala costumbre de recurrir a artificios de carnaval para confundir a los incautos. Argumentó que si las alas no eran el elemento esencial para determinar las diferencias entre un gavilán[21] y un aeroplano, mucho menos podían serlo para reconocer a los ángeles. Sin embargo, prometió escribir una carta a su obispo, para que éste escribiera otra al Sumo Pontífice, de modo que el veredicto final viniera de los tribunales más altos.

Su prudencia cayó en corazones estériles. La noticia del ángel cautivo se divulgó[22] con tanta rapidez, que al cabo de pocas horas había en el patio un alboroto[23] de mercado, y tuvieron que llevar la tropa con bayonetas para espantar el tumulto que ya estaba a punto de tumbar la casa. Elisenda, con el espinazo[24] torcido de tanto barrer basura de feria, tuvo entonces la buena idea de tapiar el patio y cobrar cinco centavos por la entrada para ver al ángel.

Vinieron curiosos hasta de la Martinica. [...] Vinieron en busca de salud los enfermos más desdichados del Caribe: [...] En medio de aquel desorden de naufragio que hacía temblar la tierra, Pelayo y Elisenda estaban felices de cansancio, porque en menos de una semana atiborraron de plata los dormitorios, y todavía la fila de peregrinos que esperaban su turno para entrar llegaba hasta el otro lado del horizonte.

El ángel era el único que no participaba de su propio acontecimiento. [...] Su única virtud sobrenatural parecía ser la paciencia. [...] La única vez que consiguieron alterarlo fue cuando le abrasaron el costado con un hierro de marcar novillos, porque llevaba tantas horas de estar inmóvil que lo creyeron muerto. Despertó sobresaltado, despotricando en lengua hermética y con los ojos en lágrimas, y dio un par de aletazos que provocaron un remolino de estiércol de gallinero [...]

El padre Gonzaga se enfrentó a la frivolidad de la muchedumbre con fórmulas de inspiración doméstica, mientras le llegaba un juicio terminante[25] sobre la naturaleza del cautivo. Pero el correo de Roma había perdido la noción de la urgencia. El tiempo se les iba[26] en averiguar si el convicto tenía ombligo, si su dialecto tenía algo que ver con el arameo, si podía caber muchas veces en la punta de un alfiler, o si no sería simplemente un noruego con alas. Aquellas

[17] disregarding [18] insolence, impudence [19] deception [20] warned [21] hawk, falcon
[22] spread [23] commotion [24] spine [25] definitive [26] they wasted time

cartas de parsimonia habrían ido y venido hasta el fin de los siglos, si un acontecimiento providencial no hubiera puesto término a las tribulaciones del párroco.

Sucedió que por esos días, entre muchas otras atracciones de las ferias errantes del Caribe, llevaron al pueblo el espectáculo triste de la mujer que se había convertido en araña por desobedecer a sus padres. La entrada para verla no solo costaba menos que la entrada para ver al ángel, sino que permitían hacerle toda clase de preguntas sobre su absurda condición, y examinarla al derecho y al revés, de modo que nadie pusiera en duda la verdad del horror.

Era una tarántula espantosa del tamaño de un carnero y con la cabeza de una doncella triste. Pero lo más desgarrador[27] no era su figura de disparate[28], sino la sincera aflicción con que contaba los pormenores[29] de su desgracia: siendo casi una niña se había escapado de la casa de sus padres para ir a un baile, y cuando regresaba por el bosque después de haber bailado toda la noche sin permiso, un trueno pavoroso abrió el cielo en dos mitades, y por aquella grieta salió el relámpago de azufre que la convirtió en araña. Su único alimento eran las bolitas de carne molida que las almas caritativas quisieran echarle en la boca. Semejante espectáculo, cargado de tanta verdad humana y de tan temible escarmiento, tenía que derrotar sin proponérselo al de un ángel despectivo[30] que apenas si se dignaba mirar a los mortales. Además los escasos milagros que se le atribuían al ángel revelaban un cierto desorden mental, [...] Aquellos milagros de consolación que más bien parecían entretenimientos de burla, habían quebrantado ya la reputación del ángel cuando la mujer convertida en araña terminó de aniquilarla. Fue así como el padre Gonzaga se curó para siempre del insomnio, y el patio de Pelayo volvió a quedar tan solitario como en los tiempos en que llovió tres días y los cangrejos caminaban por los dormitorios.

Los dueños de la casa no tuvieron nada que lamentar. Con el dinero recaudado construyeron una mansión de dos plantas, con balcones y jardines, y con sardineles muy altos para que no se metieran los cangrejos del invierno, y con barras de hierro en las ventanas para que no se metieran los ángeles. Pelayo estableció además un criadero de conejos muy cerca del pueblo y renunció para siempre a su mal empleo de alguacil, y Elisenda se compró unas zapatillas satinadas de tacones altos y muchos vestidos de seda tornasol, de los que usaban las señoras más codiciadas en los domingos de aquellos tiempos. El gallinero fue lo único que no mereció atención. Si alguna vez lo lavaron con creolina y quemaron las lágrimas de mirra en su interior, no fue por hacerle honor al ángel, sino por conjurar la pestilencia de muladar[31] que ya andaba como un fantasma por todas partes y estaba volviendo vieja la casa nueva. Al principio, cuando el niño aprendió a caminar, se cuidaron de que no estuviera cerca del gallinero. Pero luego se fueron olvidando del temor y acostumbrándose a la peste, y antes de que el niño mudara[32] los dientes se había metido a jugar dentro del gallinero, cuyas alambradas podridas se caían

50 Comprensión

1. ¿Cómo se convirtió en araña la mujer tarántula? ¿Por qué fue castigada?

2. ¿Cómo cambió la vida de Elisenda y su familia?

51 Analice

Analice la diferencia entre la vida que lograron Elisenda y Pelayo, y cómo trataban al ángel. ¿Le parece justo? ¿Por qué?

---

[27] heartbreaking   [28] nonsensical   [29] particulars   [30] scornful   [31] dung heap   [32] lost

52 Comprensión

1. ¿Qué hacía el ángel que sacaba de quicio a Elisenda?

2. ¿Qué le pasó al ángel durante el invierno?

3. ¿Qué le pasó al ángel después del invierno?

53 Analice

Analice el desenlace del cuento. ¿Por qué el ángel nunca fue aceptado, a pesar de su naturaleza mística? ¿Qué conclusiones puede sacar sobre la naturaleza humana? ¿Cree que puede haber ángeles que pasan desapercibidos?

"Pelayo le echó encima una manta y le hizo la caridad de dejarlo dormir en el cobertizo..."

a pedazos. El ángel no fue menos displicente con él que con el resto de los mortales, pero soportaba las infamias[33] más ingeniosas con una mansedumbre[34] de perro sin ilusiones. Ambos contrajeron la varicela al mismo tiempo. El médico que atendió al niño no resistió la tentación de auscultar[35] al ángel, y encontró tantos soplos en el corazón y tantos ruidos en los riñones, que no le pareció posible que estuviera vivo. [...]

Cuando el niño fue a la escuela, hacía mucho tiempo que el sol y la lluvia habían desbaratado el gallinero. El ángel andaba arrastrándose por acá y por allá como un moribundo sin dueño. [...] Parecía estar en tantos lugares al mismo tiempo, que llegaron a pensar que se desdoblaba, que se repetía a sí mismo por toda la casa, y la exasperada Elisenda gritaba fuera de quicio[36] que era una desgracia vivir en aquel infierno lleno de ángeles. Apenas si podía comer, sus ojos de anticuario se le habían vuelto tan turbios que andaba tropezando con los horcones, y ya no le quedaban sino las cánulas peladas de las últimas plumas. Pelayo le echó encima una manta y le hizo la caridad de dejarlo dormir en el cobertizo, y solo entonces advirtieron que pasaba la noche con calenturas delirantes en trabalenguas de noruego viejo. Fue esa una de las pocas veces en que se alarmaron, porque pensaban que se iba a morir, y ni siquiera la vecina sabia había podido decirles qué se hacía con los ángeles muertos.

Sin embargo, no solo sobrevivió a su peor invierno, sino que pareció mejor con los primeros soles. Se quedó inmóvil muchos días en el rincón más apartado del patio, donde nadie lo viera, y a principios de diciembre empezaron a nacerle en las alas unas plumas grandes y duras, plumas de pajarraco viejo, que más bien parecían un nuevo percance de la decrepitud. [...] Una mañana, Elisenda estaba cortando rebanadas de cebolla para el almuerzo, cuando un viento que parecía de alta mar se metió en la cocina. Entonces se asomó por la ventana, y sorprendió al ángel en las primeras tentativas[37] del vuelo. Eran tan torpes, que abrió con las uñas un surco de arado en las hortalizas y estuvo a punto de desbaratar el cobertizo con aquellos aletazos indignos que resbalaban en la luz y no encontraban asidero en el aire. Pero logró ganar altura. Elisenda exhaló un suspiro de descanso, por ella y por él, cuando lo vio pasar por encima de las últimas casas, sustentándose de cualquier modo con un azaroso aleteo de buitre senil. Siguió viéndolo hasta cuando acabó de cortar la cebolla, y siguió viéndolo hasta cuando ya no era posible que lo pudiera ver, porque entonces ya no era un estorbo[38] en su vida, sino un punto imaginario en el horizonte del mar.

[33] wicked acts [34] docility [35] auscultate, examine [36] exasperated [37] attempts [38] nuisance

Para concluir

? Pregunta clave

¿Qué aspectos de la cultura de un país se reflejan en sus fiestas y tradiciones?

Proyectos

A ¡Manos a la obra!

Trabaje con un grupo de cuatro compañeros/as. Elijan alguna de las celebraciones colombianas que se mencionan en esta unidad e imaginen que los contrataron para diseñar el cartel publicitario de esa fiesta.

Recopilen la siguiente información sobre el evento para incluirla en el cartel:

• Nombre de la celebración

• Lugar donde se celebra

• Fecha en la que se celebra

• Actividades atractivas

• Razones para participar

Pueden buscar en la internet otros datos y fotografías relacionadas con esa fiesta.

Por último, presenten el cartel a la clase.

Colombia asombra al mundo entero con sus celebraciones alegres y coloridas.

B En resumen

En esta unidad, se mencionan distintas fiestas y celebraciones de Colombia. Repase las características de cada una, en especial teniendo en cuenta las tradiciones culturales que se reflejan en ellas, las actividades y su origen. Complete el cuadro que sigue con información de los textos que leyó en la unidad o información adicional que encuentre en la internet, si es necesario.

Celebración	Fecha	Actividades	Origen
Carnaval de Barranquilla			
Festival de la Leyenda Vallenata			
Fiestas de Independencia			
Día de los Angelitos			
Carnavales de Negros y Blancos			

C ¡A escribir!

Imagínese que Ud. trabaja como corresponsal extranjero en Colombia y lo envían a cubrir una fiesta popular. Busque información en la internet acerca de otras celebraciones que se realicen en Colombia y que no se hayan visto en esta unidad. Elija la que le resulte más atractiva y escriba un artículo informativo en el que describa la celebración a los lectores extranjeros.

D La otra Cartagena   Conéctese: la historia

La ciudad de Cartagena de Indias debe su nombre a la ciudad española de Cartagena de Levante. Fue la segunda ciudad sudamericana, después de Caracas, en declarar su independencia de España en 1811. Ese suceso histórico fue de tal magnitud que hoy es el eje conmemorativo de las populares fiestas novembrinas.

Busque información en la internet sobre el proceso de independencia de Cartagena y prepare una presentación a la clase: puede incluir una línea de tiempo, mapas, imágenes, grabados de los protagonistas, etc.

E Máscaras de carnaval 👥 Conéctese: el arte

Uno de los elementos más representativos del Carnaval de Barranquilla son las coloridas máscaras artesanales que representan animales o figuras divinas como el diablo o la muerte.

En un principio, las máscaras se usaban en los desfiles y representaban a animales salvajes y domésticos, en una tradición instaurada por los esclavos africanos: leones, tigres, toros, burros, micos, perros, diablos, guacamayas, cebras, caimanes.

Más recientemente, estas máscaras pasaron de ser objetos exclusivos del carnaval y se convirtieron en obras de exposición.

Trabaje con un(a) compañero/a. Busquen en la internet imágenes de las bellas máscaras del Carnaval de Barranquilla. Elijan un animal o una figura divina y diseñen su propia máscara de carnaval en una hoja grande. Incluyan al pie una breve explicación del animal o figura elegida que indique en qué danza o desfile se usará y por qué.

Las máscaras del Carnaval de Barranquilla no solo se exponen en los desfiles sino también en galerías de arte.

Vocabulario de la Unidad 9

el **abrazar y besar** to hug and kiss
el **acero** steel
adornar to decorate
los **adornos** decorations
el **alboroto** commotion
el **alma** soul
anegado/a flooded
el **Año Nuevo** New Year
los **antepasados** ancestors
el **árbol de navidad** Christmas tree
las **artesanías** crafts
la **atmósfera de fiesta** party atmosphere
el **baile** dance
la **banda** band
la **barbacoa** barbecue
la **bulla** commotion
la **calavera** skull
caritativo/a generous
el **Carnaval** Carnival
la **carroza** float
celebrar to celebrate
el **cementerio** cemetery
la **cena** dinner
la **cerámica** ceramic
el **chiste** joke
la **cinta** ribbon
codiciar to covet
compartir to share
el **conejo de Pascua** Easter Bunny
conmemorar to commemorate
contar to tell
la **costumbre** custom
el **criterio** opinion, judgment
cumplir... años to turn... years old
decrépito/a very old
desbaratar to ruin, to wreck
los **desfiles cívicos** civic parades
despotricar to rant and rave
el **Día de Acción de Gracias** Thanksgiving
el **Día de la Independencia** Independence Day
el **Día de los Muertos/Difuntos** the Day of the Dead
el **Día de los Reyes Magos** Three Kings' Day
el **Día de Todos los Santos** All Saints Day
el **disfraz** costume
displicente rude

el **Domingo de Pascua** Easter Sunday
los **dulces** candy
encallar to run aground
envolver to wrap
el **escarmiento** punishment
los **espíritus** spirits
el **esqueleto** skeleton
la **fábula** fable
¡Felicitaciones! Congratulations!
la **feria artesanal** artisan fair
las **festividades** festivities
la **fiesta nacional** national holiday
la **fiesta familiar** family celebration
las **flores** flowers
los **fuegos artificiales** fireworks
fuera de quicio to be out of your mind
los **gorros y tocados** caps and headdresses
guiados por una estrella guided by a star
hacer un brindis to make a toast
heredar to inherit
los **héroes** heroes
el **hierro** iron
el **hogar** home
la **hojalata** tin
honrar to honor
incauto/a gullible
incluir to include
la **ingenuidad** naivety
la **intemperie** in the open
el **jardín** garden
el **juicio** judgment
"Las mañanitas" (México) "Happy Birthday" song
la **leyenda** legend
llegar to arrive
las **luces** lights
lucir to wear
la **madera tallada** carved wood
magnánimo/a magnanimous
la **medianoche** midnight
la **misa de gallo** midnight Mass
el **mito** myth
la **moraleja** moral
el **mundo hispano** Hispanic world
el **nacimiento** birth
el **náufrago** shipwreck survivor

la **Navidad** Christmas
el **Papá Noel** Santa Claus
el **papel de regalo** wrapping paper
el **pavo relleno** stuffed turkey
pedir un deseo to make a wish
el/la **peregrino/a** pilgrim
el **pesebre (nacimiento)** nativity scene
las **plumas** feathers
podrido/a rotten
la **prudencia** good sense
los **puestos** stalls
¡Que lo pases bien! ¡Que lo pases muy feliz! Have a great day!
¡Que los cumplas feliz! Happy birthday!
quebrantar to break, shatter
querido/a cherished
realizarse to take place
el **refrán/proverbio** proverb
repicar las campanas to ring the bells
reventar (ie) los globos to pop the balloons
el **ruido** noise
¡Salud, dinero y amor! To your health! (literally: Health, money, and love!)
saludar la bandera to salute the flag
la **Semana Santa** Holy Week
senil senile
la **serenata** serenade
los **seres queridos** loved ones
servir para to be used for
sin igual unsurpassed
soplar/apagar las velas to blow out the candles
teñir (huevos) to dye (eggs)
tocar el himno nacional to play the national anthem
la **torta (el pastel)** cake
traer regalos to bring gifts
el **traje regional** traditional dress
las **tumbas** graves
el **tumulto** turmoil, commotion
el **vidrio soplado** blown glass
el **Viernes Santo** Good Friday
los **villancicos** Christmas carols
la **víspera de Navidad** Christmas Eve

*Ver ¡Ojo con estas palabras! en la página 364.

¿Sabía que...?

La primera transmisión de televisión en Honduras se realizó el 15 de septiembre de 1959 —día en que se conmemoraba un nuevo aniversario de la independencia— para unos veinticinco televisores instalados en las vitrinas de los centros comerciales de Tegucigalpa.

10

Fuentes de información

Escanee el código QR para mirar el video "El taller de radio".

Varios estudiantes participan en la creación de un taller de radio. ¿Qué hacen y qué aprenden de esta experiencia?

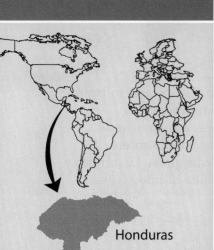

Honduras

Pregunta clave

¿Cómo afecta la situación política y social de un país a los medios de comunicación?

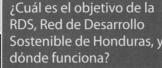

¿Cuál es el objetivo de la RDS, Red de Desarrollo Sostenible de Honduras, y dónde funciona?

Mis metas

En esta unidad:

▶ Usaré expresiones relacionadas con la información y la comunicación.

▶ Repasaré las formas y los usos del gerundio.

▶ Aprenderé sobre los medios de comunicación en Honduras.

▶ Distinguiré el significado de palabras y frases según el contexto.

▶ Repasaré las formas y los usos del futuro perfecto y el condicional perfecto.

▶ Distinguiré las formas y los usos del pluscuamperfecto del subjuntivo.

▶ Leeré una entrevista con un locutor hondureño que lleva 40 años al frente de un programa de radio.

▶ Escribiré un ensayo persuasivo sobre la libertad de expresión.

▶ Escucharé un segmento de un programa radial hondureño y escribiré una entrada de blog al respecto.

▶ Distinguiré los pronombres relativos en español.

▶ Leeré dos poemas, "Hombres necios" de Sor Juana Inés de la Cruz y "Peso ancestral" de Alfonsina Storni.

Vocabulario 1

¿Cómo nos comunicamos?

Ξ ENTÉRATE AL INSTANTE

| NOTICIAS Y ESPECTÁCULOS | PÁGINAS SOCIALES | ENTRETENIMIENTO | CLASIFICADOS | HISTORIETAS | HORÓSCOPO |

Directora del diario *La Prensa* recibe el mayor premio otorgado a periodistas en Honduras

Se hace entrega del premio Álvaro Contreras a la periodista Marlen Perdomo de Zelaya, directora del diario *La Prensa* (periódico de publicación semanal) de Honduras. En este acontecimiento que tuvo lugar en Expocentro, el presidente Juan Orlando Hernández ratificó su absoluto respeto a la libertad de expresión. VER MÁS...

Festival Internacional de Cine

Esta semana tiene lugar el Festival Internacional de Cine, el cual contará con la actuación de las grandes estrellas de la pantalla cinematográfica. No se pierda los reportajes sobre los mejores estrenos y la entrega de premios, la cual será transmitida en directo a millones de televidentes por varias cadenas de televisión. Ahórrese las horas de hacer cola y compre sus entradas ya mismo. Boletos a la venta en todas las taquillas de la ciudad. VER MÁS...

Proteja su información
¡NO HAGA CLIC!

No haga clic en ningún enlace que reciba en salas para chatear, en mensajes de texto y de correo electrónico, especialmente correo basura, si no sabe de dónde vienen.

Ξ CLIMA DE HOY • HONDURAS

Mayormente nublado
32 °C

⇨ Ver informe meteorológico para la semana

Ξ TELERADIO EN LÍNEA

Escucha a tus locutores y comentaristas favoritos y mira todas tus telenovelas en vivo, sin propagandas y sin tener que navegar la red.

RADIO

TV

En este sitio web hallarás software que te permitirá acceder a radioemisoras y programas de televisión del mundo entero, completamente gratis. Descárgalo y conéctate ahora mismo. VER MÁS...

Ξ VBD · VIDEO BAJO DEMANDA

ENTRAR

Servicios de emisión continua · **Normas editoriales** · **Contáctenos**

Los corales de Honduras · Documental

| DOCUMENTALES | DEPORTES | NOTICIEROS | PELÍCULAS | VIDEOJUEGOS |

Ξ NUEVO DOCUMENTAL · HONDURAS

NOTICIAS LOCALES	CÓMICAS
NOTICIAS INTERNACIONALES	DE CIENCIA FICCIÓN
TITULARES DE PRIMERA PLANA	DE DIBUJOS ANIMADOS
	DE GUERRA
	DE MISTERIO
	POLICÍACAS
	DE VAQUEROS

DVD

Pruebe un plan de DVD por un mes sin costo alguno.

Ξ TODOS CONTRA TODOS

Este martes, en el ciclo de cine "Todos contra todos", se pasa la película *Gente en sitios*, dirigida por Juan Cavestany. Rodada cámara en mano y sin presupuesto, *Gente en sitios*, que es comedia y drama a la vez, te atrapa desde la primera escena y te enreda con su hilera de argumentos y su ir y venir de personajes y papeles protagonizados, no por uno, sino por casi todos los actores y actrices españoles de renombre. Si quieres ver algo diferente de cuánto hayas visto, esta es una película que no te quieres perder. VER MÁS...

gente en sitios
una película de juan cavestany

Para conversar 🎧

Para hacer llamadas telefónicas en línea:

Para hacer llamadas telefónicas por la internet no necesita hardware especializado, solo su computadora y una cuenta con un proveedor de servicio telefónico en línea.

Siga las indicaciones en la pantalla, usando su teclado o su ratón, para descargar la aplicación del servidor del proveedor que haya elegido.

Esta aplicación le permitirá hacer llamadas locales y de larga distancia, dejar recados y consultar la guía telefónica de la misma forma que lo hace desde su celular o el teléfono de su casa, pero a menor costo.

Para hacer llamadas de cobro revertido, comuníquese con la operadora y dígale qué número debe marcar, con quién desea hablar y de parte de quién es la llamada. Si no aceptan los cargos, asegúrese de no tener el número equivocado. Si la línea está ocupada, vuelva a llamar más tarde.

VUELA SEGURO

Mi cuenta
Nombre del usuario
Contraseña

HERRAMIENTAS RÁPIDAS

DIRECTORIO DE DISTRITOS POSTALES

VENTA DE SELLOS, SOBRES Y ETIQUETAS

SERVICIOS

ENVÍOS NACIONALES

ENVÍOS INTERNACIONALES

CORREO AÉREO CERTIFICADO

PAQUETES Y ENCOMIENDAS

APARTADOS DE CORREOS

Para conversar

Para enviar paquetes y correspondencia:

Verifique el nombre y dirección del destinatario y del remitente en sus cartas y tarjetas postales antes de echarlas al buzón. Cierre los sobres y pegue los sellos correspondientes al franqueo.

Para enviar paquetes, es necesario que vaya a la oficina de correos para que los pesen y los aseguren si Ud. lo desea, y para pedir un comprobante por si tiene que reclamar más tarde.

1 El periódico

Los miembros de la familia Vargas, que viven en la capital de Honduras, están leyendo el periódico hondureño *La Prensa*. Ud. oirá una serie de oraciones incompletas. Escuche e indique la terminación correcta.

1. las noticias locales / las noticias nacionales

2. primera plana / los anuncios clasificados

3. los deportes / los titulares

4. las noticias internacionales / las historietas

5. el horóscopo / las tiras cómicas

6. las notas sociales / los editoriales

2 En sus propias palabras

Defina los siguientes términos en español en sus propias palabras, como se ve en el modelo.

MODELO taquillero
Es la persona que vende boletos en una taquilla.

1. taquillero

2. destinatario

3. remitente

4. televidente

5. actor

6. locutor

7. reportero

8. comentarista

3 ¿Qué significa?

Empareje cada palabra con la definición correspondiente.

1. franqueo	**A.** Charlar con alguien en línea
2. chatear	**B.** Lugar donde uno recibe su correo
3. enlace	**C.** Bajar información en línea
4. buzón	**D.** Texto informativo sobre un tema de actualidad
5. ratón	**E.** Código que usan los usuarios para acceder a sitios en la red
6. reportaje	**F.** Dispositivo que permite interactuar con una computadora
7. descargar	**G.** Cantidad que se paga en sellos para enviar algo por correo
8. contraseña	**H.** Expresión que conecta información en línea con otra que se le relaciona

4 Véala en VBD

Complete esta reseña sobre la película *Los 33* con las palabras del recuadro que correspondan según el contexto.

protagonizada	papeles	DVD	prensa	actuación
acontecimientos	dirigida	rodaje	en vivo	argumento

Si no ha visto *Los 33*, una película chilena __(1)__ por la mexicana Patricia Riggen y __(2)__ por Antonio Banderas, es posible que ya la pueda ver en VBD o en __(3)__ . No se la pierda. *Los 33* es un drama cuyo __(4)__ se basa en los tristes __(5)__ que ocurrieron en Chile en 2010 después del derrumbe (*collapse*) de la mina San José, en la cual quedaron atrapados 33 mineros chilenos. La película fue filmada en Chile y en Colombia y en su __(6)__ se requirió la __(7)__ de mil extras para representar los __(8)__ de los familares de los mineros, los miembros de las operaciones de rescate y los reporteros de __(9)__ y televisión quienes hicieron campamento en el lugar y transmitieron las noticias __(10)__ por 70 días.

¡Comunicación!

5 ¿Con razón o sin razón? 👥 Interpersonal Communication

Todo el mundo tiene sus razones para hacer lo que hace. Con un(a) compañero/a, intercambien información sobre los siguientes temas. Digan si harían o no harían estas actividades y expliquen por qué.

1. Usar el celular en el carro
2. Hacer llamadas de cobro revertido
3. Hacer clic en cualquier enlace recibido en línea
4. Descargar información de la red indiscriminadamente
5. Usar un apartado de correos para recibir su correspondencia
6. Salir solo/a con alguien que se acaba de conocer en un sitio web

Siempre uso el GPS de mi celular para buscar direcciones.

6 ¡Nunca podré olvidarlo! Interpersonal Communication

Con un(a) compañero/a, intercambien impresiones sobre algún dato informativo importante que les haya causado gran impresión. Usen las siguientes ideas como guía.

- una emisión de radio
- un reportaje periodístico
- una noticia de primera plana
- una actuación en vivo
- un documental de televisión
- el argumento de un libro o una película

7 Lo mejor de lo mejor Interpersonal/Presentational Communication

Divídanse en grupos de tres o cuatro estudiantes e intercambien opiniones sobre sus fuentes de información preferidas y lo mejor del mundo de las noticias y el entretenimiento. Usen los temas que se dan a continuación como guía. Luego, hagan una lista en orden de preferencia y sométanla a votación del resto de la clase. Para finalizar, publiquen los resultados de la votación en la página web de su colegio o en su red social favorita.

Lo mejor de lo mejor		
periódicos	películas	periodistas
radioemisoras	noticieros	estrellas de cine
cadenas de televisión	telenovelas	actores de televisión
proveedores de servicios en la red	documentales	locutores de radio
proveedores de servicios telefónicos	sitios web	comentaristas de televisón

8 Tutoría básica Interpersonal Communication

Imagine que su abuela, que hasta ahora se oponía al uso de la tecnología, decide actualizarse y le pide su ayuda. Con un(a) compañero/a, represente la situación, turnándose para hacer las preguntas del caso y responderlas. Usen los términos del recuadro y otros que necesiten, para darle a su abuelita nociones básicas de lo que necesita para actualizarse, como se ve en el modelo.

descargar	pantalla	correo basura	ratón
contraseña	en línea	navegar en la red	enlace
computadora	hacer clic	correo electrónico	teclado

Haz clic en este ícono de la pantalla para ver tu correo electrónico.

MODELO A: ¿Qué debo hacer para comprar algo en línea?

B: Primero, debes registrarte y, para hacerlo, debes crear un nombre de usuario y una contraseña.

Gramática

El gerundio

Formas del gerundio

El gerundio o participio presente es una forma verbal impersonal invariable pues no se conjuga.

- Los verbos regulares forman el gerundio con las siguientes terminaciones.

Formación del gerundio regular			
Verbo	Radical	+ Terminación	= Gerundio
llamar	llam-	**ando**	llam**ando**
encender	encend-	**iendo**	encend**iendo**
transmitir	transmit-	**iendo**	transmit**iendo**

- Los verbos de las conjugaciones **-er** e **-ir** cuyo radical termina en una vocal toman la terminación **-yendo** en lugar de **-iendo**.

Verbo	Radical	+ Terminación	= Gerundio
caer	ca-		ca**yendo**
creer	cre-		cre**yendo**
leer	le-	**yendo**	le**yendo**
construir	constru-		constru**yendo**
oír	o-		o**yendo**

- Los verbos de la conjugación **-ir** que cambian la vocal del radical (**o → u**, **e → i**) en la tercera persona del pretérito tienen el mismo cambio de vocal en gerundio.

Infinitivo	Pretérito	Gerundio
d**e**cir	dijo	d**i**ciendo
d**o**rmir	durmió	d**u**rmiendo
p**e**dir	pidió	p**i**diendo
rep**e**tir	repitió	rep**i**tiendo
s**e**ntir	sintió	s**i**ntiendo
v**e**nir	vino	v**i**niendo

- El único verbo con gerundio irregular es **ir → yendo**.

  Pasa la vida **yendo** de un lugar a otro, como si fuera un peregrino errante.

Usos del gerundio

- El uso más corriente del gerundio es con el verbo **estar** para expresar una acción en progreso.

  En la internet **están comentando** una noticia de última hora.

  El comentarista de televisión **estaba hablando** sobre las tendencias del momento.

  Muchas personas **estarán siguiendo** las noticias con atención.

- Los verbos de movimiento como **ir**, **venir**, **andar**, **entrar**, **salir** y **llegar** + gerundio describen una acción que se desarrolla gradualmente.

  El número de usuarios de las redes sociales **viene aumentando** exponencialmente.

  Los expertos dicen que las economías **irán solucionando** los problemas paulatinamente.

- Hay dos verbos que tienen un matiz diferente cuando se traducen al inglés: **venir** + gerundio (*to keep doing something*) y **andar** + gerundio (*to go around doing something*).

  El clima **viene comportándose** erráticamente desde hace un tiempo a esta parte.

  Los científicos **andan diciendo** que vamos hacia la extinción de muchas especies.

- Los verbos **continuar** y **seguir** + gerundio refuerzan la acción continua.

  Gracias a las redes sociales, los ciudadanos **continúan reportando** noticias en tiempo real.

  De esa manera, **seguirán cambiando** el panorama político mundial.

- El gerundio se puede usar con los verbos de percepción en vez del infinitivo.

  Los **vimos yendo** (ir) hacia la concentración en la plaza.

  Lo **oíamos cantando** (cantar) en la ducha.

La reportera está transmitiendo en vivo.

- El gerundio se puede usar como adverbio para modificar un verbo.

  Todos **reaccionamos sonriendo** con los mohines del bebé.

  Era un gran jefe: solía **hablarnos animándonos**.

- Se puede usar para explicar cómo se puede hacer algo (inglés: *by* + gerundio).

  Arriesgándose valientemente, estas mujeres luchan por la paz.

  Tanto niños como adultos cultivan la conciencia ecológica **viendo** documentales ambientales.

- También se puede usar cuando está subordinado a otro verbo y las dos acciones coinciden en algún momento del tiempo.

  Agradeciendo a sus seguidores, anunció su retiro del periodismo.

  Explicamos quiénes son los refugiados **haciendo** una actividad lúdica con los niños.

- Cuando el gerundio va acompañado de los pronombres de complemento directo e indirecto, lleva tilde si los pronombres van pospuestos[1].

  El guarda está **pidiéndole** la credencial al reportero.
  Pero: El guarda **le** está **pidiendo** la credencial al reportero.

  El guarda está **pidiéndosela** al reportero.
  Pero: El guarda **se la** está **pidiendo** al reportero.

[1] Repase la Unidad 5, página 201.

[2] Repase la Unidad 9, página 353.

> ### Un poco más
>
> En español, a diferencia del inglés, no se usa el gerundio después de las preposiciones. Se usa el infinitivo[2].
>
> Después de **ver** la película podemos ir a cenar.
>
> Podremos seguir el reportaje del evento sin **salir** de casa.
>
> Antes de **venir**, por favor, compra pan y leche.

Mi mamá y yo siempre vivíamos riéndonos.

9 Boletos en reventa

Lea la conversación entre un señor que hacía cola para comprar boletos para un concierto y un revendedor de boletos y conteste las preguntas que siguen.

—Hombre, parece que se están agotando los boletos para el concierto de Arjona. ¿Tendría Ud., por casualidad, dos boletos?

—Un momentito, déjeme ver si todavía me queda alguno. A ver, sí, aquí tengo dos.

—Dígame, ¿a cuánto los está revendiendo?

—Los tengo a diez mil pesos cada uno.

—¿Cómo va a ser? ¡Pero si en la taquilla los estaban vendiendo a cinco mil pesos!

—Bueno, ¡siga haciendo cola! Ya le está dando la vuelta a la esquina y, como anunciaron, se están acabando los boletos de hoy. Vaya preparándose para comprar entradas para mañana o pasado.

—Tranquilo, no me estoy quejando. Solo estaba haciendo un comentario. Por favor, deme las dos entradas que le quedan.

—Aquí tiene.

Mientras el revendedor se va alejando, se le oye promocionando su mercancía:

—¡Corran, aprovechen! Solo me quedan dos entradas para Arjona y Guillermo Anderson… y me queda una sola para Café Guancasco.

1. ¿Qué le pasó al señor que estaba haciendo cola para comprar los boletos del concierto?

2. ¿Qué le dijo el revendedor de boletos? ¿Cuál cree que fue su intención al decir esto?

3. ¿Qué alternativa le quedó al señor?

4. ¿Alguna vez tuvo Ud. que hacer cola durante horas para ver una película? ¿Qué película? ¿Valió la pena esperar?

5. ¿Qué podría hacer Ud. si está haciendo cola para comprar boletos para algún espectáculo y anuncian que se están acabando?

Haciendo cola para comprar boletos

10 ¿Revender o no revender? Esa es la pregunta

Complete las oraciones con el gerundio del verbo del recuadro que corresponda según el contexto.

premiar	**comprar**	**fortalecer**	**aprender**	**generar**
remunerar	**analizar**		**dedicarse**	**descuidar**

1. La Asamblea de Padres ha estado ____ el asunto de la reventa de boletos.

2. Los revendedores continúan ____ en preventa para obtener un buen margen de ganancia.

3. Atraídos por las ganancias, algunos chicos han estado ____ sus estudios por estar ____ al negocio de la reventa.

4. Al aprender a planear con anticipación, los chicos están ____ buenos hábitos de consumo.

5. Para disuadir a los estudiantes revendedores, se pueden crear otros medios para que vayan ____ ingresos propios.

6. Por ejemplo, ____ horas de tutoría, se crean otras fuentes de ingresos para estudiantes avanzados.

7. ____ el buen desempeño, se están ____ otras destrezas deseables.

¡Comunicación!

11 ¿Qué opina Ud.? Interpersonal Communication

Acudir a los revendedores cuando los boletos para grandes funciones están a punto de agotarse o ya se han agotado es una práctica común. Ellos siempre están listos para aprovechar la oportunidad de ganarse un buen margen a costa de los desprevenidos. Según ellos, su trabajo es honesto y por eso se consideran con derecho de trabajar en ese oficio. ¿Qué opina Ud.? Con un(a) compañero/a, túrnense para contestar las preguntas y dar su opinión sobre el tema.

Boleto de reventa para un concierto

1. ¿Por qué cree que los revendedores suelen tener boletos para estas funciones?

2. ¿Opina que revender boletos es un trabajo honesto? ¿Por qué?

3. ¿Cree que los revendedores tienen acuerdos especiales con la taquilla para revender los boletos? ¿Qué alternativa puede haber a la reventa de boletos?

4. ¿Se permite la reventa de boletos en Estados Unidos?

5. ¿Alguna vez le ha comprado boletos a un revendedor?

6. ¿Cuánto más alto fue el precio que pagó?

¡Comunicación!

12 ¡Locamente enamorado! 👥 Interpersonal/Presentational Communication

Imagine que Ud. está escuchando un programa de radio donde dan consejos sentimentales. Primero, lea la nota de "Locamente enamorado" y complétela con el gerundio del verbo entre paréntesis. Luego, con dos o tres compañeros/as túrnense para hacer el papel de los oyentes que llaman a participar en el programa dando su opinión y consejo al respecto.

No sé lo que me está (**1.** *pasar*). Conocí a una chica hace poco y, por más que trato, no puedo sacarla de mi mente. Estoy a punto de reprobar varias materias en el colegio porque vivo (**2.** *pensar*) en ella. Igual me sucede en el trabajo. Paso el tiempo (**3.** *contar*) los minutos para salir (**4.** *correr*) a verla.

Pero no sé si ella siente lo mismo que yo estoy (**5.** *sentir*). A veces, cuando está conmigo, parece distraída, como ausente. ¿Me quiere o no me quiere? La duda me está (**6.** *matar*).

Mis amigos dicen que me estoy (**7.** *enamorar*) impulsivamente y sienten lástima de mí. Según ellos, estoy (**8.** *alimentar*) una relación que no existe y voy a seguir (**9.** *sufrir*) hasta que acepte que este amor es y seguirá (**10.** *ser*) solo una ilusión de mi loco e insconsciente corazón.

13 Ha nacido una estrella 👥 Interpersonal /Presentational Communication

Intercambie ideas con un(a) compañero/a sobre cómo se puede llegar a ser lo que uno quiera. Usen el gerundio de los verbos y las profesiones que se dan como guía, como se ve en el modelo. Luego, elijan la profesión que más les llama la atención y díganle a la clase qué harían para tener éxito en ese campo.

MODELO   un(a) gran cineasta

Se puede llegar a ser un gran cineasta estudiando cine, viendo los clásicos y haciendo sus propios documentales.

- un(a) gran comediante
- una estrella de cine
- un(a) locutor/a de radio
- un(a) periodista famoso/a
- un(a) buen(a) comentarista de televisión
- un(a) bloguero/a influyente
- un(a) tuitero/a con muchos seguidores

Un gran cineasta se forma desarrollando su propio estilo.

Los medios de comunicación hondureños 🎧

La relación entre los medios de comunicación y el poder político suele ser compleja y estar mediada por intereses que, según el caso, los acercan o los enfrentan.

En Honduras, hay una gran cantidad de medios: cuatro periódicos nacionales, varias estaciones de televisión y numerosas radioemisoras; sin embargo, la propiedad de esos medios está concentrada en pocas manos, y sus dueños mantienen una relación estrecha e influyente con la cima[1] del poder político del país. En este contexto de concentración mediática, ejercer[2] el periodismo independiente representa un desafío.

Los medios independientes de Honduras enfrentan tiempos difíciles.

Pregunta clave
¿Cómo afecta la situación política y social de un país a los medios de comunicación?

14 Comprensión

1. ¿Qué tipo de relación pueden tener los medios de comunicación y el poder político?

2. ¿Por qué es un desafío ejercer el periodismo independiente en Honduras?

3. ¿Por qué Honduras es un país peligroso para los periodistas independientes?

15 Analice

1. ¿Qué relación cree Ud. que hay entre una situación de crisis política y la inseguridad del periodismo independiente?

2. ¿Qué semejanzas o diferencias encuentra Ud. entre la situación de los medios de comunicación en Honduras y en Estados Unidos?

Desde que el presidente Manuel Zelaya fue derrocado[3] por un golpe militar el 28 de junio de 2009 —después de que el grupo opositor encabezado por Roberto Micheletti lo acusó de querer cambiar la constitución para permitir la reelección presidencial—, Honduras se ha hundido[4] en una crisis política grave.

Desde entonces, forma parte de los países más peligrosos de América Latina para el gremio[5] periodístico: diversos medios de comunicación independientes han denunciado casos de censura, amenazas y agresiones; muchos periodistas fueron despedidos[6]; y lo más grave: más de 50 periodistas han sido asesinados, y la mayoría de esos crímenes siguen impunes[7].

Esta situación pone en riesgo la libertad de expresión y el derecho a la información: dos derechos fundamentales de los ciudadanos hondureños.

[1] heights [2] practice [3] overthrown [4] sunk [5] trade [6] fired [7] unpunished

🔍 **Búsqueda:** medios de comunicación en honduras, golpe militar en honduras

Prácticas 🎧

Uno de los problemas graves de la práctica profesional del periodismo en Honduras es lo que se conoce como "prensa tarifada". Cualquier persona que tenga los recursos económicos necesarios puede "pagarse un periodista" para difundir información que sirva a sus intereses personales aunque se trate de datos falsos o manipulados.

Prácticas como la censura, las amenazas o la prensa tarifada ponen en riesgo la libertad de expresión.

Una ley para el periodismo 🎧

16 Comprensión

1. ¿Qué organizaciones han analizado la situación de los medios en Honduras?

2. ¿Qué dicen los informes de esas organizaciones?

3. ¿Cómo actuó Honduras a raíz de estos informes?

17 Analice

1. ¿Qué otras medidas cree Ud. que podría tomar el gobierno de Honduras para garantizar la protección de los periodistas?

2. ¿Por qué cree Ud. que los organismos internacionales se interesan por asuntos como lo que ocurre en Honduras?

El Parlamento hondureño aprobó una ley de defensa del periodismo.

La situación que atraviesa la prensa en Honduras desde 2009 no ha pasado inadvertida en el resto del mundo. Ese mismo año, una Misión para la Libertad de Prensa y Expresión, compuesta por siete organizaciones internacionales (incluida Reporteros sin Fronteras), visitó el país para analizar la situación de los periodistas y los medios de comunicación. Por su parte, la Comisión Internacional de Derechos Humanos de la Organización de los Estados Americanos (OEA) también visitó Honduras en 2014 para evaluar los problemas de violencia e inseguridad en distintos ámbitos[1], incluido el periodismo.

Los informes dan cuenta[2] de los peligros que rodean al ejercicio del periodismo, del estado de inseguridad en el que realizan su labor[3] profesional y de la autocensura que surge en consecuencia. Honduras se encuentra en el lugar 132, entre 180 países, en la Clasificación Mundial de la Libertad de Prensa de Reporteros sin Fronteras publicada en febrero de 2015. Además, en su Examen Periódico Universal (EPU) de 2010 y 2014, la Organización de las Naciones Unidas (ONU) ha instado[4] a Honduras a proteger a los periodistas.

A raíz de este llamado de atención y para cumplir con las recomendaciones de la ONU, el Parlamento hondureño aprobó en 2015 la ley de protección a periodistas, comunicadores sociales y defensores de los derechos humanos. Se pretende así frenar los asesinatos de los profesionales de la comunicación y proporcionar un marco legal[5] para el resurgimiento de la libertad de expresión.

[1] spheres   [2] explain   [3] work   [4] urged   [5] legal framework

🔍 **Búsqueda:** misión para la libertad de prensa y expresión en honduras, clasificación mundial de la libertad de prensa, ley de protección a periodistas

Perspectivas

"Quienes gobiernan, los empresarios y los políticos no deben temer a la prensa independiente ni a la pluralidad de medios, no deben sentirse cómodos con una prensa incondicional, al contrario, porque una sociedad democrática solo puede enfrentarse a sus desafíos cuando tiene a su alcance información contrastada y opinión crítica", afirmó la directora ejecutiva de diario *La Prensa*, María Antonia Martínez de Fuentes, en su discurso de agradecimiento por el premio Álvaro Contreras. Según Martínez de Fuentes, ¿por qué son necesarias las opiniones críticas en una democracia?

María Antonia Martínez de Fuentes recibe el premio Álvaro Contreras.

Asociación de Medios Comunitarios en Honduras

Gracias a la iniciativa de más de treinta organizaciones de la sociedad civil y representantes de medios de comunicación alternativos, en el año 2013 se conformó la primera Asociación Nacional de Medios Comunitarios de Honduras (AMCH). Su objetivo es servir como interlocutora[1] con el Estado en los temas relacionados con la radio y la televisión, para que la ciudadanía y las instituciones puedan tener el derecho de operar sus propios medios de comunicación.

Gracias a los medios comunitarios, se escuchan nuevas voces y se difunden otros temas y opiniones.

La asociación surgió en el marco[2] del debate nacional por la democratización del espectro radioeléctrico. Este debate adquirió una relevancia particular a partir del golpe de estado de 2009, cuando los oligopolios fueron capaces de manipular la información y la población no tenía casi ninguna opción para defenderse de ese comportamiento. En ese contexto, el ánimo[3] que impulsó la asociación fue permitir que la población pudiera tener acceso a la información por parte de medios de comunicación alternativos.

En cuanto a los contenidos, los medios comunitarios se proponen divulgar[4] procesos sociales y reflejar la voz de distintas organizaciones —representantes de grupos de jóvenes, empresas de transformación social, indígenas, mujeres feministas, entre otros— para dar lugar a la expresión de la pluralidad. Los medios comunitarios se caracterizan por ser defendidos y promovidos por las comunidades y son estas las que se encargan de establecer la agenda informativa y editorial.

[1] spokesperson   [2] framework   [3] intention   [4] spread

Búsqueda: asociación de medios comunitarios en honduras, amch, red de desarrollo sostenible de honduras, rds radio

18 Comprensión

1. ¿Con qué objetivo se formó la Asociación de Medios Comunitarios en Honduras?

2. ¿Por qué el debate por la democratización de los medios se volvió más relevante a partir de 2009?

3. ¿Qué clase de contenidos promueven los medios comunitarios?

19 Analice

1. Teniendo en cuenta lo que ha leído sobre los medios de comunicación en Honduras, ¿cree Ud. que esta es una iniciativa positiva? ¿Por qué?

2. ¿Qué ventajas cree Ud. que tiene para la población poder acceder a medios comunitarios además de los medios operados por grandes empresas?

Productos

RDS Radio es una radioemisora con fines educativos y de entretenimiento creada por la Red de Desarrollo Sostenible de Honduras, una organización que surgió a partir de un proyecto de la ONU. La radio funciona en el Distrito Central de Tegucigalpa y forma parte de la AMCH. Tiene como objetivo promover y construir ciudadanía fomentando la cultura, el arte y los valores para el crecimiento sano e integral de la comunidad. Se trata de un medio de comunicación comunitario e independiente, que hace radio por medio de una programación educativa y entretenida que incluye temas que abarcan la música, las letras, el cine, la ciencia, la economía, entre otros.

Los medios comunitarios difunden contenidos que promueven valores democráticos y plurales.

Vocabulario 2

Comparación y contraste: ¡Ojo con estas palabras!

Preste atención a las siguientes palabras pues su uso, tanto en español como en inglés, varía de acuerdo al contexto.

> ¡Amo a mi Nonna! No solamente es mi abuelita, sino que también es mi madrina.

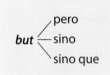

but — pero / sino / sino que

pero + (sujeto) + verbo

Pero equivale a *but*. Sirve para unir dos cláusulas independientes.

Queríamos ir al estreno de la película, **pero** no tuvimos tiempo.

Había muchos reporteros, **pero** la conferencia de prensa se canceló.

sino + sustantivo

No... sino *but (rather)* tiene el sentido de **al contrario**. Sirve para introducir una oración negativa seguida de una idea opuesta.

No tengo pereza **sino** sueño atrasado.

No hubo un solo comunicado de prensa **sino** varios.

sino + **que** + verbo

No... sino que se usa cuando los verbos de las dos cláusulas son distintos y se oponen.

No cancelaron el estreno, **sino que** cambiaron el día.

El Cascadas Mall en Tegucigalpa **no** solamente tiene tiendas y restaurantes, **sino que** también tiene la zona de Experiencias Creativas para los más chicos.

No solo... sino (también)   *Not only... but also*

Sirve para hacer una afirmación, eliminando la restricción impuesta por **solo**.

Mis primos planean visitar **no solo** Comayagua, **sino también** Santa Rosa de Copán.

En Tegucigalpa **no solo** irán al Festival de la Mora, **sino también** al Festival Gastronómico del Choro y el Vino.

20 ¿Qué hay en cartelera?

Complete el diálogo con **pero**, **sino**, **sino que** o **sino también**.

Karina: ¿Aló, Rodrigo? Te estoy esperando. No quedamos en que me llamaras a las siete **(1)** pasaras por mí para ir al cine.

Rodrigo: Sí, sí, Karina. Ya lo sé, **(2)** acabo de confirmar que hoy no pasan la película de Almodóvar que queríamos ver. Revisé la cartelera en línea y no la vi en Cinépolis de Cascadas Mall.

Karina: Yo creo que no la están pasando en Cascadas Mall **(3)** en Cinemark del Citymall.

Rodrigo: ¡Qué lástima! No solo se nos está haciendo tarde **(4)** debo poner gasolina y el Citymall queda muy lejos de aquí.

Karina: Bueno, tranquilo. Sí tenía muchas ganas de ver la película de Almodóvar, **(5)** podemos verla otro día. Oye, como ya se hizo tarde, ¿qué te parece si vamos a la Librería Universitaria? Podemos ver no solo una peli con Andy García **(6)** una con Salma Hayek.

Rodrigo: ¡Excelente idea! **(7)** tienes que prometerme que verás ambas películas. La vez pasada nos fuimos a la mitad de la segunda película porque te pareció aburrida.

Karina: No solo era aburrida **(8)** demasiado larga.

Rodrigo: Bueno, bueno. Paso a recogerte en cinco minutos.

¡Comunicación!

21 En gustos no hay disgustos… Interpersonal Communication

Imagine que Ud. y su compañero/a quieren ir al cine, pero no pueden ponerse de acuerdo sobre qué tipo de película quieren ver. ¡Tienen gustos cinematográficos muy diferentes! Representen la conversación que tienen con base en los géneros que se dan a continuación, como se ve en el modelo.

MODELO

A: ¿Qué película quieres ir a ver?

B: Me gustaría ver una película de suspenso, pero no creo que estén pasando ninguna que sea muy buena. ¿Qué tal si vemos una película de romance? Me encantan.

A: ¿De romance? Mejor vamos a ver una película de ciencia ficción. No es que no me gusten las películas románticas, sino que es que hoy no estoy de humor.

B: …

Sabíamos que era una buena película de acción, pero también resultó siendo una película de suspenso fabulosa.

- Ciencia ficción
- *Anime*
- Acción
- *Neo-noir*

- Suspenso
- Comedia
- Romance
- Drama

22 Clásicos del séptimo arte 👥 Interpersonal / Presentational Communication

Hay películas que se consideran clásicas porque se tienen como modelos dignos de ser emulados o tratan sobre temas que permanecen vigentes. En grupos de tres o cuatro, intercambien opiniones sobre las películas que se dan a continuación, turnándose para hacer las preguntas y responderlas. Decidan qué películas les gustan más (tanto las clásicas como las más recientes) y pónganlas en orden de preferencia eliminando o añadiendo las que crean que deben estar o no en cada lista. Para finalizar, elijan una película, hagan un resumen de su argumento en un breve párrafo y preséntenlo enfrente de la clase.

1. ¿Cuáles de estos títulos reconocen? ¿Saben cuál es el título original de estas películas? ¿Cuáles han visto Uds.? ¿Quiénes son los protagonistas? ¿Cuál es el argumento?

Nosferatu	*Fantasía*
El perro andaluz	*101 dálmatas*
El Mago de Oz	*Vértigo*
Lo que el viento se llevó	*La dolce vita*
Casablanca	*Psicosis*
Tiempos modernos	*2001: Una odisea del espacio*
Ciudadano Kane	*El padrino I, II y III*
El halcón maltés	*Apocalipsis ahora*
El ladrón de bicicletas	*La lista de Schindler*
Los siete samuráis	*Mujeres al borde de un ataque de nervios*

2. ¿Cuál es el título original de las siguientes películas? ¿Cuáles creen Uds. que se convertirán en clásicos y cuáles no? ¿Por qué?

Tiempos violentos (*Pulp Fiction*)

La guerra de las galaxias y su saga

La saga de *Harry Potter*

La saga de *El señor de los anillos* (*Las dos torres, El retorno del rey...*)

La saga de *El hobbit*

La saga del universo Marvel: *Los vengadores, Daredevil, Capitán América, El Hombre Araña, Thor, Iron Man, Hulk,* etc.

La saga de *Piratas del Caribe*

Matrix y su trilogía

Toy Story

Buscando a Nemo

Amélie

Tron y *Tron: El legado*

El laberinto del fauno

El Mago de Oz es un clásico del cine. Ha inspirado a generaciones y sus imágenes son emblemáticas.

¡Comunicación!

23 **Una crítica de cine** Presentational Communication

Imagine que Ud. trabaja en un periódico y está encargado/a de hacer una crítica (*critique*) de cine para la sección de ocio y entretenimiento. Elija una película que haya visto recientemente y escriba una reseña para publicar en la internet. Incluya una breve sinópsis del argumento y la crítica, como se ve a continuación.

○ ○ ○   RESEÑAS DE CINE

OCIO Y ENTRETENIMIENTO

RESEÑAS DE CINE   *Los vengadores: La era de Ultrón*   Duración: 141 minutos   Calificación: 8/10
Género: Aventuras

Sinopsis: Tony Stark estaba desarrollando un programa para mantener la paz mundial e intentó completarlo con inteligencia artificial hallada en el cetro de Loki. Sin embargo, al hacerlo, el androide Ultrón se descontrola y cree que debe erradicar a la humanidad para salvar a la Tierra. Ultrón se escapa y desarrolla otro cuerpo, mejor que el rudimentario que tenía, y construye un ejército de drones. Los Vengadores —el Capitán América, Iron Man, Thor, Hulk, la Viuda Negra y Ojo de Halcón, junto con Nick Furia, María Hill y los agentes de Shield— deberán unirse y urdir un plan para detener a Ultrón.

Crítica: ¿Cómo lograr que un elenco (*cast*) de mega estrellas del cine logren trabajar juntas y generar un éxito de taquilla? En *Vengadores: La Era de Ultrón*, el director Joss Whedon tiene la receta perfecta. Él logra entrelazar el argumento de manera que todos los personajes sean protagonistas y nos mantengan pegados a los asientos por las casi dos horas y media que dura la película. Las escenas de acción de alto voltaje se suceden sin dar respiro al espectador salvo por las usuales dosis de humor y hasta alguna que otra situación romántica... Ultrón se ha convertido en una nueva amenaza para nuestro planeta, pero gracias a nuestros superhéroes y a sus superpoderes y destrezas extraordinarias sobreviviremos para ver las secuelas anunciadas para los próximos años.

---

24 **Televisión a la carta**   Interpersonal Communication

El VBD, o video bajo demanda, cambió la forma de ver televisión. Los espectadores ya no tienen que depender de horarios de programación fija; pueden adelantar, devolver, pausar y reanudar el programa. Antiguamente, se repartían películas en DVD por correo. Ahora, los servicios de emisión continua (*streaming*) de video se han convertido en videoclubes virtuales. Sus suscriptores pueden acceder a una gran oferta de series, películas y documentales. La manera de ver televisión cambió al liberarse todos los episodios de la temporada de una sola vez. De allí, han surgido las maratones (*binge watching*) para ver una serie de un tirón.

Comente con un(a) compañero/a los pros y los contra de esta nueva modalidad.

- Pros y contras de la televisión a la carta / de las maratones / de la publicidad en televisión

- Opinión sobre los programas de la televisión tradicional en horario de máxima audiencia

- Ventajas de la televisión tradicional y el cine versus los videos en emisión continua

- Géneros preferidos de películas o series

¡Comunicación!

Lea y comente con un(a) compañero/a de clase la siguiente reseña y, luego, conteste las preguntas.

«El otro día en una tienda de telefonía móvil escuché una conversación de dos personas sobre cómo realizaban sus reclamaciones a la marca de esta compañía de móviles: "Yo ya nunca llamo por teléfono, que te tienen en espera dos años para luego marearte de un departamento a otro. Prueba Twitter, les dejas un *tweet* y pones un *hashtag* tipo #engaño o #estafa y te responden al segundo".

Esto no es un hecho aislado, cada vez más el usuario se ha percatado de que escribir un *tweet* citando a la marca y expresando su problema es una vía directa para que la empresa te responda y entre en contacto contigo. Es curioso que funcione mejor una red social que un servicio de atención al cliente vía telefónica.»

—de "Twitter como canal de atención al cliente" por Isabel Romero en www.enredandoporlared.com

1. ¿Por qué cree que las redes sociales funcionan mejor para hacer quejas o reclamos?
2. ¿Qué tipo de experiencias ha tenido para presentar una queja?
3. ¿Alguna vez ha usado una red social para hacer reclamos?

Imagine que Tina, una estudiante de intercambio, está en la oficina de una compañía de transporte averiguando la mejor forma de hacer enviar parte de su equipaje desde Honduras. Con un(a) compañero/a, hagan el papel de Tina, que tiene muchas preguntas, y el empleado que le da consejos y recomendaciones. Usen los servicios que se dan como guía en su conversación y su propia imaginación, como se ve en el modelo.

Puede hacer seguimiento de su envío en línea.

MODELO

A: **Necesito enviar un par de cajas de libros y regalos, porque llevarlas como equipaje me costaría una fortuna. ¿Cree que debo enviarlas por avión?**

B: **Francamente, no creo que sea buena idea. No es que el transporte aéreo no sea bueno, sino que el costo, como es por peso, sería prohibitivo.**

- Servicio de transporte aéreo
- Servicio de envío por mar o carretera
- Tarifas, impuestos y seguros
- Costos de aduana
- Tiempo de entrega y seguimiento en línea

Gramática

El futuro perfecto y el condicional perfecto

Formación del futuro y el condicional perfecto

El futuro perfecto se forma con el futuro del verbo auxiliar **haber** y el **participio** del verbo principal. El condicional perfecto se forma con el verbo auxiliar **haber** en condicional y el **participio** del verbo principal.

Futuro perfecto		Condicional perfecto	
Futuro de *haber*	**Participio pasado**	**Condicional de *haber***	**Participio pasado**
habré	apagado	habría	abierto
habrás	apagado	habrías	abierto
habrá	encendido	habría	escrito
habremos	encendido	habríamos	escrito
habréis	dicho	habríais	visto
habrán	dicho	habrían	visto

Usos del futuro perfecto

- El futuro perfecto corresponde a *will have* (+ participio) en inglés. Indica una acción anterior a otro punto de referencia en el futuro.

  Clara **habrá terminado** todas las reseñas para esta tarde.

  *Clara **will have finished** all the press reviews by this afternoon.*

- El futuro perfecto también puede expresar probabilidad.

  Ella ya nos **habrá enviado** un mensaje de texto. (Probablemente ella ya **ha enviado** un mensaje de texto.)

  *She **has** probably **sent** us a text message.*

Usos del condicional perfecto

- El condicional perfecto corresponde a *would have* (+ participio) en inglés. Indica una acción anterior a otro punto de referencia en el pasado.

  Ayer, Clara me dijo que **habría terminado** todas las reseñas para esta tarde.

  *Yesterday, Clara told me that **she would have finished** all the press reviews by this afternoon.*

- El condicional perfecto también puede expresar probabilidad.

  Ella **habría enviado** un mensaje de texto en cuanto llegara.

  (Probablemente **había enviado** un mensaje de texto en cuanto llegó.)

  *She **had** probably **sent** a text message as soon as she arrived.*

- El condicional perfecto también se usa para expresar deseo o posibilidad respecto de una condición contraria a la realidad.

  Habríamos desayunado, pero no nos dio tiempo.

  *We **would have had breakfast**, but we had no time.*

  Habríamos desayunado si nos hubiera dado tiempo.

  *We **would have had breakfast** if we had had time.*

¡Comunicación!

27 ¿Hipercomunicados o incomunicados? 👥 Interpersonal Communication

¿Qué nos habrá pasado camino a conectarnos mejor para terminar más aislados? Imagine que está con alguien que de repente empieza a reírse sin razón aparente. "¿Qué habré dicho que sea tan gracioso?" se pregunta Ud. algo desconcertado (*taken aback*), pero resulta que la persona no se estaba riendo por algo que Ud. dijo, sino por algo que leyó en su celular. ¿Le ha ocurrido a Ud. algo similar? Seguramente sí, porque es una práctica muy común hoy en día. Tanto, que hasta tiene nombre propio. Se llama *phubbing*, y consiste en ignorar a aquellos con quienes estamos por estar pendientes del celular. Este uso excesivo de la la tecnología afecta negativamente nuestras relaciones personales y debemos evitarlo porque, al final, no habrá valido la pena sacrificar la interacción cara a cara en nombre de la interacción virtual.

Con un(a) compañero/a, comenten la situación que se ilustra en la fotografía y contesten las preguntas que siguen teniendo en cuenta la información que acabaron de leer.

- ¿Para qué se habrán reunido estos amigos?

- ¿Por qué habrán preferido mirar el celular?

- ¿Con quién se habrán comunicado?

- Al analizar su impacto futuro, ¿Uds. creen que las redes sociales habrán ayudado a comunicarse más o menos?

El 87 % de los adolescentes prefiere comunicarse por mensaje de texto.

- Diga escenarios futuros en los cuales la tecnología habrá mejorado la comunicación.

- Si comparan sus interacciones personales con sus interacciones en redes sociales, ¿cuáles creen que habrán reportado más beneficios en su futuro profesional?

- Si alguna vez les han hecho *phubbing*, especulen por qué habrá sido.

- ¿Qué medidas pueden tomar hoy que habrán resultado en mejores relaciones interpersonales en el futuro?

28 Por una razón u otra

Imagine que hoy no ha sido un buen día, pues, por una razón u otra, no pudo hacer muchas cosas que quería o tenía que hacer. Diga qué habría hecho y por qué no lo hizo usando el condicional perfecto y el pretérito, como se ve en el modelo.

> MODELO   echar los DVDs al buzón / no encontrarlos por ninguna parte
> **Yo habría echado los DVDs al buzón, pero no los encontré por ninguna parte.**

1. levantarse temprano / acostarse tarde
2. desayunar bien / tener que salir corriendo para el colegio
3. ir al entrenamiento de gimnasia / tener que quedarse a la reunión del club de español
4. salir a comer con amigos / tener que ir de compras al supermercado
5. escribir el ensayo de literatura / descomponerse mi computadora
6. ver la entrega de premios en la tele / tener que llevar a mi hermanita a su clase de baile
7. comprar los boletos del concierto / dejar mi billetera en casa

Gramática

¡Comunicación!

29 Yo de ti... 👥 Interpersonal Communication

Un(a) compañero/a le cuenta algo que le pasó y Ud. le dice lo que habría hecho si hubiera estado en su lugar.

MODELO Mis papás me pidieron que me conectara todos los días por Skype, pero hacía tantas actividades que se me olvidaba.

Yo de ti también lo habría olvidado.

Yo de ti no me habría salido de la banda. ¡Hoy serías famoso!

1. Quería ir al concierto de One Direction, pero tuve que quedarme estudiando.

2. Debía estudiar para los demás exámenes finales, pero estaba cansado/a y fui al cine.

3. Mi mamá me pidió que comprara leche y pan, pero se me olvidó.

4. Me encantan las artes escénicas, pero mis padres no las consideran una carrera seria.

5. Cuando envié los formularios de la universidad, puse medicina y derecho de primeros.

El pluscuamperfecto del subjuntivo

Formamos el pluscuamperfecto del subjuntivo con el imperfecto del subjuntivo del verbo **haber** y el participio pasado del verbo principal.

Formación del pluscuamperfecto del subjuntivo		
Infinitivo	Imperfecto del subjuntivo de *haber*	Participio pasado
enviar	hubiera	**enviado**
	hubieras	
ver	hubiera	**visto**
	hubiéramos	
dirigir	hubierais	**dirigido**
	hubieran	

Usos del pluscuamperfecto del subjuntivo

- El pluscuamperfecto del subjuntivo se usa en el tiempo pasado, en oraciones en que en la cláusula principal se expresa una reacción de duda, emoción, sorpresa o incredulidad, entre otras, ante una acción previamente ocurrida. En estos casos, el verbo de la cláusula principal está en el pasado del indicativo y el verbo de la cláusula subordinada está en subjuntivo.

No podíamos creer que **hubieran cancelado** el concierto a última hora.

*We couldn't believe that they **had cancelled** the concert at the last minute.*

Nos sorprendió que el presidente mismo le **hubiera entregado** el premio.

*We were surprised that the president himself **had handed** her the award.*

- También se usa para expresar una situación hipotética o contraria a la realidad en el pasado. En ese caso, el verbo de la cláusula principal está en el condicional y el verbo de la cláusula subordinada está en subjuntivo.

Les asombraría muchísimo que las cosas **hubieran cambiado** mucho en dos años.	*They would be very surprised if things **had changed** much in two years.*
Sería un desperdicio que no se **hubiera logrado** nada con las conversaciones de paz.	*It would be a waste if nothing **had been accomplished** with the peace talks.*

- El pluscuamperfecto del subjuntivo se usa especialmente en cláusulas con **si**, para expresar acciones o situaciones contrarias a la realidad, cosas que habrían podido ocurrir (si se hubieran dado ciertas circunstancias), pero no ocurrieron. En esos casos, la cláusula principal va en el condicional perfecto y la cláusula subordinada con **si** va en pluscuamperfecto del subjuntivo. Note que se puede cambiar el orden de las cláusulas sin que cambie el significado de la oración.

Si hubiera sabido de la reunión (pero no supe), habría preparado algo.	*If I had known about the meeting (but I didn't know), I would have prepared something.*
Yo habría preparado algo **si hubiera sabido** de la reunión.	*I would have prepared something if I had known about the meeting.*

- En la cláusulas con **si** en que se expresan acciones contrarias a la realidad, la construcción **de** + **infinitivo** puede tomar el lugar del pluscuamperfecto del subjuntivo.

Si hubieras dicho algo a tiempo, se habría evitado el problema.	*If you had said something on time, the problem would have been averted.*
De decir algo a tiempo, se habría evitado el problema.	*By saying something on time, the problem would have been averted.*

¡Comunicación!

30 ¿Qué habríamos hecho? 👥 Interpersonal Communication

Con un(a) compañero/a, comenten qué habrían hecho…

- si hubieran estado enfermos hoy.
- si hubieran tenido entrenamiento ayer y un examen hoy.
- si llegaran a un restaurante y se hubieran dado cuenta de que no tenían dinero.
- si no hubieran estudiado español y viajaran a un país hispanohablante.
- si hubieran ahorrado mucho dinero en el verano.

¡Comunicación!

Lea el siguiente reportaje. Luego, complete el diálogo que se da a continuación con el pluscuamperfecto del subjuntivo o con el condicional perfecto, según corresponda de acuerdo al contexto.

○ ○ ○   ¡Reportaje ciudadano en...

¡Reportaje ciudadano en acción!
Martes 7 de julio – 12 PM

Cada cual da su propia versión de los hechos.

¿Alguna vez ha visto un evento importante en la calle, lo ha filmado y fotografiado, y, luego, compartido en las redes sociales? Eso es lo que hacen muchos ciudadanos en sitios donde los medios de comunicación no están cubriendo la noticia o porque ellos se encontraban en el lugar justo, en el momento justo.

En este tipo de "reportaje", los ciudadanos juegan un papel primordial en la recolección, reportaje, análisis y diseminación de noticias. Por ejemplo, pueden publicar su propia versión de un acontecimiento en un blog, sea propio o ajeno. También pueden enviar su versión como reacción o respuesta a una noticia en un medio de comunicación, la versión contemporánea de una carta al editor. Otra modalidad consiste en colaborar estrechamente con periodistas profesionales.

Cualquiera que sea el método, el objetivo es comunicar noticias. Sin embargo, ¿cuán confiable es una noticia difundida por un ciudadano privado? Esa es una de las preguntas que debe responderse. Ya ha habido instancias de subjetividad, errores y exageraciones en la transmisión de noticias, así como manipulaciones de imágenes. Por qué se reporta —la motivación— y cómo —la ética— son el quid.

—¿Viste el reportaje sobre los paraguas amarillos en Hong Kong? ¡Me (**1.** *encantar*) estar allá para cubrir la noticia! Si (**2.** *ir*) con mi primo, (**3.** *poder*) hacerlo de primera mano.

—Sí, pero no todo es confiable. Si tú (**4.** *estar*) allá, (**5.** *darse*) cuenta de que no es fácil ser objetivo estando sobre el terreno.

—Pero… ¡yo (**6.** *simpatizar*) mucho con los estudiantes de Hong Kong!

—Claro, yo también. Sin embargo, si (**7.** *querer*) que te siguieran muchas personas, (**8.** *tener*) que ser más imparcial.

—Te entiendo, ¡pero es difícil! Si tú (**9.** *vivir*) allá, ¿cómo crees que (**10.** *sentirse*)?

—Yo creo que (**11.** *emocionarse*) mucho.

—Sí, definitivamente. Hace diez años, ¿quién (**12.** *imaginarse*) que las redes sociales iban a cambiar tanto el mundo?

—Quizá no tanto como lo han hecho, ¡pero nuestros abuelitos nunca lo (**13.** *soñar*)!

¡Comunicación!

32 *Spam,* **ese correo no deseado** 👥 **Interpretive/Interpersonal Communication**

Lea esta interesante información sobre el *spam* y conteste las preguntas que siguen. Luego, haga una lista de los mensajes de *spam* más absurdos que haya recibido y compárelos con los de sus compañeros/as. ¿Qué tienen en común? ¿En qué se diferencian?

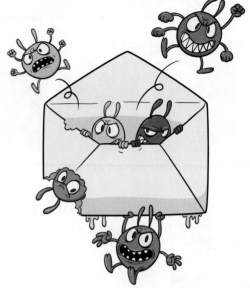

¿Quién hubiera podido saber que el spam *se volvería parte de nuestra vida cotidiana?*

En sus remotos orígenes —1937—, SPAM era, y sigue siendo, jamón enlatado. Muchos se preguntan de dónde salió el nombre y *Hormel,* la compañía que lo produce, perpetúa el misterio. Dicen en su sitio web que hubiera podido significar *SPiced hAM,* o jamón especiado, pero que solo lo sabe con certeza el inventor del nombre.

Los ingleses hubieran jurado que significaba *Specially Processed American Meat,* o carne americana procesada especialmente, como se le decía en el Reino Unido durante la II Guerra Mundial. Lo que sí es cierto es que, si no hubiera existido el SPAM, muchos soldados y civiles habrían pasado hambre. Una cifra que demuestra su popularidad es el hecho de que hubiera llegado a consumirse en 41 países y a comercializarse en 100 para el año 2003.

¿Qué ocurrió para que hubiera pasado de nombre de carne a denominar al correo no solicitado? Todo empezó en 1970, con una sátira de *Monty Python:* todos los platos de un menú tenían SPAM y, cada vez que la mesonera decía: "SPAM", un grupo de vikingos repetía: "¡SPAM, SPAM, SPAM, SPAM, SPAM, SPAM, SPAM, SPAM, delicioso SPAM, maravilloso SPAM!". Sofocaban la conversación hasta que los mandaban a callar.

Rápidamente, en las salas de *chat* y en los MUD (*multi-user dungeons*) se empezó a usar *spam* para referirse a mensajes excesivos o molestos que los grupos enviaban a sus rivales. La propagación accidental de mensajes masivos también se llamó *spam,* hasta que se convirtió en el término para denominar los correos electrónicos no deseados.

Ya habrían preferido los productores de SPAM que eso no hubiera sucedido nunca. Obviamente, jamás se le hubiera ocurrido a nadie de Hormel el desatino de asociar su marca con algo negativo.

La marca SPAM se debe escribir en mayúsculas —una batalla legal ganada— para distinguirla de los correos molestos. Desafortunadamente, ¿y quién lo hubiera adivinado?, *spam* está pasando a significar también cualquier tipo indeseado de publicidad, llamada o mensaje —sea digital o no—.

1. ¿Siempre lee todos sus mensajes electrónicos? ¿Por qué?

2. Diga la definición de *spam.*

3. Explique la conexión entre la carne SPAM y los correos *spam.*

4. ¿Por qué es paradójico que el SPAM haya pasado a significar correo indeseado?

Lectura informativa

Antes de leer

1. ¿Cómo cree Ud. que afecta la situación política y social de un país a los periodistas?

2. ¿Qué dificultades y peligros puede enfrentar un periodista que trabaja durante una dictadura?

Estrategia

Hacer un resumen

Resumir es una buena estrategia para asegurarse de haber comprendido las partes más importantes de un texto. Cuando lea, identifique las ideas principales y las secundarias, pero incluya solamente las primeras en el resumen.

Virgilio Andrade: en 50...

ConexiHon comunicación para vencer el miedo

Virgilio Andrade: en 50 años de radio sufrí amenazas, marginación y exilio

Inicio

Por Israel Cruz

San Pedro Sula, Honduras (Conexihon). En 40 años de estar al frente de su programa Sonriendo y Comentando, el locutor Virgilio Andrade dice haber experimentado desde problemas, amenazas[1], intimidación, marginamiento hasta el cruel exilio, pero que no puede negar que la jornada[2] le deja una enseñanza de amistad e interacción con la audiencia.

El polémico comunicador [...] expresa que el aprendizaje en radio es como una escuela o la universidad de la vida que le permite conocer a muchas personas de diferentes edades y culturas.

El controvertido comunicador que se hace llamar "el hombre de las verdades" asegura que haber alcanzado cuatro décadas con su programa el 15 de febrero anterior refleja la mitad de una larga vida.

Conexihon.Info (CI): ¿Se puede vivir con dignidad del periodismo?

Virgilio Andrade (VA): Sí, claro, hay que aferrarse a los principios de solidaridad y actitud positiva porque es una forma de entregarse al público.

CI: ¿Qué opina que en algunas emisoras se irrespeta[3] al oyente?

VA: Creo que los dueños de estas estaciones de radio sabrán de cómo se maneja una ferretería[4], pero no saben nada de radio, la cual no solo es el aparato que transmite sonidos sino, además, una cátedra[5] que sirve para entretener, enseñar e informar.

Al no saber del asunto y sus contenidos, "se convierten en simples mercaderes que contratan a un aprendiz de locutor para que diga lo que quiera a cambio de un comercial. Deberían de estar en la cárcel o un manicomio[6] por haber vulgarizado la radiodifusión", apostilló[7] con ademanes[8] de enojo.

El popular comunicador agregó que lo más grave de esto es que no se descarta[9] que exista una audiencia que les sigue porque está al mismo nivel de analfabetismo[10] y vulgaridad del locutor.

CI: ¿Cómo ha incidido[11] la muerte de los comunicadores en su desempeño periodístico?

VA: Son lamentables estos hechos, no estamos exentos de la violencia, es algo que está en todas partes, intimidan a la profesión, "el miedo está en el viento y nosotros lo percibimos".

---

[1] threats [2] every work day [3] be disrespectful to [4] hardware store
[5] professor's podium [6] madhouse [7] added [8] gestures [9] dismiss [10] illiteracy
[11] affect

33 Comprensión

1. ¿Qué aspectos positivos destaca Virgilio Andrade de su trabajo en la radio?

2. ¿Qué opina Andrade sobre los dueños de estaciones radiales en las que se falta el respeto a la audiencia?

3. ¿Qué opinión le merecen los oyentes que siguen programas vulgares?

34 Analice

¿Por qué cree Ud. que un periodista que ha sufrido problemas graves a causa de su trabajo nunca dejó el ejercicio de su profesión?

35 Comprensión

1. ¿Qué opina Andrade sobre la muerte de periodistas?

2. ¿Qué problemas enfrentó Andrade durante la dictadura militar?

3. ¿Por qué Andrade tuvo que escaparse de Honduras?

36 Analice

Andrade dice que no se puede decir todo lo que uno quiere decir porque a veces no es ético o no corresponde. ¿Está Ud. de acuerdo con su postura? ¿Por qué?

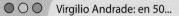

 **comunicación para vencer el miedo**

Supongo… y solo supongo que las muertes de los periodistas tienen que ver con elementos más allá del trabajo periodístico… no tiene sentido que se sacrifique tan brutalmente a un comunicador porque diga una noticia, un comentario o una especulación, no le veo sentido.

Debe haber algo más, pero nunca se sabrá porque no tenemos policía de investigación […].

CI: ¿En alguna oportunidad fue objeto de amenazas a muerte?

VA: Desde luego en la década de los ochentas. En esa época en la que los militares tenían la última palabra fui objeto de intimidación al extremo de clausurarme[12] una emisora[13] llamada Mi Favorita con el pretexto de que le cambié el nombre sin informar a Hondutel.

Esto tenía mensaje porque yo siempre fui crítico de los militares a pesar de haber pertenecido a esta rama. Después de ese incidente nadie me vendía espacios radiales; tuve que irme a Radio Progreso, en El Progreso, Yoro, donde la Compañía Jesuita me abrió las puertas.

En este periodo me la pasé con problemas, amenazas, marginamiento por parte de los dueños de los medios porque obedecían órdenes de los coroneles que eran los "dioses de Olimpo", de aquel entonces.

CI: ¿La libertad se defiende con armas?

VA: La autodefensa es importante, siempre anduve armado […]. Últimamente no ha habido ese tipo de amenazas porque el ambiente es distinto; sin embargo, hay que guardar prudencia: no se puede decir todo lo que uno quiere decir porque a veces no es ético, no corresponde, lo que no evita seguir siendo crítico.

CI: ¿Los anunciantes lo siguen a dónde va?

VA: Decía mi amigo el analista financiero Carlos Urbizo Solís, el programa es como la comida que sirve el chef: la gente lo va a seguir al restaurante que él vaya: la audiencia me sintoniza[14] en la radio que yo esté.

CI: ¿Estuvo fuera del país?

VA: Me fui a El Salvador y trabajé en radio Ondas Orientales, me tocó dormir en una banca de madera que estaba en la casa donde funcionaba la radio.

Luego regresé a Honduras y laboré[15] para la emisora HRP1, pero en esos días el general Oswaldo López Arellano protagonizó el golpe de estado de 1963, y escapé a Nicaragua y, como el ambiente era caliente para los críticos de los militares, me quedé por nueve años por allá.

---

[12] close down   [13] radio station   [14] tunes in   [15] worked

Búsqueda: programa sonriendo y comentando honduras, periodista virgilio andrade honduras

Escritura

Un ensayo persuasivo

Recuerde que en un ensayo persuasivo Ud. tiene que convencer al lector de que adhiera a su punto de vista. Es importante que exprese ese punto de vista claramente en una oración y que luego lo fundamente con razones y evidencias. En la conclusión, debe reformular la idea central de su ensayo y resumir los argumentos de apoyo.

Partes de un ensayo persuasivo:

- Una introducción atractiva: incluya un dato interesante, una declaración controvertida o una pregunta retórica para despertar el interés del lector.

- En ese mismo párrafo introductorio, incluya una oración que exprese claramente la tesis u opinión sobre el tema del ensayo, para que el lector identifique la postura del autor.

- Oraciones que fundamenten con razones de peso la postura del autor. Para convencer al lector de que el punto de vista es atinado, es preciso incluir evidencia que lo demuestre.

- Una conclusión para reforzar la tesis. En el párrafo final, es recomendable resumir las razones presentadas en el cuerpo del ensayo y reformular la tesis para cerrar el ensayo.

¡Comunicación!

37 La libertad de expresión   Presentational Communication

Imagine que Ud. es periodista y vive en Honduras. Escriba un ensayo persuasivo donde explique por qué es necesario defender la libertad de expresión. Si es necesario, vuelva a leer la información de los textos de Cultura de esta unidad y tenga en cuenta estas ideas como guía:

- ¿Por qué es importante la libertad de expresión?

- ¿Qué relación hay entre la democracia y la libertad de expresión?

- ¿Qué papel tienen los periodistas en una democracia?

- ¿Qué medidas o acciones propone?

- ¿Qué efecto tendrán esas medidas?

Ingrese sus ideas en un organizador gráfico como el de abajo antes de empezar a escribir:

Para escribir más

Use las siguientes frases para introducir las razones que fundamenten su punto de vista.

porque…
ya que…
puesto que…
dado que…
debido a…
pues…

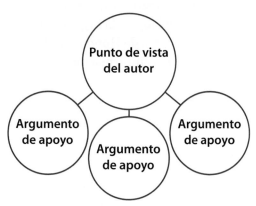

Extensión

"Protagonistas del desarrollo" es un programa radial hondureño transmitido por la radioemisora comunitaria RDS Radio. El eje del programa son las noticias positivas sobre instituciones y organizaciones solidarias y comprometidas con el desarrollo de Honduras.

La Asociación Compartir es una organización no gubernamental de desarrollo que surge en 1990 para dar una solución a la problemática de los "niños en calle" en Honduras.

 ¡Comunicación!

38 Proyectos de la asociación Interpretive Communication

El 17 de noviembre de 2014 dos miembros de la Asociación Compartir participaron como invitadas del programa "Protagonistas del desarrollo" para difundir las actividades de la organización. Escuche el segmento sobre los proyectos de la Asociación Compartir y diga si las siguientes afirmaciones son verdaderas o falsas.

1. La Asociación Compartir partió de la propuesta de trabajar las oportunidades educativas de los primeros años de vida.

2. Según la entrevistada, es preferible trabajar con los problemas de forma aislada.

3. La propuesta educativa de la Asociación Compartir incluye estimulación temprana, educación preescolar, apoyo en la escuela primaria y un programa lúdico, artístico y deportivo.

4. La Asociación Compartir solo se dedica a programas educativos para la niñez y no trabaja con la comunidad ni la familia.

5. Los trabajadores sociales, psicólogos y pedagogos de la organización trabajan con alrededor de 1000 familias.

6. Uno de los objetivos del programa es ayudar a las personas a resolver sus problemas familiares.

39 El blog de la Asociación Compartir   Presentational Communication

Imagine que Ud. es miembro de la Asociación Compartir y que se dedica a la difusión de sus actividades para promocionarlas. Escriba una entrada para el blog de la organización explicando los servicios que ofrece y su importancia para los niños y adolescentes de Honduras. Use referencias del segmento que escuchó y, si es necesario, busque en la internet más información al respecto. Por último, lea su entrada de blog al resto de la clase.

Vocabulario 3

Mejore su comprensión 🎧

Familiarizarse con este vocabulario le ayudará a leer "Hombres necios" y "Peso ancestral" más adelante, y a mejorar su comprensión auditiva.

amante *s.m.* Persona que mantiene una relación de amor con otra sin estar casada con ella.

ansia *s.m.* Deseo fuerte de conseguir algo.

blandir *v.* Mover algo haciéndolo vibrar en el aire.

brotar *v.* Salir un líquido; nacer la planta de la tierra.

burlarse *v.* Reírse de algo y no tomarlo en serio.

chillar *v.* Gritar, levantar la voz.

El cinematógrafo fue inventado en 1895.

cinematógrafo *s.m.* Cine.

consejo *s.m.* Opinión que se da a alguien porque se considera que puede servirle de ayuda.

culpa *s.f.* Responsabilidad por haber cometido una falta.

culpar *v.* Echar la culpa de algo.

de acero *exp.* Que es muy duro y resiste mucho.

débil *adj.* Que tiene poca fuerza o resistencia.

desdén *s.m.* Indiferencia y falta de interés que denotan menosprecio.

enfadar *v.* Hacer que una persona pierda el buen humor.

enfado *s.m.* Disgusto que tiene una persona por algo.

entender *v.* Tener claro el significado de algo.

incitar *v.* Impulsar a alguien a actuar.

ingrato/a *adj.* Que no agradece los favores que se le han hecho.

instancia *s.f.* Petición solicitada por escrito según determinadas fórmulas.

liviano/a *adj.* Que pesa poco; se dice de una mujer que es ligera en su relación con los hombres.

liviandad *s.f.* Falta de dominio moral o que no observa control sexual.

loco/a *adj.* Que no piensa las cosas que hace o que se pone en peligro sin darse cuenta.

necio/a *adj.* Que no actúa con inteligencia.

ofender *v.* Hacer o decir algo que molesta o que demuestra desprecio o falta de respeto.

pecar *v.* No cumplir la ley de Dios.

pena *s.f.* Sensación que se tiene cuando pasa algo triste.

quejarse *v.* Expresar con la voz un dolor o una pena.

rogar *v.* Pedir con súplicas, con mucha educación o como favor.

sentir *v.* Lamentar, sentir contrariedad o disgusto.

sombra *s.f.* Imagen oscura que deja un cuerpo al lado contrario del sitio por donde le da la luz.

soportar *v.* Sufrir algo con paciencia.

vacío/a *adj.* Que no tiene nada en su interior.

veneno *s.m.* Sustancia que produce graves daños en los seres vivos y que puede llegar a matarlos.

40 Palabras relacionadas

Elija el verbo del vocabulario que se relaciona con las siguientes palabras.

1. culpa
2. burla
3. ruego
4. ofensa
5. chillido
6. enfado
7. pecado
8. queja

41 ¿Cuál corresponde?

Complete las siguientes oraciones con la palabra del recuadro que corresponda según el contexto.

ingratas	desdén	consejos	siento	culpa
enfadado	soportaba	ofende	débil	brotar

1. Me ____ que puedas pensar tan mal de mí y luego me culpes por sentirme ____ .

2. Todos los años ansiaba que llegara la primavera para ver ____ las primeras hojas de las plantas.

3. No me eches la ____ por tus resultados: te ayudé a estudiar, pero tú tomaste el examen.

4. Algunas personas son muy ____ . No importa lo que hagas por ellas, nunca te lo agradecen.

5. Tras su enfermedad se sentía muy ____ . Necesitó mucho reposo para recuperarse.

6. No sabes cuánto lo ____ . Realmente me entristece que no te saliera el proyecto.

7. Un necio es una persona que no entiende y no atiende los ____ de nadie.

8. Se quejaba de que su amante la trataba con indiferencia y ____ , a pesar de todas las penas y sufrimientos que ____ por él.

42 En las sombras del cinematógrafo 🎧

Escuche el relato "En las sombras del cinematógrafo". Luego, Ud. oirá la primera parte de una oración sobre el relato y tres terminaciones posibles. Seleccione la letra de la respuesta con la terminación más lógica. La oración y las terminaciones se leerán dos veces.

1. A. ... quiere matar a su esposa.

    B. ... quiere esperar a su esposa.

    C. ... quiere hablar con su esposa.

2. A. ... grita y sale corriendo.

    B. ... llama a la policía.

    C. ... telefonea al director.

3. A. ... para abrir la puerta de atrás.

    B. ... para dirigirse al público.

    C. ... para preguntar quién es la esposa del hombre.

4. A. ... para ocultar a la pareja que sale.

    B. ... para continuar con la película.

    C. ... porque el teatro está vacío.

5. A. ... se levantan muchas parejas.

    B. ... no se levanta nadie.

    C. ... se levanta solo una pareja.

6. A. ... el teatro está casi lleno.

    B. ... el teatro está casi vacío.

    C. ... el teatro está completamente vacío.

Todos salieron y el teatro quedó vacío.

Los pronombres relativos *que* y *quien(es)*

Los pronombres relativos sirven para unir dos oraciones simples o para formar una oración compuesta. El pronombre relativo reemplaza a un sustantivo ya mencionado.

> **El reportero** está cubriendo la noticia. (El reportero) es de Honduras.

> El reportero **que** está cubriendo la noticia es de Honduras.

El pronombre relativo puede ser sujeto o complemento del verbo.

Sujeto:	**Los camarógrafos** llegaron. (Los camarógrafos) son de la prensa internacional.
	Los camarógrafos **que** llegaron son de la prensa internacional.
Complemento:	Compré **un regalo**. (El regalo) es para mi padre.
	El regalo **que** compré es para mi padre.

Los pronombres relativos pueden introducir dos clases de cláusulas subordinadas. Se usan con...

- una cláusula restrictiva que completa el significado del antecedente y que no puede omitirse sin cambiar el sentido de la oración.

Oración principal:	El paquete		es para mi hermana.
Pronombre relativo:		que	
Cláusula restrictiva:		*envié hoy*	

- una cláusula parentética que está separada de la oración principal por comas y sirve para ofrecer información adicional. Por lo tanto, esta información puede eliminarse sin alterar el sentido de la oración.

Oración principal:	La playa de Roatán,		es muy hermosa.
Pronombre relativo:		que	
Cláusula restrictiva:		*queda en el Caribe,*	

Oración principal:	La presentadora,		es muy carismática.
Pronombre relativo:		quien	
Cláusula restrictiva:		*ha entrevistado a grandes personalidades,*	

El pronombre relativo es indispensable en español y no puede omitirse como sucede frecuentemente en inglés.

> Esta es la playa **que** me encanta.

> *This is the beach (**that**) I love.*

La playa que me encanta es la de Roatán, en Honduras.

Usos de *que*

- El pronombre relativo **que** reemplaza a personas o cosas, y es invariable. **Que** es el pronombre relativo más usado.

- **Que** va después del antecedente y, con frecuencia, introduce una cláusula restrictiva.

  La periodista **que** entrevistó al papa es muy famosa. (*who*)

  El amigo **que** les presenté estudió periodismo conmigo. (*whom*)

  Los medios de comunicación **que** buscan proyectarse también se publican en línea. (*that*)

Usos de *quien(es)*

- El pronombre relativo **quien(es)** reemplaza solamente a personas y concuerda con el antecedente en número.

- **Quien(es)** introduce una cláusula parentética, separada de la cláusula principal por comas.

  Silvia, **quien** estudió Comunicación Social conmigo, cubre noticias políticas actualmente. (*who*)

- Cuando el pronombre relativo **quien** se usa como complemento directo, debe llevar la preposición **a** antepuesta a la persona.

  El sábado vi **al** actor Viggo Mortensen en una película. Él es de origen danés.

  El actor Viggo Mortensen, **a quien** vi el sábado en una película, es de origen danés. (*whom*)

- **Quien(es)** reemplaza a personas y siempre va pospuesto a las preposiciones.

  El director de medios, **con quien** mantengo correspondencia, dio los permisos de reproducción. (*with whom*)

  El candidato para editor, **de quien** hemos hablado, se llama Carlos. (*of whom*)

---

43 ¿Que, quien o quienes?

Elija el pronombre relativo adecuado para completar las oraciones correctamente.

1. El productor de cine para (*quien / que*) trabajo es muy exigente.

2. Las actrices, (*quien / quienes*) esperaban su turno en la audición, estaban ansiosas.

3. El reportero (*que / quien*) cubrió el estreno de la película hizo un trabajo estupendo.

4. El guionista de la serie, a (*que / quien*) admiro mucho, anunció que esta sería la última temporada.

5. La directora de la película (*que / quien*) vimos anoche está rodando una segunda parte con los mismos actores.

6. Los efectos especiales, (*quienes / que*) requirieron muchos meses de trabajo, merecen un premio.

Gramática

Otros pronombres relativos

Usos de *el que, el cual*

- El pronombre relativo **el que** (**el cual**) se usa para reemplazar cosas. Concuerda en género y en número con el antecedente y va pospuesto a las preposiciones.

  La serie de fantasía **de la que** (**de la cual**) hemos conversado termina el viernes.

  Los libros **en los que** (**en los cuales**) aparecen dragones son muy populares entre los jóvenes.

- **El que** (**el cual**) se usa en lugar de **quien(es)** cuando va pospuesto a una preposición, para identificar con mayor claridad el antecedente.

  Los estudiantes **en los que** (**en los cuales**) me fijé para las pasantías ya consiguieron trabajo.

- **El que** también se usa para introducir una cláusula subordinada parentética (entre comas). **El** (**la**, **los**, **las**) **que** distingue uno (una, unos, unas) entre varios al referirse a personas, cosas o lugares.

  Aquel autor, **el que** escribió la trilogía sobre el señor de los anillos, se llama J. R. R. Tolkien. (*the one who*)

  Este reportaje no me parece tan certero como **el que** vimos anoche. (*the one that*)

- **El que** se usa después del verbo **ser** para referirse a personas o cosas.

  Autores como Galdós o Fernández y González eran **los que** publicaban sus novelas por entregas. (*the ones who*)

  Esta estación **es la que** sigo para mantenerme informado. (*the one that*)

- **El que** se usa para indicar un antecedente tácito que puede ser persona o cosa.

  Los que no se postularon a tiempo no pudieron participar en el concurso. (*Those who*)

  Me encantan los libros de suspenso, especialmente **los que** tienen un componente psicológico. (*the ones that*)

Usos de *lo que*

- **Lo que** es el pronombre relativo neutro. Es invariable.

- Se usa **lo que** cuando el antecedente se refiere a una idea completa expresada en una cláusula.

  Los críticos de teatro no tuvieron comentarios positivos sobre la obra, **lo que** disgustó mucho al director. (*which*)

- También se usa **lo que** para referirse a una idea vaga o imprecisa.

  Lo que ellos le confiaron a su círculo más íntimo nunca se sabrá. (*that which, what*)

  En realidad, no sabemos **lo que** se va hacer con esas fotos. (*what*)

44 ¡Talento latino!

Un nuevo programa de talentos busca formar una banda de muchachos latinos. Lea la reseña y complete las oraciones con el pronombre relativo **que** o **quien(es)**, según sea más apropiado.

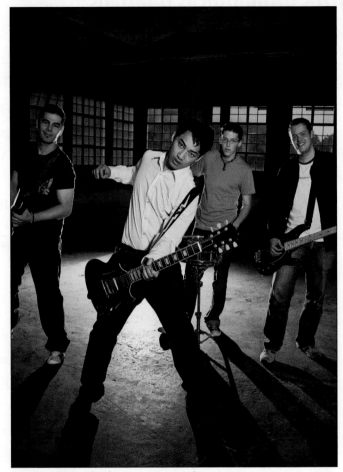

Univisión y Syco Entertainment se han asociado para crear un concurso musical como aquellos con los __(1)__ Simon Cowell, __(2)__ es el dueño de Syco, ha tenido tanto éxito. Es el nuevo concurso llamado *La Banda*, __(3)__ busca la participación de muchachos talentosos de Estados Unidos y toda Latinoamérica. El programa, __(4)__ se estrenará en septiembre por Univisión, será transmitido en todas las plataformas __(5)__ tiene la emisora, tanto de televisión tradicional como digital.

Los participantes, __(6)__ representarán a toda la cultura latinoamericana, optarán también por un apetecido contrato con Sony Music Latin, así como con Syco Music, __(7)__ es el sello discográfico de Cowell. El objetivo es __(8)__ de allí salga la mejor banda latina de chicos, como logró Cowell con One Direction.

Estos son los muchachos que ganaron el concurso.

Ricky Martin, __(9)__ será productor ejecutivo y juez de la competencia, aseguró estar muy entusiasmado por participar en el proyecto. Dijo Martin: "Nuestra comunidad necesita proyectos musicales __(10)__ permitan el desarrollo de sus talentos". Cuando los miembros de la banda sean seleccionados, Martin será __(11)__ los guíe en calidad de mánager. Él recuerda sus propios inicios: "En mi caso, era un niño __(12)__ a los 12 años corría bicicleta en su barrio y de pronto se montó en un avión privado y empezó a dar literalmente la vuelta al mundo".

Por su parte, en su cuenta de redes sociales, Simon Cowell convocó a __(13)__ quisieran participar: "Me complace anunciar que las audiciones para formar parte del nuevo *boyband* latino están abiertas", invitándolos a creer en los sueños __(14)__ "sí se hacen realidad".

45 Una fiesta inolvidable

Fernanda es una estudiante hondureña que vive en una universidad estadounidense. Esta semana, se celebrará la diversidad cultural que caracteriza a América con una feria internacional. Los estudiantes, quienes tienen ancestros diversos, van a preparar platos que sean típicos y a poner música que sea representativa de esos países.

Modifique cada una de las siguientes oraciones usando **que** o **quien(es)** y complétela con una cláusula subordinada, según el modelo.

> **MODELO**   Habrá *cincuenta países* representados.
>
> Los cincuenta países **que** van a participar representan a toda América.

1. Se está preparando *una feria internacional*.
2. Habrá distintos *platos regionales*.
3. Yo voy a preparar *caraotas negras*.
4. Conocí a unos *estudiantes puertorriqueños*.
5. Ayer te hablé de *las brasileras*.
6. Me pondré *un traje típico de mi país*.
7. Pondremos *música tradicional*.
8. Invitaremos por las redes sociales a *otros amigos*.

46 Trágica noticia 👥

Comente con un(a) compañero/a la noticia sobre la tragedia que ocurrió en Shanghai por una estampida. Primero, seleccionen el pronombre relativo apropiado; luego, terminen la oración de una manera original y lógica, como se ve en el modelo.

> **MODELO**   Leí la noticia de una estampida (*el que / que / el cual*) ocurrió en Shanghai la noche de Año Nuevo.
>
> Lo que leí fue que...
>
> Leí la noticia de una estampida **que** ocurrió en Shanghai la noche de Año Nuevo.
>
> **Lo que leí fue que la estampida se desató por la gran masa de personas subiendo y bajando de una plataforma.**

1. Hubo una estampida en (*la que / el que / las que*) murieron 36 personas y 47 resultaron heridas.

   Lo que no sabía era que...

2. Las víctimas, (*quienes / las que / las cuales*) eran mujeres y estudiantes en su mayoría, quedaron aplastadas en el suelo.

   ¡Qué horror! Lo que me parece terrible es que...

3. Las personas (*que / el que / el cual*) se sentían arrinconadas empezaron a lanzarse por la escalera.

   Lo que pasa cuando empieza el pánico es que...

4. La policía (*la que / que / las cuales*) acudió al sitio intentó controlar la muchedumbre, pero ya era demasiado tarde.

   Lo que deberían haber hecho era que...

Una celebración que terminó en tragedia

Ud. comenzará a trabajar para un medio muy importante. El jefe de redacción, quien fue compañero de estudios de su padre, quiere mostrarle la oficina en la que va a trabajar. Una las dos oraciones con **el (la, los, las) que** o **lo que**, según se indica. Siga el modelo a continuación.

MODELO   Este es el edificio. La televisora queda en este edificio. (*in which*)
Este es el edificio en el que queda la televisora.

1. Ellos son los camarógrafos. Quería presentarte a los camarógrafos. (*whom*)
2. Este es el estudio de grabación. En el estudio se transmiten las noticias matutinas. (*in which*)
3. Esos son los videoclip. Te he hablado sobre los videoclip varias veces. (*of which*)
4. Aquel es el *teleprompter*, o apuntador. Debes mirar tus intervenciones en el apuntador. (*in which*)
5. Aquí tienes la computadora portátil. Escribirás tus artículos con la computadora. (*with which*)
6. Tendrás un horario flexible. Estoy seguro de que será de tu agrado. (*which*)

48 **Leyenda urbana**

¿Conoce alguna leyenda urbana? Complete las siguientes oraciones con el pronombre relativo **que**, **quien**, **el (la, los, las) que** o **el (la, los, las) cual**.

1. El encuentro ____ tuve hace un mes fue algo inexplicable.
2. Conocí a una muchacha, ____ me parecía familiar, pero no sabía por qué.
3. Era muy simpática esa chica con ____ bailé esa noche en la fiesta.
4. Me pidió que la dejara en una casa frente a ____ hay un parque muy emblemático.
5. Varios días después, volví a la casa delante de ____ había dejado a la hermosa muchacha.
6. Toqué a la puerta y pregunté por Claudia, la joven con ____ había bailado en la fiesta.
7. La madre reaccionó con una angustia ____ se reflejó en su pálido rostro.
8. —¿Está seguro de que la muchacha con ____ salió es Claudia?
9. Después fui yo ____ se quedó helado de espanto cuando me explicó.
10. Su hija Claudia era la muchacha sobre ____ habían hablado todos los periódicos hacía un año.
11. Era famoso el caso no resuelto de secuestro ____ tanto había entristecido a la comunidad.
12. ¡No podía creer ____ me había pasado!

Era increíble lo que me decían sobre la hermosa muchacha con la que bailé esa noche.

La voz femenina en Sor Juana Inés y Alfonsina Storni
Hombres necios
de *Sor Juana Inés de la Cruz*

Sor Juana Inés de la Cruz

Sobre la autora

Juana Inés de Asbaje y Ramírez de Santillana nació en Nepantla, México, en 1651. Aprendió a leer y a escribir a los tres años de edad, pero su precoz afición a las letras y sus ansias de saber y estudiar chocaron con la actitud intolerante de la época. A los trece años ingresó a la corte del virrey Antonio Salazar de Toledo y, más tarde, se convirtió en dama de compañía de su esposa, la virreina Leonor Carreto, bajo cuya protección desarrolló su intelecto y capacidad literaria. Teniendo que elegir entre el matrimonio o ingresar al convento, eligió lo último y entró a una orden carmelita a los dieciséis años. De allí pasó a la Orden de San Jerónimo y fue allí donde se convirtió en Sor Juana Inés de la Cruz y donde vivió el resto de su vida.

En su obra se destaca la expresión de la voz femenina, que se manifiesta en la redondilla satírica "Hombres necios" donde señala la hipocresía de los hombres seductores. También escribió autos sacramentales por encargo; comedias de enredo como *Los empeños de una casa* y *La segunda Celestina*; la comedia mitológica *Amor es más laberinto*; loas, villancicos, poemas de situación, así como poesía jocosa y satírica.

Antes de leer

Sor Juana Inés de la Cruz vivió en una época difícil para las mujeres, en una sociedad en que se las tenía menos y, por tanto, no se les permitía estudiar ni tener aspiraciones intelectuales. ¿Cómo cree que ha cambiado esta actitud a través del tiempo? Piense en ejemplos que evidencien ese cambio.

Estrategia

El propósito del autor

El propósito del autor es la intención que tiene al escribir, ya sea la de entretener, informar o convencer al lector de algo. Esta intención a veces se presenta clara y explícitamente, pero otras veces se da a entender a través de lenguaje figurado o hay que deducirla. Entender el propósito del autor es importante para poder entender su obra y la perspectiva y la visión del mundo que quiso comunicarnos.

49 Practique la estrategia

En "Hombres necios", Sor Juana hace uso de la antítesis —oposición de palabras o de ideas— para denunciar la hipocresía de los hombres en su trato para con las mujeres de su época. A medida que lea, identifique tres ejemplos de antítesis y explique lo que significan en sus propias palabras como se ve a continuación.

Verso del poema	Antítesis	Interpretación
"¿Por qué queréis que obren bien si las incitáis al mal?"	bien/mal	**Ilustra la contradicción y sin razón en la actitud de los hombres que por un lado esperan que las mujeres sean buenas pero, por otro, quieren que sean malas.**
1.		
2.		
3.		

Hombres necios 🎧
de *Sor Juana Inés de la Cruz*

Arguye de inconsecuentes[1] el gusto y la censura de los hombres que en las mujeres acusan lo que causan.

50 Comprensión

1. ¿Qué quiere decir Sor Juana Inés en el versículo inicial, antes del poema?

2. ¿En qué se parecen los hombres a un niño?

Hombres necios[2] que acusáis
a la mujer sin razón,
sin ver que sois la ocasión[3]
de lo mismo que culpáis:

5   si con ansia[4] sin igual
solicitáis[5] su desdén,
¿por qué queréis que obren bien[6]
si las incitáis[7] al mal?
Combatís[8] su resistencia

10 y luego, con gravedad,
decís que fue liviandad
lo que hizo la diligencia.
Parecer quiere el denuedo[9]
de vuestro parecer loco[10],

15 al niño que pone el coco[11]
y luego le tiene miedo.

Queréis con presunción necia,
hallar a la que buscáis,
para pretendida[12], Thais[13],
20 en la posesión, Lucrecia[14].
¿Qué humor[15] puede ser más raro
que el que, falto de consejo[16],
él mismo empaña[17] el espejo
y siente[18] que no esté claro?

25 Con el favor y el desdén
tenéis condición igual[19],
quejándoos, si os tratan mal,
burlándoos, si os quieren bien.
Opinión[20], ninguna gana;

30 pues la que más se recata[21],
si no os admite, es ingrata,
si os admite, es liviana.

51 Analice

Explique la referencia a Thais y a Lucrecia en el contexto de la época y diga cómo podría describirse en el contexto de la época actual.

[1] inconsequential, petty   [2] silly, foolish   [3] you are to blame   [4] urgent plea, zeal
[5] implore, beseech   [6] behave, be good   [7] spur, urge   [8] conquer, overcome
[9] Akin is the posturing   [10] of your foolish attitude   [11] who summons the bogeyman
[12] when courted   [13] Thais, famous Greek courtesan who accompanied Alexander the Great
[14] Lucretia, Roman lady who, to avoid shame, committed suicide after being raped; symbol of virtue
[15] whim, quirk   [16] lacking good judgment   [17] clouds, fogs   [18] laments, mourns
[19] your attitude does not change   [20] prestige   [21] acts modestly

Queredlas cual las hacéis o hacedlas cual las buscáis.

Siempre tan necios andáis
que, <u>con desigual nivel</u>[22],
35   a una culpáis por cruel
y a otra por fácil culpáis.
¿Pues <u>cómo ha de estar templada</u>[23]
la que vuestro amor pretende,
si la que es ingrata, ofende,
40   y la que es fácil, enfada?
Mas, entre el enfado y pena
que vuestro gusto <u>refiere</u>[24],
bien haya la que no os quiere
y <u>quejaos en hora buena</u>[25].
45   ¿Cuál mayor culpa ha tenido
en una pasión errada:
la que cae <u>de rogada</u>[26]
o el que ruega de caído?

¿O cuál es más de culpar,
50   aunque cualquiera mal haga:
la que <u>peca</u>[27] <u>por la paga</u>[28]
o el que paga <u>por pecar</u>[29]?
Pues ¿para qué os <u>espantáis</u>[30]
de la culpa que tenéis?
55   <u>Queredlas cual las hacéis</u>[31]
o hacedlas cual las buscáis.
Dejad de solicitar,
y después, con más razón,
acusaréis la afición
60   de la que <u>os fuere a rogar</u>[32].
Bien con muchas armas <u>fundo</u>[33]
que <u>lidia</u>[34] vuestra arrogancia,
pues en promesa e <u>instancia</u>[35]
juntáis diablo, carne y mundo.

[22] with inconsistent judgment   [23] how is she to be deemed temperate   [24] expresses, recounts
[25] you may complain at will   [26] while being courted   [27] the one who sins   [28] for a fee
[29] to sin   [30] why do you fear   [31] like them as you have made them   [32] might seek you out
[33] I assert   [34] wield   [35] request

52 Comprensión

1. ¿Qué significa "cómo ha de estar templada"?

2. Explique el significado de "la que cae de rogada / o el que ruega de caído".

3. Explique el significado de "la que peca por la paga / o el que paga por pecar".

53 Analice

Analice el tema del poema y diga si los argumentos de Sor Juana en el siglo XVII tienen validez en la actualidad. Justifique su respuesta con ejemplos.

Peso ancestral
de *Alfonsina Storni*

Sobre la autora

Alfonsina Storni nació en Sala Carpiasca, Suiza, en 1892, pero a los cuatro años sus padres se mudaron a Argentina, el lugar donde ella se crió y vivió el resto de su vida. A los trece años, Alfonsina se independizó y trabajó como actriz. Luego, fue maestra en diversos colegios; escribió sus poemas y algunas obras de teatro durante esa época. Tuvo que afrontar la vida como madre soltera, al nacer su hijo en 1912, enfrentándose a la carga de los prejuicios morales de una sociedad hipócrita y estrecha.

Alfonsina Storni

Storni se considera una de las voces femeninas más potentes de principios del siglo xx. Con tono feminista, cambió las letras latinoamericanas mediante su originalidad.

En 1935 enfermó gravemente con cáncer y, cuando empeoró, se suicidó en Mar de Plata. Entre sus obras destacan "El dulce daño", "Irremediablemente", "Languidez", "¡Adiós!", "Alma desnuda", "La caricia perdida", "Razones y paisajes de amor", "Queja", "Tu dulzura", "Dolor" y "Frente al mar".

54 Comprensión

1. ¿A quién se refiere el yo poético en la primera estrofa?

2. ¿Qué quiere decir la primera estrofa con su conclusión "no han llorado los hombres de mi raza, eran de acero"?

3. ¿Qué significa que la lágrima también sea un veneno?

55 Analice

Analice a qué se refiere el "Peso ancestral". ¿Cree Ud. que ese "dolor de siglos" se refiere al dolor sufrido por la mujer, por el hombre o por ambos?

Peso ancestral

Tú me dijiste: no lloró mi padre;
tú me dijiste: no lloró mi abuelo;
no han llorado los hombres de mi raza,
eran de acero[1].
5   Así diciendo te brotó[2] una lágrima
y me cayó en la boca; más veneno
yo no he bebido nunca en otro vaso
así pequeño.
Débil mujer, pobre mujer que entiende,
10   dolor de siglos conocí al beberlo.
Oh, el alma mía soportar[3] no puede
todo su peso.

No han llorado los hombres de mi raza, eran de acero.

[1] steel   [2] sprouted   [3] bear, carry

Después de leer

Sor Juana y Alfonsina Storni se enmarcan en la tradición de escritoras latinoamericanas que "son mujeres" y escriben como tales. ¿Conoce a alguna escritora de su cultura que se pudiera enmarcar en la misma tradición? ¿Cuáles son los retos sobre los que escribe?

Para concluir

? Pregunta clave

¿Cómo afecta la situación política y social de un país a los medios de comunicación?

Proyectos

A ¡Manos a la obra! 👥

Trabaje con un grupo de tres compañeros/as. Prepararán un programa de radio en el que entrevistarán al periodista Virgilio Andrade. Primero, piensen de qué tipo de programa de radio se trata (noticias, entretenimiento, musical, etc.), cuál es su temática, qué duración tiene, qué tipo de música pasan, etc. Escriban una ficha de programa como la siguiente:

Con nosotros hoy, Virigilio Andrade, que lleva 50 años como periodista en América Central...

> Nombre del programa:
>
> Tipo de programa:
>
> Radioemisora:
>
> Días de emisión:
>
> Horarios de emisión:
>
> Temas que se tratan:
>
> Música:

Luego, escriban las preguntas que le harán al entrevistado y las respuestas que dará. Relean la Lectura informativa para tomar ideas de allí. Pueden buscar en la internet más información sobre el periodista.

Por último, representen la entrevista frente a la clase. Dos de Uds. harán el papel de entrevistadores y uno hará el papel de Virgilio Andrade. Incluyan una breve introducción antes de empezar la entrevista con los datos de la ficha del programa.

B En resumen

La situación actual de los periodistas independientes en Honduras resulta compleja. Vuelva a leer los textos de Cultura de esta unidad y complete el cuadro de abajo con los problemas que enfrentan los periodistas hondureños. Incluya las soluciones que se han puesto en práctica para resolverlos y, si no se han ofrecido soluciones aún, proponga alguna que le parezca adecuada. Puede buscar más datos en la internet si lo desea.

Problemas	Soluciones

C ¡A escribir!

Investigue cuál es la situación de los periodistas y los medios de comunicación en su estado o país. Luego, teniendo en cuenta lo que aprendió en esta unidad sobre el periodismo independiente en Honduras, piense en las diferencias y similitudes de las dos situaciones. Escriba un ensayo comparativo. Puede usar las siguientes preguntas como guía:

- ¿Hay medios concentrados en unas pocas manos?

- ¿La oferta de información es variada? ¿Hay pluralidad de voces?

- ¿Hay acusaciones de manipular la información?

- ¿Hay denuncias por amenazas o agresiones?

- ¿Hay medios alternativos comunitarios?

D El golpe militar   Conéctese: la historia

Honduras sufrió un golpe de estado en junio de 2009 que derrocó al presidente Manuel Zelaya. Desde entonces, el país sufre una crisis política grave.

Investigue las causas que desencadenaron el golpe militar en Honduras y los sucesos políticos clave que se han sucedido hasta la fecha. Escriba un resumen de su investigación en forma de listado cronológico de sucesos.

E Un programa comunitario   Conéctese: los medios de comunicación

Imagine que le ofrecen un espacio en un canal de televisión comunitario de Honduras para hacer un programa. Trabaje con un(a) compañero/a para presentar un plan de trabajo al canal en el que den todos los detalles del programa que quieren hacer.

Estas preguntas le servirán de guía, pero puede incluir otra información que considere necesaria.

- ¿Qué tipo de programa sería? ¿Educativo? ¿Musical? ¿De noticias?

- ¿Qué tipo de servicios brindaría a la comunidad?

- ¿Cuánto tiempo duraría? ¿Qué días saldría al aire?

- ¿Cuántos conductores tendría? ¿Serían periodistas o especialistas de otras áreas?

- ¿Tendrían personajes invitados? ¿Quiénes?

- ¿Cuáles serían las fuentes de información?

¿Se imagina trabajando en la televisión de Honduras?

Vocabulario de la Unidad 10

a la venta on sale
a la vez at once
a menor costo at a lower cost
acceder a to access
aceptar los cargos to accept the charges
el **acontecimiento** event
el **actor (la actriz)** actor (actress)
la **actuación** performance
el **ansia** zeal
el **apartado de correos** P.O. Box
el **argumento** plot
asegurar(se) to ensure, to make sure
atrapar to capture
el/la **boleto, entrada** ticket
brotar to sprout
burlarse to ridicule
el **buzón** mailbox
la **cadena de televisión** television network
el **celular** cell phone
cerrar (ie) el sobre to seal the envelope
los **clasificados** classified ads
el/la **comentarista** commentator
el **comprobante** receipt
la **computadora** computer
conectarse to connect
el **consejo** advice
la **contraseña** password
el **correo basura** junk mail, spam
la **culpa** blame
culpar to blame, to condemn
de la misma forma in the same way
¿De parte de quién? Who is calling?
de renombre renown
dejar un recado to leave a message
deportes sports
descargar to download
el **desdén** disdain, scorn
el/la **destinatario(a)** addressee
dirigir to direct
el **distrito postal** ZIP Code
el **documental** documentary
el **DVD** DVD
echar una carta al buzón to drop a letter in the mail
editorial editorial
la **emisión** broadcast
en directo, en vivo live

en línea online
encomienda postal parcel post
enfadar to make someone angry
el **enfado** annoyance
el **enlace (vínculo)** link
enredar to entangle
entender to understand
enterarse to find out
el **envío** delivery
el **espectáculo** show
el/la **estrella (del cine)** movie star
el **estreno** premiere
la **etiqueta** label, sticker
el **franqueo** postage
la **guía telefónica** telephone directory
hacer clic to click
hacer cola to stand in line
el **hard(soft)ware** hard(soft)ware
la **hilera** line
las **historietas** comic strips
el **horóscopo** horoscope
incitar to spur
el **informe meteorológico** weather report
ingrato/a ungrateful
la **instancia** request
la **internet** the Internet
la **línea ocupada** busy line
liviana loose woman
liviandad licentiousness
la **llamada local y de larga distancia** local and long distance call
la **llamada por cobrar (a cobro revertido)** collect call
el/la **locutor(a)** announcer
marcar to dial (a number)
mayormente nublado mostly cloudy
el **mensaje de correo electrónico** e-mail message
navegar la red to surf the web
necio/a foolish
las **noticias** news
el **noticiero** news broadcast
el **número equivocado** wrong number
la **oficina de correos** post office
otorgar to bestow
las **páginas sociales** society pages
la **pantalla** screen

la **pantalla (cinematográfica)** screen (film screen)
el **paquete** package
pecar to sin
pegar los sellos to put (stick) the stamps (on a letter)
las **películas** movies: **de ciencia ficción** science fiction; **cómicas** comedy; **de dibujos animados** cartoons; **de guerra** war; **policíacas** police (detective); **de vaqueros** cowboy
la **pena** pity, difficulty
el **periódico (diario)** newspaper
el/la **periodista** journalist
el **personaje** character
pesar to weigh
por correo aéreo (certificado) by air (registered) mail
la **prensa** press
la **primera plana** the front page
probar to try
protagonizar to play a main role
proteger to protect
el/la **proveedor(a)** provider
la **publicidad** advertising
quejarse to complain
la **radioemisora** radio station
ratificar to confirm
el **ratón** mouse
recibir to receive
reclamar to make a claim
el/la **remitente** sender
el **reportaje** news report
rodar (filmar) to make a movie
rogar to plead
el **servidor** server
sin costo alguno free of charge
sin presupuesto without budget
el **sitio web** website
la **taquilla** box office
la **tarjeta postal** postcard
el **teclado** keyboard
la **telenovela** soap opera
la **televisión** television (medium)
los **titulares** headlines
transmitir to broadcast
el/la **usuario/a** user
el **video bajo demanda** video on demand
el **videojuego** video game

Apéndices

Apéndice A

Reglas de puntuación y ortografía

La puntuación

Los signos de puntuación sirven para dar claridad a las ideas expresadas por escrito. Los más importantes son: el punto (.), la coma (,), los dos puntos (:), el punto y coma (;), los puntos suspensivos (...), los paréntesis ( ), las comillas (" "), la raya *(dash)* (—), el guión *(hyphen)* (-), los signos de interrogación (¿?) y los signos de admiración (¡!).

La puntuación en español y en inglés tiene mucho en común y generalmente sigue las mismas reglas. Algunas diferencias importantes son las siguientes:

1. Se usa el punto y no la coma como en inglés para separar números.

   Después del inventario hay 2.420 libros en el almacén.

2. Se usa la coma...

   A. en la enumeración de una serie de elementos, excepto en las dos últimas palabras si van unidas por una conjunción.

      Compré manzanas, naranjas, peras y uvas.
      El proyecto es claro, preciso e interesante.

   B. para indicar las fracciones decimales.

      $3\frac{1}{2}$ equivale a 3,5.

3. La raya se usa para indicar el comienzo de un diálogo y se repite cada vez que cambia la persona que habla.

   —Buenos días, Raúl. ¿Hace cuánto tiempo que estás aquí?
   —Hace media hora.

   Atención: En español, como en inglés, las comillas se usan para indicar una cita.

   El mendigo me dijo: "Dios se lo pague."

4. Los signos de interrogación se colocan al principio y al final de una pregunta.

   ¿Te gustaría ir al cine conmigo?

5. Los signos de admiración se usan al principio y al final de una oración exclamativa.

   ¡Qué frío hace hoy!

Las letras mayúsculas y minúsculas

A. Las mayúsculas

1. Como en inglés, en español se escriben con mayúscula los nombres propios de personas, animales, cosas y lugares.

   Gloria **I**turralde llegó de **C**osta **R**ica trayendo a su gata **M**ichica.
   El lago **T**iticaca está en los **A**ndes.

2. En títulos de obras literarias, artículos y películas, únicamente la primera palabra lleva la letra mayúscula.

   Gabriel García Márquez escribió *Los funerales de la mamá grande*.
   Cantinflas actuó en la película *La vuelta alrededor del mundo en ochenta días*.

B. Las minúsculas

Al contrario del inglés, en español se escriben con minúscula los días de la semana, los meses del año, los adjetivos de nacionalidad y los nombres de los idiomas.

Enviamos su pedido el día **l**unes, 5 de **a**bril.
Para ser **e**spañola habla muy bien el **i**nglés.

División de sílabas

A. Las consonantes

1. Una consonante entre dos vocales se une a la vocal siguiente (las letras **ch**, **ll** y **rr** constituyen una sola consonante).

   e-**n**e-**r**o   za-**p**a-**t**o   te-**ch**o   ca-**ll**a-**d**o   fe-**rr**o-**c**a-**rr**i-**l**e-**r**o

2. Dos consonantes juntas generalmente se separan.

   al-**t**o   co-me**n**-**z**ar   tie**m**-**p**o   per-**s**o-na   a**c**-**c**ión

3. No se separan ni los grupos de consonantes con **b**, **c**, **f**, **g** o **p** seguidas de **l** o **r** ni los grupos **dr** o **tr**.

   a-**br**i-ré   a-**pr**en-de-mos   ha-**bl**ar   a-**gr**a-da-**bl**e   re-**tr**a-to

4. Si hay tres o más consonantes entre dos vocales, solo la última consonante se une a la vocal siguiente, a menos que la última consonante sea **l** o **r**.

   i**ns**-**p**i-ra-ción   co**ns**-**t**i-tuir   i**ns**-**t**an-te

   P ero: os-**tr**a   ex-**pl**i-ca-ción

B. Las vocales

1. Dos vocales abiertas (**a**, **e**, **o**) se separan.

   le-**e**-mos   ca-e-rán   lo-**a**-ble   em-pl**e**-**a**-do

2. Los diptongos (combinación de dos vocales cerradas [**i, u**] o una abierta y una cerrada) no se separan.

    cue-llo   **tie**-nes   **vie**-jo   a-ve-ri-**guar**   **bai**-la-ri-na

3. Si la vocal abierta del diptongo lleva acento, las vocales no se separan.

    re-vi-**sión**   vi-**vió**   tam-b**ién**   pu-bli-ca-**ción**

4. Si la vocal cerrada lleva acento, se rompe el diptongo; por lo tanto, las vocales se separan.

    gra-d**ú-a**n   **rí-o**   i-r**í-a**-mos   dor-m**í-a**-mos

El acento en el lenguaje hablado y escrito

1. El acento de intensidad se refiere al lenguaje hablado. Es la mayor fuerza que se da a una sílaba en una palabra.

    per**so**na   re**cuer**do   univer**sal**

2. Si una palabra termina en vocal o en la consonante **n** o **s**, el acento de intensidad cae naturalmente en la penúltima sílaba.

    ma**ña**na   **co**men   **a**las

3. Si una palabra termina en consonante con la excepción de **n** o **s**, el acento de intensidad cae naturalmente en la última sílaba.

    pregun**tar**   pa**red**   carna**val**

4. Las palabras que no se pronuncian de acuerdo a estas reglas llevan acento ortográfico sobre la vocal de la sílaba acentuada.

    te**lé**fono   lad**rón**   **fá**cil   mate**má**ticas

5. Las palabras de una sola sílaba generalmente no llevan acento ortográfico. Sin embargo, se usa el acento ortográfico en algunos casos para indicar una diferencia de significado entre dos palabras que se pronuncian de la misma manera.

de	preposición	**dé**	presente de subjuntivo y mandato formal (**dar**)
el	artículo definido	**él**	pronombre de la tercera persona singular
mas	pero	**más**	*more*
mi	adjetivo posesivo	**mí**	pronombre preposicional
se	pronombre	**sé**	primera persona singular del presente del indicativo del verbo **saber**
si	*if*	**sí**	*yes;* pronombre reflexivo
te	pronombre complemento	**té**	*tea*
tu	pronombre posesivo	**tú**	pronombre personal

6. Las palabras interrogativas y exclamativas llevan acento ortográfico en la sílaba acentuada.

    ¿Qué hora es?   **¿Cómo** estás?   **¡Cuánto** lo quería!

Apéndice B — Los posesivos

Los adjetivos posesivos enfáticos

Singular		Plural	
mío(a)	nuestro(a)	míos(as)	nuestros(as)
tuyo(a)	vuestro(a)	tuyos(as)	vuestros(as)
suyo(a)	suyo(a)	suyos(as)	suyos(as)

Los adjetivos posesivos enfáticos se colocan después del sustantivo. Su uso es menos común que el de los posesivos que preceden al sustantivo. Se usan principalmente en exclamaciones o con el verbo **ser** y concuerdan en género y número con la cosa poseída.

¡Dios **mío**! Esos papeles que acabas de romper no son **míos**. ¡Son de mi jefe!
Un amigo **nuestro** nos aconseja hacerlo.
Hija **mía**, ¡cuánto te quiero!

Los pronombres posesivos

Los pronombres posesivos tienen las mismas formas que los adjetivos posesivos enfáticos, pero se usan con el artículo definido. Concuerdan en género y número con la cosa poseída. Se usan para reemplazar al sustantivo.

Este es mi vaso; **el tuyo** está en la cocina.
Tu libro no es igual que **el mío**; tiene más páginas.
Sus resultados son mejores que **los nuestros**.
La suya es una historia muy larga, pero muy interesante.

Si se necesita aclarar el significado del pronombre posesivo **el suyo**, **la suya**, **los suyos** o **las suyas**, se puede reemplazar el pronombre por una frase preposicional.

Las suyas [**Las de Ud.**] son las mejores estudiantes.
Los suyos [**Los libros de María**] le costaron mucho dinero.
Aquella tierra es la suya [**la de ellos**]; no es la nuestra.

Lo + adjetivo posesivo

Se usa **lo** + adjetivo posesivo enfático para referirse a una idea general de cosas poseídas.

No te preocupes por **lo mío** (mis cosas, mis problemas).
Lo nuestro (nuestro amor, nuestra asociación) ha terminado.
Nos adorábamos tanto, que todo **lo mío** era suyo y **lo suyo** mío.

Apéndice C

Los verbos

Verbo de la primera conjugación: **-ar**
Infinitivo: **hablar**
Gerundio: **hablando**
Participio pasado: **hablado**

Tiempos simples

Indicativo					Subjuntivo			Imperativo	
Presente	*Imperfecto*	*Pretérito*	*Futuro*	*Condicional*	*Presente*	*Imperfecto*		*Afirmativo*	*Negativo*
hablo	hablaba	hablé	hablaré	hablaría	hable	hablara	hablase		
hablas	hablabas	hablaste	hablarás	hablarías	hables	hablaras	hablases	habla (tú)	no hables
habla	hablaba	habló	hablará	hablaría	hable	hablara	hablase	hable (Ud.)	
hablamos	hablábamos	hablamos	hablaremos	hablaríamos	hablemos	habláramos	hablásemos	hablemos (nosotros)	
habláis	hablabais	hablasteis	hablaréis	hablaríais	habléis	hablarais	hablaseis	hablad (vosotros)	no habléis
hablan	hablaban	hablaron	hablarán	hablarían	hablen	hablaran	hablasen	hablen (Uds.)	

Tiempos compuestos

Indicativo				Subjuntivo		
Presente perfecto	*Pluscuamperfecto*	*Futuro perfecto*	*Condicional perfecto*	*Presente perfecto*	*Pluscuamperfecto*	
he hablado	había hablado	habré hablado	habría hablado	haya hablado	hubiera hablado	hubiese hablado
has hablado	habías hablado	habrás hablado	habrías hablado	hayas hablado	hubieras hablado	hubieses hablado
ha hablado	había hablado	habrá hablado	habría hablado	haya hablado	hubiera hablado	hubiese hablado
hemos hablado	habíamos hablado	habremos hablado	habríamos hablado	hayamos hablado	hubiéramos hablado	hubiésemos hablado
habéis hablado	habíais hablado	habréis hablado	habríais hablado	hayáis hablado	hubierais hablado	hubieseis hablado
han hablado	habían hablado	habrán hablado	habrían hablado	hayan hablado	hubieran hablado	hubiesen hablado

Verbo de la segunda conjugación: **-er**
Infinitivo: **aprender**
Gerundio: **aprendiendo**
Participio pasado: **aprendido**

Tiempos simples

	Indicativo				Subjuntivo			Imperativo	
Presente	*Imperfecto*	*Pretérito*	*Futuro*	*Condicional*	*Presente*	*Imperfecto*		*Afirmativo*	*Negativo*
aprendo	aprendía	aprendí	aprenderé	aprendería	aprenda	aprendiera	aprendiese		
aprendes	aprendías	aprendiste	aprenderás	aprenderías	aprendas	aprendieras	aprendieses	aprende (tú)	no aprendas
aprende	aprendía	aprendió	aprenderá	aprendería	aprenda	aprendiera	aprendiese	aprenda (Ud.)	
aprendemos	aprendíamos	aprendimos	aprenderemos	aprenderíamos	aprendamos	aprendiéramos	aprendiésemos	aprendamos (nosotros)	
aprendéis	aprendíais	aprendisteis	aprenderéis	aprenderíais	aprendáis	aprendierais	aprendieseis	aprended (vosotros)	
aprenden	aprendían	aprendieron	aprenderán	aprenderían	aprendan	aprendieran	aprendiesen	aprendan (Uds.)	no aprendáis

Tiempos compuestos

	Indicativo				Subjuntivo	
Presente perfecto	*Pluscuamperfecto*	*Futuro perfecto*	*Condicional perfecto*	*Presente perfecto*	*Pluscuamperfecto*	
he aprendido	había aprendido	habré aprendido	habría aprendido	haya aprendido	hubiera aprendido	hubiese aprendido
has aprendido	habías aprendido	habrás aprendido	habrías aprendido	hayas aprendido	hubieras aprendido	hubieses aprendido
ha aprendido	había aprendido	habrá aprendido	habría aprendido	haya aprendido	hubiera aprendido	hubiese aprendido
hemos aprendido	habíamos aprendido	habremos aprendido	habríamos aprendido	hayamos aprendido	hubiéramos aprendido	hubiésemos aprendido
habéis aprendido	habíais aprendido	habréis aprendido	habríais aprendido	hayáis aprendido	hubierais aprendido	hubieseis aprendido
han aprendido	habían aprendido	habrán aprendido	habrían aprendido	hayan aprendido	hubieran aprendido	hubiesen aprendido

Verbo de la tercera conjugación: -ir
Infinitivo: **vivir**
Gerundio: **viviendo**
Participio pasado: **vivido**

Tiempos simples

Indicativo					Subjuntivo			Imperativo	
Presente	*Imperfecto*	*Pretérito*	*Futuro*	*Condicional*	*Presente*	*Imperfecto*		*Afirmativo*	*Negativo*
vivo	vivía	viví	viviré	viviría	viva	viviera	viviese		
vives	vivías	viviste	vivirás	vivirías	vivas	vivieras	vivieses	vive (tú)	no vivas
vive	vivía	vivió	vivirá	viviría	viva	viviera	viviese	viva (Ud.)	
vivimos	vivíamos	vivimos	viviremos	viviríamos	vivamos	viviéramos	viviésemos	vivamos (nosotros)	
vivís	vivíais	vivisteis	viviréis	viviríais	viváis	vivierais	vivieseis	vivid (vosotros)	no viváis
viven	vivían	vivieron	vivirán	vivirían	vivan	vivieran	viviesen	vivan (Uds.)	

Tiempos compuestos

Indicativo				Subjuntivo		
Presente perfecto	*Pluscuamperfecto*	*Futuro perfecto*	*Condicional perfecto*	*Presente perfecto*	*Pluscuamperfecto*	
he vivido	había vivido	habré vivido	habría vivido	haya vivido	hubiera vivido	hubiese vivido
has vivido	habías vivido	habrás vivido	habrías vivido	hayas vivido	hubieras vivido	hubieses vivido
ha vivido	había vivido	habrá vivido	habría vivido	haya vivido	hubiera vivido	hubiese vivido
hemos vivido	habíamos vivido	habremos vivido	habríamos vivido	hayamos vivido	hubiéramos vivido	hubiésemos vivido
habéis vivido	habíais vivido	habréis vivido	habríais vivido	hayáis vivido	hubierais vivido	hubieseis vivido
han vivido	habían vivido	habrán vivido	habrían vivido	hayan vivido	hubieran vivido	hubiesen vivido

Verbos irregulares

Verbo	Indicativo					Subjuntivo			Imperativo	
	Presente	Imperfecto	Pretérito	Futuro	Condicional	Presente	Imperfecto		Afirmativo	Negativo
Infinitivo **Andar**	ando	andaba	anduve	andaré	andaría	ande	anduviera	anduviese		
	andas	andabas	anduviste	andarás	andarías	andes	anduvieras	anduvieses	anda	no andes
Gerundio **andando**	anda	andaba	anduvo	andará	andaría	ande	anduviera	anduviese	ande	
	andamos	andábamos	anduvimos	andaremos	andaríamos	andemos	anduviéramos	anduviésemos	andemos	
Participio pasado **andado**	andáis	andabais	anduvisteis	andaréis	andaríais	andéis	anduvierais	anduvieseis	andad	no andéis
	andan	andaban	anduvieron	andarán	andarían	anden	anduvieran	anduviesen	anden	
Infinitivo **Caber**	quepo	cabía	cupe	cabré	cabría	quepa	cupiera	cupiese		
	cabes	cabías	cupiste	cabrás	cabrías	quepas	cupieras	cupieses		
Gerundio **cabiendo**	cabe	cabía	cupo	cabrá	cabría	quepa	cupiera	cupiese		
	cabemos	cabíamos	cupimos	cabremos	cabríamos	quepamos	cupiéramos	cupiésemos		
Participio pasado **cabido**	cabéis	cabíais	cupisteis	cabréis	cabríais	quepáis	cupierais	cupieseis		
	caben	cabían	cupieron	cabrán	cabrían	quepan	cupieran	cupiesen		
Infinitivo **Caer**	caigo	caía	caí	caeré	caería	caiga	cayera	cayese		
	caes	caías	caíste	caerás	caerías	caigas	cayeras	cayeses	cae	no caigas
Gerundio **cayendo**	cae	caía	cayó	caerá	caería	caiga	cayera	cayese	caiga	
	caemos	caíamos	caímos	caeremos	caeríamos	caigamos	cayéramos	cayésemos	caigamos	
Participio pasado **caído**	caéis	caíais	caísteis	caeréis	caeríais	caigáis	cayerais	cayeseis	caed	no caigáis
	caen	caían	cayeron	caerán	caerían	caigan	cayeran	cayesen	caigan	
Infinitivo **Conducir**	conduzco	conducía	conduje	conduciré	conduciría	conduzca	condujera	condujese		
	conduces	conducías	condujiste	conducirás	conducirías	conduzcas	condujeras	condujeses	conduce	no conduzcas
Gerundio **conduciendo**	conduce	conducía	condujo	conducirá	conduciría	conduzca	condujera	condujese	conduzca	
	conducimos	conducíamos	condujimos	conduciremos	conduciríamos	conduzcamos	condujéramos	condujésemos	conduzcamos	
Participio pasado **conducido**	conducís	conducíais	condujisteis	conduciréis	conduciríais	conduzcáis	condujerais	condujeseis	conducid	no conduzcáis
	conducen	conducían	condujeron	conducirán	conducirían	conduzcan	condujeran	condujesen	conduzcan	
Infinitivo **Dar**	doy	daba	di	daré	daría	dé	diera	diese		
	das	dabas	diste	darás	darías	des	dieras	dieses	da	no des
Gerundio **dando**	da	daba	dio	dará	daría	dé	diera	diese	dé	
	damos	dábamos	dimos	daremos	daríamos	demos	diéramos	diésemos	demos	
Participio pasado **dado**	dais	dabais	disteis	daréis	daríais	deis	dierais	dieseis	dad	no deis
	dan	daban	dieron	darán	darían	den	dieran	diesen	den	

	Indicativo					Subjuntivo			Imperativo	
Verbo	Presente	Imperfecto	Pretérito	Futuro	Condicional	Presente	Imperfecto		Afirmativo	Negativo
Infinitivo **Estar** Gerundio ***estando*** Participio pasado ***estado***	estoy estás está estamos estáis están	estaba estabas estaba estábamos estabais estaban	estuve estuviste estuvo estuvimos estuvisteis estuvieron	estaré estarás estará estaremos estaréis estarán	estaría estarías estaría estaríamos estaríais estarían	esté estés esté estemos estéis estén	estuviera estuvieras estuviera estuviéramos estuvierais estuvieran	estuviese estuvieses estuviese estuviésemos estuvieseis estuviesen	está esté estemos estad estén	no estés no estéis
Infinitivo **Haber** Gerundio ***habiendo*** Participio pasado ***habido***	he has ha hemos habéis han	había habías había habíamos habíais habían	hube hubiste hubo hubimos hubisteis hubieron	habré habrás habrá habremos habréis habrán	habría habrías habría habríamos habríais habrían	haya hayas haya hayamos hayáis hayan	hubiera hubieras hubiera hubiéramos hubierais hubieran	hubiese hubieses hubiese hubiésemos hubieseis hubiesen		
Infinitivo **Hacer** Gerundio ***haciendo*** Participio pasado ***hecho***	hago haces hace hacemos hacéis hacen	hacía hacías hacía hacíamos hacíais hacían	hice hiciste hizo hicimos hicisteis hicieron	haré harás hará haremos haréis harán	haría harías haría haríamos haríais harían	haga hagas haga hagamos hagáis hagan	hiciera hicieras hiciera hiciéramos hicierais hicieran	hiciese hicieses hiciese hiciésemos hicieseis hiciesen	haz haga hagamos haced hagan	no hagas no hagáis
Infinitivo **Ir** Gerundio ***yendo*** Participio pasado ***ido***	voy vas va vamos vais van	iba ibas iba íbamos ibais iban	fui fuiste fue fuimos fuisteis fueron	iré irás irá iremos iréis irán	iría irías iría iríamos iríais irían	vaya vayas vaya vayamos vayáis vayan	fuera fueras fuera fuéramos fuerais fueran	fuese fueses fuese fuésemos fueseis fuesen	ve vaya vamos id vayan	no vayas no vayáis
Infinitivo **Oír** Gerundio ***oyendo*** Participio pasado ***oído***	oigo oyes oye oímos oís oyen	oía oías oía oíamos oíais oían	oí oíste oyó oímos oísteis oyeron	oiré oirás oirá oiremos oiréis oirán	oiría oirías oiría oiríamos oiríais oirían	oiga oigas oiga oigamos oigáis oigan	oyera oyeras oyera oyéramos oyerais oyeran	oyese oyeses oyese oyésemos oyeseis oyesen	oye oiga oigamos oíd oigan	no oigas no oigáis
Infinitivo **Poder** Gerundio ***pudiendo*** Participio pasado ***podido***	puedo puedes puede podemos podéis pueden	podía podías podía podíamos podíais podían	pude pudiste pudo pudimos pudisteis pudieron	podré podrás podrá podremos podréis podrán	podría podrías podría podríamos podríais podrían	pueda puedas pueda podamos podáis puedan	pudiera pudieras pudiera pudiéramos pudierais pudieran	pudiese pudieses pudiese pudiésemos pudieseis pudiesen		
Infinitivo **Poner** Gerundio ***poniendo*** Participio pasado ***puesto***	pongo pones pone ponemos ponéis ponen	ponía ponías ponía poníamos poníais ponían	puse pusiste puso pusimos pusisteis pusieron	pondré pondrás pondrá pondremos pondréis pondrán	pondría pondrías pondría pondríamos pondríais pondrían	ponga pongas ponga pongamos pongáis pongan	pusiera pusieras pusiera pusiéramos pusierais pusieran	pusiese pusieses pusiese pusiésemos pusieseis pusiesen	pon ponga pongamos poned pongan	no pongas no pongáis
Infinitivo **Querer** Gerundio ***queriendo*** Participio pasado ***querido***	quiero quieres quiere queremos queréis quieren	quería querías quería queríamos queríais querían	quise quisiste quiso quisimos quisisteis quisieron	querré querrás querrá querremos querréis querrán	querría querrías querría querríamos querríais querrían	quiera quieras quiera queramos queráis quieran	quisiera quisieras quisiera quisiéramos quisierais quisieran	quisiese quisieses quisiese quisiésemos quisieseis quisiesen		

	Indicativo					**Subjuntivo**			**Imperativo**	
Verbo	Presente	Imperfecto	Pretérito	Futuro	Condicional	Presente	Imperfecto		Afirmativo	Negativo
Infinitivo **Saber**	sé	sabía	supe	sabré	sabría	sepa	supiera	supiese		no sepas
	sabes	sabías	supiste	sabrás	sabrías	sepas	supieras	supieses	sabe	
Gerundio **sabiendo**	sabe	sabía	supo	sabrá	sabría	sepa	supiera	supiese	sepa	
	sabemos	sabíamos	supimos	sabremos	sabríamos	sepamos	supiéramos	supiésemos	sepamos	
Participio pasado **sabido**	sabéis	sabíais	supisteis	sabréis	sabríais	sepáis	supierais	supieseis	sabed	no sepáis
	saben	sabían	supieron	sabrán	sabrían	sepan	supieran	supiesen	sepan	
Infinitivo **Salir**	salgo	salía	salí	saldré	saldría	salga	saliera	saliese		no salgas
	sales	salías	saliste	saldrás	saldrías	salgas	salieras	salieses	sal	
Gerundio **saliendo**	sale	salía	salió	saldrá	saldría	salga	saliera	saliese	salga	
	salimos	salíamos	salimos	saldremos	saldríamos	salgamos	saliéramos	saliésemos	salgamos	
Participio pasado **salido**	salís	salíais	salisteis	saldréis	saldríais	salgáis	salierais	salieseis	salid	no salgáis
	salen	salían	salieron	saldrán	saldrían	salgan	salieran	saliesen	salgan	
Infinitivo **Ser**	soy	era	fui	seré	sería	sea	fuera	fuese		no seas
	eres	eras	fuiste	serás	serías	seas	fueras	fueses	sé	
Gerundio **siendo**	es	era	fue	será	sería	sea	fuera	fuese	sea	
	somos	éramos	fuimos	seremos	seríamos	seamos	fuéramos	fuésemos	seamos	
Participio pasado **sido**	sois	erais	fuisteis	seréis	seríais	seáis	fuerais	fueseis	sed	no seáis
	son	eran	fueron	serán	serían	sean	fueran	fuesen	sean	
Infinitivo Tener	tengo	tenía	tuve	tendré	tendría	tenga	tuviera	tuviese		no tengas
	tienes	tenías	tuviste	tendrás	tendrías	tengas	tuvieras	tuvieses	ten	
Gerundio **teniendo**	tiene	tenía	tuvo	tendrá	tendría	tenga	tuviera	tuviese	tenga	
	tenemos	teníamos	tuvimos	tendremos	tendríamos	tengamos	tuviéramos	tuviésemos	tengamos	
Participio pasado **tenido**	tenéis	teníais	tuvisteis	tendréis	tendríais	tengáis	tuvierais	tuvieseis	tened	no tengáis
	tienen	tenían	tuvieron	tendrán	tendrían	tengan	tuvieran	tuviesen	tengan	
Infinitivo **Traer**	traigo	traía	traje	traeré	traería	traiga	trajera	trajese		no traigas
	traes	traías	trajiste	traerás	traerías	traigas	trajeras	trajeses	trae	
Gerundio **trayendo**	trae	traía	trajo	traerá	traería	traiga	trajera	trajese	traiga	
	traemos	traíamos	trajimos	traeremos	traeríamos	traigamos	trajéramos	trajésemos	traigamos	
Participio pasado **traído**	traéis	traíais	trajisteis	traeréis	traeríais	traigáis	trajerais	trajeseis	traed	no traigáis
	traen	traían	trajeron	traerán	traerían	traigan	trajeran	trajesen	traigan	
Infinitivo **Valer**	valgo	valía	valí	valdré	valdría	valga	valiera	valiese		no valgas
	vales	valías	valiste	valdrás	valdrías	valgas	valieras	valieses	val	
Gerundio **valiendo**	vale	valía	valió	valdrá	valdría	valga	valiera	valiese	valga	
	valemos	valíamos	valimos	valdremos	valdríamos	valgamos	valiéramos	valiésemos	valgamos	
Participio pasado **valido**	valéis	valíais	valisteis	valdréis	valdríais	valgáis	valierais	valieseis	valed	no valgáis
	valen	valían	valieron	valdrán	valdrían	valgan	valieran	valiesen	valgan	
Infinitivo **Venir**	vengo	venía	vine	vendré	vendría	venga	viniera	viniese		no vengas
	vienes	venías	viniste	vendrás	vendrías	vengas	vinieras	vinieses	ven	
Gerundio **viniendo**	viene	venía	vino	vendrá	vendría	venga	viniera	viniese	venga	
	venimos	veníamos	vinimos	vendremos	vendríamos	vengamos	viniéramos	viniésemos	vengamos	
Participio pasado **venido**	venís	veníais	vinisteis	vendréis	vendríais	vengáis	vinierais	vinieseis	venid	no vengáis
	vienen	venían	vinieron	vendrán	vendrían	vengan	vinieran	viniesen	vengan	
Infinitivo **Ver**	veo	veía	vi	veré	vería	vea	viera	viese		no veas
	ves	veías	viste	verás	verías	veas	vieras	vieses	ve	
viendo	ve	veía	vio	verá	vería	vea	viera	viese	vea	
Gerundio	vemos	veíamos	vimos	veremos	veríamos	veamos	viéramos	viésemos	veamos	
Gerundio **visto**	veis	veíais	visteis	veréis	veríais	veáis	vierais	vieseis	ved	no veáis
	ven	veían	vieron	verán	verían	vean	vieran	viesen	vean	

Verbos con cambios en la raíz

Verbos de la primera y de la segunda conjugacion (-ar y -er): o→ue

	Indicativo					Subjuntivo			Imperativo	
Verbo	Presente	Imperfecto	Pretérito	Futuro	Condicional	Presente	Imperfecto		Afirmativo	Negativo
Infinitivo Contar	cuento	contaba	conté	contaré	contaría	cuente	contara	contase		
	cuentas	contabas	contaste	contarás	contarías	cuentes	contaras	contases	cuenta	no cuentes
Gerundio	cuenta	contaba	contó	contará	contaría	cuente	contara	contase	cuente	
contando	contamos	contábamos	contamos	contaremos	contaríamos	contemos	contáramos	contásemos	contemos	
Participio pasado	contáis	contabais	contasteis	contaréis	contaríais	contéis	contarais	contaseis	contad	no contéis
contado	cuentan	contaban	contaron	contarán	contarían	cuenten	contaran	contasen	cuenten	
Infinitivo *Volver*	vuelvo	volvía	volví	volveré	volvería	vuelva	volviera	volviese		
	vuelves	volvías	volviste	volverás	volverías	vuelvas	volvieras	volvieses	vuelve	no vuelvas
Gerundio	vuelve	volvía	volvió	volverá	volvería	vuelva	volviera	volviese	vuelva	
volviendo	volvemos	volvíamos	volvimos	volveremos	volveríamos	volvamos	volviéramos	volviésemos	volvamos	
Participio pasado	volvéis	volvíais	volvisteis	volveréis	volveríais	volváis	volvierais	volvieseis	volved	no volváis
vuelto	vuelven	volvían	volvieron	volverán	volverían	vuelvan	volvieran	volviesen	vuelvan	

Otros verbos: **acordarse, acostar(se), almorzar, colgar, costar, demostrar, doler, encontrar, llover, mostrar, mover, probar(se), recordar, rogar, soler, soñar, torcer**

Verbos de la primera y de la segunda conjugacion (-ar y -er): e→ie

	Indicativo					Subjuntivo			Imperativo	
Verbo	Presente	Imperfecto	Pretérito	Futuro	Condicional	Presente	Imperfecto		Afirmativo	Negativo
Infinitivo Pensar	pienso	pensaba	pensé	pensaré	pensaría	piense	pensara	pensase		
	piensas	pensabas	pensaste	pensarás	pensarías	pienses	pensaras	pensases	piensa	no pienses
Gerundio	piensa	pensaba	pensó	pensará	pensaría	piense	pensara	pensase	piense	
pensando	pensamos	pensábamos	pensamos	pensaremos	pensaríamos	pensemos	pensáramos	pensásemos	pensemos	
Participio pasado	pensáis	pensabais	pensasteis	pensaréis	pensaríais	penséis	pensarais	pensaseis	pensad	no penséis
pensado	piensan	pensaban	pensaron	pensarán	pensarían	piensen	pensaran	pensasen	piensen	
Infinitivo Entender	entiendo	entendía	entendí	entenderé	entendería	entienda	entendiera	entendiese		
	entiendes	entendías	entendiste	entenderás	entenderías	entiendas	entendieras	entendieses	entiende	no entiendas
Gerundio	entiende	entendía	entendió	entenderá	entendería	entienda	entendiera	entendiese	entienda	
entendiendo	entendemos	entendíamos	entendimos	entenderemos	entenderíamos	entendamos	entendiéramos	entendiésemos	entendamos	
Participio pasado	entendéis	entendíais	entendisteis	entenderéis	entenderíais	entendáis	entendierais	entendieseis	entended	no entendáis
entendido	entienden	entendían	entendieron	entenderán	entenderían	entiendan	entendieran	entendiesen	entiendan	

Otros verbos: **atravesar, cerrar, comenzar, confesar, despertar(se), empezar, encender, entender, negar(se), nevar, perder, sentar(se), tender(se), tropezar**

Verbos de la tercera conjugación (-ir): o→ue→u

Verbo	Indicativo					Subjuntivo			Imperativo	
	Presente	Imperfecto	Pretérito	Futuro	Condicional	Presente	Imperfecto		Afirmativo	Negativo
Infinitivo	duermo	dormía	dormí	dormiré	dormiría	duerma	durmiera	durmiese		
Dormir	duermes	dormías	dormiste	dormirás	dormirías	duermas	durmieras	durmieses	duerme	no duermas
Gerundio	duerme	dormía	durmió	dormirá	dormiría	duerma	durmiera	durmiese	duerma	
durmiendo	dormimos	dormíamos	dormimos	dormiremos	dormiríamos	durmamos	durmiéramos	durmiésemos	durmamos	
Participio pasado	dormís	dormíais	dormisteis	dormiréis	dormiríais	durmáis	durmierais	durmieseis	dormid	no durmáis
dormido	duermen	dormían	durmieron	dormirán	dormirían	duerman	durmieran	durmiesen	duerman	

Otros verbos: **morir(se)**

Verbos de la tercera conjugación (-ir): e→ie→i

Verbo	Indicativo					Subjuntivo			Imperativo	
	Presente	Imperfecto	Pretérito	Futuro	Condicional	Presente	Imperfecto		Afirmativo	Negativo
Infinitivo	miento	mentía	mentí	mentiré	mentiría	mienta	mintiera	mintiese		
Mentir	mientes	mentías	mentiste	mentirás	mentirías	mientas	mintieras	mintieses	miente	no mientas
Gerundio	miente	mentía	mintió	mentirá	mentiría	mienta	mintiera	mintiese	mienta	
mintiendo	mentimos	mentíamos	mentimos	mentiremos	mentiríamos	mintamos	mintiéramos	mintiésemos	mintamos	
Participio pasado	mentís	mentíais	mentisteis	mentiréis	mentiríais	mintáis	mintierais	mintieseis	mentid	no mintáis
mentido	mienten	mentían	mintieron	mentirán	mentirían	mientan	mintieran	mintiesen	mientan	

Otros verbos: **advertir, arrepentirse, consentir, convertir(se), divertir(se), herir, preferir, referir(se), sugerir**

Verbos de la tercera conjugación (-ir): e→i

Verbo	Indicativo					Subjuntivo			Imperativo	
	Presente	Imperfecto	Pretérito	Futuro	Condicional	Presente	Imperfecto		Afirmativo	Negativo
Infinitivo	pido	pedía	pedí	pediré	pediría	pida	pidiera	pidiese		
Pedir	pides	pedías	pediste	pedirás	pedirías	pidas	pidieras	pidieses	pide	no pidas
Gerundio	pide	pedía	pidió	pedirá	pediría	pida	pidiera	pidiese	pida	
pidiendo	pedimos	pedíamos	pedimos	pediremos	pediríamos	pidamos	pidiéramos	pidiésemos	pidamos	
Participio pasado	pedís	pedíais	pedisteis	pediréis	pediríais	pidáis	pidierais	pidieseis	pedid	no pidáis
pedido	piden	pedían	pidieron	pedirán	pedirían	pidan	pidieran	pidiesen	pidan	

Otros verbos: **competir, concebir, despedir(se), elegir, impedir, perseguir, reír(se), reñir, repetir, seguir, servir, vestir(se)**

Verbos con cambio ortográfico

-gar g → gu delante de e			-ger, -gir g → j delante de a y o			-guar gu → gü delante de e			-guir gu → g delante de o y a		
Verbo	*Indicativo*	*Subjuntivo*	*Verbo*	*Indicativo*	*Subjuntivo*	*Verbo*	*Indicativo*	*Subjuntivo*	*Verbo*	*Indicativo*	*Subjuntivo*
	Pretérito	Presente		Presente	Presente		Pretérito	Presente		Presente	Presente
llegar	llegué	llegue	*proteger*	protejo	proteja	*averiguar*	averigüé	averigüe	*seguir*	sigo	siga
	llegaste	llegues		proteges	protejas		averiguaste	averigües		sigues	sigas
	llegó	llegue		protege	proteja		averiguó	averigüe		sigue	siga
	llegamos	lleguemos		protegemos	protejamos		averiguamos	averigüemos		seguimos	sigamos
	llegasteis	lleguéis		protegéis	protejáis		averiguasteis	averigüéis		seguís	sigáis
	llegaron	lleguen		protegen	protejan		averiguaron	averigüen		siguen	sigan

Otros verbos: **colgar, jugar, navegar, pagar, rogar**

Otros verbos: **coger, corregir, dirigir, escoger, exigir, recoger**

Otros verbo: **apaciguar**

Otros verbos: **conseguir, distinguir, perseguir, proseguir**

-cer, -cir después de una vocal c → zu delante de o y a			-cer, -cir después de una consonante c → z delante de a y o			-car c → qu delante de e			-zar z → c delante de e		
Verbo	*Indicativo*	*Subjuntivo*	*Verbo*	*Indicativo*	*Subjuntivo*	*Verbo*	*Indicativo*	*Subjuntivo*	*Verbo*	*Indicativo*	*Subjuntivo*
	Presente	Presente		Presente	Presente		Pretérito	Presente		Pretérito	Presente
conocer	conozco	conozca	*vencer*	venzo	venza	*buscar*	busqué	busque	*comenzar*	comencé	comience
	conoces	conozcas		vences	venzas		buscaste	busques		comenzaste	comiences
	conoce	conozca		vence	venza		buscó	busque		comenzó	comience
	conocemos	conozcamos		vencemos	venzamos		buscamos	busquemos		comenzamos	comencemos
	conocéis	conozcáis		vencéis	venzáis		buscasteis	busquéis		comenzasteis	comencéis
	conocen	conozcan		vencen	venzan		buscaron	busquen		comenzaron	comiencen

Otros verbos: **agradecer, aparecer, establecer, merecer, obedecer, ofrecer, producir**

Otros verbos: **convencer, esparcir, torcer**

Otros verbos: **comunicar(se), explicar, indicar, practicar, sacar, tocar**

Otros verbos: **abrazar, almorzar, cruzar, empezar, gozar**

-uir i (no acentuada) → y entre vocales (menos -guir)

Verbo	Indicativo		Imperativo	Subjuntivo	
	Presente	Preterito		Presente	Imperfecto
huir	huyo	huí		huya	huyera
	huyes	huiste	huye	huyas	huyeras
huyendo	huye	huyó	huya	huya	huyera
	huimos	huimos	huyamos	huyamos	huyéramos
huido	huís	huisteis	huid	huyáis	huyerais
	huyen	huyeron	huyan	huyan	huyeran

Otros verbos: **construir, concluir, contribuir, destruir, instruir, sustituir**

-aer, -eer, i (no acentuada) → y entre vocales | -eír pierde una e en la tercera persona | -iar i → í | -uar u → ú

Verbo	Indicativo	Subjuntivo	Verbo	Indicativo	Subjuntivo	Verbo	Indicativo	Subjuntivo	Verbo	Indicativo	Subjuntivo
	Pretérito	Imperfecto		Pretérito	Imperfecto		Presente	Presente		Presente	Presente
creer	creí	creyera	**reír**	reí	riera		envío	envíe		actúo	actúo
	creíste	creyeras		reíste	rieras		envías	envíes		actúas	actúas
	creyó	creyera		rió	riera	**enviar**	envía	envíe	**actuar**	actúa	actúe
creyendo	creímos	creyéramos	**riendo**	reímos	riéramos		enviamos	enviemos		actuamos	actuemos
	creísteis	creyerais		reísteis	rierais		enviáis	enviéis		actuáis	actuéis
creído	creyeron	creyeran	**reído**	rieron	rieran		envían	envíen		actúan	actúen

Otros verbos: **caer, leer, poseer**   Otros verbos: **sonreír, freír**   Otros verbos: **ampliar, criar, enfriar, guiar, variar**   Otros verbos: **acentuar, continuar, efectuar, graduar(se), situar**

¿Lleva el verbo una preposición?

A

abandonarse a + *noun*	to give oneself up to	Me abandoné a la tristeza.
acabar con + *noun*	to finish, to exhaust	Acabé con mis tareas.
acabar de + *inf.*	to have just + *past participle*	Acabamos de llegar.
acabar por + *inf.*	to end (up) by	Acabaste por pedirle perdón.
acercarse a + *inf.*	to approach	Se acercó a ver el desfile.
+ *noun*		Se acercó a la casa.
aconsejar + *inf.*	to advise	Te aconsejo confesar tu falta.
acordarse (o → ue) de + *inf.*	to remember	¿Te acordarás de escribirme?
+ *noun*		Me acordé de ti.
acostumbrarse a + *inf.*	to get used to	Se acostumbraron a salir temprano.
+ *noun*		Se acostumbró al país.
agradecer + *noun*	to be thankful for	Te agradezco tu compañía.
alegrarse de + *inf.*	to be glad to (about)	Me alegro de verlos sanos y contentos.
alejarse de + *noun*	to go away from	Nos alejamos del parque.
amenazar con + *inf.*	to threaten to, with	Me amenazó con no pagar.
+ *noun*	to threaten with	Me amenazó con un palo.
animar a + *inf.*	to encourage to	Lo animé a salir.
animarse a + *inf.*	to make up one's mind to	Nos animamos a bailar.
apostar (o → ue) a + *subj.*	to bet (that)	Te apuesto a que tengo razón.
aprender a + *inf.*	to learn to	Aprendiste a cocinar.
apresurarse a + *inf.*	to hasten to	Se apresuraron a ir de compras.
aprovechar + *noun*	to make good use of	Aproveché la gran oportunidad.
aprovecharse de + *noun*	to take advantage of	Se aprovecharon del pobre viudo.
arrepentirse (e → ie, i) de + *inf.*	to repent of, to be sorry for	Se arrepintió de hacerlo.
+ *noun*		Me arrepiento de mis faltas.
arriesgarse a + *inf.*	to risk	Nos arriesgamos a perderlo todo.
asistir a + *noun*	to attend	Asistimos al concierto anoche.
asomarse a + *inf.*	to appear (at), to look out of	Me asomé a ver si venía.
+ *noun*		Me asomé a la ventana.
asombrarse de+ *inf.*	to be astonished at	Se asombró de conducir tan rápido.
+ *noun*		Se asombró de los cuadros.
aspirar a + *inf.*	to aspire to	Aspira a ser astronauta.
asustarse de + *inf.*	to be frightened at	Se asustó de verme tan triste.
+ *noun*		Se asustó de su aspecto triste.
atreverse a + *inf.*	to dare (to)	Te atreviste a venir en la lluvia.
autorizar a (para) + *inf.*	to authorize to	¿Me autorizas a comprar el coche?
aventurarse a + *inf.*	to venture (to)	Nos aventuramos a entrar en el castillo.
avergonzarse (o → üe) de + *inf.*	to be ashamed of	Me avergüenzo de no saber la lección.
ayudar a + *inf.*	to help to	Te ayudo a cocinar.

B

bastar con + *noun*	*to be enough*	Basta con eso para prepararlo.
burlarse de + *noun*	*to make fun of*	Se burlaron del enfermo.
buscar + *noun*	*to look for*	Busco mis libros.
+ *inf.*		Buscaban mejorar las condiciones higiénicas.

C

cambiar de + *noun*	*to change*	Cambiamos de avión.
cansarse de + *inf.*	*to grow tired of*	Se cansó de esperarla.
carecer de + *noun*	*to lack*	Carece de ideales.
casarse con + *noun*	*to get married to*	Se casó con José.
cesar de + *inf.*	*to cease, to stop*	Cesó de llover.
comenzar (e → ie) a + *inf.*	*to begin to*	Comenzaron a pintar la casa.
complacerse en + *inf.*	*to take pleasure in*	Se complacen en enviarme regalos.
comprometerse a + *inf.*	*to obligate oneself to*	Me comprometo a firmar el contrato.
comprometerse con + *noun*	*to get engaged to*	Se comprometió con Juan.
concluir de + *inf.*	*to finish*	Concluimos de trabajar a las ocho.
condenar a + *inf.*	*to condemn to*	Fue condenado a morir.
+ *noun*		Fue condenado a muerte.
confesar (e → ie) + *inf.*	*to confess*	Confesó tener miedo.
+ *noun*		Confiesa su miedo.
confiar en + *inf.*	*to trust*	Confío en saber pronto la verdad.
+ *noun*		Confío en la verdad.
conformarse con + *inf.*	*to resign oneself to*	Me conformo con vivir en la pobreza.
+ *noun*		Me conformo con la pobreza.
consagrarse a + *inf.*	*to devote oneself to*	Se consagró a trabajar día y noche.
+ *noun*		Se consagró al trabajo.
conseguir (e → i) + *inf.*	*to succeed in (doing)*	Consiguió llegar a la cumbre.
+ *noun*	*to get, to obtain*	Consigo dinero para el viaje.
consentir (e → ie, i) + *inf.*	*to consent to*	No le consiento gritar.
contar (o → ue) con + *inf.*	*to count on, to rely upon*	Cuento con tener tu ayuda.
+ *noun*		Cuento con tu ayuda.
contentarse con + *inf.*	*to content oneself with*	Me contento con viajar.
+ *noun*		Me contento con un viaje.
contribuir a + *inf.*	*to contribute to*	Contribuyó a descubrir el crimen.
+ *noun*		Contribuyó al descubrimiento.
convenir (e → ie) + *inf.*	*to be convenient*	Conviene decírselo.
convenir (e → ie, i) en + *inf.*	*to agree to*	Convenimos en ir juntos.
convertirse (e → ie, i) en + *noun*	*to become*	La lluvia se convirtió en granizo.
creer + *inf.*	*to believe, to think*	Creo entender sus intenciones.
cuidar + *noun*	*to care for*	Cuidaba mucho sus plantas.
cuidar de + *inf.*	*to take care to*	Cuide de no perderlo.
cumplir con + *noun*	*to fulfill*	Cumplió con su obligación.

D

deber + *inf.*	*ought, must*	Debe hablar en voz alta.
decidir + *inf.*	*to decide*	Decidieron enviar la carta.
decidirse a + *inf.*	*to make up one's mind to, to decide upon*	Nos decidimos a comenzar.
decidirse por + *noun*	*to decide on*	Me decidí por estos zapatos.
dedicarse a + *inf.*	*to devote oneself to*	Me dediqué a trabajar.
+ *noun*		Me dediqué al trabajo.
dejar + *inf.*	*to let, to allow, to permit*	Déjame probarlo.
dejar de + *inf.*	*to stop, to fail to do something*	Dejará de trabajar.
desafiar a + *inf.*	*to dare (someone) to,*	Te desafío a pelear.
+ *noun*	*to challenge (someone) to*	Te desafío a un duelo.
desear + *inf.*	*to desire*	Deseo tener dos hijos.
despedirse (e → i, i) de + *noun*	*to take leave of*	Nos despedimos de ellos.
destinar a (para) + *noun*	*to destine to, to assign*	Fue destinado a (para) Perú.
determinarse a + *inf.*	*to make up one's mind to*	Me determiné a seguir mi carrera.
dirigirse a + *noun*	*to address, to make one's way toward*	Se dirigió a la policía.
disculparse por + *inf.*	*to excuse oneself for*	Se disculpó por llegar tarde.
+ *noun*		Se disculpó por su error.
disfrutar (de) + *noun*	*to enjoy (a thing)*	¡Disfrute de la vida!
disponerse a + *inf.*	*to get ready to*	Se dispusieron a partir.
divertirse (i → ie, i) con + *persona*	*to amuse oneself with (a person); by (an activity)*	Me divierto con Juan.
en + *noun*		Me divierto en las fiestas.
dudar + *inf.*	*to doubt*	Dudo saber la lección.
dudar de + *noun*	*to doubt*	Duda de todos.
dudar en + *inf.*	*to hesitate to*	¿Por qué dudaste en llamarme?

E

echarse a + *inf.*	*to start to, to begin*	Al ver el oso, se echó a correr.
empeñarse en + *inf.*	*to insist on, to persist in*	Se empeñó en golpearme.
enamorarse de + *noun*	*to fall in love with*	Se enamoraron de la niñita.
encargarse de + *inf.*	*to take it upon oneself to,*	Me encargo de organizar la fiesta.
+ *noun*	*to take charge of*	Me encargo de las deudas.
enterarse de + *noun*	*to find out about*	Ayer me enteré del divorcio.
entrar en (a) + *noun*	*to enter*	Entramos en el (al) museo.

F

faltar a + *noun*	*to be absent from, to fail to meet (an obligation)*	Faltaste a la reunión de anoche.
felicitar por + *noun*	*to congratulate for*	Te felicito por tu cumpleaños.
felicitarse de + *inf.*	*to congratulate oneself on*	Me felicito de conocerte tan bien.
fijarse en + *noun*	*to notice*	¿Te fijaste en su sombrero?
fingir + *inf.*	*to pretend*	Fingió no vernos.

G

gozar de (con) + *noun*	to enjoy	Goza de (con) su familia.
gustar *(indirect object pronoun)* + *inf.*	to like, to please	Nos gusta bailar.

H

haber de + *inf.*	to have to, to be going to	Hoy he de verlo.
hacer + *inf.*	to make, to cause	No lo hagas llorar.
hay que + *inf.*	to be necessary	Hay que pagar los impuestos.
huir de + *noun*	to flee from, to avoid	Huimos del peligro.

I

imaginarse + *inf.*	to imagine	¿Te imaginas tener tanto dinero?
impacientarse por + *inf.*	to grow impatient for (to)	Se impacienta por trabajar.
impedir (e → i, i) + *inf.*	to prevent, to impede	Me impidió llamar por teléfono.
importar(le) + *inf.*	to matter	No me importa ver tu desdén.
+ *noun*		No me importa tu desdén.
inclinarse a + *inf.*	to be inclined to	Me inclino a pensar así.
influir en + *noun*	to influence	Influyó en mis decisiones.
insistir en + *inf.*	to insist on	Insiste en vivir de ese modo.
inspirar a + *inf.*	to inspire to	Me inspiró a escribir.
intentar + *inf.*	to attempt	Intentará decírselo.
ir a + *inf.*	to be going to	Voy a rezar.
+ *noun*	to go to	Voy a la iglesia.
irse de + *noun*	to leave	Me voy de esta casa.

J

jugar (u → ue) a + *noun*	to play at, to practice (a sport)	¿Juegas al tenis?
jurar + *inf.*	to swear	Juró decir la verdad.

L

limitarse a + *inf.*	to limit oneself to	Me limité a viajar por México.
+ *noun*		Me limité a un viaje a México.
llegar a + *inf.*	to manage to, to succeed in	Llegamos a preparar la comida.
+ *noun*	to come to, to arrive at	Llegamos a la posada.
lograr + *inf.*	to succeed in, to manage to	Lograste abrir la puerta.
luchar para + *inf.*	to struggle in order to	Lucho para darles de comer a los pobres.
luchar por + *noun*	to struggle on behalf of	Lucho por los pobres.

M

mandar + *inf.*	to cause, to have, to order	Nos mandó llamar.
maravillarse de + *inf.*	to marvel at	Me maravillo de escucharte cantar.
+ *noun*		Me maravillo de tu talento.
marcharse de + *noun*	to leave	Se marchó del pueblo.
merecer + *inf.*	to deserve	Merece recibir el premio.
meterse a + *inf.*	to begin, to set oneself to	Se metió a cantar.

meterse en + *noun*	*to become involved in*	Se metió en malos negocios.
mirar + *inf.*	*to watch*	Miraba partir el tren.
+ *noun*	*to look at*	Miró todos los cuadros.
morirse (o → ue, u) por + *inf.*	*to be dying to*	Me muero por conocerlos.

N

necesitar + *inf.*	*to need*	Necesito salir de compras.
negar (e → ie) + *inf.*	*to deny*	Negó conocerlo.
negarse (e → ie) a + *inf.*	*to refuse to*	Me niego a abrir la puerta.

O

obligar a + *inf.*	*to oblige to*	Nos obligan a firmar un contrato.
obstinarse en + *inf.*	*to persist in*	Se obstina en callar.
ocuparse de + *inf.*	*to take care of*	Se ocupa de hacer las compras.
+ *noun*		Se ocupa de las compras.
ocurrirse *(indirect object pronoun)* + *inf.*	*to occur (to someone)*	Se nos ocurrió ir al cine.
ofrecer + *inf.*	*to offer*	Te ofrezco dividir las ganancias.
+ *noun*		Te ofrezco las ganancias.
ofrecerse a + *inf.*	*to offer to, to promise*	Se ofreció a darnos una conferencia.
oír + *inf.*	*to hear*	Oímos rugir a las fieras.
oler (o → ue[hue]) a + *noun*	*to smell of, like*	La casa huele a pescado.
olvidar + *inf.*	*to forget*	Olvidaste traer un paraguas.
olvidarse de + *inf.*	*to forget*	Se olvidó de cerrar con llave la puerta.
oponerse a + *inf.*	*to be opposed to*	Nos oponemos a pagar tus deudas.
+ *noun*		Nos oponemos a tus proyectos.
optar por + *inf.*	*to choose*	Optaron por salir temprano.
ordenar + *inf.*	*to order*	Te ordeno cantar.

P

parar de + *inf.*	*to stop, to cease*	Pare de fumar.
pararse a + *inf.*	*to stop to*	Me paré a ver los vestidos de moda.
pararse en + *noun*	*to stop at*	Me paré en todas las tiendas.
parecer + *inf.*	*to seem*	Parece tener razón.
parecerse a + *noun*	*to resemble*	Se parece al abuelo.
pasar a + *inf.*	*to proceed to, to pass on to*	Pasó a pedir dinero para el proyecto.
+ *noun*		Pasó a la siguiente lección.
pedir (e → i) + *noun*	*to ask for*	Pides más ayuda.
pensar (e → ie) + *inf.*	*to intend*	Piensa escribir una novela.
pensar (e → ie) de + *noun*	*to have an opinion about*	¿Qué piensas de mí?
pensar (e → ie) en + *noun*	*to think about (have in mind)*	Piensa en su madre.
permitir + *inf.*	*to permit*	No permiten hablar inglés en clase.
persistir en + *inf.*	*to persist in*	Persiste en mentir.
poder (o → ue) + *inf.*	*can, to be able to*	¿Podemos entrar?
ponerse a + *inf.*	*to set oneself to, to begin to*	Nos pusimos a esquiar.

preferir (e → ie, i) + *inf.*	*to prefer*	Prefieren callar.
prepararse a (para) + *inf.*	*to prepare oneself to*	Se prepara a (para) salir.
prepararse para + *noun*	*to prepare oneself for*	Se prepara para los exámenes.
pretender + *inf.*	*to claim*	¿Pretendes decir la verdad?
principiar a + *inf.*	*to begin to*	Principia a llover.
prohibir + *inf.*	*to forbid*	Te prohíbo salir.
prometer + *inf.*	*to promise*	Prometo decírtelo.
proponerse + *inf.*	*to propose*	Me propuse sacar buenas notas.

Q

quedar en + *inf.*	*to agree to*	Quedamos en vernos más a menudo.
quedar por + *inf.*	*to remain to be*	Queda por ver lo que dirá.
quedarse a (para) + *inf.*	*to remain to*	Se quedó a (para) cuidar a los niños.
quedarse en + *noun*	*to remain in*	Se quedó en casa.
quejarse de + *inf.*	*to complain of (about)*	Se queja de no tener tiempo.
+ *noun*		Se queja de sus padres.
querer (e → ie) + *inf.*	*to want, to wish*	Quiero bailar.

R

recordar (o → ue) + *inf.*	*to remember*	Recuerdo oírlo gritar.
reírse (e → i, i) de + *noun* (pronoun)	*to laugh at, to make fun of*	Todos se rieron de mí.
renunciar a + *inf.*	*to renounce, to give up*	Renunció a vivir en el campo.
+ *noun*	*to resign*	Renunció a su puesto.
reparar en + *noun*	*to notice, to observe*	No reparé en sus defectos.
resignarse a + *inf.*	*to resign oneself to*	No me resigno a morir.
+ *noun*		No me resigno a la muerte.
resistirse a + *inf.*	*to resist, to refuse to*	Se resiste a salir.
resolverse (o → ue) a + *inf.*	*to decide to do something*	Me resolví a salir solo.
retirarse a + *inf.*	*to retire, withdraw to*	Se retiró a descansar.
rogar (o → ue) + *inf.*	*to beg, to ask, to request*	Te ruego hablar despacio.
romper a + *inf.*	*to begin (suddenly) to*	Al verlo rompimos a llorar.
romper con + *noun*	*to break off relations with*	Rompí con mi novio.

S

saber + *inf.*	*to know (how)*	Sabe patinar muy bien.
salir de + *noun*	*to leave, come out of*	Salí de la casa temprano.
sentarse (e → ie) a (para) + *inf.*	*to sit down to*	Nos sentamos a (para) comer.
sentir (e → ie, i) + *inf.*	*to be sorry, regret*	Siento comunicarle esta noticia.
separarse de + *noun*	*to leave*	Me separé de mi esposa.
servir (e → i, i) de + *noun*	*to serve as, to function as*	Mi radio sirve también de reloj.
servir para + *noun*	*to be of use for*	Estas carpetas sirven para papeles.
servirse de + *noun*	*to use*	Me serví de estos documentos para el juicio.
soler (o → ue) + *inf.*	*to be in the habit of*	Suelo destarme temprano.
soñar (o → ue) con + *inf.*	*to dream of (about)*	Sueñas con via*jar.*
+ *noun*		*Sueñas con viajes.*

sorprenderse de + *inf.*	*to be surprised to*	Se sorprendió de verte conmigo.
+ *noun*	*to be surprised at*	Se sorprendió de mi casa.
sostener (e → ie) + *inf.*	*to maintain*	Sostiene saber la verdad.
subir a + *noun*	*to go up, to climb*	Subimos a las montañas.
suplicar + *inf.*	*to beg*	Te suplico contestar mis cartas.

T

tardar en + *inf.*	*to take long to*	Tardaste en llegar.
temer + in*f.*	*to fear*	Temo recibir su carta.
terminar de + *inf.*	*to finish*	Terminaré de trabajar.
terminar por + *inf.*	*to end (up) by*	Terminamos por divorciarnos.
tirar de + *noun*	*to pull*	Tiré de la puerta.
tocar *(indirect object pronoun)* + *inf.*	*to be one's turn*	Te toca jugar a las cartas.
trabajar en + *noun*	*to work at*	Trabajamos en casa.
trabajar para + *inf.*	*to strive to, in order to, to work for*	Trabaja para mantener a su hijo.
trabajar por + *noun*	*to work on behalf of*	Trabaja por su hijo.
tratar de + *inf.*	*to try to*	¿Trataste de verlo?
tratarse de + *noun*	*to be a question of, to be about*	Se trata de algo muy serio.
tropezar (e → ie) con + *noun*	*to come upon*	Tropecé con María en Lima.

V

vacilar en + *inf.*	*to hesitate to*	Vacilé en decírselo.
valer más + *inf.*	*to be better*	Vale más hablar con él.
valerse de + *noun*	*to avail oneself of*	Me valí de él para conocer al jefe.
venir a + *inf.*	*to come to*	Vine a visitarte.
ver + *inf.*	*to see*	Vimos salir la luna.
volver (o → ue) a + *inf.*	*to do again*	Volvieron a llamarme.
+ *noun*	*to return to*	Volvieron a Paraguay.

Vocabulario

Español / Inglés

A

a diario daily
a menor costo at a lower cost
abajo (*adv.*) below, down
abogado/a (*n.*) lawyer
abordar to board
aborto abortion, miscarriage
abrazar to embrace, to hug
abrigo overcoat, shelter
abrir to open
abrochar to fasten
 **abrocharse el cinturón de
  seguridad** to fasten one's
  seatbelt
abuelo/a (*n.*) grandfather,
  grandmother
abundar to be abundant, to abound
aburrir to bore
aburrirse to get bored
acabar to end, to finish
acabar de + *inf.* to have just + past
  participle
acabarse to run out
acceder a to access
accesorios de vestir (*pl.*) accessories
acciones (*f., pl.*) stocks, shares
acelerador (*m.*) gas pedal
aceptar los cargos to accept the
  charges
acercarse a to approach
acero steel
 acero inoxidable stainless steel
acompañar to accompany
aconsejar to advise, to counsel
acontecer to happen
acontecimiento event, incident,
  happening
acordar (ue) to agree upon
acordarse (ue) de to remember
acostar (ue) to put to bed
acostarse (ue) to go to bed
acostumbrarse a to be customary;
  to get accustomed to
actriz (*f.*) actress
actuación (*f.*) performance

actual present-day
actualidad (*f.*) present time
actuar to act
acuerdo agreement
 acuerdo de paz peace treaty
 ¡de acuerdo! O.K.!
 de acuerdo con according to
adelante ahead
adelgazar to lose weight
además in addition, besides
adicción (*f.*) addiction
adicional additional
adiós good-bye
¿adónde? to where?
adornar to decorate
adornos (*pl.*) decorations
aduana customs
aéreo/a (*adj.*) air
 correo aéreo air mail
 línea aérea airline
aeropuerto airport
afán (*m.*) eagerness, anxiety
afecto affection
afeitar(se) to shave (oneself)
afirmación (*f.*) statement
afrontar to face
afuera outside
afueras suburbs
agencia agency
 de bienes raíces real estate
agente (*m., f.*) agent
agitar to gesticulate; to excite; to stir
agotar(se) to exhaust; to run out
agradable pleasant
agradecer to thank
agricultor/a (*n.*) farmer
agricultura agriculture
aguacate (*m.*) avocado
agudo/a sharp
ahorrar to save
ahorros (*pl.*) savings
aire (*m.*) **acondicionado** air
  conditioning
ajo garlic
alcalde(sa) (*n.*) mayor
alcaldía municipal city hall
alcanzar to reach; to be sufficient

aldea village
alegrarse de to be glad of, about
alegría happiness
alérgico/a (*adj.*) allergic
alfombra rug, carpet
alma (*f.*) (uses **el**) soul
almacén (*m.*) department store
algo something; somewhat
algodón (*m.*) cotton
alguien someone
algún some; any
alguno/a (*pronoun*) someone;
  something
aligerar to lighten
alimentación (*f.*) nutrition; feeding
aliviar to relieve
almohada pillow
almorzar (ue) to eat lunch
alojamiento lodging
alquiler (*m., n.*) rent, rental
alrededor de around
altas horas de la noche very late at
  night
alto/a (*adj.*) tall; high
alto nivel high level
alzar to lift, to raise
amanecer (*m., n.*) dawn
amar to love
ambiente (*m.*) atmosphere
ambulancia ambulance
ambulante (*adj.*) traveling
negociante (*m., f.*) **ambulante**
  peddler
amenazar to threaten
americana jacket (Spain)
amistad (*f.*) friendship
amor (*m.*) love
ampliar to amplify; to expand
amplio/a (*adj.*) ample; broad
analizar to analyze
ancho/a (*adj.*) wide
andén (*m.*) platform
ánimo spirit
antelación (*f.*): **con antelación** in
  advance
antepasados (*pl.*) ancestors
anterior previous, prior

antes de before
anticipación (*f.*) anticipation
   con anticipación in advance
antiguo/a (*adj.*) ancient
antihéroe (*m.*) antihero
anunciar to announce
anuncio advertisement
   anuncio clasificado
     classified ad
Año Nuevo New Year
aparecer to appear, to be listed
apariencia appearance
apartado de correos P.O. box
apellido last name
aplicar to apply
apoyar to support
aprender to learn
aprestarse a to get ready to
apresurarse a to hurry, to hasten to
aprobar (ue) to approve
  aprobar el curso to pass the course
aprovechar to make use of
aprovecharse de to take advantage
   of
apuntar to take notes
apuntes (*m., pl.*) notes
apuro problem
árbol (*m.*) tree
   árbol de Navidad Christmas tree
   árbol genealógico family tree
archivo file; archive
arena sand
argumento plot
armario closet, wardrobe
armonía harmony
arquitecto/a (*n.*) architect
arquitectura architecture
arreglar to arrange; to fix; to
   straighten
arriba above; upstairs
artesanía handicrafts
ascenso promotion
asegurar to assure; to insure
asegurarse to mke sure; to ensure
asiento seat
   asiento delantero front seat
   asiento del pasillo aisle seat
   asiento de ventanilla
     window seat
   asiento trasero back seat
asignatura course, subject
asistencia attendance
asistir a to attend
asombroso/a (*adj.*) astonishing
aspiradora vacuum cleaner
atender (ie) to attend to
aterrizaje (*m.*) landing
   aterrizaje forzoso forced landing

aterrizar to land
atmósfera atmosphere
atraco robbery; mugging
atraer to attract
atrapar to capture
atrás in the back
atrasar(se) to delay (to be late)
atravesar (ie) to cross
atreverse a to dare to
atropellar to run over
aumentar to increase
aun even
   aun cuando even though
aún still, yet
aunque although; even if
ausencia absence
autobús (*m.*) bus
auxiliar (*m., f.*) **de vuelo** flight
   attendant
auxilio: pedir (*i*) **auxilio** to cry for
   help
avergonzado/a (*adj.*)
   embarrassed
averiguar to verify; to find out
avión (*m.*) airplane
aviso warning; notice
ayer yesterday
ayuda help
ayudar to help
ayuntamiento city hall
azteca (*n., m., f., adj.*) Aztec person
azúcar (*n., m.*) sugar

B

bachillerato high school
bailar to dance
baile (*m.*) dance
bajar to go down; to take down; to
   lose
   bajar de peso to lose weight
   bajarse de to get off
bajo (*prep.*) under
   bajo demanda on demand
baloncesto basketball
bancario/a (*adj.*) banking
banco bank
bandera flag
bañera bathtub
baño bathroom; bath
barato/a (*adj.*) cheap
barbacoa barbecue
barbilla chin
barco ship
   por barco by ship
barra bar

barrer to sweep
barrio neighborhood
base (*f.*) basis, base
basta con is enough to
basura garbage
batidor (*m.*) beater
batir to beat
baúl (*m.*) car trunk (**maletero** in
   some countries)
bebida drink
beca scholarship
bélico/a (*adj.*) warlike
bellas artes fine arts
beneficio benefit
besar to kiss
biblioteca library
bicicleta bicycle
bienestar (*m.*) welfare
bienvenida welcome
   ¡Bienvenido! Welcome!
   dar la bienvenida to welcome
billete (*m.*) ticket
   billete de ida y vuelta
     round-trip ticket
blusa blouse
boca mouth
   boca abajo face down
   boca arriba face up
bocadillo sandwich
boda wedding
bola ball
boletín (*m.*) **de noticias** news
   bulletin
boletín (*m.*) **meteorológico** weather
   report
boleto ticket
   boleto de ida y vuelta round-trip
     ticket
bolsa purse, bag
bolsillo pocket
bombín (*m.*) bowler hat
borla tassel
borrador (*m.*) eraser; first draft
borrar to erase
bostezar to yawn
botas (*pl.*) boots
bote (*m.*) bottle, jar; boat
botella bottle
botiquín (*m.*) medicine cabinet
botones (*m., sing.*) bellboy
bragas (*pl.*) (women's) underwear
brazo arm
brinco jump
brindar to toast
brindis (*m.*) toast
bulla (colloq.) loud noise
bulto parcel
burlarse de to make fun of

buscar to look for

    se busca wanted

búsqueda search

buzón (*m.*) mailbox

C

cabeza head

cabina de mando pilot's cabin

cabina de teléfono telephone booth

cacique (*m.*) political boss

cada each

cadena chain; network

caer(se) to fall

cafetera coffee pot

caja box; cashier's booth

cajero/a (*n.*) cashier

cajuela glove compartment

calavera skull

calcetines (*m., pl.*) (*sing.* **calcetín**)

    socks

calidad (*f.*) quality

calificación (*f.*) grade

calificar to qualify

calle (*f.*) street

callejero/a (*adj.*) street

calma (*f.*) calm

calzoncillos (*pl.*) (men's) underwear

cama bed

cámara chamber; camera

    Cámara de Diputados House of

      Representatives

camarero/a (*n.*) waiter, waitress

cambio change, exchange

    casa de cambio de moneda

      money exchange office

caminar to walk

camilla stretcher

camisa shirt

campana bell

campesino/a (*n.*) farmer; person who

    lives in the country

campo countryside

canal (*m.*) channel; canal

canasta basket

cancha court (tennis)

canción (*f.*) song

cansado/a tired

cantar to sing

cantidad (*f.*) quantity

capacitado/a (*adj.*) qualified; trained

capital (*m.*) capital (money)

capital (*f.*) capital (city)

capó car hood

capricho whim

cara face

cárcel (*f.*) jail

cargador/a (*n.*) loader

cariño affection, love

cariñoso/a (*adj.*) affectionate, loving

carnaval (*m.*) carnival; Mardi Gras

carne (*f.*) meat

    carne de res beef

    carne de ternera veal

carné (*m.*) card

    carné de identidad

      identification card

carnicería butcher shop

carnicero/a (*n.*) butcher

caro/a (*adj.*) expensive

carrera profession, career; race

carretera road, highway

carroza (parade) float

carta letter

cartera wallet

cartero/a (*n.*) mail carrier

casa house

casado/a (*n.*) married person;

    (*adj.*) married

casar(se) to marry (to get married)

casco helmet

casero/a (*adj.*) having to do with the

    home

casi almost

castigar to punish

catálogo catalogue

catarro cold

catedrático/a (*n.*) full professor

causa cause

    a causa de because of, due to

cebolla onion

cejas (*pl.*) eyebrows

celoso/a (*adj.*) jealous

cementerio cemetery

cenar to eat dinner

censura censorship

centro center

    centro comercial shopping

      center

cepillo brush

cercanía nearness, proximity

cerdo pig

cerebro brain

cerradura lock

cesta basket

chamarra (Mex.) jacket

champiñón (*m.*) mushroom

chapado/a a la antigua old-

    fashioned

chaqueta jacket

charla conversation

cheque (*m.*) check

chimenea fireplace

chisme (*m.*) gossip

chiste (*m.*) joke

chofer (*m., f.*) driver

chorizo sausage

ciencia science

    ciencia ficción science fiction

científico/a (*n.*) scientist; (*adj.*)

    scientific

cierto/a (*adj.*) certain, sure

cilindro cylinder

cine (*m.*) movies

cintura waist

cinturón (*m.*) belt

    cinturón de seguridad seat belt

círculo circle

cita appointment

ciudad (*f.*) city

ciudadano/a (*n.*) citizen

claro/a (*adj.*) clear

    ¡Claro que sí! Of course!

clima tropical (*m.*) tropical climate

cobrar to cash (a check); to collect

coche (*m.*) car

    coche-cama sleeping car

    coche-comedor dining car

cocina kitchen

cocinar to cook

codo elbow

coger to pick; to take

cojín (*m.*) pillow, cushion

col (*f.*) cabbage

cola line; glue

    hacer cola to stand in line

colcha bedspread

colegio school

    colegio mayor dormitory (usage

      in Spain)

colgar (ue) to hang

colocar to put (in place)

colorado/a (*adj.*) red

combatir to fight, to battle

comedor (*m.*) dining room

comentarista (*m., f.*) commentator

comenzar (ie) to begin

cometer to commit, to do

cómico/a (*adj.*) funny

comida food

como as, like

    ¿cómo? how? what?

    ¡cómo! how!

    ¡cómo no! of course!

    como si fuera as if (he/she) were

cómoda chest of drawers

cómodo/a (*adj.*) comfortable

compañero/a (*n.*) friend

    compañero/a de cuarto

      roommate

compartir to share

compatriota (*m., f.*) fellow citizen

competencia contest, competition
competitivo/a competitive
comportarse to behave
comprador/a (*n.*) shopper, buyer
comprar to buy, to purchase
comprobante (*m.*) receipt
comprometerse to get engaged; to commit oneself
computadora computer
comunidad (*f.*) community
con with
    con tal (de) que provided that
concierto concert
concurso contest
conducir to drive
conductor/a (*n.*) driver
conejo de Pascua Easter bunny
conexión (*f.*) connecting (flight)
confirmar to confirm
congelar to freeze
conjetura guess, conjecture
conjugar to conjugate
conjunto residencial residential complex
conmemorar to commemorate
conocer to know, to be acquainted with
conseguir (i) to obtain
conservador/a (*adj.*) conservative
constante continuous
constituirse to become
construir to build
consulta consultation, visit to a doctor's office
consultar to consult
consumo consumption
contado: al contado in cash
contaminación (*f.*) **ambiental** pollution
contaminar to pollute, to contaminate
contar (ue) to tell, to count
    contar con to rely on
contestador (*m.*) **automático** answering machine
contestar to answer
continuar to continue
contrabandista (*m., f.*) smuggler
contrabando illegal goods
contratar to contract; to hire
contratiempo mishap
contribuir to contribute
control de seguridad (*m.*) security
convenir (ie) to suit
convertir (ie) to convert
    convertirse en to become
convivencia living together

convocatoria notice of a meeting
copa wine glass
corazón (*m.*) heart
corbata necktie
cordero lamb
cordillera mountain range
  correos: oficina de correos post office
    correo aéreo air mail
    correo certificado registered mail
    correo ordinario surface mail
corregir (i) to correct
correr to run
  correr las cortinas to open or close the curtains
correspondencia correspondence
corresponder to correspond; to write
corrida de toros bullfight
corriente (*f.*) current
cortés (*adj.*) courteous
cortesía courtesy, politeness
corto/a (*adj.*) short
costa coast
costar (ue) to cost
costillas (*pl.*) ribs
costoso/a (*adj.*) expensive
costumbre (*f.*) custom
cotidiano/a (*adj.*) daily
cotilleo gossip
crecimiento growth
crédito de vivienda mortgage
creencia belief
creer to believe
criar to raise
crimen (*m.*) crime
criminal (*n., m., f.*) criminal, outlaw; delinquent, perpetrator
crucero cruise (ship)
cruzar to cross
cuadra block
  a dos cuadras two blocks away
cuadro painting; picture
cuadros: a cuadros plaid
cual(es) which
    ¿cuál(es)? which (one[s])?
cualquier/a any, whatever
cuando when
    ¿cuándo? when?
¿cuánto/a? how much?
¿cuántos/as? how many?
cuarteto de cuerdas string quartet
cuarto room; fourth; quarter
cuello neck
cuenta account; bill; calculation
    cuenta corriente checking account

cuenta de ahorros savings account
cuento story, tale
cuero leather
cuerpo body
cuestión (*f.*) issue, matter
cuestionar to question
cuidado care, attention
    con cuidado carefully
    tener cuidado to be careful
culpable (*adj.*) guilty
cumpleaños (*sing.*) birthday
cumplir... años to turn... years old
    cumplir con los requisitos to fulfill the requirements
cursar to take (a course)
curso course
cuota fee

D

daños (*pl.*) damages
dar to give
    dar a luz to bear a child
    dar fin a to end
    dar la bienvenida to welcome
    dar una clase to teach a class
    dar una película to show a movie
    dar una vuelta to walk around; to go for a ride (a walk)
    darse cita con to meet
    darse cuenta de to realize
    dárselo a to sell for (give it to you for)
de from, of
    ¿de dónde? from where?
    de la misma forma in the same way
    de nada you're welcome; not at all
    de poco uso not used much
    de renombre renown
    ¿De veras? Really?
debajo (de) below, underneath
deber to owe; should, ought
débil weak
decano/a (*n.*) dean
decidirse a to make up one's mind to
decir (i) to say; to tell
    es decir that is to say
    querer (ie) decir to mean
dedicarse a to dedicate oneself to
dedo finger; toe; digit
defectuoso/a (*adj.*) defective
defender (ie) to defend
dejar to allow; to leave (behind)

dejar a su paso to leave in its wake.

dejar de to stop; to fail to (do something)

dejar un recado to leave a message

delante de in front of

delincuencia crime

delincuente (*m., f.*) criminal, delinquent

demanda claim; lawsuit

demás: los demás the others

demonios: ¿dónde demonios... ? where on earth... ?

dentista (*m., f.*) dentist

dependiente/a (*n.*) clerk

deporte (*m.*) sport

deportivo/a (*adj.*) related to sports

derecho/a (*adj.*) right; **derecho** (*n.*) law; privilege

a la derecha to the right

derechos de aduana import duties

derrocar to knock down, to overthrow

derrota defeat

desafiar to challenge; to defy

desamparado/a (*n.*) homeless

desanimar to discourage

desarrollar(se) to develop

desayunar to eat breakfast

desayuno breakfast

descanso rest

descargar to download

descender (ie) to go down

descongelar to defrost

describir to describe

descuento discount

desde since; from

desde luego of course

desear to want, to desire

de desear desirable

desechable disposable

desempeñar to work as

desempleo unemployment

deseo desire, wish

desfile (*m.*) parade

desierto desert

desmayarse to faint

desmayo fainting spell

desnutrición (*f.*) malnourishment

despacho office (lawyer's, doctor's)

despedida farewell

despedir (i) to fire, to dismiss

despedirse (i) de to say good-bye to

despegar to take off (plane)

despegue (*m.*) takeoff (plane)

despertar (ie) to awaken

despertarse (ie) to wake up

después after; afterward

destapar to open

desteñido/a (*adj.*) faded

destinatario/a (*n.*) recipient, addressee

destrozar to destroy, to rip apart

destruir to destroy

desvelarse to stay awake

desventaja disadvantage

detalle (*m.*) detail

detener(se) (ie) to stop

detrás de behind

día (*m.*) day

Día de Acción de Gracias Thanksgiving

Día de los Muertos All Souls' Day

diablo devil

diagnóstico diagnosis

diario/a (*adj.*) daily; **diario** (*n.*) newspaper

dibujo art drawing

dibujos (*pl.*) **animados** cartoons

dictadura dictatorship

dictar to dictate

dictar una conferencia to give a lecture

diente (*m.*) tooth

difícil difficult

dilema (*m.*) dilemma

diminuto/a (*adj.*) very small

Dios (*m.*) God

diputado/a (*n.*) deputy, representative

directo: en directo live (performance)

dirigir to manage; to direct

dirigirse a to approach, to address (a person)

discoteca dance club

discriminado/a (*adj.*) discriminated (against)

disculpa excuse

discurso speech

diseñar to design

disfraz (*m.*) costume

disfrutar (de) to enjoy

disminuir to decrease

disponibilidad (*f.*) availability

dispuesto/a a (*adj.*) willing to

distrito postal ZIP code

diversión (*f.*) entertainment

divertido/a (*adj.*) entertaining

divertirse (ie) to have a good time

divorciado/a (*adj.*) divorced

divorcio divorce

doblar to turn (at a corner), to fold

doblarse to bend over

doble double

doctrina doctrine

documental (*m.*) documentary

doler (ue) to hurt

dolor (*m.*) pain

dolor agudo sharp pain

doloroso/a (*adj.*) painful

domicilio place of residence

donde where

¿dónde? where?

¿adónde? to where?

¿de dónde? from where?

dormir (ue) to sleep

dormirse (ue) to fall asleep

dormitorio bedroom; dormitory

ducha shower

dudable (dudoso/a) doubtful

dudar to doubt

dulce sweet

dulces (*m., pl.*) candies; pastries

durante during

durar to last

E

echar to throw

echar al buzón to mail

edad (*f.*) age

edificios de apartamentos (*pl.*) apartment buildings

educador/a (*n.*) educator

efectivo cash

pagar en efectivo to pay (in) cash

efectuar to bring about; to implement

eficaz (*adj.*) efficient; that works

egresar to leave; to graduate

ejecutivo/a (*n.*) executive

ejercicio exercise

ejército army

elaborar to prepare, to put together

electrodoméstico (home) appliance

elegir (i) to elect

embarazada (*adj.*) pregnant

embotellamiento traffic jam

emoción (*f.*) emotion

empeñarse en to insist on; to persist in

empezar (ie) to begin

empleado/a (*n.*) employee

empleo job; employment

empresa company; undertaking

en favor/en contra in favor/against

en seguida immediately

enamorado/a (*n.*) boyfriend, girlfriend

enamorarse (de) to fall in love (with)
encajar en to set in
encantado/a (*adj.*) delighted
encantar to enchant
encarcelamiento imprisonment
encargado/a (*n.*) person in charge, superintendent
encargarse de to be in charge of
encariñarse con to grow in affection for
encender (ie) to light; to turn on (lights, appliances)
encima de on top of
encinta pregnant
encomienda postal parcel post
encontrar (ue) to find
encontrarse (ue) con to meet
    encontrarse en riesgo to be at risk
encuentro meeting
encuesta survey, poll
endosar to endorse
enfadado/a (*adj.*) angry
enfadarse to get angry
enfermarse to get sick
enfermedad (*f.*) illness
enfermero/a (*n.*) nurse
enfermo/a (*adj.*) sick person, patient
enfoque (*m.*) focus
enfrentarse to confront
enfriar to cool down
engordar to get fat
enhorabuena congratulations
enojarse to get angry
enredar to entangle
enseñanza teaching
enseñar to show
  enseñar a to teach how to
entender (ie) to understand
enterarse de to find out, to hear about
entibiar to cool off
entonces then
entorno surroundings
entrar to enter
entre among, between
entregar to deliver, to hand over
entrenarse to train (for a sport, etc.)
entretenido/a entertaining
entrevista interview
entusiasmado/a (*adj.*) enthusiastic
enviar to send
envío delivery
enyesado: estar enyesado to be in a cast
época age, era
equipaje (*m.*) baggage, luggage
  equipaje de mano carry-on luggage

equipo team
  equipo de sonido sound system
  equipo de video video camera
equivocado/a mistaken
equivocar(se) to (make a) mistake
escala scale
    hacer escala to have a layover (airline flight)
escapar to escape
escaso/a (*adj.*) scant; a few
escena scene
escenario stage
escenificación (*f.*) staging
escoba broom
escoger to choose
escombros (*pl.*) rubble
escribir to write
escritor(a) (*n.*) writer
esforzarse to make an effort
espalda back
espantoso/a (*adj.*) horrible
espárragos (*pl.*) asparagus
especialización (*f.*) major (field of study)
espectáculo show
espejo mirror
espera wait
espinacas (*pl.*) spinach
espíritu (*m.*) spirit
esposo/a (*n.*) husband, wife
esqueleto skeleton
esquina corner
estación (*f.*) station; season
    estación de ferrocarril railroad station
estadística statistics
estado state
  estado civil marital status
estampado/a (*adj.*) printed, stamped
estancia room
estar to be
    estar en forma to be in good shape
    estar en onda (*colloq.*) to know what's going on
    estar por to be about to
este (*m.*) east
estirar to stretch
estómago stomach
estornudar to sneeze
estrecho/a (*adj.*) narrow
estrella star
    estrella del cine movie star
    guiados por una estrella guided by a star
estrellarse to crash
estreno première; new movie
estricto/a (*adj.*) strict
estudiante (*m., f.*) student

estudiantil (*adj.*) related to students
estufa stove
estupendo/a (*adj.*) wonderful
etiqueta label
europeo/a (*adj.*) European
examen (*m.*) exam
examen de admisión (*m.*) admission test
examinar to examine
examinarse to take an exam
exigir to demand
éxito success
experiencia experience
explicar to explain
exponer to exhibit
exprimidor (*m.*) juicer
exprimir to squeeze
extender (ie) to extend
extranjero abroad
extraño/a (*adj.*) strange; foreign; (*n.*) stranger

F

fábrica factory
fábula fable
fácil (*adj.*) easy
facilidad (*f.*) ease
factura bill
facturar el equipaje to check the luggage
facultad (*f.*) school (in a university)
falda skirt
faltar to miss; to be lacking; to fail (to fulfill)
    falta de cuidado lack of attention
familiar (*adj.*) related to family; (*n.*) family member
familiarizarse to become familiar
farmacéutico/a (*n.*) pharmacist
farmacia pharmacy
fastidiado/a bothered
fastidio nuisance
felicitar to congratulate
  ¡Felicitaciones! Congratulations!
Feliz cumpleaños. Happy birthday.
feria fair
ferrocarril (*m.*) railroad
    estación (*f.*) **de ferrocarril** railroad station
festejar to celebrate
fiebre (*f.*) fever
fiesta party
fijarse en to notice, to pay attention to
filmar to film

filosofía philosophy
filósofo/a (*n.*) philosopher
fin (*m.*) end
    fin de año New Year's Eve
    fin de semana weekend
    por fin finally
financiero/a financial
finanzas (*pl.*) finances
firma company
flecha arrow
flor (*f.*) flower
folleto pamphlet
fondos (*pl.*) funds
formulario printed form
fortalecer to strengthen
foto(grafía) (*f.*) photograph
fracasar to fail
fracturarse to fracture, to break
franqueo postage
franqueza frankness
    con franqueza frankly
frasco bottle
frazada blanket
frecuencia frequency
    con frecuencia frequently
fregadero kitchen sink
freno brake
frente (*f.*) forehead
fresa dentist's drill (mechanical); strawberry
fresco/a (*adj.*) fresh
frescura freshness
frijoles (*m., pl.*) beans
frontera border
frutería fruit store
fuego fire
    fuegos artificiales (*pl.*) fireworks
fuera outside
fuerte strong
fumar to smoke
función (*f.*) event, show; showing of a movie
funcionar to work
funcionario/a (*n.*) worker; officer
funda pillowcase
furioso/a (*adj.*) angry
fútbol (*m.*) soccer
    fútbol americano (*m.*) American football
futuro future

G

gabinete (*m.*) office; cabinet
gallo rooster
    misa del gallo Christmas midnight Mass

gamba shrimp
ganadería cattle raising
ganadero/a (*n.*) cattle rancher; (*adj.*) related to livestock
ganancias (*pl.*) earnings; profit
ganar to earn; to win
ganas (*pl.*) desire
    tener ganas de to feel like
ganga bargain
ganso goose
garaje (*m.*) garage
garganta throat
gaseosa mineral water
gastado/a (*adj.*) worn out
gastar to spend
gemelo/a (*n.*) twin
generalmente generally, usually
gerente (*m., f.*) manager
gimnasio gymnasium
ginecólogo/a (*n.*) gynecologist
girar: girar un cheque to write a check
giro money order
    giro bancario bank draft
globo globe; balloon
gobernador(a) governor
gobernante (*m., f.*) ruler
golpe: golpe de estado coup d'état
golpear to beat up
gorro cap
gozar to enjoy
grabar to engrave; to record
gracias thanks
graduación (*f.*) commencement
graduarse to graduate
grasa grease
gratis free
grato pleasure
gratuito/a (*adj.*) free
grave serious
gravedad (*f.*) seriousness, gravity
gremios (*pl.*) unions
grifo water faucet
gripe (*f.*) flu
grito shout
    a gritos shouting
grúa crane
guantes (*m., pl.*) gloves
guardarropa wardrobe
guerra war
guía guide
    guía telefónica telephone directory
guitarra guitar
gustar to like, to be pleasing
gusto pleasure
    mucho gusto en conocerlo(la) a pleasure to meet you

H

haber to possess, to have (auxiliary)
    haber de + inf. to be supposed to; to be going to
    haber que + inf. one must, it is necessary to
había there was, there were
habichuelas (*pl.*) (green) beans
habilidad (*f.*) ability
habitación (*f.*) room
    habitación doble double room
    habitación sencilla single room
hablar to speak
    ¡Ni hablar! Don't even say it!, No way!
hacer to do, to make
    hacer cola to stand in line
    hacer ejercicio to exercise
    hacer entrega to award
    hacer juego con to match
    hacer un brindis to make a toast
    hacerse to become
hambre (*f.*, uses **el**) hunger
    tener hambre to be hungry
harto/a (*adj.*)**: estar harto/a** to be fed up
hasta la vista so long
hasta luego see you later
hasta pronto see you soon
hasta que until
hay there is, there are
    hay que one has to
    no hay de qué you are welcome
heredar to inherit
herido/a (*adj.*) wounded
hermano/a (*n.*) brother, sister
herramienta tool
hierba grass; herb
hierro iron
hígado liver
hijo/a (*n.*) son, daughter
    hijo de vecino any person
    hijo/a único/a only child
hilera row
himno nacional national anthem
hipoteca mortgage
hispánico/a (*adj.*) related to Hispanic culture
hispano/a (*n.*) Spanish-American (person)
historietas (*pl.*) comics
hogar (*m.*) home
hoja leaf; sheet (of paper)
    hoja de maíz corn husk
hojalata tin
hombre (*m.*) man

hombro shoulder
hongos (*pl.*) mushrooms
honrar to honor
hora hour (clock)
    es hora de it's time to
    ¿Qué hora es? What time is it?
    ¡Ya es hora! Time's up!
horario schedule
hornear to bake
horno oven
hospitalizar(se) to put (oneself) in
    the hospital
hubo there was, there were
huelga strike
hueso bone
huésped (*m., f.*) guest
huevo egg
huir to flee
humillado/a (*adj.*) humiliated
huracán (*m.*) hurricane

I

ida y vuelta round trip
idioma (*m.*) language
ídolo idol
iglesia church
igual equal
igualdad (*f.*) equality
igualmente same here
imagen (*f.*) image
imaginar to imagine
imperio empire
impermeable (*m.*) raincoat
imponer to impose
importar to matter, to care
importe (*m.*) sum, amount charged
impresionar to impress
impresos (*pl.*) printed matter; forms
impuesto tax
inauguración (*f.*) opening
inca (*m., f.*) Inca; (*m.*) Peruvian money
incendio fire
inclinarse to bend over
incluir to include
inconveniente (*m.*) disadvantage,
    inconvenience
indicar to indicate
indígena (*m., f.*) native inhabitant
indignarse to get angry
indudable unquestionable
infección (*f.*) infection
informática computer science
informe (*m.*) report
ingeniería engineering
ingeniero/a (*n.*) engineer

ingresar to enter, to enroll
ingresos (*pl.*) income
iniciar to begin
inmediato: de inmediato
    immediately
inmigración (*f.*) immigration
inodoro toilet
inquietud (*f.*) concern, worry
inscribirse to register
insomnio insomnia, sleeplessness
inspección (*f.*) inspection
intercambiar to exchange
interés (*m.*) interest
  tasa de interés rate of interest
internar to place in (a hospital, jail)
interrogar to interrogate
interrumpir to interrupt
intervenir (ie) to intervene
inundación (*f.*) flood
invertir (ie) to invest
investigación research
invitar to invite
inyección (*f.*) injection
  poner una inyección to give an
    injection
ir to go
  ir de compras to go shopping
irritado/a irritated
irritarse to get angry
irse to go away, to leave
isla island
itinerario itinerary; schedule
izquierdo/a left
  a la izquierda to the left

J

jabón (*m.*) soap
jamás never
jamón (*m.*) ham
jarabe (*m.*) syrup
jardín (*m.*) garden
jardinero/a (*n.*) gardener
jefe/a (*n.*) chief, boss
jeringuilla syringe
jornada day's work
  jornada completa full-time
  media jornada half-time
joven young
jubilarse to retire
judío/a (*adj.*) Jewish
juego game
jugador/a (*n.*) player
jugar (ue) to play
jugo juice
juguete (*m.*) toy

justificar to justify
juventud (*f.*) youth

L

labio lip
lago lake
lámpara lamp
lana wool
lápiz (*m.*) pencil
largo/a (*adj.*) long
    a lo largo through; along; by
    larga distancia long distance
lata can
latido throb, beat
lavabo sink
lavadora washing machine
lavaplatos (*m., sing.*) dishwasher
lecho bed
lechuga lettuce
lengua language; tongue
    sacar la lengua to stick out one's
    tongue
lenguaje (*m.*) language
letras (*pl.*) letters; humanities
letrero sign
levantar to raise, to lift
ley (*f.*) law
leyenda legend
libertad (*f.*) **de expresión** freedom
    of speech
libra pound
libre (*adj.*) free
librería bookstore
libreta de cheques check book
licenciatura degree (equivalent to
    B.A.)
licuadora blender
licuar liquefy; to blend
líder (*m., f.*) leader
ligar to make close friends; to get a
    date
ligue (*m.*) close friend; date
limosna charitable donation
limpiaparabrisas (*m., sing.*)
    windshield wiper
limpio/a (*adj.*) clean
línea line
    línea aérea airline
liso/a (*adj.*) plain; straight
lista list
    lista de espera waiting list
    pasar lista to call the roll
listo/a (*adj.*) intelligent; ready
    estar listo/a to be ready
llamada call

llamada de larga distancia long distance call

llamada equivocada wrong number

llamada local local call

llamada por cobrar collect call

llamar to call

llamarse to call oneself, to be named

llano prairie

llanta car tire

llave (*f.*) key

llegada arrival

llegar to arrive

llenar to fill; to fill out

llevar to carry; to wear; to be... time in a place

llevarse to take away, to carry off

llevarse bien to get along well

llover (ue) to rain

lluvia rain

loco/a (*adj.*) crazy

lograr to achieve; to manage to

luchar to fight

lucir trajes regionales to wear the traditional dress

luego later

lustrar to shine

luz (*f.*), **luces** (*pl.*) light

M

madera wood

madre (*f.*) mother

madrina godmother

madrugada dawn

maduro/a (*adj.*) mature; ripe

maestría Master of Arts (degree)

mal (*m.*) evil; sickness

mal badly

mal aliento bad breath

malestar (*m.*) discomfort

malo/a (*adj.*) bad

maleta suitcase

maletín (*m.*) small suitcase; briefcase

maltratado/a (*adj.*) mistreated

mando command

mandón(-ona) (*adj.*) bossy

manejar to drive

manga sleeve

manguera hose

mano (*f.*) hand

manta blanket

mantener (ie) to maintain

mantenerse (ie) en forma to stay in shape

mantenimiento maintenance

manzana apple

mañana tomorrow; morning

mapa (*m.*) map

máquina machine

máquina de afeitar shaver

maravilla marvel

marca brand

marcar to dial (a number)

marcharse to go away, to leave

mareo dizziness, seasickness

mariachis (*m., pl.*) Mexican musical group

mariscos (*pl.*) seafood; shellfish

masa dough

materia subject

maternidad (*f.*) maternity; motherhood

matinal (*adj.*) morning

matrícula registration (fee)

matricularse to register

matrimonio marriage, married couple

maya Mayan

mayor bigger; older

el mayor the biggest, oldest

mayoría majority

mayormente nublado mostly cloudy

mayúscula capital letter

medicamento medication

médico/a (*n.*) physician

medianoche midnight

medio/a (*adj.*) half

medios (*pl.*) means

medios de comunicación media

medios de transporte means of transportation

mejilla cheek

mejor better

mejorar to improve

mendigo/a (*n.*) beggar

menor smaller; younger

menor de edad minor

mensaje (*m.*) message

mensual monthly

mentir (ie) to lie

menudo: a menudo often

mercadería merchandise

mercado market

mercancía merchandise

mestizo/a (*adj.*) mixed-blood person

meter to insert

mezcla mix

miedo fear

tener miedo to be afraid

miel (*f.*) honey

mientras (que) while; as long as

mientras tanto meanwhile

mimado/a (*adj.*) spoiled

minifalda miniskirt

mirar to look at

misa (church) Mass

misa del gallo Christmas midnight Mass

misionero/a (*n.*) missionary

mito myth

mochila knapsack, backpack

moda fashion

estar de moda to be in style

estar pasado de moda to be out of style

mojar(se) to (get) wet

molestar to bother

moneda currency, coin

mono/a (*n.*) monkey

montaña mountain

montar en bicicleta to ride a bike

moraleja moral (of a story)

moreno/a (*adj.*) dark complexioned

morir (ue) to die

mostrador (*m.*) showcase; counter

mostrar (ue) to show

moto(cicleta) (*f.*) motorcycle

moverse (ue) to make a move

mudar de to change

mudarse to change clothes; to move (change address)

mudo/a (*adj.*) mute, silent

mueble (*m.*) piece of furniture

muebles (*pl.*) furniture

muelle (*m.*) (mechanical) spring; pier, wharf

muertes (*f.*) deaths

muerto/a (*adj.*) dead

mujer (*f.*) woman

muleta crutch

mundo hispano Hispanic world

muñeca wrist; doll

muñeco dummy, doll

músculo muscle

N

nacer to be born

Nacimiento Nativity scene, crèche

nacimiento (*m.*) birth

nada nothing

de nada you're welcome; not at all

nadar to swim

nadie no one, nobody

nalgas (*pl.*) buttocks

naranja orange

narcotraficante (*m., f.*) drug dealer

narcotráfico drug traffic
nariz (*f.*) nose
narrar to narrate
natación (*f.*) swimming
natal: ciudad natal birthplace
náuseas nausea
Navidad (*f.*) Christmas
necesidades de empleo (*f.*) employment needs
negar (ie) to deny
negocios (*pl.*) business
    hombre (mujer) de negocios businessperson
negro/a (*n.*) black person
neumático tire
nevar (ie) to snow
nevera refrigerator
ni... ni neither... nor
nieto/a (*n.*) grandson, granddaughter
nieve (*f.*) snow
ningún not any
ninguno/a (*adj.*) not one, none
no más only (Mex.)
noche (*f.*) night
nocturno/a (*adj.*) evening, night
nota grade; note
noticias (*pl.*) news
novio/a (*n.*) boyfriend, girlfriend; bridegroom, bride
nuevo/a (*adj.*) new
nunca never
número number

O

obedecer to obey
obligatorio/a (*adj.*) compulsory
obrero/a (*n.*) blue-collar worker
obtener (ie) to obtain
océano ocean
ocupación (*f.*) job, trade
ocupado/a (*adj.*) busy
ofender to offend
oferta offer
oficina office
oficio trade; job
ofrecer to offer
oído (*m.*) (inner) ear
ojo eye
¡Ojo! Careful!, Watch out!
ola wave
olla cooking pot
olor (*m.*) smell, odor
olvidar to forget
operación (*f.*) operation

opinar to express an opinion
oprimir to press
optativo/a elective
orden (*m.*) order, sequence
orden (*f.*) command; order of merchandise
oreja (outer) ear
orejera earflap
orilla shore
orina urine
oscilar to fluctuate
otorgar to bestow
otro/a another
otros/as others(s)

P

paciente (*m., f.*) patient
padecer (una enfermedad) to suffer (an illness)
padre (*m.*) father
padrino godfather
pagar to pay
    pagar con tarjeta de crédito to pay with a credit card
    pagar en cuotas mensuales to make monthly payments
    pagar en efectivo/al contado to pay cash
país (*m.*) country
pájaro bird
palabra word
paloma dove
palomita pigeon
palomitas de maiz popcorn
pan (*m.*) (loaf) of bread
    pan de molde sandwich bread
panadería bakery
panadero/a (*n.*) baker
pantalla (movie or TV) screen
pantalones (*m., pl.*) pants, slacks
pantorrilla calf
pañuelo handkerchief
papa potato
Papá Noel Santa Claus
papel (*m.*) paper; role (in a play)
    papel de envolver wrapping paper
    papel higiénico toilet paper
par (*m.*) pair
para in order to, for
    ¿para qué? for what purpose?; why?
parada stop
paraguas (*m., sing.*) umbrella
parecer to seem

parecerse to resemble, to look like
pareja pair, couple
pariente (*m., f.*) relative
paro strike, work stoppage
partido (political) party
párrafo paragraph
pasaje (*m.*) ticket, fare
pasajero/a (*n.*) traveler, passenger
pasar to pass; to come in
    pasar lista to call the roll
    pasado de moda out of fashion
Pascua Easter
pasillo aisle
pasta de dientes toothpaste
pastel (*m.*) cake
pastilla pill
    pastilla para dormir sleeping pill
patata potato
patillas (*pl.*) sideburns
patinador(a) (*n.*) skater
patria homeland
patrocinador(a) (*n.*) sponsor
patrullaje (*m.*) patrol
pavo turkey
paz (*f.*) peace
peatón(ona) (*n.*) pedestrian
pecho chest, breast
pedir (i) to ask for; to order
    pedir la baja to resign
    pedir un préstamo to ask for a loan
pegar to glue, to paste; to hit
pelear to fight
película film
peligro danger
pelo hair
pendiente hanging, pending; earring
pensamiento thought
pensar (ie) to think
    pensar de to think of
    pensar en to think about
    pensar en un deseo to make a wish
peor worse
pepino cucumber
pera pear
percance (*m.*) accident, mishap
perder (ie) to lose
    perder el vuelo to miss the flight
perderse (ie) to get lost
pérdidas (*pl.*) losses
perdonar to excuse
periódico newspaper
periodismo journalism
periodista (*m., f.*) journalist
perjudicar to harm
permanencia stay; green card

permiso permission; permit
pero but
perseguir (i) to pursue
personaje (*m.*) character (in a play)
personajes (*pl.*) **e intérpretes** (*pl.*) cast
personal (*adj.*) personal; (*m.*) personnel
pertenencias (*pl.*) belongings
perturbar to disturb
pesar to weigh
    a pesar de (que) in spite of; although
pescadería fish market
pescado fish
peso weight; currency of several Latin American countries
pestaña eyelash
picar to eat small bits
pie (*m.*) foot
    pies de foto (*m.*, *pl.*) captions
piel (*f.*) skin
pierna leg
píldora pill
piloto (*m.*, *f.*) pilot
piratería aérea hijacking
piscina pool
piso floor; apartment
pista roadway; clue; track
    pista de aterrizaje runway
placa license plate
placer (*m.*) pleasure
plana: primera plana front page
plancha iron
planchar to iron
plano/a (*adj.*) flat
plano de la casa floorplan
planta baja ground floor
plantearse to examine, to study
plata silver
plátano banana; plantain
plato plate; dish
playa beach
plazos (*pl.*)**: comprar a plazos** to buy on the installment plan
pleno/a (*adj.*) full
plomo lead
    sin plomo unleaded
pluma pen; feather
población (*f.*) town; population
pobreza poverty
poder (*m.*) power
poder (ue) to be able; can
podría could
policía (*f.*) police
policía (*m.*) policeman
  mujer policía (*f.*) policewoman
político/a (*n.*) politician

pollo chicken
poner to put, to place
    poner una inyección to give a shot
ponerse to put on, to wear; to become
por through; by
    por debajo de cero below zero
    por favor please
    por fin finally
    por lo menos at least
    por poco almost
    ¿Por qué? why?
    porque because
    por supuesto of course
porcentaje (*m.*) percent
posponer to put off, to postpone
postulante (*m.*, *f.*) applicant
postular to apply for
práctica privada private practice
precio price
precisar to need; to be specific
preferir (ie) to prefer
pregonar to announce publicly
pregunta question
    hacer preguntas to ask questions
preguntar to ask
preguntarse to wonder
prejuicio prejudice
premiar to give an award
prenda jewel
    prenda de vestir piece of clothing
prensa press, newspapers
preocupar to worry (another)
    preocuparse por to worry about
preparar(se) to prepare (oneself) (to get ready)
preparativos (*pl.*) preparations
presenciar to witness
presentar to present; to introduce; to show
    me gustaría presentarle(te) a... I would like you to meet...
    presentarse al examen to show up for the test
presión (*f.*) **arterial** blood pressure
    presión alta high blood pressure
préstamo loan
prestar to lend
    prestar atención to pay attention
prestigioso/a prestigious
presupuesto budget
prevenir (ie) to prevent; to warn
primer, primero/a (*adj.*) first
primero que todo first of all

primo/a (*n.*) cousin
principio beginning
prisa haste
    tener prisa to be in a hurry
probar (ue) to try; to taste
procedencia place of origin
procedente de coming from
proceso procedure; process; lawsuit
programador/a (*n.*) programmer
prolongado/a extended
prometer to promise
pronto soon
    de pronto soon
    tan pronto como as soon as
propina tip
propio/a own
proponer to propose
proporcionar to provide
propósito aim, purpose
proteger to protect
proveedor/a provider
próximo/a (*m.*) next
proyecto project
prueba test
publicidad (*f.*) advertising
¿Puedo? May I?
puerta door
puesto job, position; market stall
pulmón (*m.*) lung
punto point
    punto de vista point of view

Q

que that, which
¿Qué? what?
    ¿Por qué? why?
    ¡Qué lástima! what a pity!
    ¿Qué tal? how are you?
    ¡Qué va! no way!
quedar bien con to make a good impression on
quedar en to agree on
quedarle a uno to have left
quedarle bien a uno to suit someone
quedar(se) to remain, to stay; to be located
    quedarse con to keep
quedársele a uno to be left (remaining) to one
quehacer (*m.*) task, chore
queja complaint
quejarse (de) to complain (about)
quemar to burn
querer (ie) to wish, to want; to love

querer decir to mean
querido/a (*adj.*) dear, beloved
queso cheese
quien who, whom
¿quién? who?, whom?
quinceañera fifteen-year-old girl
quisiera I would like
quitar(se) to remove; to take off
    (clothing)
quizá, quizás perhaps

R

racimo bunch
ración (*f.*) portion, serving
radio (*m.*) radio set
radio (*f.*) radio
radioemisora radio station
raspar to scrape
ratificar to confirm
rato short while
raya stripe
    a rayas striped
rayo ray; thunderbolt, lightning
   rayos equis (*pl.*) X-rays
raza race
razón (*f.*) reason
    tener razón to be right
realizar to fulfill, to achieve
realizarse to take place
rebaja discount
    en rebaja reduced merchandise
rebajar to reduce
rebozo shawl (Mex.)
recado message
recámara bedroom (Mex.)
recepción (*f.*) hotel lobby
receta prescription
recetar to prescribe
recibir to receive
reciclado recycling
reclamar to claim
recoger to pick up
    recoger la mesa to clear the table
recomendación (*f.*)
    recommendation
recordar (ue) to remember
recorrer to travel through, to pass
    over
recostarse (ue) to lean back
rector/a (*n.*) president of a university;
    chancellor
recuerdo memory; souvenir
recursos humanos (*pl.*) human
    resources
reemplazar to replace

referirse (ie) a to refer to
refrán (*m.*) proverb, saying
refresco drink
regalo gift
regar (ie) to water
regatear to bargain
régimen (*m.*) **militar** military regime
registrar to examine, to look
    through, to inspect
registrarse to register
relajar to relax
relámpago lightning
releer to reread
relleno stuffing
reloj (*m.*) watch; clock
remedio remedy
    no tener más remedio to have
      no other choice
remitente (*m., f.*) sender
renunciar to quit, to resign
reñir (i) to fight; to scold
repartirse to share
repasar to review
repetir (i) to repeat
repicar las campanas to ring
    (church) bells
reportaje (*m.*) news report
reportar to report
reprobar (ue) to fail, to flunk
requerido/a required
    se requiere required
requisito requirement, requisite
resfriado: coger un resfriado to
    catch a cold
resfrío cold
resistir to resist
resolver (ue) to solve
respirar to breathe
restar to subtract
retirar to take away
retirarse to withdraw, to retreat
retraso delay
reunir(se) to gather; to meet
reunión (*f.*) meeting
revendedor/a (*m., f.*) reseller; scalper
reventar (ie) to pop, to burst, to
    explode
revisar to review; to check
    revisar el saldo to check the
      balance
revista magazine
Reyes (*m., pl.*) **Magos** the Three Wise
    Men
rezongar to mumble
riesgo risk
riñón (*m.*) kidney
río river
ritmo rhythm

robo robbery, theft
rodar (ue) to film (a movie)
rodear to surround
rodilla knee
rogar (ue) to beg, to plead
romper to break
ropa clothing
ropero closet; wardrobe
ruborizado/a (*adj.*) blushing
rueda wheel
ruido noise
rumbo a bound for
rutas de autobuses (*pl.*) bus routes

S

sábana bed sheet
saber to know; to taste
    ¡sabe a demonios! it tastes
      horrible!
sacar to take out
    sacar buenas (malas) notas
      to get good (bad) grades
sacerdote (*m.*) priest
sala room; living room
  sala de espera waiting room
salida exit
salir to leave; to depart
salón (*m.*) room
saltar to jump
salud (*f.*) health
    ¡Salud, dinero y amor! To your
      health!
saludable (*adj.*) healthy
saludar to greet; to salute
salvar to save, to rescue
sandalia sandal
sandía watermelon
sangre (*f.*) blood
santo saint
satisfacer las demandas/
    necesidades to meet the
    demands/needs
secadora dryer
secar los platos to dry the dishes
sed (*f.*) thirst
  tener sed to be thirsty
seda silk
seguir (i) to follow
    seguir las indicaciones to follow
      directions
segundo second
seguro/a (*adj.*)**: estar seguro** to be
    safe; to be sure
seguro insurance
seleccionar to select

sello postage stamp
selva jungle
Semana Santa Holy Week
semáforo traffic light
sencillo/a (*adj.*) easy; simple
sendero path
sentarse (ie) to sit
sentimiento feeling
sentir (ie) to feel
sentirse mal (bien) to feel sick (well)
señal (*f.*) signal
    señales (*pl.*) **de tránsito** traffic
      signals
sequía drought
serenata serenade
seres queridos (*m.pl.*) loved ones
servir (i) to serve
    servir para to be used for
sicólogo/a (*m., f.*) psychologist
sida (*m.*) AIDS
siempre always
siglo century
siguiente following
silbar to whistle
silla chair
    silla de ruedas wheelchair
sillón (*m.*) armchair; rocking chair
sin without
    sin cesar ceaseless(ly)
    sin costo alguno free of charge
    sin embargo however
    sin igual unsurpassed
    sin presupuesto without budget
sindicato labor union
sino but; except
síntoma (*m.*) symptom
sobre (*m.*) envelope
sobre above; about
sobregirarse to overdraw
sobreviviente (*m., f.*) survivor
socio/a (*n.*) partner
soldado (*m., f.*) soldier
soler (ue) to be accustomed
solicitante (*m., f.*) applicant
solicitar to apply
    solicitar un empleo to apply for
      a job
solicitud (*f.*) application
solo only
solo/a (*adj.*) alone
soltero/a (*n.*) single (unmarried)
    person
solución (*m.*) solution
sonreír (i) to smile
soñar (ue) to dream
soplado/a a mano (*adj.*) hand-blown
soplar to blow out (candles)
sorprender to surprise

sorpresa surprise
sortear to draw lots
sospechoso/a (*adj.*) suspicious,
    suspect
subasta auction
subir to go up; to take up; to climb
    subir(se) a to get on
subrayar to underline
suceder to take place
sucio/a (*adj.*) dirty
sucursal (*f.*) branch (office, store)
suegro/a (*n.*) father-in-law, mother-
    in-law
sueldo salary
suele ser (it) usually is
suelo floor
sueño dream
    tener sueño to be sleepy
suerte (*f.*) luck
    tener suerte to be lucky
sufrir to suffer
sugerir (ie) to suggest
sujetador (*m.*) bra
sumar to total, to add
supervisar to supervise
suponer to suppose
supuesto: por supuesto of course
sur (*m.*) south
suspender to flunk (a student or a
    subject)
sustituir to substitute

T

tablón (*m.*) **de anuncios**
    bulletin board
tacaño/a (*adj.*) cheap, stingy
tacón (*m.*) heel
tal such
    ¿Qué tal? How are you?
talla size
tallado/a (*adj.*) carved
tamaño size
tampoco neither; (not) either
tanque (*m.*) **de gasolina** gas tank
tapas (*pl.*) snacks (Spain)
taquilla ticket office, ticket window
tarea task; work; homework
tarifa fare; fee
tarjeta card
    tarjeta de crédito credit card
    tarjeta postal postcard
taza cup
    taza de café cup of coffee
teatro theater
techo roof

tejado roof
tejido/a (*adj.*) knit
telenovela soap opera
telepantalla television screen
televidente (*m., f.*) television viewer
telón (*m.*) theater curtain
temer to be afraid of, to fear
temporada season
tenderse (ie) to lie down
tener (ie) to have, to possess
    tener cabeza para los números
      to be good with numbers
    tener calor to be hot
    tener cuidado to be careful
    tener frío to be cold
    tener hambre to be hungry
    tener ganas de to feel like
    tener lugar to take place
    tener miedo to be afraid
    tener razón to be right
    tener sueño to be sleepy
    tener suerte to be lucky
    tener talento to have talent
tensión (*f.*) stress
teñir (i) to dye
terminar to end, to finish
ternera veal
terraza terrace
terremoto earthquake
tertulia gathering, conversation
testigo (*m., f.*) witness
tiempo time
tienda de calzado shoe store
tienden a producir tend to yield
tila, flor de linden tree flower(s)
    (medicinal)
tina bathtub
tinto: café tinto black coffee
    (Colombia)
    vino tinto red wine
tío/a (*n.*) uncle, aunt
titular (*m.*) headline
título title; degree
toalla towel
tobillo ankle
tocado hairdo; headdress
todo/a (*adj.*) all, every
    ante todo above all
tomar to take; to drink
    tomar apuntes to take notes
    tomar asiento to sit down
    tomar precauciones to take
      precautions
tontería foolishness
    ¡Qué tontería! What nonsense!
toparse con to meet (by chance)
torear to bullfight
tormenta storm

torta cake
tortilla corn or flour pancake
    tortilla española Spanish
        omelette
tos (*f.*) cough
toser to cough
tostadora toaster
trabajador/a (*n.*) worker
traducir to translate
traer to bring
traje (*m.*) suit
trámite (*m.*) procedure
tranquilo/a (*adj.*) calm, quiet
tránsito traffic; transit, passage
transmitir to broadcast
transportar to transport
transporte (*m.*) transportation
trapo rag, piece of cloth
tratamiento treatment
tratar to try
    tratar con to deal with
    tratar en vano to try in vain
tratarse de to be about
tren (*m.*) train
tripulación (*f.*) crew
tropezarse con to meet (by chance)
trotar to jog
trueno thunder
tumba grave
turbulencia turbulence
turista (*m., f.*) tourist

U

ubicación (*f.*) location
último/a last
único/a (*adj.*) only
    hijo/a único/a only child
unirse to join
universitario/a (*n.*) university
    student

unos (unas) some; a few
uña (finger or toe) nail
usuario/a user
uva grape

V

¡Vale! O.K.!
valle (*m.*) valley
valor (*m.*) value; courage
vaquero (*m.*) cowboy
vaqueros (*pl.*) jeans
variedad (*f.*) variety
varón (*m.*) male
vecino/a (*n.*) neighbor
vehículo vehicle
vela candle
vena vein
vencimiento: fecha de vencimiento
    expiration date
vendedor/a (*n.*) salesperson
vender to sell
¡Venga! Come on!
venir (ie) to come
venta sale
    a la venta on sale
    ventas de fábrica factory sales
ventaja advantage
ventanilla car window; ticket booth
ventilador (*m.*) vent; fan
verano summer
verbena conversational gathering;
    popular festival
verde (*adj.*) green; unripe
verdura vegetable; (edible) green
verdulería vegetable market
verificar to check
vestido dress
vestimenta clothes, garments
vez (*f.*) time, occasion
    a la vez at the same time

    a veces sometimes
    otra vez another time; once again
viajar to travel
viaje (*m.*) trip
viajero/a (*n.*) traveler
vida life
vidrio glass
Viernes (*m.*) **Santo** Good Friday
villancico Christmas carol
vino wine
víspera de Navidad Christmas Eve
visto: por lo visto apparently
viudo/a (*adj.*) widowed; (*n.*) widower,
    widow
vivienda housing
vivir to live
volante (*m.*) steering wheel
voluntad (*f.*) will; desire
volver (ue) to return
  volver a to (do something) again
  volver en sí to regain
    consciousness
volverse (ue) to become
voto vote
voz (*f.*) voice
vuelo flight
    vuelo directo direct flight
vuelta return; change (money)
    estar de vuelta to be back

Y

ya mismo right away

Z

zapato shoe
zona zone
zumo juice (Spain)

Índice

Credits

Acknowledgments

The authors wish to thank the many people of the Caribbean Islands, Central America, South America, Spain, and the United States who assisted in the photography used in the textbook. Also helpful in providing photos and materials were the National Tourist Offices of Argentina, Bolivia, Chile, Colombia, Honduras, Mexico, Perú, Puerto Rico, and Spain.

Literary/Audio Credits

The Publisher would like to thank the following people and/or institutions for the right to reproduce their content:

10 "Una joven ofrece su testimonio sobre los efectos del bloqueo", en "Audiencia parlamentaria denunció violaciones del bloqueo contra Cuba". © *Juventud Rebelde — Edición Digital*, Cuba, 23 de octubre de 2014; 15 © Silvio Rodríguez, 1980. "Vamos a andar". *Rabo de nube*. La Habana, Cuba: http://zurrondelaprendiz.com; 26–27 Fragmentos del "Discurso de Barack Obama sobre la reanudación de relaciones entre EE. UU. y Cuba". *La Jornada*, México, 17 de diciembre de 2014. Used with permission of The Associated Press Copyright© 2015. All rights reserved. 29 www.rtve.es/alacarta/videos/programa/alegria-entre-cubanos-ante-levantamiento-restricciones-viajes-envios/476444/; 40 José Martí. 1913. "Dos patrias". En *Versos libres*. Dominio público; 58 Europ Assistance © Europ Assistance; 59 "El Madrid dorado", "Madrid de noche", "Tour de tapas" © SANDEMANs NEW Europe GmbH; 65–66 "Tipos de trenes en España", "Trenes internacionales de alta velocidad en España" © http://www.eurail.com/; 74 © Álvaro Octavio Lara Huerta. 2015. "2015, Año del Quijote". *Zacatecas en Imagen*, México, 14 de enero; 75 "Cospedal celebra que 'nuestro personaje más universal' acercará Castilla-La Mancha al mundo para crear riqueza". © *Presidente, Castilla-La Mancha*. 8 de enero de 2015. (http://www.castillalamancha.es/actualidad/notasdeprensa/cospedal-celebra-que-"nuestro-personaje-más-universal"-acercará-castilla-la-mancha-al-mundo-para); 76 © Ana María Escribano. 2015. "Logotipo ganador Qvixote 2015". 18 de enero de 2015. (https://www.behance.net/gallery/22857349/Logotipo-ganador-Qvixote-2015); 76 Logo Qvixote 2015 © Fundación Cultura y Deporte de Castilla-La Mancha; 77 mvod.lvlt.rtve.es/resources/TE_STURCOM/mp3/7/9/1379666091297.mp3; 87 Antonio Machado. 1907. "He andado muchos caminos". En *Soledades, galerías y otros poemas*. © Herederos de Antonio Machado; 117 Bienvenido a la Universidad del Pacífico © 2010 Universidad del Pacífico (http://www.up.edu.pe/internacional/programs.aspx?program=Summer in Cusco); 117 Curso de verano: "Del conocimiento local a los negocios globales" ©2010 Universidad del Pacífico (http://www.up.edu.pe/internacional/program-details.aspx?program=Summer in Cusco&detail=Acerca del curso); 117 Alojamiento en casas de familia ©2010 Universidad del Pacífico (http://www.up.edu.pe/internacional/program-details.aspx?program=Summer in Cusco&detail=Alojamiento); 118 Acerca de Cusco ©2010 Universidad del Pacífico (http://www.up.edu.pe/internacional/program-details.aspx?program=Summer in Cusco&detail=Vida en Cusco);120 www.up.edu.pe/internacional/programs.aspx?program=Summer%20in%20Cusco; 127–131 Ricardo Palma. 1896. "El alacrán de Fray Gómez". En *Tradiciones peruanas*. Barcelona: Montaner y Simón; 164–165 Gabriel Díez Lacunza. 2014. "Las trabajadoras del hogar se asocian y ofrecen servicios domésticos por hora". *Página Siete*. 23 de junio; 167 Soy trabajadora del hogar © Radio Deseo, Mujeres Creando Bolivia www.radiodeseo.com, www.mujerescreando.org;

175–176 Emilia Pardo Bazán. 1922. "Las medias rojas". En *Cuentos de mi tierra*. Madrid: Atlántida; 206–207 "El 59% de los universitarios mexicanos no cuenta actualmente con un empleo". © *Universo Laboral: Redacción*, México. 12 de octubre de 2012; 209 https://archive.org/details/ANTONELLAGRECO_20131111; 221–222 "Autorretrato" por Rosario Castellanos. En *Poesía no eres tú: Obra poética 1948-1971 (1972)*. Copyright © 2004, Fondo de Cultura Económica. Todos los derechos reservados. México, D. F. Esta edición consta de 5.000 ejemplares impresos; 247 El plato para comer saludable: *Derechos de autor © 2011 Universidad de Harvard. Para más información sobre El Plato para Comer Saludable, por favor visite la Fuente de Nutrición, Departamento de Nutrición, Escuela de Salud Pública de Harvard, http://www.thenutritionsource.org y Publicaciones de Salud de Harvard, health.harvard.edu*; 248–249 Teresita Quezada. "Los momentos que marcaron la evolución de la medicina y la salud en Chile". @ *Diario La Tercera*, Chile. 14 de septiembre de 2010; 251 radio.uchile.cl/programas/a-tu-salud/la-periodista-cecilia-espinosa-junto-a-su-equipo-de-panelistas-abordo-el-tema-de-la-medicina-complementaria-con-sus-modalidades-teorias-y-creencias-que-la-acompanan-para-esto-tuvo-como-invitados-al; 259–260 Pablo Neruda. "Walking around", *RESIDENCIA EN LA TIERRA*, @ Fundación Pablo Neruda, 2015; 292–293 "Una tragedia que no admite más disputas ni dilaciones". @ *La Nación: Editoriales*, Argentina, 4 de abril de 2013; 295 www.continental.com.ar/noticias/sociedad/macri-construira-100-km-de-bicisendas-el-promedio-de-viaje-en-la-ciudad-no-es-de-mas-de-5-km-una-distancia-perfecta-para-hacer-ejercicio/20100311/nota/966241.aspx; 302 "Los dos reyes y los dos laberintos" de *El Aleph* por Jorge Luis Borges. Copyright © por María Kodama, usado con permiso de The Wylie Agency, LLC; 331–332 Jorge J. Muñiz Ortiz. "La crisis lleva a universitarios puertorriqueños a emigrar en masa a EE. UU." *Vívelo Hoy*. @ Agencia EFE en EEUU, 07/22/14 10:24 a. m.; 334 www.vozdelcentro.org/2003/11/30/la-emigracion-puertorriquena-a-los-estados-unidos/; 341–342 Extraído de *Cuando era puertorriqueña*. @ Esmeralda Santiago. 1994. Nueva York: Vintage Español; 372–373 Melissa Zuleta Bandera. "¿Triqui triqui enfrentado a los angelitos?". @ *El Heraldo*, Colombia, 1 de noviembre de 2013; 375 https://archive.org/details/LatinElective.blogspot.com_ColombiayFiestas; 381–384 Gabriel García Márquez. "Un señor muy viejo con unas alas enormes", *La increíble y triste historia de la cándida Eréndira y su abuela desalmada*. © Gabriel García Márquez, 1972, & Herederos de Gabriel García Márquez; 415–416 Israel Cruz. "Virgilio Andrade: en 50 años de radio sufrí amenazas, marginación y exilio". @ *ConexiHon*, Honduras, 27 de agosto de 2013; 418 https://soundcloud.com/rdsradiohn/protagonistas-del-desarrollo-17-noviembre-2014-asosiacion-compartir?in=rdsradiohn/sets/protagonistas-del-desarrollo; 428–429 Sor Juana Inés de la Cruz. 1689. "Hombres necios que acusáis". En *Inundación castálida*. Madrid: Juan García Infanzón; 430 Alfonsina Storni. 1919. "Peso ancestral". En *Irremediablemente*. Buenos Aires: Cooperativa Editorial Limitada

Photo Credits